HISTOIRE DE LA LITTÉRATURE ÉROTIQUE

DU MÊME AUTEUR

ROMANS

L'Homme des lointains, Flammarion, 1960.
Danger de vie, Denoël, 1964.
L'Œuf du monde, Filipacchi, 1975.
Les Terres fortunées du songe, Galilée, 1980.

CONTES

Le Déconcerto, Galilée, 1980.

ESSAIS

André Breton par lui-même, Éditions du Seuil, 1971.
Le Surréalisme et le rêve, Gallimard, 1974.
Création Récréation, Denoël, 1976.
Les Libérateurs de l'amour, Éditions du Seuil, 1977.
Le Socialisme romantique, Éditions du Seuil, 1979.
Georges Henein, Éditions Seghers, 1981.
Histoire de la philosophie occulte, Éditions Seghers, 1983.

ÉCRITS SUR L'ART

Victor Brauner l'illuminateur, Cahiers d'art, 1954.
Les Dessins magiques de Victor Brauner, Denoël, 1965.
Bruegel, Flammarion, 1969.
L'Art surréaliste, Fernand Hazan, 1969.
Les Maîtres de la lumière, Hatier, 1969.
La Peinture en Europe au xviiie siècle, Hatier, 1970.
Hans Bellmer, Filipacchi, 1971.
Dictionnaire de la peinture surréaliste, Filipacchi, 1972.
Panorama de l'impressionnisme, Filipacchi, 1973.
Le Cubisme de A à Z, Filipacchi, 1973.
L'Univers de Gustave Moreau, Screpel, 1975.
Marcel Duchamp, Flammarion, 1976.
Dali et les poètes, Filipacchi, 1977.
Seurat, Flammarion, 1980.
Max Ernst, Somogy, 1986.

ALEXANDRIAN

HISTOIRE
DE LA
LITTÉRATURE
ÉROTIQUE

SEGHERS

© Éditions Seghers, Paris, 1989
ISBN 2-232-10243-2

AVANT-PROPOS

Cet essai traite fort sérieusement d'un sujet réputé frivole ou immoral, non pas pour en faire l'éloge, mais pour comprendre ce qu'il y a dessous et définir à travers lui les rapports de la littérature et des mœurs. Je souhaite qu'il soit aussi utile que curieux. Les excès de l'érotisme dans les lettres et les arts de ces dernières années risquent de remettre en cause les libertés péniblement acquises. Des esprits rêvent d'un retour au puritanisme et à la prohibition, contre les défenseurs de la tolérance inconditionnelle. Il est nécessaire d'exposer aux uns et aux autres, par une vue d'ensemble, tout ce qu'a représenté la lutte séculaire des écrivains en faveur de l'expression totale de la sexualité.

Dans un de mes précédents livres, bien accueilli du public, *Les Libérateurs de l'amour*, j'ai étudié les maîtres de la révolution sexuelle, ceux qui ont montré par des moyens romanesques, sociologiques ou mystiques comment accomplir «la synthèse de l'amour-passion et du libertinage» que je tiens pour le grand idéal moderne d'émancipation de la vie privée. Ici, dans une démarche complémentaire, je vais cerner avec précision un élément capital de cette révolution, l'érotisme littéraire, qui la reflète de bas en haut, examiner son développement paradoxal et en tirer diverses leçons d'ordre éthique et stylistique.

Evidemment, cette histoire de la littérature érotique n'a rien de scolaire; ce serait par trop simpliste, et du reste assez inconvenant, d'en faire une sorte de manuel didactique. Il s'agit au contraire d'une réflexion générale, reposant sur un grand nombre d'analyses de textes, avec des indications biographiques soulignant la psychologie de leurs auteurs, afin d'évaluer les problèmes que pose un pareil genre littéraire. Cette histoire est condensée également, car des longueurs en cette matière ne sont pas justifiables; elles m'amèneraient à parler de choses secondaires, alors que je veux m'en tenir à des écrits classiques, ou à des livres populaires assez significatifs pour nous révéler *la libido collective*.

Une littérature dont le but est d'affirmer les droits de la chair est parfaitement légitime. Mais elle exige, si l'on ne veut pas compromettre l'équilibre humain, que l'on maintienne devant elle les droits de l'esprit, en la critiquant objectivement. Faute d'une connaissance générale de ses variations, telle que je l'établis ici, on fera des méprises déplorables sur son sens profond et sur ses créateurs. Au cours de mon livre on verra se définir la notion de liberté sexuelle, se déployer sa progression dans le temps, ses mutations, ses contradictions même. On comprendra quels sont les véritables critères qui permettent de juger si un livre érotique est bon ou mauvais, s'il appartient à la littérature ou s'il est un document psychopathologique.

Aujourd'hui, en face des productions littéraires ou cinématographiques les plus débridées, au lieu d'invoquer la vertu comme naguère, on prétend distinguer entre l'érotique et le pornographique. La nouvelle forme de l'hypocrisie consiste à dire: si ce roman ou ce film était érotique, je m'inclinerais devant sa qualité; mais il est pornographique, aussi le repoussé-je avec indignation. Ce raisonnement est d'autant plus inepte que personne n'arrive à expliquer la différence qu'il y voit. Et pour cause: il n'y a pas de différence. La pornographie est la description pure et simple des plaisirs charnels, l'érotisme est cette même description revalorisée en fonction d'une idée de l'amour ou de la vie sociale. Tout ce qui est érotique est nécessairement pornographique, avec quelque chose en sus. Il est beaucoup plus important de faire la distinction entre l'érotique et l'obscène. En ce cas, on considère que l'érotisme est tout ce qui rend la chair désirable, la montre dans son éclat ou dans sa fleur, éveille une impression de santé, de beauté, de jeu délectable; tandis que l'obscénité ravale la chair, y associe la saleté, les infirmités, les plaisanteries scatologiques, les mots orduriers.

Ce livre traite de la littérature européenne — car c'est en Europe que l'érotisme est devenu un genre littéraire déterminé et que des ouvrages orientaux qui avaient dans leur pays d'origine un sens religieux, comme les *Kāma sūtra*, prirent un sens profane — mais il n'a pas besoin d'être exhaustif. Ce serait le grossir inutilement — et d'une façon monotone — que de recenser la littérature érotique nation par nation, puisque deux nations seulement, l'Italie et la France, ont eu en ce domaine une originalité absolue, au point d'influencer toutes les autres depuis le Moyen Age. L'Angleterre n'a commencé à développer son érotisme littéraire qu'au xviiᵉ siècle, comme l'a montré C.R. Dawes dans *A Study of Erotic literature in England* (1943). L'Allemagne a subi l'influence de Boccace (que l'on constate sur Hans Sachs), avant de s'inspirer des auteurs galants français. Le seul livre érotique des Pays-Bas au «siècle d'or», *Venus batava* (1618), est en latin et vaut surtout par ses vingt-quatre planches gravées.

L'Espagne, n'osant pas se jouer de la censure de l'Inquisition, se spécialisa dans la littérature sentimentale et chevaleresque; l'enfer de la bibliothèque de don Antonio Villalonga à Palma de Majorque, dont Fernando Bruner Prieto dressa le catalogue, contenait sur cent soixante-treize livres érotiques seulement trois espagnols (deux anthologies poétiques de *obras de burlas* — pièces burlesques — et un recueil de poésies picaresques de Quevedo). Un ouvrage sur l'érotisme espagnol, paru en 1983 à Madrid, ne cita que des œuvres platoniciennes ou satiriques, comme le *Libro de Buen Amor* de l'archiprêtre de Hita et la comédie *La Celestina*. Les premiers romans pornographiques espagnols furent édités à Londres au xIxᵉ siècle, comme *Travesuras del Amor* (1870). Toute la littérature érotique européenne peut se ramener à une centaine de chefs-d'œuvre grecs, latins, français, italiens, anglais, allemands. Quand on les a étudiés, tout le reste ne semble que redites ou amoindrissements: leurs auteurs ont fixé les lois du genre.

On doit distinguer le roman contenant des passages érotiques du roman érotique proprement dit, ayant pour sujet l'acte sexuel dans toutes ses variations. Le premier évoque librement la sexualité parce que son auteur pense qu'il serait incomplet s'il mettait en action des personnages privés de ce ressort fondamental; mais il sert toutefois un dessein plus vaste. Le second n'exprime que la sexualité, rien d'autre, et cela dans le but d'exciter le lecteur. On ne peut qualifier de roman érotique *Ulysse* de James Joyce, en dépit du monologue final de Mrs. Bloom, car c'est avant tout un roman métaphysique sur les bas-fonds: bas-fonds de la ville (quand le héros traverse le quartier chaud de Dublin), bas-fonds du langage, bas-fonds de la conscience humaine. Au contraire les romans de Sade sont des romans érotiques, écrits pour assouvir son excitation sexuelle forcenée et la communiquer éventuellement à autrui. J'ai donc à sélectionner ici les œuvres comparables aux siennes, non celles qui parlent du sexe occasionnellement.

Comme je l'ai fait précédemment dans mes grands essais *Le Surréalisme et le rêve*, *Le Socialisme romantique*, *Histoire de la philosophie occulte*, je vais placer mon sujet sous des éclairages dévoilant ses aspects les plus méconnus et ses finesses. Le but de mes travaux d'érudition est toujours de démystifier le public, en dissipant les idées reçues qui lui obscurcissent la connaissance d'un système donné. Or, sur l'érotisme, les préjugés, les fausses appréciations abondent, car ce n'est pas encore un objet de thèse universitaire, avec recherches approfondies et apparat critique. La première histoire de la littérature érotique est celle en allemand du Dr Paul Englisch, *Geschichte der erotischen literatur*, publiée en 1927 à Stuttgart. Cet ouvrage, aujourd'hui introuvable (ayant été détruit par les nazis quand Hitler ordonna la fermeture de l'Institut de la Science du Sexe à Berlin), était un in-quarto de six cent quatre-vingt-quinze pages, étudiant aussi bien les annonces galantes des journaux que les livres clandestins. On peut en voir le sommaire détaillé dans le supplément de 1929 à la *Bibliotheca germanorum erotica et curiosa* de Hugo Hayn. Une adaptation française de Jacques Gorvil en 1933, *Histoire de l'érotisme en Europe*, ne fut qu'un médiocre abrégé de l'original qui, de toute façon, demanderait à être entièrement mis à jour.

Depuis lors on rédige surtout des dictionnaires, des anthologies et des bibliographies de l'érotisme littéraire, comme en 1971 le *Dictionnaire des œuvres érotiques* fait sous la direction de Pascal Pia (qui se limita au «domaine français»), en 1979 l'*Anthologie des lectures érotiques* de Jean-Jacques Pauvert, à laquelle il adjoignit ultérieurement deux autres tomes, et en 1981, à Londres, la bibliographie de Patrick J. Kearney, *The Private Case*. Il manquait donc un essai comparatif et démonstratif, retraçant et jugeant sans complaisance l'évolution historique d'un tel genre. J'ai voulu combler ce manque.

Jusqu'à quel point est-il permis de tout dire? Et lorsque des auteurs ont osé tout dire, au grand jour ou sous le couvert de l'anonymat, ont-ils fait des révélations plus étonnantes sur la nature humaine que ceux qui se sont astreints à dire l'essentiel? La solution de telles questions demande un examen minutieux des œuvres conservées dans les «enfers» des bibliothèques, y compris les «livres érotiques sans ortho-graphe» auxquels Rimbaud se référait pour son alchimie du verbe. De tels ouvrages forment une littérature de l'exception, contredisant par son vocabulaire et son contenu à l'idéal de bienséance et de politesse que toutes les sociétés entendent maintenir. Il est bon que ce genre existe pour contraster avec les fadeurs du genre sentimental, mais il serait naturellement détestable de le mettre au-dessus des autres. Mon essai doit donc être lu comme une étude de l'exception, incitant à mieux discerner les règles de la création littéraire et de la vie amoureuse.

1

L'ART D'AIMER
DANS L'ANTIQUITÉ

La littérature érotique n'a pas toujours été décriée, contraignant ses auteurs à l'anonymat et ses œuvres à une diffusion clandestine. Chez les Grecs et les Romains de l'Antiquité, elle s'exprimait au grand jour ; les meilleurs auteurs la pratiquaient ouvertement et leurs lecteurs s'en divertissaient sans fausse honte. Simplement, on ne l'admettait pas dans le genre noble, comprenant la tragédie et l'épopée, mais on lui assignait pour domaine le genre familier, celui de la comédie, du conte, de la poésie élégiaque, satirique ou épigrammatique.

Les Grecs ouvrirent la voie, car la tradition lointaine de leurs dionysies, célébrant le culte du phallus avec des hymnes licencieux, les préparait à une telle liberté d'expression littéraire. La comédie grecque ancienne, au témoignage même d'Aristote dans sa *Poétique*, est née de ces fêtes annuelles en l'honneur de Dionysos, dieu du vin mais aussi dieu de l'*hybris* (l'ivresse, la démesure). Dionysos, dans sa jeunesse, avait été mis en pièces par les Titans, et c'était Déméter, déesse de la végétation, qui avait rassemblé ses morceaux pour le ressusciter. En allant porter un phallus au temple de Dionysos, on faisait donc un acte extrêmement pieux, on participait à sa renaissance en lui rapportant l'organe essentiel de la génération, dont les Titans l'avaient privé. A la ville comme à la campagne, des longs cortèges se formaient, les phallophories, où chaque famille brandissait un phallus à la façon d'un cierge ; les phallophories de Sycone, une ville dorienne, étaient réputées. Ces processions se faisaient en chantant des chants phalliques et en échangeant des plaisanteries obscènes rituelles. Après le sacrifice à Dionysos, les réjouissances comportaient des farces, premières ébauches de la comédie antique.

A Athènes, les fêtes principales du culte de Dionysos furent les lénéennes au mois de Gamelion (décembre-janvier) et les grandes dionysies au mois d'Elaphebolion (février-mars). A chacune de ces occasions, des représentations dramatiques se déroulaient pendant les trois jours suivant la cérémonie. Aristophane, dans *Les Acharniens*,

Sapho, Aristophane et Ovide
d'après trois gravures anciennes.
(B.N./Cl. B.N.; Roger-Viollet; Roger-Viollet.)

montre Dicéopolis allant aux dionysies avec sa femme, sa fille en canéphore (c'est-à-dire ayant sur sa tête la corbeille contenant les instruments du sacrifice), et deux esclaves chargés du phallus: «Xanthias, ayez soin tous deux de tenir droit le phallus derrière la canéphore. Moi, je marcherai après vous en chantant le chant phallique... En avant [1].» Un citoyen athénien accomplissant un tel rite religieux était prêt, lorsqu'il se rendait au théâtre, à y approuver les situations les plus scabreuses.

De la comédie attique aux contes milésiens

De l'ancienne comédie attique (qui éclipsa rapidement la comédie dorienne, spécialisée dans les farces paysannes), nous connaissons deux cent soixante-dix-sept titres dus à quarante et un auteurs. Nous savons que son premier maître fut Cratinos, né en 519 avant J.-C., et mort à quatre-vingt-dix-sept ans quand débutait Aristophane. Mais Aristophane est le seul dont il nous reste des pièces entières (onze sur les quarante-quatre qu'on lui attribue), possédant toutes des scènes et des dialogues d'une obscénité inouïe. Il paraît que ses rivaux l'égalaient en crudité de langage. Phérécrate écrivit des pièces où se déchaînait l'impudeur des courtisanes, et Eupolis fit triompher une comédie satirique, *Autokylos*, ayant pour héros un beau garçon se prostituant à des hommes riches avec l'appui de son père et de sa mère.

Aristophane, né vers 446 avant J.-C. à Athènes, dans le quartier sous l'Acropole devenu le quartier de Placa, était le fils unique d'un couple de condition modeste qui s'installa dans l'île d'Egine. Ses premières comédies, comme *Les Cavaliers*, furent des satires politiques: s'opposant à la guerre du Péloponnèse entre les Athéniens et les Lacédémoniens, qui dura vingt-sept ans, il attaquait les démagogues qu'il en tenait pour responsables avec des injures scatologiques, car son comique partait du ventre. Dans le cadre de ses préoccupations, il en vint à aborder directement la sexualité dans deux pièces géniales, *Lysistrata* et *L'Assemblée des femmes*.

Lysistrata est le premier chef-d'œuvre de l'érotisme antique, atteignant d'emblée à l'universel. Une idée révolutionnaire y est exprimée avec une puissance comique sans égale. Qu'adviendrait-il dans la société si les femmes faisaient la grève du sexe? La pièce d'Aristophane, jouée aux lénéennes de 411, traite ce sujet avec l'envol d'une utopie et la rigueur d'une démonstration philosophique. Lysistrata convoque sur l'agora les Athéniennes pour leur dire qu'elles peuvent mettre fin à la guerre du Péloponnèse, non pas en se conduisant elles-mêmes en hommes, mais en étant deux fois plus femmes qu'à l'ordinaire, enjô-

---

1. Aristophane, *Œuvres complètes*, traduction de Hilaire Van Daele, texte grec en regard, t. I (Paris, Les Belles Lettres, 1972).

leuses, parfumées, fardées d'orcanette (colorant rouge extrait d'une racine), vêtues de tuniques transparentes d'Amorgos ou de cimbériques (longues robes sans ceinture), chaussées de péribarides. Leurs maris soldats en deviendraient fous de désir; mais elles se refuseraient à l'acte sexuel tant qu'ils n'auraient pas conclu la paix.

La scène du serment des femmes est délicieuse, car elles hésitent à répéter les phrases que leur dicte Lysistrata. Cléonice défaille en prononçant: «Aucun homme, ni amant ni mari, ne s'approchera de moi en érection [1].» Mais il lui faut dire aussi: «Et si, malgré moi, il me fait violence, je me prêterai mal sans me pousser contre lui.» Les femmes s'engagent, en cas de viol conjugal, à ne pas dresser les jambes en l'air et à ne pas se tordre voluptueusement sous leur agresseur: «Je n'élèverai pas vers le plafond mes sandales persiques... Je ne me tiendrai pas comme une lionne couchée sur une râpe à fromage.» Les Athéniennes occupent ensemble l'Acropole, afin de séquestrer les fonds publics destinés à la guerre. Un chœur de vieillards gâteux proteste et se fait refouler par un chœur de femmes passionnées. L'action est allègrement menée par Lysistrata, qui n'est pas une militante vociférante et odieuse, mais une pacifiste extrêmement sympathïque, vibrante de générosité. Tout ce qu'elle dit est plein de bon sens.

Cette originale situation dramatique fait ressortir toute l'importance de l'acte sexuel dans l'humanité. Lysistrata a du mal à contenir ses compagnes en chaleur, qui cherchent à rejoindre leurs maris sous divers prétextes. De leur côté, les mâles frustrés sont saisis par la folie du rut. Le guerrier Cinésias arrive de l'armée en criant: *Estuka!* («Je bande!»). Sa femme Myrrhine le met hors de lui par des caresses, des agaceries, un déshabillage réciproque, puis quand il est dans la posture du coït, se dérobe lestement: on ne peut pas faire mieux comme scène érotique au théâtre. Puis un héraut rencontre le prytane (premier des sénateurs) qui, lui écartant son manteau, constate: «Mais tu es en érection, mauvais sujet!» Et entrouvrant son propre manteau, le prytane lui montre qu'il est dans le même état. Il est évident que les acteurs s'étaient fixé au ventre un phallus en bois peint, d'une taille impressionnante. Bientôt de toutes parts des hommes, y compris des vieillards du chœur, ouvrent leur manteau et exhibent leur virilité tendue. Ils n'en peuvent plus, ils consentent à la paix pour que les femmes ne se soustraient plus à leurs étreintes. Lysistrata triomphe, et amène la Conciliation elle-même (la *Diallagê*), incarnée par une femme nue, au milieu des belligérants afin qu'ils n'aient plus jamais envie de se battre.

Une pièce d'une telle violence érotique serait sans doute insupportable d'un auteur moyen. Aristophane fait passer les pires obscénités à la faveur de sa langue somptueuse, dont aucune traduction ne peut rendre les bondissements, les sonorités savamment combinées. Il emploie rarement le verbe *binein* (coïter), il lui substitue des analogies pittoresques: il parle de vendanger, sarcler, creuser, briser les mottes,

---

1. Aristophane, *Œuvres complètes*, t. III, *op. cit.*

«pressurer le raisin pour en faire du marc» (*katagigartizein*), «cueillir la figue» (*sukologein*), «faire la bergeronnette» (*kinklizein*, imiter le *kinklos*, oiseau qui remue sans cesse les plumes de sa queue). Il invente le verbe *katatriakontoutisai*, «pointer trois fois l'épieu», pour désigner un homme capable de faire trois fois de suite l'amour à une femme dans une nuit (signe de jeunesse). Au lieu de dire «donner un baiser» il a des images comme «tresser la corbeille», qu'un scoliaste grec expliquait ainsi : «Peut-être que les vanniers tressant des corbeilles avançaient la bouche pour bien maintenir (le jonc) ou pour le lier serré [1].» Ces expressions vulgaires sont prêtées à des personnages grotesques : c'est l'archer scythe des *Thesmophories* qui compare les seins d'une danseuse nue à des raves; c'est le paysan lacédémonien de *Lysistrata* qui appelle faire l'amour «charrier du fumier», parce qu'il se croit entre les bras d'une femme comme entre les brancards de sa charrette.

Les organes génitaux ont des dénominations non moins extraordinaires. Le fessier, c'est l'Aristopcuple (*o Aristodèmos*), puisque patriciens et plébéiens ont en commun d'en avoir un. Et dans *La Paix*, pour qualifier la belle paire de fesses de Theoria, un homme du peuple forge le mot composé *prôktopentetêris* («un-cul-comme-on-n'en-trouve-que-tous-les-cinq-ans»). Le pénis est le pois chiche, le grain d'orge, le clou, le taureau; les testicules, «les feuilles du figuier à deux fruits». Le sexe de la femme est l'hirondelle, l'oursin, la cuisine (l'*oktanion*, lieu où l'on cuit la viande, ce qui rend l'analogie plus suggestive); il le personnifie en lui donnant le nom d'un contemporain, Phormisios, parce que celui-ci était prodigieusement barbu. Aristophane ose même parler en plein théâtre des sécrétions sexuelles féminines, qu'il nomme la rosée (*drosos*), le jus (*zômos*).

Le féminisme d'Aristophane, d'après un psychanalyste grec, viendrait de sa soumission à sa mère Zinodora, «femme viriloïde, autoritaire et de mœurs rigides [2]», qui dominait son mari et son fils. Mais ses héroïnes ne sont pas des viragos : il se sert même du néologisme d'*alectryaina*, «coq féminin», pour se moquer de la femme qui agit en homme. Il veut que la femme soit supérieurement femme et contrebalance par son pouvoir sexuel le pouvoir politique patriarcal. Dans *Les Thesmophories* (nom des mystères féminins de Déméter auxquels aucun homme n'avait le droit d'assister), les participantes délibèrent sur la punition à infliger à Euripide, coupable d'avoir mal parlé des femmes dans ses tragédies. Mais un émissaire d'Euripide est là, déguisé en femme, Mnésiloque, et raconte des histoires démontrant que le monde est rempli de vicieuses pires que les héroïnes du tragique. Les thesmophoriennes s'indignent et, doutant de son identité, le déshabillent; la présidente lui met la main entre les cuisses et en sort son phallus caché

---

1. Cf. Jean Taillardat, *Les Images d'Aristophane* (Paris, Les Belles Lettres, 1965).
2. Dr N.N. Dracoulidès, *Psychanalyse d'Aristophane* (Paris, Éditions Universitaires, 1969).

par-dessous. «Le voici qui passe la tête, et de belle couleur. Ah! coquin [1]!»
Mnésiloque est condamné à mort, mais Euripide se déguise à son tour
afin de le sauver, et après maintes péripéties y parvient en offrant une
danseuse nue au Scythe qui doit l'exécuter. Aristophane reprochait à
Euripide d'exalter des femmes détraquées, comme l'incestueuse Phèdre,
au détriment des femmes actives et courageuses comme Pénélope.

Son idéal de la femme forte et aimable alla jusqu'au rêve d'une
gynécocratie communiste, dans *L'Assemblée des femmes*. Praxagora,
épouse du vieux Blépyros, personnage antipathique (il est sycophante,
c'est-à-dire dénonciateur professionnel), décide avec les Athéniennes de
prendre le pouvoir. Affublées de barbes, enveloppées dans les manteaux
de leurs maris, certaines ne s'étant pas rasé les aisselles pour mieux
ressembler à des hommes («J'ai les aisselles plus touffues qu'un taillis»,
dit l'une d'elles), elles se rendent à l'Ekklesia (Assemblée du peuple) où,
ayant la majorité, elles votent devant les magistrats que les femmes
auront le gouvernement de la cité. Ensuite, elles reviennent chez elles se
dépouiller de ce déguisement masculin qui leur répugne (car les
féministes d'Aristophane se sentent bien dans leur corps de femme et
n'ont aucune intention de singer l'homme). Praxagora explique à son
mari, qui, ne trouvant plus ses vêtements, a dû mettre la robe et les
souliers de son épouse, quels sont les décrets de son gouvernement:
communauté des biens et communauté des sexes. Il n'y aura plus de
pauvres ni de riches, et toutes les femmes coucheront à leur gré avec
tous les hommes.

L'application de ces décrets aboutit à une bouffonnerie sexuelle de
plus en plus délirante. Dans un esprit de justice, Praxagora a fait adopter
cette loi: «Il ne sera pas permis aux femmes de coucher avec les beaux
et les grands avant d'avoir accordé leurs faveurs aux laids et aux petits.
Oui, par Apollon; et c'est là une idée toute démocratique [2].» De même les
hommes devront servir les laides et les vieilles en priorité sur les belles.
Cela nous vaut une scène irrésistible où un jeune homme courtisant une
jeune fille est arraché à elle par trois vieilles affreuses qui se le disputent
au nom de la nouvelle loi; obligé d'aller «ramer à deux avirons» avec les
deux plus horribles, il rédige auparavant son testament. A la fin Blépyros,
symbole du politicien corrompu bafoué par une femme de cœur, est
magnanimement invité au banquet des femmes; une servante ivre vient
le chercher, lui annonce le menu dans un mot de cent soixante-dix
lettres, et l'entraîne en poussant le cri des bacchantes: «Evoé!» Aristophane veut nous faire préférer la folie joyeuse d'une politique féminine
poussée à l'extrême aux méfaits de la politique masculine.

On n'a qu'un fragment de son *Amphiaraos*, comédie où un mari
impuissant se rend à l'Amphiaraïon, le temple médical d'Oropos près
d'Athènes, pour recouvrer ses moyens sexuels. On devine le parti
qu'Aristophane dut tirer de ce thème. Les comédies de ce genre étaient

---

1. Aristophane, *Œuvres complètes*, t. IV, 1928, *op.cit.*
2. Aristophane, *Œuvres complètes*, t. V, *op. cit.*

patronnées par l'Etat; on ne les faisait représenter que lorsque l'archonte des spectacles, après examen du texte, décidait d'attribuer un chœur à l'auteur aux frais de la ville. En outre, les trois comédies jouées lors d'une dionysie concouraient pour un prix décerné par cinq juges tirés au sort; les audaces de ce théâtre sont donc imputables à son public autant qu'à ses créateurs.

Dans le récit en prose, la littérature érotique grecque partit surtout des contes milésiens, plaisanteries que l'on faisait sur les mœurs lubriques des habitants de Milet, ville d'Ionie; ces plaisanteries restèrent longtemps orales, répétées de bouche à oreille, puis Aristide de Milet, au IIᵉ siècle avant J.-C., les recueillit dans un livre, les *Milésiarques*, que traduisit en latin Sisenna. Dès lors, bien d'autres auteurs voulurent écrire des contes milésiens; l'empereur Albinus, rival de Septime Sévère, ne rougit pas d'en composer lui-même un recueil.

En poésie, si Alcman fut l'inventeur des chansons érotiques (selon Athénée dans son *Banquet*), Sotadès, né à Maronée en Crète, écrivit ses vers pour la lecture, non pour le chant. Personne ne le surpassa en obscénité, au témoignage de ses contemporains qui reconnaissaient pourtant qu'il y avait eu avant lui d'autres poètes obscènes, comme Alexis le Cynédologue. Mais Sotadès eut la témérité d'attaquer dans ses poèmes les rois de Macédoine et d'Egypte, ainsi que leurs maîtresses. Résidant à Alexandrie, il prit à partie le pharaon Ptolémée Philadelphe lorsqu'il épousa sa sœur Arsinoé, en lui disant: «Tu pousses ta tarière dans un trou que tu ne peux toucher sans crime.» Il dut s'enfuir, poursuivi par le général Patrocle qui le captura en l'île de Caune, le fit mettre dans une boîte de plomb et jeter à la mer. Le poète fut puni pour crime de lèse-majesté, non pour l'obscénité de ses écrits. Du nom de Sotadès, les érudits d'Occident appelèrent littérature sotadique tous les textes en vers ou en prose contenant des licences plus ou moins grandes.

Après lui Méléagre, qui n'eut pas l'imprudence de bafouer la vie privée d'un empereur, vécut honoré jusqu'à un âge avancé (il mourut à Cos vers l'an 60 avant J.-C.), bien que toute son œuvre fût composée de poésies sotadiques. Né à Gadara en Syrie, élève du philosophe cynique Ménippe, Méléagre s'installa à Tyr en Phénicie où il commença par célébrer l'amour des éphèbes; son recueil *Paidika* évoquait en termes passionnés son jeune ami Myïskos et douze autres adolescents. Puis, converti à l'amour hétérosexuel par Héliodora, il chanta non moins ardemment cette belle hétaïre; et quand elle mourut, pleurée par lui dans un poème pathétique, ses vers voluptueux s'adressèrent à d'autres maîtresses, Zénophila, Dèmo.

Méléagre est certainement le meilleur poète érotique grec de l'Antiquité, frémissant, brûlant d'ardeur sexuelle. «De toutes parts les Amours (*Erôtes*) m'assiègent sans me laisser respirer un court instant [1]», dit-il. L'érotisme pour lui n'est pas un jeu et il nous convainc lorsqu'il

---

1. *Anthologie palatine*, t. II, traduction de Pierre Waltz et de Jean Guillon (Paris, Les Belles Lettres, 1928).

s'écrie: «Terrible Eros, terrible!» (*Deinos Erôs, deinos*). En usant du double sens de *psyché* (signifiant *âme* et *papillon*), il dit à l'enfant-dieu qui le tourmente: «Si tu brûles trop souvent une âme qui voltige autour de toi, elle s'enfuira, Eros; elle aussi, méchant, elle a des ailes [1].»

Les poèmes que Méléagre adresse à ses maîtresses ont souvent pour thème la jalousie, soit qu'il se montre jaloux des moustiques se posant sur la peau de Zénophila endormie, soit qu'il souhaite qu'un client d'Héliodora la courtisane reste frappé d'impuissance auprès d'elle:

> Pour cela seul, mère de tous les dieux, je te supplie, chère Nuit, oui je te supplie, compagne éhontée des orgies, redoutable Nuit.
> Si quelqu'un, introduit sous la couverture d'Héliodora, se réchauffe et oublie le sommeil contre cette peau douce,
> Que s'endorme la lampe, et lui, dans le giron de cette femme, lassé, qu'il repose, nouvel Endymion [2].

Les poèmes de Méléagre sur les garçons qu'il aime reflètent ce que les Grecs appelaient la *philopaïda noson*, le mal d'amour de la pédérastie. Il s'émerveille de leur beauté, il se plaint d'en être la victime, il demande au vin ou à ses amis de le retenir sur la pente fatale du désir homosexuel. Quelquefois, à propos de son préféré Myïskos, il fait ressortir un sentiment ambigu de plaisir et de douleur:

> Il est charmant l'enfant, et à cause de son nom il m'est doux, Myïskos, et gracieux, afin que je n'aie rien qui me détourne de l'aimer.
> Car il est beau, par Kypris! beau tout entier. Et s'il me peine, c'est qu'Eros sait mêler l'amer au miel [3].

Dans sa vieillesse, résidant à Cos, Méléagre exprima sa passion pour la belle Phanie. Il rédigea la première anthologie d'épigrammes érotiques, *La Couronne*, où les femmes étaient honorées en priorité; tandis qu'en celle de Straton de Sardes, *Moûsa Paidikê* (*La Muse pédérastique*), au siècle suivant (c'est le livre IX de l'*Anthologie palatine*), elles seront exclues.

Straton, dans ce florilège de deux cent cinquante-huit poèmes chantant l'homosexualité masculine, en publia cinquante-huit de lui, pièces brèves et acidulées de ce genre: «Tu appliques tes fesses splendides au mur, ô Cyrus. Pourquoi tenter la pierre, elle ne peut rien [4].» Straton prétendait que ses épigrammes ne traduisaient pas des événements de sa vie amoureuse, mais étaient des exercices de rhéteur; on peut douter de ce propos dicté par la pudeur.

L'homosexualité chez les Grecs n'était pas aussi bien vue que certains historiens se l'imaginent, et les relations de l'*éraste* (l'amant) et de l'*éromène* (l'aimé) relevaient d'un code de l'honneur très strict. Si des

---

1. *Ibid.*
2. *Les Poésies de Méléagre*, traduites par Pierre Louÿs (Paris, 1893).
3. *Ibid.*
4. *Le Livre d'amour des Anciens* (Paris, Bibliothèque des Curieux, 1929).

homosexuels y dérogeaient, ils étaient traités avec mépris des termes injurieux et obscènes de *cinèdes*, de *katapygones* (correspondant à *tantouses, enculés*). L'homophilie, rapport homosexuel entre deux adultes, était considérée comme répugnante. Il ne pouvait y avoir de relation amoureuse qu'entre un homme adulte et un adolescent de douze à dix-huit ans. Si l'*éraste* recherchait un *éromène* de moins de douze ans, il commettait un viol et devait être puni; s'il en poursuivait un de vingt ans et plus, il perdait sa dignité virile. Dès que la barbe poussait au garçon, que la pilosité recouvrait son corps, il ne fallait plus y toucher. De nombreux poèmes homosexuels grecs utilisent ce thème des poils qui viennent à un *éromène* et le rendent intouchable. Straton, dans une épigramme, évoque à l'inverse Ménippe passant à côté de lui les yeux baissés, parce qu'il est honteux d'avoir maintenant les jambes velues.

L'expression de l'homosexualité grecque resta plutôt décente. C'est par plaisanterie que Dioscoride fait l'éloge des fesses de Sosarthos, que Straton compare à «Vénus émergeant des flots» la verge de Dioclès sortant d'une piscine. En général l'*éraste* s'extasie surtout sur les yeux de l'*éromène*, et le baiser est l'unique privauté qu'il décrit. Le bon ton consiste à se plaindre d'être sodomite, non de s'en réjouir [1]. Déjà dans les *Idylles* de Théocrite (qui vivait à Syracuse au IVe siècle avant J.-C.), dont plusieurs roulent sur l'amour des garçons, seule l'idylle intitulée l'*Aïtès* exprimait la passion triomphante d'un homosexuel. D'autres traitaient des angoisses de l'amant déçu, des menaces qu'il proférait à l'encontre de son *éromène*. Straton et les poètes de sa *Moûsa Paidikê* furent l'aboutissement de cette tradition à la fois ironique, désenchantée et concupiscente.

Lucien, écrivain grec d'origine syrienne, né vers 125 de notre ère à Samosate sur l'Euphrate, a laissé le plus ancien livre pornographique, les *Dialogues des courtisanes*. Beaucoup de gens emploient le mot pornographie sans savoir ce qu'il veut dire. Il vient de *porné* (prostituée) et désignait d'abord un écrit racontant les pratiques de la prostitution. Avant Lucien on s'en servait comme terme technique de peinture pour définir les tableaux érotiques de Parrhasios, parce que leurs modèles étaient des filles publiques. On en vint peu à peu à qualifier de pornographique tout ce qui dépeignait les rapports sexuels accomplis sans amour, comparables à ceux d'une prostituée avec son client; le passage pornographique de *Daphnis et Chloé* est celui où Longus montre le jeune Daphnis couchant avec Lycenon, la femme de son voisin Comis, alors qu'il aime Chloé.

Les *Dialogues des courtisanes* de Lucien sont une suite de quinze dialogues, véritables tableaux de mœurs. Glycère se plaint à Thaïs que Gorgona lui a enlevé son amant, et se demande quel agrément il peut trouver à celle-ci qui est maigre, pâle, avec un grand nez. Mystion,

---

1. Cf. Félix Buffière, *Eros adolescent, la pédérastie dans la Grèce antique* (Paris, Les Belles Lettres, 1980).

enceinte de huit mois, fait une scène au responsable, Pamphilos, dont elle a entendu dire qu'il allait se marier. Philinna se fait reprocher par sa mère d'avoir bafoué son entreteneur Diphilos à un banquet, en embrassant un autre convive. On assiste aux débats des courtisanes avec leurs clients, Ioessa déjouant la jalousie de Lysias qui l'a surprise couchée avec un garçon tondu et parfumé, Myrtalé se moquant de Dorion qui prétend s'être ruiné pour elle.

Ces dialogues sont fort libres, naturellement. Drosis projette avec une amie de se venger du philosophe pédéraste Aristénaitos qui tente de séduire Kleinias, le puceau qu'elle a déniaisé. Léaina raconte à Klonarion comment elle est devenue la proie d'une femme «terriblement masculine», Mégilla de Lesbos:

Léaina

Elles avaient organisé un souper, elle et Démonassa la Corinthienne, une femme riche aussi, adonnée aux mêmes pratiques que Mégilla. Elles m'avaient fait venir pour leur jouer de la cithare. Quand j'eus fini de jouer, l'heure était fort avancée et il était temps d'aller se coucher. Elles étaient ivres. «Allons, Léaina, me dit Mégilla, voici le moment de dormir; couche ici avec nous, entre nous deux.»

Klonarion

Tu l'as fait? Et après cela, qu'est-il arrivé?

Léaina

Elles me baisèrent d'abord, non pas seulement en appliquant leurs lèvres à mon corps, mais encore en entrouvrant la bouche; elles me prirent dans leurs bras en me pressant les seins; Démonassa même me mordait en me baisant. Moi, je ne pouvais pas deviner ce que cela voulait dire. Mais enfin, Mégilla, déjà passablement échauffée, enleva sa perruque de sa tête. Elle portait en effet une perruque aussi bien imitée que bien ajustée. Elle apparut alors tondue au ras de la peau comme les athlètes [1].

La petite prostituée ne peut s'empêcher de rire quand cette virago au crâne rasé lui déclare: «Je m'appelle Mégillos et j'ai épousé depuis longtemps Démonassa; elle est ma femme.» Elle subit toutefois les volontés de la tribade, qui exige qu'elle fasse l'amour devant elle avec Démonassa: «Alors je la pris dans mes bras, comme un homme, tandis qu'elle me baisait, qu'elle œuvrait, s'essoufflait et paraissait y prendre un plaisir sans mesure.» Klonarion, curieuse, voulant savoir comment une femme en fait jouir une autre, Léaina lui répond: «Ne me demande pas de précisions, ce n'est pas beau.» Ces dialogues pornographiques de Lucien, tout en abondant en détails réalistes, évitent l'excès de crudité.

Lucien fut avocat à Antioche, avant de se fixer à Athènes; il gagnait fort bien sa vie par des lectures publiques de ses œuvres; il fit même des tournées de conférences en Egypte et en Gaule. Il mourut vers 192, laissant quatre-vingt-deux ouvrages (dont neuf au moins d'attribution

---

1. Lucien de Samosate, *Œuvres complètes*, t. III, traduction nouvelle par Emile Chambry (Paris, Garnier, 1934).

douteuse). Parmi ses autres érotiques, *Loukios ou l'âne* est sa version d'un conte milésien classique; c'était une plaisanterie usuelle de dire que les femmes de Milet étaient si incontinentes qu'il fallait un âne pour les rassasier. Loukios, hébergé chez Hipparque dont la femme est magicienne, couche d'abord avec sa servante Palestre, dans une scène parodiant le combat des lutteurs du cirque. Transformé en âne pour s'être frotté le corps d'un onguent magique, ses tribulations le conduisent à devoir satisfaire la sexualité insatiable d'une habitante de Thessalonique. Dès que le sortilège cesse et qu'il redevient un homme, elle le chasse en l'injuriant, fâchée d'avoir perdu un aussi vaillant animal.

Les *Amours* que l'on attribue à Lucien semblent plutôt d'Aristénète, sophiste de la même époque dont les deux livres de *Lettres amoureuses* furent des modèles de correspondance entre amants. Ce dialogue confronte Lykinos à l'ambisexuel Théomnestos qui se tourmente de ne pouvoir choisir entre ses amants et ses maîtresses, ayant un attrait égal pour les deux sexes: «Dis-moi donc qui tu juges meilleurs, ceux qui aiment les garçons ou ceux qui se contentent des femmes. Pour moi qui suis touché de l'un et de l'autre, je suis en suspens comme une balance dont les plateaux sont dans un exact équilibre [1].» Lykinos lui rapporte alors le débat qu'il a arbitré à Rhodes entre Chariclée l'amateur de femmes et Callicratidas l'homosexuel. Après avoir reproduit leurs deux discours antagonistes, Lykinos conclut que «les philosophes seuls peuvent aimer les garçons», car cela demande une sagacité particulière.

L'érotisme latin classique

Les Romains ont eu, comme les Grecs, dans leur passé le plus lointain une tradition populaire de dialogues licencieux, les *fescennins* (mot venant peut-être de Fescennia, ville d'Étrurie), improvisés en vers saturniens (c'est-à-dire irréguliers) par les laboureurs du Latium lors de leurs fêtes rustiques. Il exista une littérature fescennine, recueillant ces obscénités paysannes qui, selon Horace (*Épîtres*, Livre II, 1), s'attaquaient si rudement aux propriétaires terriens qu'ils en firent réprimer les excès.

Cependant, la littérature érotique latine n'est pas du tout un produit des temps primitifs; elle apparaît au contraire dans la période où la civilisation romaine est la plus raffinée. Plaute, vivant à Rome au IIᵉ siècle avant J.-C., a écrit des comédies très libres comme *Casina*, où un vieillard lubrique veut s'assurer la possession d'une jeune fille que convoite son fils; mais elles ne sont pas comparables à celles d'Aristophane deux siècles plus tôt, et aucune n'exprime la sexualité aussi franchement que *Lysistrata*. Plaute nous donne simplement des renseignements amusants sur les débauchés romains et les prostitueurs qui les exploitaient.

---

1. Lucien, *Œuvres complètes, op. cit.*, t. II.

Il faut attendre Catulle, né en 86 avant J.-C. à Vérone d'une famille noble (son père était un ami de Jules César), pour trouver le premier poète latin érotique. Il vint très jeune à Rome où il fréquenta la haute société et devint l'amant de Clodia, la femme scandaleuse du consul Q. Metellus Celer, bientôt veuve (on la soupçonnera d'ailleurs d'avoir empoisonné son mari). Catulle la célébra sous le nom de Lesbie en des petites pièces lyriques d'un style éblouissant. C'était un artiste maniant comme personne le vers hendécasyllabique, avec des phrases faisant ritournelles, des répétitions de mots obsédantes, donnant à son latin un rythme inoubliable:

Da mi basia mille, deinde centum,
Dein mille altera, dein secunda centum,
Deinde usque altera mille, deinde centum.

«Donne-moi mille baisers, puis cent, puis mille autres, puis une seconde fois cent, puis encore mille autres, puis cent [1].» Mais sa liaison de quatre ans avec Lesbie, après lui avoir inspiré des chants d'amour ravissants, lui tira des cris de fureur parce qu'elle le trompa. On vit alors surgir un Catulle imprécateur, accumulant les images obscènes pour décrire Lesbie se glissant dans une taverne et s'y faisant caresser par tous les consommateurs, ou pour rabaisser ceux qu'elle lui préférait, Rufus, Egnatius dont il dit qu'il a les dents blanches parce qu'il se les frotte avec de l'urine, Gellius qu'il accuse d'être incestueux et pédéraste en des vers innommables.

Catulle racontera aussi comment il essaie d'oublier Lesbie auprès des courtisanes, Ipsitilla à qui il demande: «Prépare-toi à faire l'amour neuf fois de suite» (*novem continuas fututiones*) ou «Ameana, fille usée par le coït» (*Ameana puella defututa*). La rage entraîne le fougueux poète à cribler d'épigrammes tous les vicieux de Rome, tel un lieutenant de Jules César, Mamurra, qu'il surnomma Mentula, membre viril. Un latiniste moderne en a donné pour équivalent Laverge, et traduit *Mentula moechatur* par: «Laverge fait la débauche [2]». Dans ses invectives contre Mamurra-Mentula et d'autres, l'obscénité est travaillée avec autant d'art que dans ses plus tendres élégies. Catulle, mort à trente ans, rénova la prosodie latine en employant douze espèces de vers (dont quatre de son invention); il influença profondément ses successeurs.

C'est du temps de l'empereur Auguste que datent les classiques de l'érotisme latin. Une œuvre collective, le *Lusus in Priapum (Badinage sur Priape)*, eut une portée internationale. Dieu ithyphallique de la Nature, Priape, fils de Vénus et de Bacchus, était la personnification du membre viril. On plaçait sa statue peinte en rouge dans les vergers, les vignes et les champs, afin de les protéger des voleurs et des oiseaux. On le représentait comme un paysan barbu, souvent nu, tenant de la main

---

1. Catulle, *Poésies*, texte établi et traduit par Georges Lafaye (Paris, Les Belles Lettres, 1970).
2. *Ibid.*

gauche une serpe et brandissant de la main droite son pénis presque aussi grand que son buste. Chaque domaine avait un temple à Priape où l'on venait faire des offrandes votives et des sacrifices animaux. Dans le temple à Priape du jardin de Mécène à Rome, ses invités se plurent à inscrire sur les murs des invocations poétiques. Ces poèmes anonymes, les *Priapeia*, dus vraisemblablement à Domitius Marsus, Cinna, Horace, Virgile et autres amis de Mécène, y compris l'empereur Auguste, furent recopiés plus tard par un poète latin qui les publia en leur ajoutant une adresse liminaire, *Au lecteur*.

Les *Priapeia* comprennent quatre-vingt-dix poèmes, formant deux séries distinctes. L'une est faite des propos que l'on attribue à Priape, qui tantôt se vante de la puissance de son membre, tantôt menace les voleurs de divers sévices sexuels. Il se plaint des matrones accourant de toutes parts pour contempler sa verge majestueuse, mais il se fâche de la fille qui en rit et lui prédit: «Je te l'enfoncerai jusqu'à la septième côte!» (*Ad costem tibi septimam recondam*). L'autre série comporte des vœux que l'on demande à Priape d'exaucer. Ainsi la danseuse Quinctia, «docte à mouvoir ses fesses vibrantes» (*Quinctia vibratas docta movere nates*), supplie, en lui offrant ses cymbales et ses crotales, que «la foule de ses amants se tende à l'image du dieu [1]». Un galant épuisé par une prostituée, «Telethusa la roulure» (*Telethusa circulatrix*), le prie de s'occuper à sa place de cette insatiable, etc. Ces joyeuses obscénités servirent de modèles aux poètes de la Renaissance, d'abord à Antonio Beccadelli (surnommé le Palermitain parce qu'il naquit à Palerme en 1383), qui en composa d'analogues sous le titre d'*Hermaphroditus*. Pacifico Massimi, dans son *Hecatelegium* (1489), «cent élégies satiriques et gaillardes», relança aussi cette tradition.

L'épicurien Horace, poète officiel du règne d'Auguste où s'épanouit la prospérité de Rome, parla des choses de l'amour avec une liberté pleine de bonhomie. Sa *Satire II* use même des termes les plus crus pour démontrer qu'on s'attire toutes sortes de mésaventures en couchant avec des femmes mariées, et qu'il vaut mieux libertiner avec des servantes. Dans sa *Satire VIII*, le Priape en bois du jardin de l'Esquilin raconte sur un ton d'indignation comique ce qu'il a vu faire une nuit à la sorcière Canidie. Mais lorsque Mécène lui eut offert une maison et un domaine dans la Sabine, Horace atténua ses licences qui auraient fait croire que, fils d'un esclave affranchi, il ne pouvait s'élever à une inspiration plus conforme à son ascension sociale.

Voici enfin celui qui souhaitait que tous les amoureux, hommes et femmes, disent de lui: «Ovide était notre maître» (*Ars amatoria*, III, dernier vers). Ovide, né à Sulmone dans le Brutium en 43 avant J.-C., débuta par des *Héroïdes* — genre qu'il avait inventé, consistant en lettres d'amour d'héroïnes de la mythologie à l'objet de leur passion, Didon s'adressant à Enée, Déjanire à Hercule, etc. —, puis à vingt-cinq ans

---

1. *Les Priapées*, traduites du latin par A. t'Serstevens (Paris, Editions du Trianon, 1929).

donna son magnifique recueil des *Amours*, racontant tous les épisodes intimes de sa liaison avec une femme mariée, Corinna. Ces poésies respirent une volupté ardente, comme celle où il dit son émerveillement en contemplant nue sa maîtresse dont il vient d'ôter la tunique; celle où il se tourmente à la pensée des caresses qu'elle doit subir de son mari; celle où il se livre à toute la frénésie du plaisir charnel en s'écriant: «Heureux celui qu'épuise le duel amoureux! Fassent les dieux que ce soit la cause de ma mort [1]!» On le voit tendre, consolant Corinna d'avoir perdu ses cheveux sous l'effet d'une mauvaise teinture; inquiet, en apprenant qu'elle doit se faire avorter, étant enceinte de lui; jaloux, s'emportant contre son mari qui ne la surveille pas assez; désespéré, se croyant un amant fini parce qu'il reste impuissant auprès d'elle toute une nuit. Ce livre délicieux, dévoilant tous les secrets d'un adultère, assura le triomphe de l'érotique sur le pornographique et l'obscène. N'employant jamais un mot vulgaire, Ovide rendit avec des termes délicats ses évocations les plus lascives.

Adorant l'amour et les femmes, Ovide voulut à quarante ans passés faire profiter ses lecteurs de son expérience, en rédigeant un traité d'érotologie sous la forme d'un poème didactique en trois chants, *Ars Amatoria (L'Art d'aimer)*. Les deux premiers s'adressent aux jeunes gens, leur enseignant où ils peuvent rencontrer des jolies femmes (dans les promenades publiques, aux fêtes, au cirque, à un repas, etc.), comment leur plaire. Partant du principe que «toutes les femmes peuvent être prises» si l'on sait tendre ses filets, il dit les moyens de faire naître les circonstances propices, quels propos tenir, la façon de déjouer un rival. Une fois la belle conquise, pour que l'amour dure il faudra être en admiration perpétuelle devant elle, donner des preuves de dévouement, provoquer sa jalousie. La conduite d'un amant au lit est minutieusement décrite, et aucune femme ne saurait se plaindre des sages conseils d'Ovide aux hommes, tant sur les aphrodisiaques soutenant les ardeurs défaillantes que sur les techniques permettant à un couple d'arriver en même temps à l'orgasme. L'amusant est qu'il les appuie d'exemples historiques inattendus. Ainsi, lorsqu'il parle des préliminaires de l'acte sexuel: «Dans le lit, la main gauche ne restera pas inactive. Les doigts trouveront à s'occuper du côté où mystérieusement l'Amour plonge ses traits [2].» Il ajoute qu'Hector procédait de cette manière avec Andromaque et Achille avec Briséis.

Ensuite, Ovide s'adresse aux femmes pour leur enseigner l'art de plaire aux hommes et de les retenir. Il les instruit en expert des soins d'hygiène, des artifices rehaussant leurs agréments (il écrira d'ailleurs un livre à part sur les fards, *De Medicamina formae*). Il leur détaille toutes les catégories d'hommes à éviter et leur apprend à se conduire différem-

---

1. Ovide, *Les Amours*, texte établi et traduit par Henri Bornecque (Paris, Les Belles Lettres, 1930).
2. Ovide, *L'Art d'aimer*, texte établi et traduit par Henri Bornecque (Paris, Les Belles Lettres, 1929).

ment si elles veulent séduire un novice ou un homme expérimenté. Il leur indique les postures amoureuses les plus avantageuses pour elles dans un lit, en fonction des diverses complexions féminines. Une femme grande ne se mettra pas à cheval sur son amant; celle qui a une belle chute de reins se fera prendre de préférence par-derrière, etc. La femme poussera de douces plaintes, même si elle ne ressent rien, afin de créer un *climax* passionné. En suivant toutes ces indications, elle sera sûre de rendre fou d'elle son amant. On ne saurait traiter avec plus de goût, de tact et de compétence qu'Ovide cette matière scabreuse. Même le sévère Boileau trouvait *L'Art d'aimer* «charmant».

Des latinistes supposent que ce fut *L'Art d'aimer* qui fit exiler Ovide à Tomes sur le Pont-Euxin, où il mourut en l'an 17 de notre ère après avoir écrit les *Métamorphoses*, les *Fastes*, les *Pontiques*. Quelques vers ambigus des *Tristes*, évoquant ceux qui avant lui publièrent des livres licencieux, ne prouvent pas qu'il eut à se justifier des siens. Aucun de ses contemporains n'a révélé le motif de l'exil d'Ovide. L'hypothèse la mieux fondée est que le prétendant au trône, Tibère, et l'impératrice Livie le firent éloigner de Rome par Auguste parce qu'il avait surpris un secret d'Etat [1].

Pétrone, né à Marseille au temps de la vieillesse d'Ovide, laissa le manuel le plus démonstratif de la débauche latine, le *Satyricon*. Il ne faut pas croire, en raison du film de Fellini, que le *Satyricon* est l'histoire d'une gigantesque orgie: l'épisode du repas de Trimalcion (découvert seulement en 1688 dans le manuscrit de Belgrade) n'est qu'un passage de ce vaste livre dont on ne possède que des extraits d'origines diverses, sans savoir dans quel ordre ils doivent se succéder. En outre, son titre n'indique pas un roman satirique, mais une *satura lanx*, terme de cuisine désignant une sorte de macédoine où les légumes et les fruits se mêlaient; en effet, le *Satyricon* est un pot-pourri de contes, de discours et de poèmes insérés dans une narration prétexte. Enfin, le *Satyricon* n'offre pas une description de la vie à Rome; l'action se passe dans une ville de l'Italie du Sud, près de Naples.

Les protagonistes sont deux jeunes professeurs déclassés, invertis, Encolpe et Ascylte, menant une vie crapuleuse dans une auberge avec un garçon de seize ans, Giton, qui couche tantôt avec l'un, tantôt avec l'autre. Ils se battent plusieurs fois jusqu'au sang pour s'en assurer la possession exclusive. Ils commettent ensemble des méfaits, volant un manteau, interrompant le sacrifice à Priape d'une dame, Quartilla, qui pour se venger d'eux les fait fouetter et violer par un saltimbanque. Elle oblige Giton à déflorer une fillette de sept ans, Pannychis, et assiste à la scène en masturbant Encolpe. Puis les trois compères se rendent au festin de Trimalcion, immonde richard gonflé de vices, et y participent à de tels excès qu'à la fin ils s'enfuient en convenant que «la chose tournait à l'extrême nausée» (*ibat res ad summam nauseam*). Mais à

---

1. Cf. Alexis Pierron, *Histoire de la littérature romaine*, p. 444 (Paris, Hachette, 1863).

l'auberge, Ascylte profite du sommeil d'Encolpe pour sodomiser Giton et le décider à partir avec lui.

Les personnages du *Satyricon*, il faut l'avouer franchement, sont répugnants. Ils n'ont aucun trait de sensibilité qui les sauve de l'abjection. Toutefois on admire la performance de l'auteur qui réussit à dépeindre toutes leurs impuretés en un style des plus purs. Encolpe, courant à la recherche de Giton, rencontre dans une galerie de tableaux un vieux poète libidineux, Eumolpe. On verra plus tard cet Eumolpe forniquer avec une jeune courtisane le chevauchant, tandis que son esclave Cordax glissé sous le lit le soulèvera et l'abaissera en cadence, afin qu'il n'ait pas à se fatiguer aux mouvements de la copulation. On ne sait ni comment ni pourquoi Encolpe, Giton et Eumolpe sont embarqués sur un vaisseau où Tryphène, la femme du capitaine, détourne Giton d'Encolpe dont elle est devenue la maîtresse. Celui-ci dit en les surprenant : « Tous leurs baisers me perçaient le cœur, toutes les caresses que pouvait imaginer cette femme dépravée. Et pourtant je ne savais auquel en vouloir le plus, de l'enfant qui m'enlevait ma maîtresse ou de ma maîtresse qui me débauchait mon amant [1]. »

Arrivé à Crotone, Encolpe gagne sa vie en se prostituant ; il a pour cliente une grande dame aimant à s'encanailler, mais au moment de la satisfaire il reste complètement flasque. Il va demander à la vieille prêtresse Oenothée de le guérir de son impuissance ; elle lui enfonce dans le rectum un gros instrument de cuir (un *fascinum*) et le bat avec des orties. On ignore ce qui se passe ensuite et de quelle manière finit le *Satyricon*.

Pétrone se suicida dans son bain en 67 de notre ère, pour obéir à l'ordre de mort de Néron, à la cour duquel il avait été l'arbitre des élégances. On crut, sur la foi de Tacite, qu'il aurait dicté le *Satyricon* le jour de sa mort (ce qui serait vraiment un exploit surhumain), pour flétrir le règne de ce tyran. En fait, le *Satyricon* est surtout un ouvrage d'esthète, avec des morceaux parodiques ou volontairement exagérés ; Pétrone voulut intervenir dans la querelle des Anciens et des Modernes agitant les lettrés de son temps par un livre dont les outrances le mettaient du côté des Modernes.

Après lui apparurent deux grands moralistes de l'immoralité, vivant tous deux à Rome au Ier siècle de notre ère et faisant partie de la même génération : Juvénal et Martial. Ils ont décrit avec précision les déprava-tions sexuelles des Romains dégénérés, mais d'une façon mordante qui ne donne au lecteur aucune envie d'imiter de telles mœurs. Juvénal, d'abord rhéteur, commença à quarante ans ses *Satires* où il rabat violemment les prétentions des débauchés à être considérés comme des personnages admirables. Dans sa *Satire II* contre les pédérastes, les types qu'il fait défiler devant nous sont horrifiants : l'avocat Creticus qui plaide

---

1. Pétrone, *Le Satiricon*, texte établi et traduit par Alfred Ernout (Paris, Les Belles Lettres, 1974). Je préfère l'orthographe *Satyricon*, qui joue aussi sur le mot *satureum*, nom d'une boisson aphrodisiaque mentionnée dans ce roman.

en toge transparente, les Baptes s'habillant en femmes et buvant dans des phallus de verre, ou Graecchus célébrant clandestinement ses noces avec un musicien de cirque. Sa *Satire VI* contre les femmes mariées dont il dénonce l'inconduite est encore plus véhémente ; l'indignation martèle sa prosodie et accentue la crudité des scènes. Il stigmatise la femme d'un sénateur, Eppia, accompagnant une école de gladiateurs jusqu'en Egypte parce qu'elle s'est amourachée d'une brute ; l'impératrice Messaline se prostituant dans un lupanar sous le nom de Lycisca. Il expose d'une façon hallucinante les fêtes de la Bonne Déesse du début décembre à Rome, réservées aux femmes ; il en fait une orgie de lesbiennes échevelées, Saufeia et Medullina s'y provoquant au pire, puis toutes poussant le cri final *Admitte viros* ! (« Faites entrer les hommes ! ») et se livrant à n'importe qui, esclave ou porteur d'eau.

Juvénal manie aussi l'ironie, comme dans la *Satire IX* rapportant son dialogue avec un jeune inverti qui se plaint de l'avarice de son entreteneur ; ce prostitué homosexuel paraît tellement pitoyable que l'on s'écœure de voir un être humain tomber aussi bas. Juvénal ne publia qu'à quatre-vingts ans son livre de *Satires*, et l'on dit que l'empereur Adrien, se sentant visé par ses traits contre les pédérastes, s'en vengea perfidement en le nommant commandant d'une cohorte séjournant dans le désert ; sitôt arrivé à son poste, le vieux poète mourut d'être déraciné.

Martial est autrement efficace que Juvénal, car il ne s'indigne pas : il dépeint cyniquement les dépravés tels qu'ils sont. De ses quatorze livres d'épigrammes, Beau a extrait cent cinquante-huit poèmes des plus obscènes et les a classés par sujets : glossomanie (fellation et cunnilingus), proctomanie (pédérastie active et passive), stercoriana (anecdotes relatives au goût des excréments), etc. [1]. C'est un catalogue descriptif de toutes les anomalies et de toutes les déviations du sexe. Martial se moque de la lesbienne Bassa entourée d'une cour de femmes, de la virago Philaenis qui rivalise au gymnase avec les athlètes, mange gloutonnement, boit du vin jusqu'à en vomir, et termine sa journée en couchant avec des filles dont elle dévore le mitan (*plane medias vorat puellas*) :

> *Dî mentem tibi dent tuam, Philaeni,*
> *Cunnum lingere quae putas virile !*

(« Que les Dieux te remettent dans ton bon sens, Philaenis, toi qui t'imagines que lécher un con c'est agir en homme ! ») Contre les homosexuels, les agents comme les patients, Martial lance des sarcasmes terribles. Il ridiculise le pédéraste dont tout le monde se détourne à cause de son haleine fétide ; celui qui ne peut pas s'asseoir tant son derrière est meurtri ; Charinus au séant défoncé, prêt à se faire sodomiser au point d'avoir l'anus fendu jusqu'au nombril (*secti podicis usque ad umbilicum*) ; Chrestus qui, le corps tout épilé, tient des discours sur la vertu.

---

1. *Toutes les épigrammes de Martial en latin et en français*, distribuées dans un nouvel ordre par M. B*** (Beau), t. III (Paris, Gié-Boullay, 1843).

Mais vienne à passer un garçon bien membré: «J'ai honte de dire, Chrestus, ce que tu lui fais avec cette même langue qui ne nous parle que de Caton.» Il suffit à Martial d'un distique pour marquer au fer rouge ses victimes:

Mentula cum doleat puero, tibi, Naevole, culus,
Non sum divinus, sed scio quid facias.

(«Quand ce garçon se plaint d'avoir mal à la queue, et toi au cul, Naevolus, je ne suis pas devin mais je sais ce que tu as fait.») Martial n'est pas moins féroce envers les autres maniaques sexuels, et il bafoue toutes sortes de femmes sans honneur: Lesbie qui fait l'amour devant témoins, Gellia qui ne couche qu'avec des eunuques pour ne pas avoir d'enfants, la vieille Vetustilla qui, avec ses trois cheveux et ses quatre dents, cherche à séduire un jeune homme, etc. Devant cette galerie de monstres, on comprend que la liberté sexuelle doit avoir des limites.

Martial ne joue pas cependant au parangon de vertu; il parle librement de ses amours, reproche à sa première femme de ne pas être assez libidineuse au lit, avoue ses écarts avec des jeunes filles et même avec des jeunes garçons. Sa morale n'est pas très exigeante et se borne à refuser ce qui est ignoble, à garder une juste mesure dans la satisfaction de ses appétits. Protégé de l'empereur Dominitien de l'an 81 à l'an 96, il s'abaissa à faire l'éloge de ses favoris, Earinus et Spendophore; en cela il est moins estimable que Juvénal, qui n'eut pas de telles faiblesses.

Le plus grand roman érotique de l'Empire romain décadent fut *L'Ane d'or* d'Apulée, écrivain africain né en 114 à Madaure, ville entre la Numidie et la Gétulie. A trente-quatre ans, il s'installa comme avocat à Carthage et y épousa une riche veuve, Pudentilla; l'héritier de cette dernière lui intenta un procès en prétendant qu'il avait usé de magie pour séduire sa parente. Le fond de *L'Ane d'or* est précisément la magie sexuelle et tout son texte baigne dans l'érotisme fantastique. Apulée traite du même sujet que Lucien, puisé à la même tradition milésienne — un homme transformé en âne — mais il en fait un roman-fleuve aux multiples affluents, dont les onze livres s'intitulaient d'abord *Metamorphoseon libri (Les Métamorphoses)*; plus tard à Carthage saint Augustin le lira et le citera sous le titre d'*Asinus aureus*.

D'emblée, Apulée nous avertit qu'il va faire un discours milésien (*sermo milesus*) contenant une suite d'histoires variées (*varias fabulas*). Son héros Lucius se rend en Thessalie pour affaires et frémit en écoutant ce qu'un de ses compagnons de route lui dit des sorcières thessaliennes; l'une d'elles, Méroé, a de tels pouvoirs qu'elle empêche depuis huit ans une femme enceinte d'accoucher. Arrivant à Hypata, ville de fantasmagories, où l'héberge son client Milon, il y subit l'attaque de trois outres de vin qu'un sortilège a changées en bandits; dès qu'il les perce de son épée, ils redeviennent des outres perdant leur vin. Lucius couche avec la servante de son hôte, Fotis, qui le comble de volupté. Elle lui apprend que la femme de Milon est une magicienne et la lui fait voir en cachette, quand celle-ci se frotte d'un onguent la métamorphosant en oiseau. Lucius, voulant faire un tour dans les airs, demande à Fotis de l'enduire du même onguent, mais elle se trompe de boîte et il devient aussitôt un âne. Il y a heureusement moyen pour lui de recouvrer sa forme humaine s'il mâche des roses. Fotis le conduit à l'écurie pour la nuit, en attendant de pouvoir lui apporter ces fleurs. Mais des voleurs s'introduisent dans la maison et emmènent l'âne avec leur butin.

C'est le début des tribulations de Lucius en âne, passant de maître en maître, assistant partout à des incidents de mœurs, écoutant des anecdotes prodigieuses. L'art d'Apulée est de fondre si bien ces contes annexes dans sa narration principale que l'ensemble garde une constante unité romanesque. Dans la caverne des brigands, Lucius est enfermé avec une jeune captive à qui une vieille ivrognesse raconte, pour la distraire, l'histoire merveilleuse d'Amour et de Psyché, qui s'étend sur les livres IV, V et VI. Quand il parvient à s'enfuir de cette caverne, il tombe aux mains d'une bande de prêtres eunuques de Cybèle qui le rendent témoin de leurs orgies. Apulée dépeint avec verve «ces saletés abominables» (*illos execrandas foetides*). Son livre IX est un festival d'histoires de femmes trompant leur mari ; on y trouve le conte du cuvier qu'a imité Boccace. A Corinthe, Lucius a enfin un propriétaire qui le soigne bien, parce qu'il l'exhibe comme un animal de cirque. Une dame le remarque et a envie de s'accoupler avec lui une nuit ; la scène de zoophilie est beaucoup plus truculente chez Apulée que chez Lucien. On voit la femme minauder auprès de l'âne, l'oindre d'huile, se placer sous lui pour l'enlacer de ses bras et de ses jambes, mener un jeu frénétique.

Son maître, ravi de le savoir doué du talent de satisfaire les femmes, décide de lui faire accomplir l'acte sexuel au milieu du cirque, devant les spectateurs, avec une jeune délinquante condamnée aux bêtes. Mais, une fois dans l'arène, Lucius prend peur et réussit à s'échapper. Il arrive à Kenchrées la veille du jour où l'on doit célébrer la fête d'Isis. Il s'endort, et la déesse lui apparaît en songe pour lui promettre sa délivrance. Effectivement, il trouve des roses à mâcher, et redevenu homme il décide de se faire prêtre d'Isis. Tout le livre XI raconte son initiation au culte d'Isis à Rome ; cette partie de *L'Ane d'or* nous permet de découvrir au IIᵉ siècle, dans la ville des Césars, le recul de la religion nationale au profit d'autres venant d'ailleurs. La victoire du christianisme était proche.

L'érotisme chrétien

Un préjugé tenace est de croire que le christianisme a été l'ennemi de la littérature érotique, alors que le paganisme en aurait été le défenseur inconditionnel. En réalité, ce ne furent pas les Pères de l'Eglise, mais les philosophes stoïciens comme Sénèque, qui commencèrent à appeler les organes génitaux les «parties honteuses» ou *pudenda* (les

Grecs diront les *oïdia*). Dans toutes les civilisations s'est posé le problème de la décence, car dans aucune on ne souhaite que l'homme se conduise avec aussi peu de retenue qu'une bête. Bien des païens ont marqué des réserves envers les obscénités littéraires, et l'on voit ainsi Quintilien déclarer que le poète Archiloque eût été l'égal d'Homère si ses sujets n'avaient pas blessé la pudeur. Surena lut avec indignation devant le Sénat de Rome un passage d'un livre érotique saisi dans les bagages d'un officier romain, en concluant que des soldats ayant de telles lectures ne seraient pas capables de soumettre les Parthes.

A l'inverse, des chrétiens se sont adonnés librement à des plaisanteries sexuelles, sans les juger incompatibles avec leur éthique. Tel fut le cas d'Ausone, personnage considérable de l'empire chrétien du IVe siècle, comte à la cour de Valentinien, puis questeur, et enfin consul des Gaules. Ses poésies érotiques ne le cèdent en rien à celles du païen Martial. Sa pièce libertine commençant par *Tres uno in lecto* («Ils sont trois dans un lit»), ses six épigrammes contre Eunus le lécheur, ses commentaires sur des filles galantes, Galla ou Dioné, sont plus que lestes. Ses vers en bas d'un portrait de Crispa, dont il précise: *Repperit obscenas Veneres vitiosa libido* («Son tempérament vicieux recherche d'obscènes voluptés»), fournissent aux latinistes un exemple du double sens de *deglubere*, peler un fruit:

> *Deglubit, fellat, molitur per utramque cavernam;*
> *Ne quid inexpertum frustra moritura relinquat.*

(«Elle branle, elle suce, elle se fait besogner par l'un et l'autre orifice; elle craint de mourir déçue de n'avoir pas tout essayé.») De cette Crispa, femme mariée avec des enfants, il dit ailleurs qu'elle est laide, mais qu'il la désire et qu'il en est jaloux. Ce qui n'empêche pas Ausone de faire l'éloge de Sabina, son épouse pendant trente-six ans, et de lui montrer ses érotiques:

> *Ludere me dixit, falsoque in amore jocari.*
> *Tanta ille nostra est de probita fides.*

(«Elle me dit que je joue et que je m'amuse à des amours imaginaires. Tant elle est sûre de notre intègre fidélité!») Peut-être que Sabina s'alarma, toutefois, quand son mari célébra dans ses *Idylles* une jeune Suève, Bissula, qu'on lui avait offerte comme esclave. Le poème le plus fameux d'Ausone est son *Centon nuptial (Cento nuptialis)*, décrivant les cérémonies du mariage et surtout la défloration de l'épousée. Après cette «page lascive» (*lasciva pagina*), il rappelle que Sulpitia, qui écrivait des vers luxurieux, avait des mœurs austères; que Cicéron badinait dans ses lettres à Cerellia; que d'autres gens sérieux l'avaient précédé, Annianus avec ses fescennins, «le vieux poète Levius avec ses livres d'Erotopégnies», «Evenus que Ménandre appelait le Sage». Et il conclut: «Donc celui à qui notre badinage déplaît, qu'il ne le lise pas; ou s'il l'a lu, qu'il l'oublie; ou s'il ne l'oublie pas, qu'il l'excuse [1].»

D'autres personnalités de la haute société chrétienne écrivirent des poésies érotiques. A Byzance, au vɪᵉ siècle, l'avocat Agathias (auteur par ailleurs d'une *Histoire byzantine* qui fait encore autorité) composa avec ses amis une anthologie d'épigrammes, *Le Cycle (Kuklos),* divisée en sept livres correspondant à sept genres. Le livre V était celui des «épigrammes érotiques», mais les livres du genre démonstratif ou satirique n'étaient pas moins licencieux. Or ils avaient pour auteurs des notables de l'empire chrétien d'Orient, comme Léontios le scolastique, Macédonios le consul honoraire, Irénée le référendaire, le rhéteur Eratosthène. On voit en cette anthologie Irénée le référendaire raconter comment Rodhopé l'accueillit dans son lit où ils se fondirent corps et âme; ou reprocher à Chrysilla de baisser la tête en défaisant sa ceinture, et l'avertir: *Aidôs nosphi peleis tès Kupridos* («La Pudeur n'a rien de commun avec Cypris»). Tous vivaient pourtant à la cour de l'empereur Justinien, si imbu de théologie qu'il fonda le droit canonique. Mais le *Code justinien* ne stipulait aucune interdiction de la littérature érotique, alors qu'il prévoyait des sanctions contre la littérature diffamatoire.

Les poètes chrétiens de Byzance inventèrent, afin de qualifier la beauté d'une jeune fille, le terme de *rhodopugon* («aux fesses de rose»). Ils aimèrent présider des concours de fesses, à l'exemple de Rouphinos détaillant avec lyrisme celles de trois belles: «Une querelle s'était élevée entre Rhodopê, Mélitê et Rhodocleia: laquelle des trois avait le cul (*mêrionês*) le plus beau. Elles me choisirent pour arbitre [2]...» Le plus brillant des érotiques byzantins fut Paul le Silentiaire, à qui l'on doit aussi une description de mille vingt-neuf vers de l'église Sainte-Sophie de Constantinople. Un silentiaire était un chambellan du palais impérial qui touchait de sa verge d'or tout courtisan parlant trop fort. Ce grave fonctionnaire nous apprend qu'il a attendu l'âge mûr pour s'adonner à la volupté: «Moi que jadis les Amours ne pouvaient atteindre de leurs traits dévorants, je courbe devant toi, Cypris, une tête à moitié chenue.» Paul le Silentiaire se montre grand connaisseur en baisers, et compare ceux de Galatée, de Doris et de Démô en définissant leurs saveurs respectives. Il évoque son corps à corps lascif avec une fille qui lui laisse tout faire, sauf l'acte essentiel; dépeint une autre au sortir du lit, les yeux battus, la mine défaite par une nuit d'amour, etc. Ses poèmes ardents et sensuels magnifient délicatement la chair.

La grande innovation de l'érotisme chrétien fut d'oser célébrer les charmes voluptueux des femmes mûres. Jamais les païens d'Athènes et de Rome n'ont admis que les matrones puissent encore leur plaire et avoir une vie sexuelle. Ils ont accablé des quolibets les plus méprisants les mères, les grand-mères, les veuves d'un certain âge qui prétendaient

---

1. Ausone, *Œuvres complètes,* t. II, traduction par E.F. Corpet (Paris, Panckouke, 1842-1843).

2. Rufin, Epigramme V, 35, dans *Anthologie palatine,* t. II, *op. cit.*

à l'amour, et tenu pour anormaux les hommes se sentant attirés par elles. Philodème, un Grec de Gadara vivant à Rome au IIᵉ siècle, fut le premier à faire l'éloge amoureux d'une femme de soixante ans, Charito: «Elle a toujours ses longs flots de cheveux noirs et sur sa poitrine ses seins de marbre dressent encore leur pointe, sans qu'aucune ceinture les emprisonne: sa peau, que ne flétrit aucune ride, distille toujours l'ambroisie... Vrais amants, venez ici, sans regarder au nombre de ses décades [1].» Mais c'était là louer une beauté défiant le temps, comme le fera aussi Agathias: «La svelte Mélitê, au terme d'une longue vieillesse, n'a point perdu cette grâce qui vient de la jeunesse [2]...»

Les païens de l'Antiquité classique auraient été ébahis et scandalisés d'entendre Paul le Silentiaire, plus audacieux, avouer qu'une galante sexagénaire lui plaisait malgré ses rides et sa poitrine tombante:

> Tes rides, Philinna, valent mieux que la sève de n'importe quelle jeunesse et je suis quant à moi beaucoup plus avide de tenir dans mes mains tes pommes plongeant de la pointe que les seins bien droits d'une fille encore dans le jeune âge. Ta fin d'automne est supérieure au printemps d'une autre et ton hiver plus chaud que son été [3].

Ce poème généreux (et révolutionnaire) fut imité par Nicetas et d'autres poètes. Dans Byzance chrétienne naquit ainsi la tradition de l'hommage au corps toujours désirable d'une femme ménopausée, à son tempérament amoureux et à ses caresses expertes, qui aboutira plus tard aux superbes stances de François Maynard, *La Belle Vieille*, introduisant dans l'érotisme un sentiment que le paganisme ignora ou ne voulut pas exprimer.

1. Philodème, Epigramme, V, 13, dans *Anthologie palatine*, t. II, *op. cit.*
2. Agathias, Epigramme V, 282, *ibid.*
3. Paul le Silentiaire, Epigramme, V, 258, *ibid.*

2

LA LUXURE AU MOYEN AGE

Au Moyen Age se développa la notion de luxure, qui n'appartenait à aucun système religieux ou moral de l'Antiquité gréco-romaine. La luxure (ou impudicité), consistant à s'adonner immodérément aux plaisirs sexuels, était un des péchés capitaux détournant l'homme de son salut spirituel. On la combattit donc théoriquement, mais en même temps on la représenta avec complaisance dans les arts et les lettres. Les théologiens distinguaient dix espèces de luxure (dont trois contre nature : la masturbation, la sodomie et la zoophilie), n'ayant pas la même nocivité : par exemple la fornication (commerce avec des prostituées) leur paraissait moins répréhensible que le stupre (défloration d'une vierge séduite sans intention de l'épouser) et que l'adultère (assimilable au vol, puisqu'on y vole l'honneur d'autrui).

La littérature refléta les multiples nuances de cette nouvelle idéologie de la chair. On se plut à montrer que la luxure menait le monde, surpassant la gourmandise ou l'ambition, et qu'elle se jouait de tous les obstacles. De nombreux écrits incitèrent le peuple à se préserver de ses pièges, ou l'égayèrent aux dépens de ceux qui, prêchant contre la luxure, tels moines et dévotes, y cédaient à l'occasion. Les mœurs dissolues du clergé, attestées par des documents officiels, justifiaient ces plaisanteries. Sous prétexte de dénoncer les luxurieux, leurs malices et leurs jouissances, le Moyen Age chrétien se permit ainsi des licences extrêmes dans ses fabliaux, contes rimés récités par des ménestrels en public.

L'univers des fabliaux et des farces

Le plus ancien *fableau* (comme on disait avant d'adopter la forme picarde fabliau) fut *Richeut*, en 1159, histoire d'une prostituée. La floraison du genre se poursuivit tout au long du XIIIᵉ et du XIVᵉ siècle. Certains fabliaux se limitaient à des équivoques grivoises, à l'exemple du

Histoire de Gyron le courtois
chez A. Vérard, Paris, 1503.
(Cl. Roger-Viollet.)

Sentier battu. La veille d'un tournoi, dans un château près de Péronne, dames et chevaliers s'assemblent «pour jouer au Roy qui ne ment» (sorte de jeu de la Vérité). La demoiselle chargée de poser des questions aux assistants raille les capacités sexuelles d'un jeune homme, l'accusant sur sa mine «d'estre mauvais ouvrier au lit». Vexé, lorsque vient son tour de l'interroger, il lui demande devant tout le monde si elle a du poil au pubis. Elle réplique: «Sachiez qu'il n'y en a point.» Il triomphe alors, mettant les rieurs de son côté: «Bien vous en croi, quar a sentier / Qui est batus, ne croist point d'erbe[1].»

Beaucoup de fabliaux traitèrent de l'adultère, en cherchant à prouver qu'il était inévitable, et parfois excusable. Les trois versions de *La Male Fame (La Mauvaise Femme)* révèlent de quelles façons une femme, surprise par son mari tandis qu'elle était au lit avec son amant, sut s'en tirer à son avantage. «Ci a grant molt ensaignement», dit l'auteur. D'autres récits exploitèrent un thème phallique. Le ménestrel Haisiaux, dans *De l'Anel qui faisoit les vits grans et roides*, évoqua un homme possédant un anneau magique: dès qu'il l'avait à son doigt «son membre li croissait». Il le perd en se lavant les mains à une fontaine où un évêque, passant après lui, le trouve: «En son doi l'a mis sans atendre. / Le membre li commence à tendre.» La pièce roule sur l'embarras de l'évêque affligé d'une si forte érection que «ses braies vont dérompant[2]».

Les six volumes du recueil de Montaiglon contiennent maints fabliaux d'une indécence inouïe, colligés d'après leurs manuscrits originaux, tels *Le Débat du Con et du Cu, Le Dit des Cons, Des putains et des léchéors (baiseurs), Du foteor (fouteur), Du vallet aux douze fames, De celle qui se fist foutre sur la fosse de son mari*, etc. Le tabliau *D'une seule fame qui a son con servoit cent chevaliers de tous poins* relate comment «en ung chatel sor mer» où cent chevaliers se défendent contre les Sarrasins une femme partage entre eux ses faveurs amoureuses. *De la Damoiselle qui ne pooiot oïr parler de foutre* est l'aventure d'une fille de baron si pudibonde qu'elle ne pouvait entendre parler «de foutre ne de culeter» sans s'évanouir. Un jeune homme, afin de la séduire, feint de s'évanouir aussi à ces mots; elle le veut aussitôt pour époux. Mais dès qu'ils sont «couchiez ensamble», la pucelle «li mit la main droit sur le pis... Puis taste avant, si a sentues unes grandes coilles velues[3]». Bref, la prude fille soudain montre que, si elle n'aime pas entendre le mot, elle adore faire la chose.

Ces fabliaux sont tellement libres qu'ils se moquent de la religion. Dans *De l'Evesque qui beneï lo con*, l'évêque de «la cité de Baiues» parvient à coucher avec une bourgeoise, dame Auberée. Mais sitôt qu'il la tient toute nue dans son lit, elle ne veut pas qu'il jouisse d'elle avant

---

1. Barbazan, *Fabliaux et contes des poètes français des xi, xii, xiii, xiv et xv siècles*, t. I (Paris, B. Warée, 1808).

2. *Ibid.*, t. III.

3. Anatole de Montaiglon, *Recueil général et complet des fabliaux du xiii et du xiv siècle*, t. III (Paris, Librairie des Bibliophiles, 1872-1890).

d'avoir donné la bénédiction à sa vulve. Elle lui dit: «Si vos volez vos volantez / Faire de moi ne de mon con / Il convient que beneïçon / Li doignez et si lo seigniez.» Il s'ensuit une cérémonie bouffonne de l'évêque signant et bénissant le sexe de la commère nue, en marmonnant des formules latines. Le fabliau *De Trois Dames qui trouvèrent un vit* montre trois dames qui ramassent au cours d'une promenade un phallus avec ses testicules; elles se le disputent, puis vont se rapporter à l'arbitrage de l'abbesse d'un couvent. Celle-ci, fort émue, se l'attribue en prétendant que c'est le heurtoir de sa porte, qui lui a été dérobé.

En *Do Maignien qui foti la dame*, une dame qui s'est blessée dans son bain demande à un *maignien* (chaudronnier ambulant) s'il connaît un remède; il lui répond qu'il a une racine pour la guérir. Cette racine est un «gros vit» avec lequel en une heure «la foutit trois fois près à près», ce qui la réjouit beaucoup. Ces tableaux de mœurs nous renseignent sur la grossièreté de la société féodale, où un châtelain et ses convives, dans une salle de banquet, se plaisaient à écouter le trouvère Guérin réciter le fabliau *Du Chevalier qui fit les cons parler* (dont il existe une version en dialecte anglo-normand). Un chevalier rend service à trois fées qui lui accordent le privilège que, lorsqu'il interrogera le sexe d'une femme, celui-ci lui répondra des paroles intelligibles. Dans le château d'un comte, il couche avec une chambrière et, s'adressant à sa bouche d'en bas, en obtient un discours suivi. Epouvantée, la fille court prévenir la comtesse qui, mandant le chevalier, lui parie soixante livres qu'il ne lui fera pas «parler le con». Avant l'épreuve, elle prend soin d'étouper son orifice génital avec une bourre de coton, si bien que le chevalier lui pose des questions qui restent sans réponses. Mais alors il en demande la raison au cul, qui la lui explique d'une voix claire. En effet, une des trois fées lui avait précisé: «Que si li cons par aventure / avoit aucun encombrement / Qu'il ne repondit maintenant / Li cus si repondroit por lui [1].» Le chevalier quitte ainsi le château heureux d'avoir gagné si facilement soixante livres.

Joseph Bédier a voulu croire que les fabliaux étaient «la poésie des petites gens» et représentaient l'esprit bourgeois; tandis que les nobles préféraient écouter les chansons de geste, reflétant l'esprit aristocratique. Ce n'est pas si simple. Il se contredit, d'ailleurs, en reconnaissant que «l'un de nos plus vilains fabliaux, *Le Sentier battu*», est de Jean de Condé, ménestrel des comtes de Flandres: et que bien d'autres, aussi vilains, furent récités en de hautes cours [2]. Les fabliaux s'adressaient à tous les publics. Dans les salles d'auberge et les carrefours, ils étaient diffusés par les goliards, moines défroqués et universitaires déclassés courant les routes et disant des histoires pour quelques sous.

Le théâtre comique du Moyen Age eut des traits comparables à ceux des fabliaux. Il était joué par des comédiens amateurs (les comédiens

---

1. Anatole de Montaiglon, *Recueil général et complet des fabliaux, op. cit.*, t. VI.
2. Joseph Bédier, *Les Fabliaux*, dans Petit de Julleville, *Histoire de la langue et de la littérature française*, t. II (Paris, Armand Colin, 1896).

professionnels n'apparaissant que sous François Ier), bourgeois et prêtres pour les *mystères* des fêtes municipales, le reste du répertoire étant interprété par les jongleurs dans les châteaux, et par les étudiants des universités dans les villes. Ces amateurs formaient des compagnies, comme celles des Clercs de la Basoche, des Enfants sans souci, des Gaudisseurs, des Navarriens (étudiants du Collège de Navarre), des Enfants de Beauvais, etc. Leurs spectacles dramatiques, donnés souvent en plein air (par exemple, à Paris, sur des tréteaux de la place Maubert), comportaient trois parties: d'abord une *sotie* (revue satirique de l'actualité par des acteurs costumés en Sots, avec le bonnet à oreilles de veau); puis, une moralité; enfin, pour terminer en gaieté, une *farce*.

La farce, destinée à détendre les spectateurs après la moralité, était une caricature outrancière des mœurs. Le grand médiéviste Gustave Cohen, en tête d'un recueil de cinquante-trois farces, constate: «L'obscénité et la scatologie en sont la base, mais il ne faut point négliger ces frustes manifestations de l'esprit gaulois [1].» Voici quelques exemples de la licence qui s'y déchaînait.

Dans la *Farce de Tarabin-Tarabas*, Tarabin la mal mariée se plaint de la tête de son époux («O mauldite teste de fer... teste hargneuse / Teste lunactique et fumeuse») et Tarabas le mal marié se plaint du cul de sa femme, «cul rond à très orde mesure / crevasse plaine d'ordures», et dit qu'il en a assez «du cul et de la culerie, du trou de la baculerie». Ils se disputent en s'interpellant: «Ha! teste! Ha! cul!», et Tribouille Mesnage arrive pour les réconcilier; le dialogue empire au point que l'auteur, dans le final, s'excuse de cette pièce «ung bien petit grace» (un petit peu grasse).

La *Farce d'une femme à qui son voisin baille un clystoire* est très animée. Frigalette, à qui son mari Trubert Chagrinas ne donne aucun plaisir («jamais ne veult besongner», dit-elle), feint d'être malade et d'avoir besoin du médecin Doublet, qui est amoureux d'elle. Au moment où celui-ci lui administre un «clystère barbarin» contenant «eau-de-vie qui soutient vie», Trubert survient et les bat à coups de bâton.

La *Farce du ramoneur de cheminées* montre un ramoneur courant les rues en criant: «Ramonez vos cheminées / Jeunes femmes, ramonez!» Son valet l'engage dans une conversation sur l'art de ramoner la cheminée d'une femme: il l'entend dans un sens sexuel, l'autre lui répond dans le sens de son métier. Il se vante de pouvoir ramoner seize cheminées en un jour. Mais sa femme apparaît et s'écrie: «Il ne ramone plus / Neu plus qu'un enfant nouveau-né.» Elle se plaint que depuis trois mois il ne s'est pas occupé de sa cheminée «qui souloit estre ramonée / tous les jours bien cinq ou six fois». Le ramoneur se justifie: «Il n'est homme qui ne s'en lasse / De ramoner si long espace... Ma gaule ploye!»

Le dialogue par équivoques est plus corsé encore dans la *Farce des femmes qui font rembourrer leur bas*. Deux femmes insatisfaites

---

1. *Recueil de farces françaises inédites du* xve *siècle*, publié pour la première fois par Gustave Cohen (The Mediaeval Academy of America, Cambridge, Massachusetts, 1949).

sexuellement partent à l'aventure en se disant l'une à l'autre: «Trop vivons sans esbatement... Besongner nous fault autrement / Et faire rembourrer nos bas.» Elles rencontrent Espoir de Mieulx, qui se partage en deux pour s'occuper d'elles. Chacune lui parle de son bas comme s'il s'agissait d'un soulier et il leur répond comme un cordonnier. La Première: «Mon seigneur, le cuir est bien tendre. / Boutez-y le baston de mesure.» De Mieulx: «Mon baston est bien petit.» La Première: «Qu'il soit gros à l'avenant.» De Mieulx: «Il est bien pointu par devant / Mais il est gros emprès le manche.» Espoir, de son côté, examine le bas de la Seconde: «Il ne reste qu'à l'embourrer / Quelle bourre y voulez-vous fourrer?» Quand le bas a été rembourré, il demande: «Fault-il point coudre ceste fente?» On devine les gestes et les mimiques que devaient faire les compagnies interprétant ce genre de farces.

L'érotologie courtoise
d'André le Chapelain

L'érotique médiévale, ne se limitant pas à ces plaisanteries sur la luxure, chercha aussi à la dominer en transcendant la sexualité. Tel fut le but de l'amour courtois, relevant du principe que deux êtres ne doivent pas s'aimer pour obéir simplement à une inclination naturelle, mais pour s'améliorer l'un par l'autre physiquement et moralement. Cette conception, formée dans le midi de la France, était une réaction contre les mœurs rudes et violentes de la chevalerie. Le chevalier ne se préoccupait guère d'amour: c'était un militaire obsédé par la «prouesse», dont toutes les délicatesses se renfermaient dans le point d'honneur guerrier, la fidélité au suzerain et aux compagnons d'armes.

Dans la classe privilégiée, la femme représentait avant tout un fief; elle n'avait pas à choisir son mari; dès l'âge de douze ans, on disposait d'elle pour conclure une alliance, récompenser un vassal. Son rôle était d'être la servante de l'homme; le seigneur d'un château, accueillant un visiteur, envoyait le soir sa fille le *tastonner*, le *costoïr*, c'est-à-dire le masser dans son lit jusqu'à ce qu'il s'endorme; ainsi apprenait-on à celle-ci son futur devoir de soumission domestique. Le droit féodal permettait au mari de battre sa femme si elle lui donnait un démenti. Aimeri de Narbonne renverse à terre d'un coup de poing Ermenjart, qui vient de lui reprocher d'éloigner leur fils. Dans *Rigomer*, le roi Arthur veut faire couper la tête de son épouse parce qu'elle n'est pas de son avis.

L'amour courtois a contrebalancé cette misogynie en faisant du sentiment amoureux une vertu comparable à l'honneur. De là deux obligations paradoxales, mais qui s'expliquent aisément dans ce contexte. D'abord, on décida que la femme aimée devait être socialement supérieure à l'homme: ainsi, le respect qu'il était tenu de lui accorder pour son rang réagirait sur celui qu'on lui demandait d'avoir pour sa féminité. Il fallut également qu'elle fût mariée à un autre; l'illégitimité de leurs relations rendrait nécessaires des ménagements, conditions expresses de la courtoisie.

On ne sait où, quand et comment est né l'amour courtois. Parmi ses influences, on invoque contradictoirement les chansons de mai, la rhétorique latine du Moyen Age, la poésie arabe. On résout la difficulté en faisant partir son histoire du premier troubadour, Guillaume IX de Poitiers, duc d'Aquitaine, qui régna de 1086 à 1127. Ce fut d'abord un joyeux compagnon, bouffon et paillard, menant une vie scandaleuse avec sa maîtresse Maubergeonne, vicomtesse de Châtelleroux, qu'il fit peindre sur son bouclier. Lorsque Girard, évêque d'Angoulême, l'excommunia à cause de cette liaison, il répondit au prélat qui était chauve: «Avant que j'abandonne la vicomtesse, le peigne frisera tes cheveux rebelles.» Guillaume IX de Poitiers se dit expert au jeu d'amour (*juec d'amor*) consistant à jouer sur le coussin (*jogar sobre coyssi*), et raconte qu'en Auvergne, enfermé huit jours dans une chambre bien chauffée avec deux femmes, il leur fit l'amour cent quatre-vingt-huit fois, à en rompre ses braies et son harnais (*rompei mos corretz / et mos arnes*).

Mais ce personnage cynique, se plaisant à composer des chansons gaillardes, changea brusquement de style à son retour des Croisades, s'exprimant en amoureux humble et fervent d'une amie parfaite. Il inaugura des thèmes dont on ne trouve pas trace en France avant lui: ainsi, il assimila les rapports amoureux au service féodal, la dame étant identifiée au suzerain, l'amant au vassal. Il appelle d'ailleurs sa dame *Mi dons* (mon seigneur), usage que reprendront les troubadours après lui. Ce revirement fut causé, a-t-on dit, parce que ses épouses successives Ermengarde et Philippa, sa fille Audéarde, le quittèrent pour se cloîtrer dans l'abbaye de Fontevrault. Il voulut montrer que l'amour profane était aussi noble que l'amour sacré, en inventant des notions aussi capitales que le *service amoureux*, le culte de la *domna* (femme-suzerain), le *joy* (joie d'aimer) et la *jovens* (jeunesse donnée par l'amour).

Les troubadours des générations suivantes ne s'en tinrent pas là; rien de plus détaillé que la tradition occitane à cet égard. D'après les règles de l'amour courtois, le troubadour s'attachait à une dame mariée, que son titre rendait inaccessible, d'autant plus qu'il était souvent lui-même d'extraction modeste. Au début, à sa vue ou au son de sa voix, il se sentait atteint par les flèches de Cupidon: c'était l'*enamourement*, toujours produit par les yeux ou par les oreilles et qui, dans le cas de l'*amour de loin*, pouvait se réaliser pour une inconnue jamais rencontrée, dont il entendait dire merveille. Dès lors, il entrait dans le *joy*, la joie du désir qui le soulevait d'une exaltation à la fois délicieuse et désespérée. Grâce au *joy* il était sur la voie du bien: il devenait adepte de l'érotisme pur (*fin's amors*). Il se vouait désormais au «service amoureux», qui comportait plusieurs degrés: le premier était celui de soupirant (*fenhedor*), rôle effacé où il se contentait de rêver à elle sans rien dire. De là il passait à l'état de suppliant (*precador*), c'est-à-dire qu'il se déclarait: la dame pouvait se laisser prier trois fois avant de répondre.

Si elle consentait à l'adopter pour amant agréé (*entendedor*), elle le faisait au cours d'une cérémonie intime où il se mettait à genoux, les mains jointes ; elle se penchait alors pour lui donner un baiser de confirmation.

Le service amoureux consistait à honorer (*onrar*), dissimuler (*celar*) et patienter (*sufrir*). D'abord, la seule faveur se bornait à l'entretien particulier (*domnei*) où le troubadour faisait briller son don de parole, en s'efforçant de garder la mesure (*mezura*). Si la dame était contente de son servant, sûre de sa discrétion, elle lui donnait cette récompense : la contemplation de sa nudité. Elle le faisait pénétrer en secret dans sa chambre lors de son lever ou de son coucher, en présence parfois d'une camériste. Il assistait à un épisode de sa toilette qui lui montrait fugitivement la nudité de sa dame ; si, en étant nue, elle lui accordait un baiser, il n'avait pas le droit de le rendre, sous peine d'une rupture définitive.

La récompense suprême était l'essai (*asag*), où la retenue de l'homme était mise à l'épreuve. Il fallait savoir s'il était capable de ce contrôle de soi indispensable à la courtoisie. La dame invitait donc son ami à partager sa couche ; ils y restaient nus toute la nuit, avec l'autorisation de se caresser, mais sans arriver au «fait». Au cas où l'homme cédait à la tentation, c'était la preuve qu'il n'aimait pas assez ; il était rejeté, déclaré indigne du *fin's amors* ; dans le cas contraire, il acquérait la Valeur. Il pouvait espérer se transformer bientôt en amant charnel (*drut*). L'érotologie courtoise prescrivait de différer le plus longtemps possible l'acte sexuel, car on redoutait qu'après ce moment c'en fût fini du manège exquis de l'homme et de la femme cherchant à se faire désirer[1].

Le premier grand théoricien de l'érotisme pur en Occident fut André le Chapelain, qui a codifié dans son *De Amore* les principes de la courtoisie sexuelle. C'était un homme du Nord, chapelain de la comtesse Marie de Champagne de 1184 à 1186, vivant à la cour de Troyes où elle entretenait un cénacle de trouvères. Cela prouve combien est fausse l'opinion selon laquelle seuls les pays de langue d'oc pratiquaient la joie d'amour et ses raffinements, exprimés par les troubadours dans leurs chansons, tandis que les pays de langue d'oïl préféraient les histoires de bataille et les fabliaux grivois de leurs trouvères. L'influence du Midi sur le Nord débuta avec Aliénor d'Aquitaine, petite-fille de Guillaume IX de Poitiers, lorsqu'elle fut reine de France de 1137 à 1152. Ses filles Marie de Champagne et Aélis de Brie firent de leurs cours de Troyes et de Blois des centres où la *corteisie* des trouvères répondit à la *cortezia* des troubadours.

Dans son *De Amore*, André le Chapelain voulut surpasser Ovide, dont l'*Ars amatoria* commençait à être goûté au XII⁰ siècle à travers deux traductions perdues — celles de Chrétien de Troyes et de maître Elie — et une autre subsistante, d'un auteur anonyme, *La Clef d'Amors*. Il s'inspire parfois du poète latin, le contredit plus souvent, se réfère à des

---

1. Cf. René Nelli, *L'Erotique des troubadours* (Toulouse, Privat, 1963).

notions chrétiennes, des thèmes romanesques du cycle celtique, et des débats sur l'amour dirigés par les dames de Gascogne, la reine Aliénor, Ermengarde de Narbonne, la comtesse de Flandre et Marie de Champagne. En sa qualité de prêtre, il ne peut pas comme Ovide décrire les différentes postures sexuelles; mais son érotologie est assez audacieuse pour que le *De Amore* ait été condamné par l'évêque de Paris Etienne Tempier en 1227. Il reprochait notamment à André le Chapelain de soutenir que la continence n'est pas une vertu essentielle, que la fornication simple n'est pas un péché, et qu'il y a deux Vérités, l'une justiciable de la raison et de la philosophie, l'autre de la foi et des Saintes Ecritures [1].

Le traité *De Amore* est divisé méthodiquement en trois livres ayant pour sujet: I. *Comment acquérir l'amour*; II. *Comment, une fois acquis, le conserver*; III. *Comment s'en guérir.* Ces livres sont eux-mêmes subdivisés en nombreux chapitres dans lesquels le Chapelain analyse hardiment les situations de l'amour et légifère sur elles, n'oubliant aucun détail, depuis la conduite galante que chacun doit observer selon sa condition sociale, jusqu'à l'emploi des remèdes contre le mal d'aimer. Le chapitre 1 définit l'amour comme une méditation excessive (*immoderata cogitatio*), inspirée par la vue d'un être séduisant. Il s'ensuit une obsession à base de délectation charnelle: «Tout l'effort de l'amant tend à jouir des embrassements de l'aimée, et il médite constamment sur ce sujet.» Le chapitre 2 détermine «entre quelles personnes l'amour est possible» et le chapitre 3, analysant d'où vient le terme d'amour, fait dériver *amor* du mot *amus* (crochet, hameçon) et en déduit qu'aimer signifie prendre quelqu'un à l'hameçon et être pris au sien du même coup. André le Chapelain étudie ensuite «quels sont les effets de l'amour» (ch. 4), «quelles personnes sont aptes à l'amour» (ch. 5), et «de quelle façon l'amour s'acquiert» (ch. 6). Ce chapitre est particulièrement long et complexe, parce qu'il est accompagné d'une suite de dialogues amoureux.

André le Chapelain distingue entre l'amour pur (*amor purus*), l'amour mixte (*amor mixtus*) et l'amour vénal (*amor per pecuniam acquisitus*). Le premier est chaste, bien qu'il puisse aller jusqu'à l'enlacement de la dame toute nue; le deuxième comporte la «consommation du fait»; le troisième concerne aussi bien les gens mariés que les prostituées. Dans l'amour mixte, il y a quatre degrés que la dame permet à son ami de franchir s'il progresse dans le bien: l'espoir, le baiser, l'embrassement, la possession. L'éloquence étant le principal moyen de séduction des prétendants, André le Chapelain établit huit modèles de conversation amoureuse, avec des indications sur les préséances à observer. Ces entretiens évoquent toujours un problème sexuel — ainsi, l'amour s'accorde-t-il mieux entre gens éloignés qu'entre voisins? — avant d'en venir à l'aveu. Une grande aristocrate soumet à un baron ce dilemme:

1. Cf. A.J. Denomy, *The De Amore of Andreas Capellanus and the condemnation of 1277 (Mediaeval Studies*, VIII, Toronto, 1946).

Deux amants se disputent une dame qui leur propose cette alternative: «Je donne à l'un de vous la moitié supérieure de ma personne, à l'autre la moitié inférieure. Choisissez.» Un des deux prend le haut, l'autre le bas: quel est celui qui aime le mieux? — Celui qui a préféré le haut, pense le très haut baron. — Pas du tout, répond la très grande dame; c'est du bas que proviennent tous les plaisirs qui consolent les hommes de leurs soucis; et on n'aurait aucun plaisir à regarder le haut, si on ne songeait pas au bas; et sans cela vous auriez autant de plaisir à contempler une tête d'homme qu'une tête de femme; ou bien c'est que vous êtes eunuque, car la cause de l'amour réside sans aucun doute dans la partie inférieure; il n'est pas douteux qu'on doive préférer la partie du bas, comme plus digne [1].

Dans un autre de ces dialogues, une dame se défend en alléguant qu'elle aime son mari. Le chevalier lui objecte qu'il ne peut y avoir d'amour entre gens mariés, pas plus qu'il n'y a de véritable amitié entre un père et son fils; son interlocutrice conteste et résiste. Pour trancher le différend, ils écrivent tous deux une lettre à Marie de Champagne qui, après avoir consulté quelques dames, leur répond dans un message daté de 1174:

Il ne peut y avoir d'amour entre époux. Car les amants s'accordent tout l'un à l'autre sans qu'aucune obligation les y contraigne. Les époux, au contraire, sont tenus d'obéir réciproquement à leurs désirs et de ne rien se refuser l'un à l'autre. D'ailleurs, qu'y a-t-il d'honorable pour les époux à jouir de leurs embrassements à la façon des amants, alors que cela ne peut augmenter en rien le mérite d'aucun des deux et qu'ils n'ont rien à conquérir que ce qui leur appartient de droit [2]?

Sans aller jusqu'à faire l'éloge de l'adultère, l'érotologie courtoise déprécia le mariage, au point de permettre à la dame d'avoir un amant-vassal, la servant respectueusement, comme ne le faisait pas son mari qu'elle n'avait d'ailleurs pas choisi librement. Elle ne péchait pas si elle menait de tels rapports amoureux extra-conjugaux avec prudence et sagesse, *prudentia* et *sapientia*, vertus recommandées par André le Chapelain qui veut apprendre à ses lecteurs à «aimer savamment» (*sapienter amare*). Dans son livre II, où il approfondit comment l'amour peut être conservé, comment il augmente, diminue, finit, il conseille les amants jusque dans la façon de porter une bague donnée par une femme: à la main gauche («parce qu'elle est moins exposée à des touchers honteux et déshonnêtes»), au petit doigt (qui contient la vie et la mort de l'homme), et le chaton tourné en dedans (afin de la préserver des regards).

Pour développer sa théorie qui enseigne à vaincre la luxure sans lui opposer la chasteté, André le Chapelain use parfois de fictions; par exemple, celle où un chevalier cherchant l'épervier du roi Arthur pour

---

1. André le Chapelain, *De Amore libri tres*, I, 6, F, édition établie par E. Trojel (Copenhague, 1892).
2. *De Amore, op. cit.*, p. 280.

sa dame, qui lui a promis de lui appartenir s'il le lui rapportait, trouve les trente et une règles de l'amour attachées après. L'auteur rapporte aussi vingt jugements rendus par des grandes dames sur des affaires de mœurs. Cela explique pourquoi le *De Amore* eut un succès considérable, attesté par ses traductions en Italie et en Allemagne. Drouart la Vache l'adapta en vers français dans *Li Livre d'Amours* (1290), et au milieu du xIVᵉ siècle le roi Juan d'Aragon et sa femme Violante en firent le guide de leur Cour d'amour à Barcelone, où divers poètes catalans s'en inspirèrent. Après avoir circulé sous forme de manuscrits, ce livre fut imprimé vers 1474, sans doute à Strasbourg; l'incunable porte le titre de *Tractatus amoris et de amoris remedio*. Une réédition faite à Dortmund en 1610 s'intitulera *Erotica seu Amatoria*.

Le roman de *Flamenca*, rédigé vers 1234, est la plus belle illustration de l'érotisme courtois dont André le Chapelain a fait le code. Flamenca, fille du comte Gui de Nemours, est mariée à Archambaut qui, extrême-ment jaloux, la séquestre dans une tour. Guillems de Nevers, sur le conseil d'Amour, entreprend de la délivrer et se fait tonsurer afin d'être engagé comme clerc au château. Flamenca lui apparaît en rêve pour lui indiquer deux stratagèmes lui permettant de la rencontrer à l'église et aux bains. Après l'entrevue aux bains, Flamenca accompagne Guillems dans un souterrain jusqu'à sa chambre où, en présence de ses suivantes Margarida et Alis, elle s'assoit avec lui sur son lit et accomplit *l'essai*. Elle l'accole, le couvre de caresses, mais il s'agit «seulement de baiser et d'embrasser, d'étreindre et de manier» (*sol de baisar et d'embrassar, / d'estreiner e de manejar*). Il doit résister à son envie de la posséder charnellement:

> *Il ne sollicita ni ne demanda rien.*
> *Il se contenta de ce que sa dame lui offrait,*
> *et elle n'était point lente à lui faire plaisir* [1]...

L'essai démontre que l'amant a la maîtrise de soi. A l'entrevue suivante se passera donc *le fait (lo fag)*. Cette fois entre Guillems et Flamenca c'est le «jeu d'amour» complet, décrit lyriquement; pendant qu'ils le jouent dans la chambre, deux damoiseaux qu'il a amenés, Othon et Clari, s'enferment aux bains avec Margarida et Alis en jurant qu'elles n'en ressortiront pas pucelles et qu'ensuite ils deviendront leurs cheva-liers servants. Tout cet épisode se déroule dans une exultation intense, car les trois couples sont inspirés par *Jovens*, la Jeunesse qui vient d'Amour. Quittant son déguisement de clerc, Guillems va guerroyer dans les Flandres, revient participer à un tournoi au château, où il est reconnu pour le meilleur chevalier. Les deux objectifs de l'érotisme courtois — affranchir la femme de la tutelle d'un mari tyrannique, rendre un amant valeureux par le don d'une récompense sexuelle — sont ainsi atteints.

---

1. *Le Roman de Flamenca*, dans *Les Troubadours*, traduction de René Lavaud et de René Nelli (Paris, Desclée de Brouwer, 1960).

Les soties amoureuses

La poésie lyrique du Moyen Age, s'exprimant en rondeaux, ballades, lais et virelais, nous a laissé une quantité de pièces puissamment érotiques, dont on fit un florilège à Paris en 1483, *Le Jardin de plaisance*. Elle eut même un genre spécial, la *sotie amoureuse* ou *sotte ballade*, que l'on récitait le premier de l'an à Amiens devant un Prince des Sots. Les *sottes chansons* firent également l'objet de concours poétiques dans les puys d'amour, chambres de rhétorique provinciales.

Fabliaux et farces, platement rimés, valaient plus par leurs situations drolatiques que par leurs trouvailles verbales. Au contraire, toutes les poésies libres des xivᵉ et xvᵉ siècles ont une étonnante richesse de vocabulaire. Les poètes y appellent l'acte sexuel la *basse danse*, le membre viril le *flageolet* quand il est mou, le *vit* (de *vectis*, levier, barre) quand il est dur. Courir les femmes d'autrui, c'est *prendre sa moutarde en tous lieux*. Faire l'amour se dit *chevaucher sans selle*, *mettre un pié d'andouille entre les deux jambons*, *croquer la noix*, *fréquenter les basses marches* (les *basses marches* ou *basses vallées* étant les fesses), *hocher le daddier* (secouer le dattier, le sexe de la femme étant comparé à une datte). *Ne sonner que d'une cloche* est le fait d'un amant maladroit ayant une éjaculation précoce. Le *Doctrinal de la seconde rhétorique* de Baudet Herenc (1432) reproduit une *sotte ballade* où une dame dit à son ami Jacquemart: *Viens bouter ton poupart dedans mon capitole*[1].

Le premier grand poète érotique français fut Eustache Deschamps, ce qui peut surprendre si l'on sait qu'il fut l'ami du connétable Bertrand du Guesclin, dont il célébra les victoires et la mort, et qu'il exerça des fonctions officielles, étant huissier d'armes des rois Charles V et Charles VI, bailli de Senlis, maître des forêts de Rest (Villers-Cotterêts). Né en 1346 à Vertus, en Champagne, Eustache Deschamps fit une œuvre patriotique et religieuse; mais c'était aussi un homme de verve, qui fonda dans sa jeunesse à Orléans la société des Fumeux, qu'il présida sous le nom de Jehan Fumée. En 1376, tombant malade à Vitry, il rédigea un testament burlesque dont s'est souvenu Villon. Il a fait des poèmes en forme de jurons, une ballade pour les chauves, un autoportrait où il se dit «Roi des laids», et se décrit avec un corps trapu et velu, une hure de sanglier, des yeux qui louchent. Il convoqua en 1400 à Epernay et à Lens un Parlement de *Bourdeurs* (diseurs de bourdes). Cet écrivain des temps féodaux n'était certes pas un homme ordinaire!

Eustache Deschamps a écrit des poésies amoureuses ravissantes, comme cet *Alleluia d'amour*, virelai où il chante son allégresse parce qu'une dame lui a accordé ses faveurs, et cette *Ballade du mendiant d'amour*, dans laquelle l'amant sollicite humblement une belle qui le

---

1. Cf. *Recueil d'Arts de seconde rhétorique*, publié par Emile Langlois, p. 175 (Paris, Imprimerie nationale, 1902).

repousse en lui disant au refrain: «Alez à Dieu, l'aumosne est faicte.» Mais il s'est amusé aussi à des poésies érotiques, certaines simplement grivoises, d'autres franchement ordurières. La plus anodine est la *Leçon de musique* donnée par Robin à Marion: «Qu'au dessoubs de votre ceinture / Me laissiez de la turelure / et de ma chevrette jouer.» Marion proteste d'abord: «Doit-on ainsi parler d'amours», mais dès qu'il lui apprend avec l'instrument adéquat «le fa et le mi», elle change d'opinion: «Un po cria, mais elle endure... / Elle pasma, et revint sure [1].»

Eustache Deschamps va bien plus loin dans ses poèmes sur ceux que tourmente «le mal de saint Foutin». L'épouse de Giraudon se plaint dans un rondeau que son mari, autrefois «bon fouteur», reste indifférent quand elle lui demande: «Viens à mon con faire une reverdie» (donner un assaut). Ailleurs un vieillard exhale ses regrets d'être impuissant dans une ballade dont le refrain dit: «Je ne puis la queue mouvoir.» Une autre ballade macaronique est la demande d'une vieille à un vieillard; elle veut savoir s'il a toujours «ses armes» pour le tournoi sexuel; et comme il n'a plus ce «bourdon acéré» qui lui permettait de jouter vaillamment au lit, elle reconnaît qu'elle n'est plus elle-même comme avant:

> *J'ay ventre enflé, grand cul et plate fesse,*
> *Con estendu, large comme un cabas,*
> *Pour hébergier tout le charroy d'Arras...*

Deschamps narre des scènes de mœurs, comme le charivari fait pour troubler la nuit de noces de Pierre Paviot et de sa femme Blanchette au château de Beauté. Il raconte aussi des aventures galantes, par exemple son fiasco quand, parti pour «chevaucher Jehanne», sa chambrière, il en est empêché par sa femme qui l'entraîne au lit, mais qui constate: «Le vit ne te veult tendre», de quoi il s'excuse: «Il vous craint tant qu'il ne s'ose lever.» Ou la nuit de plaisir qu'un homme a passée avec une femme racolée sur un marché, et qu'il raconte à un ami dans un poème-conversation:

> — *Dont venez-vous? Ou fustes-vous er soir?*
> — *Et tu? Dont viens à ceste matinée?*
> — *Que t'en est-il? — Il me le faut sçavoir.*
> — *Je ne finay hier toute la journée.*
> — *De quoy faire? — D'avoir une espousée.*
> *Bon sein portoit, gros con et grosses fesses,*
> *Quatorze fois lui bati sa pouppée,*
> *Tant qu'elle dist: «Fuy de cy, tu me blesces.» [2]*

Il s'étonna parce que cette fille avait tressé les poils de son pubis; elle lui révéla que c'était la mode du pays («la guise de faire ainsi estoit en

---

1. *Œuvres complètes d'Eustache Deschamps*, d'après le manuscrit de la Bibliothèque nationale, t. V (Paris, Firmin Didot, 1878-1903).

2. *Ibid.*, t. V, p. 361. *Je ne finay pas*: je n'en finissais pas. *Fuy de cy, tu me blesces*: va t'en de là, tu me fais mal.

la contrée»). On remarquera cette métaphore extraordinaire, *battre la poupée d'une femme*, pour indiquer qu'un amant investit le sexe de sa maîtresse. Eustache Deschamps a une langue drue, pittoresque, une versification savante. Ses poèmes d'injures aux gens qu'il déteste sont d'une incroyable violence obscène, comme sa ballade contre le pédéraste Brugaut («Maudite soit la couille de Brugaut», dit le refrain), sa *Sotte chanson d'une vieille merveilleuse*, une «vieille ribaude et maquerelle», dont les tétasses «pendent devant jusqu'au brodier». Le brodier, c'est le sexe d'une femme, que Deschamps nomme aussi la louvière (le piège à loup).

Eustache Deschamps eut pour disciple la première féministe française, Christine de Pisan, qui lui écrivit le 10 février 1404 en l'appelant son *cher maître et ami*. Il mourut peu après, laissant inachevé *Le Miroir de mariage*, poème de 12103 vers où Franc-Vouloir, désirant se marier, demande conseil à Répertoire-de-Science, qui lui décrit la femme idéale (impossible à trouver) et tous les types de femmes épouvantables qu'il risque d'épouser.

Après lui, beaucoup de poètes du Moyen Age perpétuèrent cette tradition de la sotie amoureuse et de la poésie obscène. Certaines pièces furent anonymes, comme celle-ci, tirée d'un manuscrit ayant appartenu au Vatican, puis au «Fonds de la reine» en France, qui présente l'amour tel un jeu où l'on peut être plus ou moins gagnant :

> *Si vous la baisés, comptés quinze;*
> *Si vous touchés le tétin, trente;*
> *Si vous avez la motte prinse,*
> *Quarante-cinq lors se présente.*
> *Mais si vous mettez en la fente*
> *Ce de quoy la dame a mestier,*
> *— Notés bien ce que je vous chante —*
> *Vous gaignés le jeu tout entier*[1].

Dans un autre manuscrit, une *sotte ballade* qui doit être de Michault Taillevent, car elle est calligraphiée tout de suite après son *Passe Temps*, commence ainsi :

> *Il n'est aise qu'avoir argent,*
> *Ne menger que bonnes viandes,*
> *Ne vesture que draps changeant,*
> *Ne corps traictis que de Flamandes,*
> *Ne mamelles que de Normandes,*
> *Ne plaisir que de femme ensainte,*
> *Ne passe temps qu'entre truandes,*
> *Ne jeu que de cul et de pointe.*

Henri Baude, de l'école de François Villon, est un poète du XVᵉ siècle

---

1. *Le Parnasse satyrique du XVᵉ siècle*, anthologie de pièces libres publiée par Marcel Schwob (Paris, H. Welter, 1903).

né à Moulins, qui fut receveur des tailles à Tulle et eut des démêlés avec le Parlement de Paris en 1468. Il écrivait ordinairement des poèmes à broder sur des tapisseries. Les clercs du Palais, qu'il railla dans une moralité, le firent emprisonner au Châtelet. Son esprit s'aigrit et sa poésie devint désabusée. Il a sa place ici à cause de la série de ses rondeaux érotiques du manuscrit français 1721 de la Bibliothèque nationale, qui sont tous de cette veine:

> *Cons barbus rebondis et noirs,*
> *Aus estuves rez et lavez,*
> *Faictes donc, si vous ne l'avez,*
> *En temps et en lieux vos devoirs.*
> *Acquités vous et mains et soirs*
> *De faire ce que vous sçavez,*
> > *Cons barbus.*
>
> *N'espargnez chambres ne manoirs,*
> *Cependant que le temps avez:*
> *Ne vous feignez, mais observez*
> *Le plaisir de tous vos devoirs,*
> > *Cons barbus.*

Le dernier poète de ce genre du Moyen Age est Jean Molinet né en 1435, mestre ès arts de l'Université de Paris, qui en 1475 devint à Valenciennes l'historiographe des ducs de Bourgogne. Il servit successivement Charles le Téméraire, Maximilien d'Autriche et Philippe le Bon, les accompagnant en leurs déplacements, assistant à toutes les cérémonics officielles pour les relater dans ses *Chroniques* (1475-1506). Il fut en même temps un poète abondant et varié, capable aussi bien d'écrire *Le Mystère de saint Quentin*, que *Le Chapelet des dames*, où il décrit ce qu'il a vu un jour de mai «au verger des bonnes mœurs». Il se plaisait aussi à rédiger des poèmes érotiques comme celui-ci:

> *Ceste fillette à qui le tétin point*
> *Qui est tant gente et a les yeux si vers,*
> *Ne lui soyez ne rude ne parvers,*
> *Mais traictez la doulcement et à point.*
>
> *Dépouillez vous et chemise et pourpoint*
> *Et la gectez sur un lit à l'envers,*
> > *Ceste fillette.*
>
> *Après cela, si vous estes en point,*
> *Accollez la de long et de travers;*
> *Et si elle a les deux genoux ouvers,*
> *Donnés dedans et ne l'espargnez point,*
> > *Ceste fillette.*

Chef de file des grands rhétoriqueurs, auteur d'un *Art poétique* où il a défini toutes les possibilités de la métrique française (rime léonine, rime redoublée, rime enchaînée, rime équivoquée, etc.), Jean Molinet fut un virtuose de la poésie. On le lit avec la même stupéfaction qu'on regarde un jongleur faire adroitement voltiger des boules multicolores. Allitérations, assonances, énumérations, antithèses, vocabulaire pittoresque où locutions populaires et mots savants se mêlent lui servirent à accomplir ses tours de force comme en se jouant.

En 1485, étant veuf avec deux enfants, Jean Molinet devint chanoine de la Salle le Comte ; dès 1489, on le qualifiera de prêtre. Cette fonction n'altéra en rien sa liberté d'expression, puisque ce fut en cette période qu'il écrivit sa *Ballade sur la maladie de Naples*, le premier poème français sur la syphilis, nouvellement apparue en France. Il fera sur le même sujet *Complainte d'ung gentilhomme à sa dame*, où sa virtuosité dans l'obscène est sidérante. Ce gentilhomme, du fond de son lit d'hôpital, s'adresse à la femme qu'il a rencontrée à un festin, et qui lui a donné «la maladie de Naples ou de pocques» sitôt qu'il a couché avec elle. On a ici un exemple de ces «rimes équivoquées» dont Molinet usait d'une main de maître :

> *Ah ! la belle, pour qui plus de maulx je comporte,*
> *Que pour femme aujourd'huy qui sus terre con porte,*
> *Oyés les grands regretz, que faire me convient*
> *Pour le mal que sur moy pour vostre seul con vient ;*
> *Je fus bien malheureux, il fault que le confesse,*
> *Quand oncques vous touchay tétins, cuisses, con, fesses,*
> *Et chier m'est le banquet, la feste et le convys,*
> *Qui fust premier moyen par quoy vostre con vys ;*
> *Car j'endure grands maulx, sans espoir de confort,*
> *Seullement pour avoir aymé vostre con fort*[1]*...*

En soixante-seize vers aussi extraordinaires, le gentilhomme dépeint son piteux état. Cette pièce tragi-comique se termine par une moralité :

> *Josnes gens, escoutez de quoy je me complains,*
> *Regardés le dangier de quoy est un con plains.*

En 1500, Molinet a soixante-cinq ans et il a perdu l'usage d'un œil. Il se lance dans de grandes œuvres religieuses, rimant la Passion du Christ en quarante mille vers et vingt journées, traduisant en prose le *Roman de la Rose* pour en faire une allégorie chrétienne. Mais il compose aussi une ballade figurée dont les dernières syllabes de chaque vers sont toujours cons, culs ou vits (fau*cons*, é*cus*, assou*vis*, etc.). A l'exemple des goliards, il s'amuse à des parodies de sermons et de prières liturgiques, comme le *Sermon de saint Billouart* — «que aulcunes gens nomment Chouart, et aulcuns autres Priapus» —, où ce saint phallique raconte comment il s'est rendu au manoir ténébreux de la Motte en Cuissy.

Son thème de dilection à la fin de sa vie, dans ses épîtres en vers à ses amis qu'il signe «Molinet qui n'a plus d'encre en son cornet», est de

---

1. *Les Faits et Dits de Jean Molinet*, publiés par Noël Dupire, t. II (Paris, Société des anciens textes français, 1937).

déplorer l'impuissance de la vieillesse. Il le dit burlesquement sur tous les tons, mêlant par exemple le latin au français pour exprimer que son vit n'est plus bon qu'à être pendu à une potence :

> *Je suis desja vieux et chenus*
> *Jam sol recedit igneus*
> *Aussi mon povre vitulo*
> *Suspensus est patibulo.*

Il va même jusqu'à inventer des personnifications du pénis en détumescence, qu'il nomme Colin Mollet, Colin Ployart ou Jehan Mauroyd. Dans le *Débat du viel gendarme et du viel amoureux*, «l'homme armé» dit que son singe Lottart (son sexe en érection) est maintenant un de ces personnages flasques :

> *Il est mort, le singe Lottart,*
> *Il ne voeult plus lever la teste;*
> *J'ay tant jousté sur mon Baiart*
> *Que j'ai trouvé Colin Ployart...*

Le Moyen Age, que l'on prend souvent pour une époque d'obscurantisme, a été rempli de ces originaux à la fois doctes et badins, bons chrétiens se plaisant à évoquer les effets de la luxure. Jean Molinet fut si apprécié de son vivant que l'archiduc Maximilien en fit son conseiller et l'anoblit. A sa mort en 1507, le grand poète Jean Lemaire des Belges le désigna comme «le chief et souverain de tous les orateurs et rhétoriciens de notre langue gallicane... renommé dans tous les quartiers d'Europe où ladite langue a lieu».

Boccace et son influence

Dans le Trecento — c'est-à-dire le XIVe siècle, où se confondent le Moyen Age finissant et la Renaissance commençant — Giovanni Boccaccio — ou Boccace — fut le premier à transformer la grivoiserie naïve et brutale des fabliaux en un érotisme policé. Né en 1313 à Certaldo ou à Florence — et non à Paris comme il a voulu le faire croire —, fils du marchand florentin Boccaccio di Chellino, il fut envoyé à Naples pour apprendre le commerce dans la banque des Bardi. Mais il préféra fréquenter les humanistes et les jeunes nobles, s'adonner à sa vocation littéraire, et courtiser Maria d'Aquino (dont il fit Fiammetta) pour qui il rédigea vers 1336 son roman *Filocolo*, adaptation d'une ancienne chanson de geste, *Floire et Blancheflor*, évoquant des amants s'aimant depuis l'enfance et tragiquement séparés. Revenant en 1340 à Florence, Boccace y assistera à la terrible peste de 1348, et après la mort de son père aura un rôle politique dans la cité, qui le chargera de diverses missions. Entre 1349 et 1351, il s'absorba dans la rédaction du

Décaméron, le livre qui allait faire de lui, avec son ami Pétrarque et Dante, l'une des trois figures maîtresses de ce temps.

Le *Décaméron* commence par un tableau impressionnant de la peste semant la désolation et la panique à Florence: «Presque tous arrivaient à ce degré de cruauté d'abandonner et de fuir les malades et tout ce qui leur avait appartenu; et, ce faisant, chacun croyait garantir son propre salut [1].» Au sein de cette cité ravagée, sept jeunes dames en habits de deuil, dont l'aînée Pampinea a vingt-huit ans, se rencontrent à l'église Santa-Maria-Novella et décident de se retirer ensemble dans une maison de campagne. Mais, objecte l'une d'elles, les femmes ne savent pas «se régler sans le secours d'un homme»; elles s'adjoignent donc trois jeunes gens qui se trouvent là, Panfilo, Filostrato et Dioneo. Ils vont tous s'installer avec leurs serviteurs en un palais au sommet d'un vallon, loin des miasmes. Pour passer le temps, ils se racontent chaque jour des histoires, assis en rond sur l'herbe au milieu d'un pré. Chacun d'eux est tour à tour le roi ou la reine de la séance, qui dure toute la journée jusqu'au coucher du soleil.

La première originalité de ce livre est son architecture. Nous n'avons pas affaire à un simple recueil de nouvelles, se suivant inégalement et en désordre. Ce cycle de cent nouvelles divisé en dix journées est soumis à des effets de symétrie, de contraste, de progression dramatique. En outre, chaque série de dix nouvelles illustre un thème précis, sauf celles de la première et de la neuvième journée où «chacun devise comme il lui plaît et de ce qui lui agrée le mieux». Mais dans la deuxième journée, «on devise de ceux qui, après avoir été molestés par diverses choses, sont, au-delà de leur espérance, arrivés à un joyeux résultat»; dans la troisième journée, «on devise de ceux qui, par adresse, ont acquis ce qu'ils avaient longtemps désiré»; dans la quatrième, «on devise de ceux dont les amours eurent une fin malheureuse»; dans la cinquième, «on devise de ce qui est arrivé d'heureux à certains amants après plusieurs aventures cruelles ou fâcheuses»; la sixième journée traite de ceux qui se sont tirés d'affaire par un bon mot, la septième et la huitième journée des tromperies que les femmes font aux hommes et les hommes aux femmes. La dixième journée, élevant le débat, est consacrée à exalter la générosité en amour.

L'autre grande originalité est que la plupart de ces nouvelles sont licencieuses, alors qu'il s'agit d'un entretien entre hommes et femmes de distinction. Les fabliaux obscènes étaient récités par un trouvère à des hommes de guerre avinés quand la dame, ses filles et ses suivantes n'étaient pas à la table du banquet. Les dames ne débattaient avec les chevaliers que des questions d'amour courtois, comme dans le *Tractatus amoris* d'André le Chapelain. Mais dans le *Décaméron* Filostrato raconte comment «Masetto de Laporecchio, s'étant fait passer pour muet, devient jardinier d'un couvent de nonnes qui finissent toutes par

---

1. Boccace, le *Décaméron*, traduction de Francisque Reynard, introduction et notes de Vittore Branca (Paris, Club français du Livre, 1953).

coucher avec lui». Et Boccace précise que sa nouvelle «avait parfois fait un peu rougir les dames et parfois les avait fait rire». Dioneo renchérit avec l'histoire d'Alibech, la jeune fille qui veut se faire ermite avec le moine Rustico. Quand ils prient ensemble tout nus, il sent «la résurrection de la chair» devant les appas de la vierge qui s'ébahit: «Rustico, quelle est cette chose que je te vois poindre si fortement au-dehors, et que moi je n'ai pas? — O ma fille, c'est là le diable dont je t'ai parlé.» Elle se réjouit de n'avoir pas ce vilain diable au bas du ventre, mais il lui explique qu'à sa place elle a «l'enfer» et que l'œuvre la plus pieuse est de «remettre le diable en enfer». Rustico s'épuise à le faire, tant Alibech y prend goût. Et Boccace de dire: «Plus d'une fois, la nouvelle de Dioneo avait excité le rire des honnêtes dames.» Telle est une des leçons du *Décaméron*: une femme de condition peut écouter, sans cesser d'être une «honnête dame», des contes licencieux.

Et elle peut même en dire elle-même. Pampinea raconte comment un palefrenier fit l'amour avec la femme du roi Agiluf, en se glissant une nuit dans le lit de la reine qui le prit pour son mari. Fiammetta, comment Ricciardo Minutolo parvint à coucher avec «une de ces bigotes qui se montrent si dédaigneuses des choses d'amour», etc. Les dames ne restent réservées que devant la nouvelle où l'homosexuel Pietro di Vincolo, de Pérouse, rentrant chez lui et trouvant sa femme le trompant avec un jeune garçon, entraîne celui-ci hors de la chambre pour assouvir sa passion sur lui (Ve Journée, Nouvelle 10). Il serait malséant que les auditrices paraissent s'amuser d'un sodomite méprisant leur sexe, aussi se gardent-elles bien de rire. Le *Décaméron* est un manuel de civilité apprenant à dire avec tact des bonnes histoires érotiques et à les écouter avec dignité.

Autre innovation: l'érotisme du *Décaméron* n'est pas toujours comique, mais tourne parfois au tragique. Frère Alberto fait croire à Lisetta, femme d'un marchand, que l'ange Gabriel est amoureux d'elle, et il jouit plusieurs nuits de celle-ci en se faisant passer pour cet ange. Les beaux-frères de Lisetta interviennent un soir, Alberto se sauve tout nu dans la ville, se réfugie chez un citoyen qui le trahit, et se retrouve en prison (IVe Journée, Nouvelle 2). Beaucoup de nouvelles illustrent le thème de la *beffa*, très usité dans la littérature italienne: la *beffa* est le mauvais tour que quelqu'un fait à un autre pour s'en moquer ou s'en venger. Boccace cultive la *beffa* érotique, la mystification d'une femme par un homme ou d'un homme par une femme; il pratique même la double *beffa*.

La veuve Elena, se jouant de l'étudiant Rinieri qui la courtise, lui fixe rendez-vous un soir d'hiver dans sa cour, et le laisse toute la nuit se morfondre sous la neige pendant qu'elle s'ébat avec son amant; entre deux étreintes, ils vont à la fenêtre rire de l'infortuné qui grelotte. Mais un jour l'amant d'Elena la délaisse et elle veut recourir à la magie pour l'obliger à revenir; Rinieri lui enseigne une conjuration qu'elle doit faire toute nue au haut d'une tourelle dont il retire ensuite l'échelle, si bien que la dame reste dévêtue et prisonnière jusqu'à l'aube (VIIIᵉ Journée, Nouvelle 7). Cette double *beffa* est d'une cruauté sexuelle impitoyable.

Le réalisme de Boccace est plaisant. Il indique maintes fois avec naturel qu'un de ses héros entre en érection devant une belle femme. Ses portraits sont finement typés. Pietro di Vincolo épouse «une jeune fille plantureuse, au poil roux, prompte à s'enflammer, et qui aurait voulu deux maris plutôt qu'un». Lorsqu'elle découvre l'homosexualité de son mari, elle se dit: «Le malheureux m'abandonne pour courir d'une manière ignoble en sabots par la voie sèche; eh bien! moi je verrai à en porter un autre dans ma barque par la voie pluvieuse [1].» La voie sèche, la voie pluvieuse, c'étaient des images populaires italiennes pour désigner l'amour homosexuel et l'amour normal. Ce livre est riche en métaphores de ce genre. A la fin du *Décaméron*, aux lecteurs qui lui reprocheraient «un peu trop de licence», Boccace dit: «Il n'est chose si déshonnête dont chacun ne puisse deviser, si elle est dite en termes honnêtes, ce qu'il me semble avoir fait ici fort convenablement.»

Le *Décaméron* fut d'abord boudé par les lettrés. Seuls de nobles amateurs voulurent en posséder une copie dans leur bibliothèque. Les humanistes préférèrent à cet ouvrage écrit en *lingua vulgare* — l'italien et non le latin — et raffinant la matière des fabliaux, les traités savants de Boccace comme ses vies d'hommes illustres, *De Casibus virorum illustrium*, et ses compositions lyriques. L'influence du *Décaméron* fut donc tardive, aussi bien en Italie, où sa première édition imprimée est de 1470, qu'en France où le traduisit en 1414 un clerc champenois qui ne savait pas l'italien, Laurent de Premierfaict, et qui se fit aider d'un moine peu compétent. Cette traduction misérable, que l'on appelait le *Caméron*, ne fut éditée à Paris qu'en 1483.

Le *Décaméron* suscita au moins un émule en son temps, Franco Sacchetti, qui écrivit d'ailleurs en 1375 un poème sur la mort de Boccace. Né en 1335, Sacchetti exerça à Florence la fonction de podestat, juge suprême pouvant prononcer des peines capitales. Ce personnage redoutable fut aussi un amoureux platonique — il aima pendant vingt-six ans une femme sans en rien obtenir — et l'auteur des *Trecento Novelle*, trois cents nouvelles scabreuses qui ne furent connues qu'en manuscrits avant d'être imprimées en 1721. Voici une nouvelle typique de Sacchetti: le citoyen Berto Folchi fait l'amour dans une vigne avec une paysanne; un paysan saute par-dessus le mur du vignoble pour dérober des raisins, et «dégringole sur les reins de Berto qui avait mis la paysanne à l'envers..., Berto reçut le choc, tout effrayé, bien plus que la commère: elle ne s'en crut que mieux éperonnée [2]». Le villageois s'enfuit en hurlant: «Au secours!... J'ai mis le pied sur le plus gros crapaud qu'on ait jamais vu!» Tout le village part à la recherche du gros crapaud; Berto et la paysanne,

---

1. Le *Décaméron*, op. cit.
2. *Nouvelles choisies de Franco Sacchetti, bourgeois de Florence*, traduites en français par Alcide Bonneau (Paris, Isidore Liseux, 1879).

qui se sont rajustés, participent à la battue afin de ne pas être soupçonnés.

Le podestat Sacchetti, comme Boccace, soutient que les dames peuvent échanger des plaisanteries sexuelles et n'en être pas moins honnêtes. Il rapporte la discussion de la châtelaine de Beaucaire avec sa chambrière Marion, quand elles voient un moineau «donner de l'éperon bien une centaine de fois à sa femelle, grimper, descendre, et dire: *pi, pi*», et plus loin un âne saillir une ânesse, une seule fois mais longuement. «J'aimerais mieux un baudet à mon service que cent moineaux», s'écrie Marion, approuvée par la châtelaine. Sacchetti conclut: «Je crois qu'il y a beaucoup de gens qui pour s'amuser tiennent des propos libres et sont au fond très vertueux.»

La nécessité d'épurer l'esprit des fabliaux se ressentit un peu partout en Occident. Elle inspira aussi un des derniers grands livres du Moyen Age, *The Canterbury Tales* qu'écrivit à quarante-six ans Geoffrey Chaucer, en 1386, alors qu'il était depuis douze ans contrôleur des douanes du port de Londres. Fils d'un marchand de vin, Geoffrey Chaucer avait été à dix-sept ans page des enfants d'Edouard III à la cour; poète galant (il traduisit en vers anglais *L'Art d'aimer* d'Ovide), soldat (il fut prisonnier de guerre en France et y découvrit les fabliaux à la source), voyageur (il séjourna un an en Italie), tout le désignait pour être le premier conteur libre de l'Angleterre.

Dans une hôtellerie de Southwark, faubourg de Londres, vingt-neuf personnes décident de faire ensemble un pèlerinage à Canterbury et de se raconter en route des histoires pour se désennuyer du trajet. Il y aura ainsi le *Conte du chevalier*, le *Conte de l'homme de loi*, le *Conte du médecin*, le *Conte du franklin* (gentilhomme campagnard), etc. Ces contes sont tous rimés selon la rhétorique médiévale.

Chaucer n'a pas lu le *Décaméron*, mais il s'inspire d'une de ses nouvelles traduite en latin par Pétrarque; et dans le *Conte du marchand* d'un lai de Marie de France dont Boccace a tiré le thème du poirier enchanté. Le *Conte du marchand* est supérieur car Chaucer fait du mari trompé un personnage attendrissant et tragique. Le sexagénaire January (Janvier), épousant malgré ses cheveux blancs la jeune May, est obligé pour la satisfaire de boire «des électuaires mentionnés par le moine dom Constantin dans son livre *De Coitu*[1]». Il adore May et lui dit les mots les plus doux pour l'engager à l'acte sexuel: «Viens maintenant, avec tes yeux de colombe!... Comme tes seins sont meilleurs que le vin!» Cependant, «elle n'estime pas son jeu tant qu'un pois chiche» et préfère se donner à Damian. Elle en vient jusqu'à se faire caresser par celui-ci devant January rendu aveugle par une ophtalmie. Un jour, dans leur jardin, elle l'envoie monter sur un poirier pour lui cueillir des poires; recouvrant la vue, il aperçoit May au pied de l'arbre faisant l'amour

---

1. *Les Contes de Canterbury de Geoffrey Chaucer*, traduction française par vingt et un professeurs agrégés d'anglais, introduction d'Emile Legouy (Paris, Félix Alcan, 1908).

avec Damian. Le cri de détresse de January est poignant ; et son pardon final en fait le héros le plus sympathique de l'histoire.

Malgré d'autres réussites de ce genre, comme le *Conte de la Femme de Bath* qui a eu trois maris, *Les Contes de Canterbury*, écrits trente-six ans après le *Décaméron*, semblent en retard sur lui par le style (mais c'est plutôt le *Décaméron* qui avait un siècle d'avance). Ils nous prouvent que le Moyen Age n'est pas encore terminé, et que pourtant y point déjà la lueur qui fera voir la chair sous des aspects nouveaux.

3

L'ÉROS DE LA RENAISSANCE

A la Renaissance, l'Italie devint le centre où se raffina la littérature érotique, où elle s'enrichit de sujets et de formes qui influencèrent les autres auteurs occidentaux. Le *Décaméron* avait ouvert la voie où s'engagèrent des nouvellistes qui élargirent le répertoire des anciens contes milésiens et y introduisirent une grâce particulière. On découvrit que la description des rapports sexuels n'était pas incompatible avec le beau langage, les métaphores aimables, l'élégance des personnages, la saine gaieté.

Au Quattrocento, le premier écrivain qui fit autorité dans le genre fut Gianfrancisco Poggio — le Pogge —, né en 1380 à Terranuova en Toscane, que le pape Boniface IX nomma en 1402 secrétaire apostolique du Vatican, poste qu'il occupa pendant cinquante ans. Rédacteur des lettres pontificales, Poggio passait ses loisirs en des réunions avec ses collègues dans une salle commune du Palais qu'ils appelaient la *Bugiale* (de l'italien *bugia*, mensonge), comme qui dirait l'officine de mensonges, la boîte à cancans, où ils se racontaient toutes les blagues qu'ils avaient entendu dire, en les amplifiant. C'est à partir de ces propos, notés sur des feuilles volantes, que Poggio rédigea vers 1450 dans sa maison de campagne du Valdarno ses *Facéties*, traduites partout en Europe avec un vif succès. La traduction française de 1480 fut faite par Guillaume Tardif («le plus pudiquement que j'ay pu», dit-il) pour l'amusement de Charles VIII.

Les *Facéties* de Poggio sont deux cent soixante-treize historiettes en latin — certaines si courtes qu'elles n'ont que quelques lignes — pour rapporter une boutade ou un fait divers, le plus souvent d'ordre sexuel. Ainsi, il cite le sermon d'un prédicateur de Tivoli qui s'écria, en parlant de l'adultère: «C'est un péché si épouvantable que j'aimerais mieux coucher avec dix pucelles qu'avec une femme mariée.» Poggio conclut malicieusement: «Beaucoup parmi ses auditeurs étaient de son avis [1].»

---

1. «Singulière inconséquence d'un prédicateur», dans *Les Facéties de Pogge*, traduction nouvelle et intégrale par Pierre des Brandes (Paris, Garnier, 1900).

Maillol. Une illustration du *Livret de folastries*
de Ronsard édité par Ambroise Vollard.
(B.N./Arch. E.R.L.)

Un autre prédicateur, le frère Paolo, prêchant contre la luxure, dit qu'il y avait des maris si lascifs «que pour se procurer une plus grande jouissance ils mettent un coussin sous les fesses de leur femme». Commentaire de Poggio: «Ceux de ses auditeurs qui ne connaissaient pas le procédé s'empressèrent naturellement de l'expérimenter[1].» Une jeune femme lui a raconté personnellement que, étant allée à confesse et s'étant accusée d'avoir été infidèle à son mari, «le confesseur qui était fort libidineux lui mit en main le cierge de saint Priape, la suppliant d'avoir pitié de lui[2]». Ailleurs, Poggio a écouté une conversation où un homme demanda à une femme: «Pourquoi l'homme et la femme, ayant égale jouissance à faire l'amour, ce sont plutôt les hommes qui sollicitent les femmes?» La femme répondit: «Nous autres, nous sommes toujours prêtes et disposées à faire l'amour, vous non; nous perdrions notre temps à vous solliciter quand vous ne seriez pas en mesure[3].»

Les *Facéties* sont aussi de petites scènes de mœurs, se passant partout en Italie, de Bologne à Pérouse. Un jeune notaire de Valence, dont la femme est à l'article de la mort, veut la posséder encore une fois alors qu'elle est dans le coma. Aussitôt après, elle reprend connaissance, demande à boire et se rétablit en peu de temps: n'est-ce pas la preuve que le coït est «un remède souverain contre les maladies des femmes»? Certaines de ces histoires ont été dites à Poggio par des prélats. Angoletto, évêque d'Agnagni, lui raconte qu'un de ses parents coucha avec une femme qui au matin se transforma «en un homme affreusement laid»; et Angoletto termine par une réflexion fort sale.

Poggio plaisante interminablement sur les maris nigauds: «La femme d'un aubergiste des environs de Florence, femme très libre de mœurs, était au lit avec son amant habituel, lorsqu'un autre survint dans l'escalier.» Au moment où ils se disputent, le mari apparaît, à qui elle fait croire que ce sont deux clients en désaccord. Le mari «parla aux adversaires, rétablit la paix et qui pis est leur offrit à boire». Il y a des maris encore plus idiots:

Un paysan de nos campagnes, peu avisé et nullement expert avec les femmes, se maria. Or il arriva qu'étant au lit, la femme lui tourna le dos, mettant ses fesses au bon endroit. Le mari en eut tout de même grande satisfaction. Tout surpris, notre homme demande à sa femme si elle n'aurait pas deux pertuis. Celle-ci fit un signe affirmatif. — Ho, ho! reprit-il, un seul me suffit; l'autre est superflu. La femme qui était rusée, et que le curé de la paroisse courtisait, répondit aussitôt: — Nous pouvons faire l'aumône avec le second; donnons-le à l'Eglise et à notre curé.

L'homme approuva, invita le curé à souper pour lui parler du marché: «Le repas achevé tous trois se couchent dans le même lit: la

---

1. «Comment on enseigne la luxure», *ibid.*
2. «Le Confesseur», *ibid.*
3. «Piquante réponse d'une femme», *ibid.*

femme au milieu, le mari par-devant, l'autre par-derrière, pour qu'il prît possession de ce qui lui était offert [1].» Et l'historiette ne s'arrête pas là...

Seuls ceux qui ignorent la prodigieuse liberté sexuelle des chrétiens de la Renaissance s'étonneront qu'un secrétaire du Vatican écrive de telles badineries. «Je ne veux être lu que par des esprits gais, par des bons vivants», disait Poggio dans la préface de son recueil. Des cardinaux et des évêques rirent de ses facéties, et probablement de celle-ci : la fille de Nereo de Pazzi, chevalier florentin, pleura le lendemain de ses noces en prétendant qu'à son mari «il lui manquait tout ce qu'il faut pour faire un homme». Scandale dans la famille, mais le jeune homme se défendit, au cours d'un festin où tout le monde le regardait de travers :

A peine avait-on commencé à manger, le jeune marié se levant tout à coup dit : «Mes chers parents, je veux vous faire juge de l'accusation portée contre moi.» Et aussitôt, sortant de son pourpoint court, selon la mode, les pièces à conviction, les étale sur la table et prie la société émerveillée de dire si elles étaient vraiment à dédaigner. — Si les femmes pensaient en elles-mêmes que leurs maris eussent dû en avoir autant, les maris, de leur côté, convenaient que le jeune homme était leur maître.

On rassure la nouvelle mariée, mais elle proteste : «Notre âne, qui n'est pourtant qu'une bête, il en a long comme ça (et elle étendait le bras), tandis que lui qui est un homme n'en a pas moitié autant.» Conclusion de Poggio : «La naïve enfant croyait qu'en cela l'homme devait être supérieur à la bête [2].»

Outre ses *Facéties*, Poggio écrivit sa lettre sur *Les Bains de Bade*, où il se rendit durant l'été 1415. «Il m'a semblé que Vénus cyprienne et toutes ses voluptés s'étaient transportées dans cette station balnéaire», avoua-t-il. Dans les piscines de trente établissements de bains publics ou privés, hommes et femmes se mélangeaient. Du haut d'un promenoir, Poggio peut «voir des vieilles décrépites et des jeunes filles descendre toutes nues dans l'eau et étaler aux regards des hommes leurs fesses, leur ventre et le reste». En certains établissements, à la porte commune aux deux sexes, «un homme en entrant peut frôler une femme nue et *vice versa*». On prend quatre bains par jour, accompagnés de collations et de jeux. On s'amusait bien dans cette ville d'eaux allemande du XVe siècle ! «Les maris voient sans s'émouvoir caresser leurs femmes, et les laissent aller avec des étrangers... Le mot jalousie, qui torture presque tous les maris, n'existe pas ici.» Une des propriétés des eaux de Bade était de rendre fécondes les femmes stériles : allez vous en étonner !

Notons bien que Poggio, qui faisait des plaisanteries aussi libres, était un des plus grands humanistes de la Renaissance. Le 1er septembre 1405, ce fut lui qui rédigea pour le pape Innocent VII la bulle sur la restauration

---

1. L'original de cette facétie s'intitule *De homine insulso qui estimavit duos cunnos in uxore*.
2. «D'une jeune femme qui trouvait son mari mesquinement organisé», dans *Les Facéties de Pogge, op. cit.*

des sciences et des arts libéraux à l'Université de Rome. Poggio visita également de nombreux monastères afin d'en sauver d'anciens manuscrits latins qui, sans lui, auraient été perdus. Epousant à cinquante-cinq ans, en décembre 1435, une jeune fille de dix-huit ans, Servaggia, qui lui donnera cinq fils, il composa à cette occasion *Un vieillard doit-il se marier?*, dialogue entre ses amis Nicolo et Carlo soutenant le pour et le contre. Nommé en 1453 chancelier de la République de Florence, la ville à sa mort en 1459 lui fit des funérailles grandioses. Tels étaient les hommes qui écrivaient des contes érotiques à la Renaissance.

Poggio eut après lui de brillants émules, à commencer par Antonio Cornazano dont les *Proverbii in facetie (Proverbes en facéties)*, en 1503, furent des histoires expliquant l'origine de certaines locutions comme «mieux vaut tard que jamais», «tu l'as voulu tu l'auras», «c'est tout fèves», etc. Chaque proverbe était censé avoir été inventé lors d'un accouplement bizarre, tel celui du nouveau marié qui s'attachait des sonnettes au sexe, parce qu'il voulait faire perdre l'habitude à sa femme de mettre des gants pour le lui toucher dans le lit conjugal. Cornazano, qui mourut en 1500 à Ferrare où il était un familier du duc Hercule d'Este, laissa deux versions de ce recueil: la première de dix poèmes en latin, la deuxième de seize nouvelles en prose italienne.

D'autres humanistes d'Italie rédigèrent comme Poggio leurs œuvres érotiques en latin. Ce fut le cas de Codrus (pseudonyme d'Antonio Urceo), un professeur de l'Université de Bologne, auteur des *Orationes* (1502), contenant quinze discours remplis d'obscénités; l'étonnant est qu'il les avait tous prononcés devant un auditoire d'étudiants. Codrus remua des «matières lubriques» aussi bien dans son discours sur les inconvénients du mariage que dans celui où il se défendit de l'accusation d'être sodomite. Saint-Hyacinthe disait de ses *Orationes*: «Il n'y a point de contes d'Ovide... qui soient plus capables d'offenser la pudeur» et remarquait que le cas de Codrus faisait comprendre pourquoi «l'expression un *Docteur de Bologne* veut dire un *Docteur facétieux*, un *Docteur de comédie*[1]». Un autre savant, Eliseo Calentio (alias Elyseus Calentius) fit scandale à Rome en 1503 par ses *Opuscula*, livre posthume réunissant ses satires et ses épigrammes libres. Une pièce de la troisième partie était même, selon Gustave Brunet, «un réceptacle d'ordures».

Un avocat de Naples, Girolamo Morloni, dans ses *Novellae* (1520), recueil de quatre-vingt-une nouvelles, usa du latin pour prendre des licences plus grandes encore. Ce docteur *in utroque jure* (c'est-à-dire en droit civil et en droit religieux) se plut à décrire les mœurs sexuelles de sa ville. Ce ne sont qu'adultères et fornications dans tous les milieux, chez les portefaix et chez les artisans comme chez les grands seigneurs. Ici, un garçon boulanger jouit de sa patronne; là, un vaurien de Sorrente dépucelle une jeune fille dans le noir à la place du moine avec qui elle

---

1. Thémiseil de Saint-Hyacinthe, *Mémoires littéraires*, t. II (La Haye, Charles le Vier, 1716).

a rendez-vous. La 8e nouvelle est l'histoire d'un écolier engrossant sa mère qui, par jeu, a voulu savoir s'il était déjà capable de faire l'amour. Morloni se délecte à conter les inventions des Napolitaines pour tromper leur mari. L'une d'elles, n'arrivant pas à s'isoler avec son jeune amant, trouva celle-ci:

> Comme elle avait l'habitude, tous les samedis, à heure fixe, de laver la tête de son mari, elle désigna cette heure au jeune homme pour conduire leur affaire. Elle devait laisser la porte ouverte. Le moment venu de laver la tête du mari, elle lui barbouilla la tête et les yeux de mousse de savon, pour qu'il ne pût rien voir, et pendant ce temps l'adultère entra dans la maison, retroussa les jupes de la femme et se mit à la besogner par-derrière, tandis qu'elle savonnait, et ceci, si adroitement que le mari ne put pas le moins du monde voir quoi que ce soit ni se douter de rien [1].

Beaucoup de ses nouvelles tendent à prouver «que les femmes ont coutume de faire les pires choses». Un jeune noble, amoureux d'une jolie nonne qui se refuse à lui, erre un soir dans le jardin de son couvent et y assiste à une scène qui le pousse au meurtre:

> Voilà que la moinesse vint au verger; et au même moment arriva un ignoble charretier puant le bouc en chaleur, qui la rejoignit, l'embrassa et la roula sur le gazon. Elle alors, mettant les jambes en l'air, se mit à jouer vertement des reins et à lui donner de ces baisers qui ne se donnent d'ordinaire qu'aux lupanars, de si bon cœur que leur bruit se répercutait à tous les échos des jardins; et même, elle retenait le charretier dans des embrassements si étroits, et sous lui branlait tellement les fesses, et l'alléchait avec sa petite langue, que par deux fois, avant de se disjoindre, ils consommèrent la volupté; et l'outil sorti de sa gaine, elle l'essuya elle-même d'un linge fin avec ses petites mains, et le baisota longtemps encore.

Morloni conclut toujours par des moralités ses récits les plus immoraux. La 50e nouvelle, où le bouffon Gonnella venu de Ferrare à Naples s'entend dire par des femmes du peuple de telles obscénités qu'il s'enfuit, s'achève sur la réflexion que les Napolitaines surpassent, par leurs vices et par leurs vertus, les femmes du monde entier. Dans la 81e nouvelle, un juge fait raconter à trois commères quel fut leur plus grand excès sexuel à chacune; ce sont trois actions d'une si folle indécence qu'il en reste ébahi. Leurs outrances même assurèrent aux *Novellae* de Morloni un succès durable, attesté par leurs rééditions et par les emprunts que leur firent d'autres conteurs.

La tradition italienne du récit développant une plaisanterie sexuelle s'épanouit avec Gian Francisco Straparola, dans les soixante-quatorze nouvelles licencieuses de ses *Nuits facétieuses* (*Le Pacievoli Notti*, 1550). On ne sait rien de Straparola, sinon qu'il naquit à Caravaggio, petite ville près de Bergame, et qu'il publia un livre de poèmes en 1508. Il imagine qu'un ex-évêque de Lodi, de la famille Sforza, se retire dans un palais sur

---

1. *Les Nouvelles de Girolamo Morloni*, traduites du latin par Fernand Caussi (Paris, E. Sansot, 1904).

l'île de Murano, au temps des guerres civiles, avec dix demoiselles, trois matrones et divers gentilshommes. Pour se divertir avant le Carême, pendant treize nuits des femmes et des hommes, tirés au sort parmi cette assemblée, racontent des fables et proposent des énigmes à deviner. Le tout est si scabreux que souvent les demoiselles, par politesse, essaient de s'abstenir de rire. *Les Nuits facétieuses* eurent autant d'influence dans la seconde moitié du xvIe siècle que le *Décaméron*. Mais l'ouvrage de Straparola fut condamné le 10 décembre 1605 par un édit du Vatican, et inscrit en 1624 dans l'Index des livres prohibés.

L'Arétin et la littérature arétinesque

Au début du xvIe siècle entra en lice l'homme qui se posa devant ses contemporains comme un grand satirique, mais qui devint en même temps l'incarnation de l'érotisme littéraire : Pietro Aretino, dit l'Arétin, né le 20 avril 1492 à Arezzo d'un père cordonnier et d'une mère, Tita, modèle pour les peintres. A vingt ans, il gagna Rome pour y faire fortune, entra au service du banquier Agostino Chigi, puis s'insinua à la cour du pape Léon X. A la mort de celui-ci, il soutint par ses écrits un Médicis, le cardinal Giulio, qui lorsqu'il devint le pape Clément VII lui donna le titre de chevalier de Rhodes. Ayant ses entrées au Vatican, l'Arétin se fit une réputation de médisant redoutable en publiant des lettres sur l'actualité politique et des *giudizi*, almanachs où l'on prédisait les événements de l'année à venir; les siens étaient bouffons et attaquaient les plus grands personnages. Certains le payaient pour ne pas y être cités en mauvaise part, ou pour qu'il y déchirât leurs ennemis. Ses victimes lancèrent contre lui un tueur à gages; un soir de juillet 1525, en rentrant à son domicile, il fut frappé de deux coups de poignard. A peine remis, plein de rancune contre Clément VII qui avait étouffé l'affaire, il alla à Reggio rejoindre le condottiere Giovanni de Médicis, que les soldats de ses «Bandes noires» surnommaient «le grand Diable». Giovanni delle Bande Nere jura de faire de lui «le maître de sa patrie», le présenta à François Ier, le fit participer à sa vie de batailles et d'orgies. Blessé dans un combat, le condottiere mourut dans les bras de son ami en 1526. L'Arétin après un court séjour chez Frédéric II de Gonzague, marquis de Mantoue, se rendit en 1527 à Venise, où s'écouleront les trente dernières années de sa vie.

Protégé par le doge Andrea Gritti, il devient une curiosité de la ville. L'Arétin habite sur le Grand Canal un palais décoré par des fresques du Tintoret (plus tard le peintre, brouillé avec lui, le menacera de son pistolet), par les premiers chefs-d'œuvre de Titien et de Giorgione, au milieu d'un luxe de mosaïques, de tapisseries, de statues, de vases, d'armes; tout lui a été offert par des admirateurs, jusqu'au vélum rayé recouvrant le balcon. Ce sont aussi des cadeaux, ses habits précieux, ses bijoux, les chaînes d'or qu'il porte autour du cou, telle celle que lui a envoyée François Ier, pesant huit livres, et représentant des langues de vermeil mises bout à bout. La raison de ces dons ? Est-ce seulement parce que cet homme corpulent, dont la jovialité se répand en racontars savoureux, en éclats de rire tonitruants, est plaisant à voir et à entendre ? Non, c'est qu'il exploite un filon inépuisable, la vanité humaine. Il sait l'art de ridiculiser les gens par une plaisanterie que l'on répète partout ; il sait exposer la vilaine intrigue d'un particulier, avec tous ses dessous ; il sait également tourner les éloges les plus emphatiques. Il joue de ces divers talents pour pressurer les nobles, leur soutirer l'argent et les faveurs ; s'ils veulent être loués, qu'ils payent largement ; sinon il les met en pièces. Et la plupart payent, tellement ils appréhendent que ses écrits populaires agitent contre eux l'opinion publique. Il est infatigablement mercantile, et il n'a pas la fourberie de s'en cacher ; au contraire, il se donne pour un justicier, car il prélève sur les grands des fonds qu'eux-mêmes arrachent à leurs sujets ; il prétend qu'il affranchit la classe des écrivains, en leur montrant comment vivre de leur plume et échapper à la tyrannie des mécènes.

L'argent qu'il gagne, il en fait profiter les autres avec magnificence. Il dîne rarement en ville, sous prétexte que la cuisine de Venise ne vaut rien : il préfère organiser des festins, et y accueillir le pauvre comme le riche. On se recommande à sa puissance et à son crédit, comme s'il était un prince. En 1530, la cité d'Arezzo implore sa protection, en le traitant de «Magnifique, Excellent, noble compatriote» ; il réussit à épargner à sa ville natale l'occupation des Impériaux, recevant le titre de «sauveur de la patrie». Il est le protecteur des artistes, qu'il encourage et à qui il procure des clients ; quand le médailleur Leone Leoni est condamné aux galères pour avoir assassiné un orfèvre allemand, il le fait libérer en s'adressant directement à l'amiral Andrea Doria. Et il est aussi le conseiller paternel des prostituées ; comme son ami le sculpteur Sanso-vino lui reproche de les laisser entrer trop facilement chez lui, il lui répond qu'à son contact leurs mœurs s'améliorent.

«Homme libre par la grâce divine», l'Arétin ne pensa jamais à se marier ; mais il aima les femmes en jouisseur effréné, avec une préfé-rence marquée pour les belles filles du peuple. Dans son palais de Venise, il se constitua un sérail ; il vécut avec plusieurs concubines à la fois, que l'on nomma les Arétines. Elles folâtraient en bonne intelligence autour de lui, et ne l'empêchaient nullement d'avoir d'autres caprices. Les plus connues sont Catarina Sandella (qui lui donna en 1537 sa fille Adria), Margherita Pocofila, Cecilia Livriera, Marietta dell'Oro qu'il maria à un disciple et qui partit après avoir mis sa maison au pillage. Ses enfants naturels, par une amusante fatalité, furent des filles ; il ne les reconnut pas légalement — il se jugeait au-dessus des lois —, mais il s'en occupa scrupuleusement : «Je les ai légitimées dans mon cœur», disait-il.

Voilà celui qui publia en 1534 et en 1536 les *Ragionamenti*[1] qu'il

---

1. *Ragionamento*, en italien, veut dire *raisonnement*. On dit ironiquement : *che ragionamenti! (en voilà des raisonnements!).*

avait écrits d'un jet, la première partie en dix-huit jours, la seconde en un mois, car il avait une grande facilité de travail. Cet ouvrage unique en son genre, qu'il inaugura par une dédicace à sa guenon, fut conçu par lui pour tourner en dérision la dépravation de ses contemporains. Dans la première partie, on voit une ancienne courtisane, la Nanna, s'entretenir à Rome dans son jardin, sous un figuier, avec son amie Antonia. Cette Nanna, avant de devenir «une fort belle vieille», a été «Néron en femme», aussi experte que dissolue, et «maîtresse en l'art d'avoir toujours vingt-cinq ans»; bref, l'égale des plus illustres qui ont réellement existé. Or Nanna est fort embarrassée sur l'état qu'il convient de choisir pour sa fille Pippa, âgée de vingt ans: doit-elle la mettre au couvent, la marier ou la lancer dans la prostitution? Elle demande conseil à Antonia qui, avant de se prononcer, veut que Nanna lui raconte ce qu'elle sait de la vie des nonnes, des femmes mariées et des prostituées, puisqu'elle est passée dans ces trois conditions.

Tel est le sujet des trois premiers dialogues: ils sont d'une vivacité et d'une verdeur incomparables, car l'héroïne est peuple jusqu'au bout des ongles. Elle entremêle ses récits de folles plaisanteries, de proverbes, de citations pompeuses faites à tort et à travers, en estropiant les mots; enfin, elle use de toutes les périphrases possibles pour désigner l'acte sexuel, parlant de mettre «le pilon dans le mortier», «le rossignol dans le nid», «le brochet dans le réservoir», etc. Quand Antonia qui elle, par contraste, dit crûment *cu, ca, po* et *fo* (c'est-à-dire *culo, cazzo, potta* et *fottere*), lui reproche sa retenue, Nanna lui répond: «Tu ne sais donc pas combien la pudeur est belle au bordel[1]?»

La Nanna raconte d'abord à sa compagne de quelle façon elle fut, dans sa jeunesse, contrainte par sa famille à prendre le voile. Elle entra, la mort dans l'âme, dans le monastère qui lui était destiné, croyant que c'en était fini des plaisirs; mais sitôt la porte refermée, elle fut entraînée dans une véritable bacchanale. Au réfectoire, elle participa à un banquet orgiaque; puis on lui fit visiter une salle sur les murs de laquelle était peinte la vie de sainte Nafisse, qui donna son corps en aumône. Un bachelier, chargé de la conduire dans sa cellule, essaya de la lutiner. Une fois seule, entendant bruire partout des halètements et des cris, elle regarda par des fentes dans les trois cellules voisines: des spectacles vertigineux se déroulèrent sous ses yeux. Dans une cellule, quatre sœurs, le Général et trois novices s'adonnaient à une partie d'amour collectif: «L'un parlait en sourdine, l'autre à voix haute, en miaulant; on aurait dit ceux du la, sol, fa, mi, ré, ut, et c'étaient des yeux renversés, des soupirs, un branle, des secousses telles que les bancs, les caisses, les bois de lit, les chaises et les écuelles s'en ressentaient comme les maisons pendant

---

1. Dans une lettre à Michel-Ange, en novembre 1545, l'Arétin lui reproche d'avoir traité dans son *Jugement dernier* un sujet sacré d'une manière lascive, tandis que lui-même, au contraire, a su faire parler sa Nanna d'une manière pudique sur un sujet scabreux.

un tremblement de terre [1].» Dans une autre pièce, l'abbesse subissait en geignant les exigences du confesseur. Dans une troisième, deux sœurs se partageaient les caresses d'un muletier au service de la communauté. Elle-même, mise en feu par ces visions, céda au bachelier qui, après lui avoir «planté deux fois l'étendard dans la citadelle et une fois dans le ravelin», l'emmena faire une promenade dans le monastère. Ils y voient encore des scènes lubriques et un accouchement clandestin. Et le lendemain, même jeu partout. Nanna se laissa aller au délire local, mais le bachelier, l'ayant surprise au moment où elle lui faisait une infidélité, la battit si cruellement qu'elle en resta une semaine impotente; elle écrivit à sa mère pour la supplier de la retirer de cet endroit dangereux.

Après cet épisode, Nanna fut mariée à un croquant et elle expose par quels procédés appris de sa mère elle lui prouva qu'elle était vierge. Une fois établie, elle se fit de nombreuses relations, devint l'observatrice ou la confidente de ses voisines mariées. Ses yeux s'ouvrirent aussitôt sur ce qu'est en réalité le mariage. Nanna déploie devant Antonia le tableau des multiples ruses qu'emploient les femmes pour tromper leurs maris: l'une feint d'être à l'article de la mort pour faire venir à son chevet un moine dont elle est entichée; une autre joue le rôle d'une somnambule pour aller rejoindre les valets dans leur chambrée; telle prend la place, dans le noir, d'une fermière à qui un groupe d'amis a préparé un trente-et-un [2]; telle encore adopte des enfants pour faire engager à la maison un précepteur sur qui elle a des vues, etc. Les récits se succèdent, prouvant que «pour une femme n'importe quoi vaut mieux que son mari et, pour un mari, n'importe quoi vaut mieux que sa femme». Devant tant de mauvais exemples, Nanna ne voulut pas être en reste et n'arrêta pas de prendre des amants. Son mari finit par se rebiffer: «Un beau jour il me trouva sur le corps un mendie-son-pain, et celle-là ne put passer; il se jeta sur ma figure, pour me la démolir à coups de poing. Je m'esquivai de dessous le pressoir, dégainai un petit couteau que j'avais, furieuse de me voir troubler l'eau que j'étais en train de boire, je le lui enfonçai sous la mamelle gauche: son cœur ne battit pas longtemps.» Ensuite elle décampa en hâte du logis, si bien qu'elle ne fut jamais inquiétée pour avoir expédié le bonhomme *ad patres*.

Une fois veuve, elle vint s'installer avec sa mère à Rome, où sa beauté attira autour d'elle nombre de galants; elle décida de vivre de ses charmes. Elle fut vite une prostituée à la mode et mena méthodiquement ses affaires. Elle conte comment elle rendait fous les hommes en leur mesurant chichement ses faveurs. Sa maison ne désemplissait pas, elle avait jusqu'à dix amoureux à la fois et, pour les bafouer, elle faisait

---

1. L'Arétin, *Les Ragionamenti*, 2 vol. (Paris, Bibliothèque des Curieux, 1910). J'emprunte mes citations à cette excellente traduction, qui est celle d'Alcide Bonneau revue par Apollinaire.

2. Un trente-et-un, jeu de cartes où l'on doit compléter trente et un points, était aussi le nom que l'on donnait en Italie à un viol collectif, sans brutalité. Les hommes qui jouaient ce mauvais tour (cette *beffa*) à une femme galante s'endimanchaient. D'où vient l'expression «se mettre sur son trente-et-un».

afficher la liste de leurs noms dans son entrée, suivis des dates où elle leur appartiendrait. Ici l'Arétin dévalorise le mythe de la *meretrix honesta* — la prostituée honnête — qui courait de son temps; il fait faire à la Nanna la critique cinglante des célébrités du métier, dont elle déplore la méchanceté et la fourberie: «Les putains pleurent d'un œil et rient de l'autre», affirme-t-elle. N'aimant personne, se souciant plutôt de faire le mal que de jouir, elles ont tous les péchés sauf la luxure. Nanna avoue: «Comme doit faire une vraie putain, je prenais le plus grand plaisir à semer la discorde, ourdir des brouilles, troubler les amitiés tranquilles, susciter des haines, faire s'injurier les gens et les mettre aux mains.» Son intarissable bagou est interrompu par des quintes de toux. Antonia la raccompagne à sa demeure et lui donne le conseil promis: «Mon avis est que tu fasses de ta Pippa une putain, puisque la sœur trahit ses vœux et que la femme mariée assassine le sacrement du mariage; au moins la putain ne déshonore ni monastère ni mari; elle fait comme le soldat, qui est payé pour ravager tout...»

Dans la seconde partie, Nanna, convaincue que sa fille ne peut être heureuse qu'en étant une prostituée, lui enseigne les secrets de la profession; cela nous vaut trois dialogues qui sont le bouquet final de ce feu d'artifice. Ici, Nanna veut faire profiter Pippa de sa longue expérience, car pour vivre de son corps, lui déclare-t-elle, «il faut savoir autre chose que relever ses jupes et dire: "Va, j'y suis"; à moins qu'on ne veuille faire banqueroute le jour même où on ouvre boutique». En effet, il y a trop de concurrence: «Aujourd'hui le nombre des putains est si grand que celle qui ne fait pas de miracle en l'art de savoir se conduire n'arrive pas à joindre le dîner au goûter.»

Tout d'abord, il faudra que Pippa se fasse remarquer par ses bonnes manières. Nanna lui recommande la décence dans l'habillement, et de ne pas avoir de décolleté étalant ses seins: «Sois plus chiche de les montrer que n'en sont prodigues certaines femmes qui semblent vouloir les jeter dans la rue, tant certaines se les laissent ballotter sur la poitrine, hors du corsage.» Qu'elle sache garder sa tenue même dans l'intimité avec un homme: «Garde-toi mieux que du feu d'être aperçue ou entendue pisser, te lâcher le ventre, prendre un mouchoir pour te nettoyer: ces choses-là feraient vomir des poulets, qui pourtant becquettent toute espèce de crottin.»

A l'heure du coucher, Pippa devra soutenir ou donner l'assaut avec autant de finesse qu'un escrimeur: «Je veux que tu sois aussi putain au lit qu'honnête femme partout ailleurs. Tâche qu'il ne se puisse imaginer de caresses que tu ne fasses à qui couche avec toi; sois toujours aux aguets pour le gratter où cela le démange.»

Après lui avoir détaillé comment se conduire au lit, Nanna lui explique, point par point, tout ce qu'il faudra faire pour empaumer les hommes, les mensonges, les attitudes, les refus calculés, les délicatesses feintes. Qu'elle pratique avec subtilité l'art de solliciter des cadeaux: «S'il te vient à travers les jambes un homme qui ait de quoi, ne va pas l'effrayer en lui demandant des sommes folles, prends ce qu'il donnera;

une fois qu'il sera bien entortillé, plume-le jusqu'au vif.» Elle lui décrit minutieusement tous les types d'hommes qu'elle rencontrera: le vieux gâteux, qui s'imagine qu'on peut encore le désirer; le blanc-bec, qui croit que sa jeunesse lui donne en amour un privilège sur les autres (celui-là, il faudra le faire payer d'avance), etc. Les uns et les autres, tous égaux une fois déshabillés, tous des bêtes qu'elle devra savoir museler et diriger à sa guise.

Dans le dialogue suivant, Nanna met en garde Pippa contre les mauvais tours que pourront lui jouer les hommes. La plupart se croient tout permis à l'égard des femmes publiques. Ils leur volent leurs moindres affaires dans leur chambre, colportent sur elles les pires ragots, se font gloire entre eux de les maltraiter. Surtout ils essaient d'en jouir sans les payer et, pour cela, ils vont jusqu'à faire semblant d'en être amoureux. Pour l'édification de Pippa, elle égrène un chapelet d'histoires comiques ou tragiques démontrant «ce qui attend quiconque aime à crédit».

Le lendemain, Nanna reçoit dans son jardin deux amies, dont une entremetteuse qui expose devant Pippa ses prouesses révolues, pour compléter l'éducation de celle-ci. Leur jacasserie grotesque ne s'achève qu'à la vue de la collation que leur offre leur hôtesse. Ainsi se termine aussi ce chef-d'œuvre érotique de la Renaissance dans lequel l'auteur, alléguant l'expérience de ses héroïnes, confond d'imposture les rapports amoureux, daubant aussi impitoyablement sur l'outrecuidance des mâles en rut que sur l'incontinence et la cupidité des femmes.

L'Arétin a écrit d'autres œuvres érotiques, comme ses *Sonnetti lussuriosi (Sonnets luxurieux)*, seize sonnets *colla coda* (avec une queue, c'est-à-dire un tercet supplémentaire), qu'il composa vers 1535. Ils n'ont pas été imprimés de son vivant; c'est une erreur de croire qu'il les publia avec des gravures de Marc-Antoine Raimondi et qu'ils firent scandale à Rome [1]. Les *Lettres* et le *Théâtre* de l'Arétin se rapprochent aussi de l'esprit de ses *Ragionamenti*. Cinq volumes de ses lettres furent édités à Venise avec un tel succès que le premier livre, paru en 1537, fut réédité trois fois en 1538. Elles valent par la variété de ses correspondants, allant des plus hauts dignitaires aux plus modestes admirateurs, de la pieuse Veronica Gambara à la courtisane Zaffetta ou l'androgyne Zufolina. Ses lettres au cardinal Bembo où il le console de la mort de sa maîtresse (*la morte de la donna vostra*), à monseigneur de Serres où il le prie à venir dîner «sans la Manolessa» pour ne pas gêner une autre femme, sont de ces documents qui dévoilent les mœurs d'une époque.

Son théâtre a été loué à peu près unanimement. Il a écrit cinq comédies en prose, la *Cortegiana*, *Il Marescalco*, *Il Filosofo*, la *Talanta*, l'*Ipocrito*; en général, chaque pièce réunit deux intrigues qui n'ont rien à voir l'une avec l'autre. Dans *Talanta*, l'héroïne de ce nom est une courtisane qui éconduit son amoureux, Orfinio, pour recevoir le ridicule messer Vergolo. Furieux, Orfinio veut rompre avec Talanta: elle le

---

1. Cette erreur vient de Mazuchelli, *Vita di Pietro Aretino* (Padoue, 1741).

persuade qu'elle n'aime que lui et qu'il doit la laisser trois jours pour qu'elle puisse contenter ses autres pratiques. Elle en profite pour se faire offrir la bague et la médaille qu'il porte sur lui. Orfinio, revenant avant les trois jours, aura les démêlés les plus compliqués avec la clientèle de Talanta. *Le Maréchal* est l'histoire du maréchal-ferrant d'un prince, que son maître oblige à se marier; mais ce maréchal est pédéraste et il est consterné par cet ordre: «O Sainte Vierge! ô salope de Fortune! Moi, hein? Prendre femme? A moi une femme? Et qu'ai-je donc fait?» Les scènes suivantes vont montrer les affres du sodomite à mesure qu'approche l'instant de ses noces; chacun attise ses appréhensions, la nourrice en lui faisant l'éloge des femmes, le courtisan Ambrogio en les lui décriant; quand il voit arriver sa promise, il s'évanouit. Puis le mariage se conclut et il découvre que la mariée est en réalité le page Carlo déguisé en femme; il passe aussitôt du désespoir à la joie. L'Arétin donne l'impression que le vice crée dans le monde un désordre fatal, irrépressible, et que le seul recours contre lui est de contempler son cortège de folies et de masques pour en rire.

Jusqu'à la fin de sa vie, l'Arétin est resté ce superbe fauve des lettres, passant de l'amour platonique pour Angela Sirena, femme mariée à qui il consacra un poème de soixante stances, *Sirena* (1537), à sa «passion folle» pour une jeune phtisique, Perina Riccia, qu'il soigna avec dévouement, et à ses débauches. Il se vantait, à cinquante-six ans, d'utiliser les services des prostituées quarante fois par mois. Mais c'est sans doute là une des amplifications dont il était coutumier, comme lorsqu'il dit au début d'un poème: «Je vaux plus d'un million d'amants» (*Io vaglio più ch'un million d'Amanti*[1]). Même vieillissant, avec sa belle tête à barbe blanche, il songe encore aux femmes. Sa popularité ne décrut pas. Quand le duc d'Urbino l'emmena à Rome, en 1553, l'Arétin fut acclamé au passage par les petites gens; le nouveau pape, Jules III, le baisa sur le front devant la cour. La légende a couru que l'Arétin mourut dans une crise de fou rire, en apprenant l'inconduite d'une de ses sœurs; des documents d'archives prouvent qu'il a succombé à une attaque d'apoplexie, le 21 octobre 1556, sans avoir eu le temps de dire un mot.

La littérature arétinesque — ainsi désigna-t-on l'ensemble des œuvres ressemblant aux *Ragionamenti* — comprit des livres si osés qu'on en attribua certains au maître lui-même. La première de ces productions fut *La Puttana errante* de Lorenzo Veniero, parodie obscène des romans de chevalerie. Lorenzo Veniero était un jeune patricien dont l'Arétin avait entrepris l'éducation; il deviendra plus tard à Venise un homme d'Etat influent et le père de l'évêque de Corfou, Mafeo Veniero. En 1531, Lorenzo Veniero eut affaire avec la prostituée Elena Ballarina, qu'il soupçonna de lui avoir dérobé sa bourse pendant qu'il la caressait. Pour se venger, il rédigea sur un ton épique et imprécatoire ce poème en quatre chants, *La Puttana errante*, commençant ainsi:

---

1. Poème retrouvé et étudié par Pierre Gauthiez dans *Quelques Notes sur l'Arétin* (*Bulletin du Bibliophile*, 15 août 1896).

D'une vieille putain, coquine impudique,
Je vais chanter les horribles déportements;
Avec son cul enragé et avec sa figue,
Elle empoisonne les cieux et infecte les éléments[1]...

A l'exemple des chevaliers errants, la Ballarina décide de se faire putain errante, courant l'Italie pour défier en des tournois sexuels les plus vaillants champions. A Ferrare, pendant huit jours, «un million deux mille vingt fois / Sa Seigneurie fut foutue». A Bologne, ayant fait proclamer à sons de tambour qu'elle attend à l'Auberge du Singe tout homme «qui a un vit de mulet» (*chi cazzo ha di mulo*), elle y subit l'assaut de la plupart des habitants; même un chien et un cheval viendront la couvrir. A Rome, toute l'armée du connétable de Bourbon lui passe sur le corps et, dans le triomphe final qu'on lui célèbre, elle est suivie d'un char contenant tous ses larcins.

Veniero eut aussi un différend avec une autre prostituée, Angela Zaffa dite la Zaffetta, qui un soir refusa de le recevoir; l'irascible poète riposta aussitôt par *La Zaffetta*, poème évoquant le trente-et-un qu'il souhaite lui voir administrer par une troupe de garçons d'auberge et de pêcheurs de Chioggia:

Ma chère Angela, vous devez bien savoir,
Que toute Diva doit avoir, sans faute,
Ou tôt, ou tard, le trente-et-un ou le mal français[2].

Avec une emphase burlesque, il décrit les détails les moins ragoûtants de ce viol collectif dont un rustre compte à voix haute les coups; sa verve est si outrancière qu'elle fait rire plutôt qu'elle ne choque.

La Tariffa delle Puttane di Venegia (1535), dont l'auteur se dit un disciple de l'Arétin et un admirateur de Lorenzo Veniero, est un truculent dialogue en vers entre un étranger et un gentilhomme de Venise qui lui apprend les tarifs et les défauts des prostituées de la ville. La Lombarda demande vingt *scudi* (écus), mais c'est «de la pustuleuse et vieille viande de vache» (*carne infrancitida et vecchia de vacca*). Cornelia Griffo exige quarante écus, ce qui est «un prix tout à fait malhonnête» (*è pur prezzo dishonesto*), bien qu'elle soit un vrai régal. Qu'il se méfie de la Tassetta, «connue plus pour ses vilains tours que pour ses charmes», de la Zaffetta, vu qu'«elle héberge le mal français». Lucrezia Squarcia, qui feint d'étudier la poésie, ayant toujours à la main un volume de Pétrarque, donne peu de plaisir:

---

1. Lorenzo Veniero, *La Puttana errante* (Paris, Isidore Liseux, 1883). Il ne faut pas confondre ce livre avec une plate élucubration du même titre, *La Puttana errante, dialogo di Madalena e Giulia* (1660), dialogue en prose décrivant trente-sept positions amoureuses aux noms baroques: *faire des chandelles de suif* (position assise), *faire la grenouille, nager dans la rivière*, etc.

2. *Les Trente-et-un de la Zaffetta*, poème de Lorenzo Veniero littéralement traduit, texte italien en regard (Paris, Isidore Liseux, 1883).

Est bien stupide et privé d'intellect
Qui cherche à l'enfiler, car, on me l'a dit,
Il entre en une mer qui n'a ni fond ni rive[1].

Une centaine de prostituées vénitiennes sont ainsi passées en revue, de Bianzifiore Negro à Polissena, «petite pécore de valeur» (*pecorina di valore*), avec des anecdotes savoureuses comme celle du coït de Lucia, qui se nattait les poils du pubis en «deux tresses d'égale longueur» et d'«un prêtre bossu, qui avait le nez de travers».

Le *Zoppino*, en 1539, fut un dialogue en prose où le moine Zoppino exposa pareillement à Ludovico les mœurs des prostituées les plus fameuses de Rome — la Matrema, la Lorenzina, Angela Greca, etc. —, dont il traça des portraits repoussants. Apollinaire croyait que le *Zoppino* était de Francesco Delicado, un prêtre espagnol né près de Cordoue, qui vécut à Rome où il contracta la syphilis (comme il l'avoua lui-même dans le traité en latin qu'il fit pour consoler ceux qui souffraient de cette maladie). Delicado avait déjà publié en 1528 à Rome *La Lozana andaluza (La Gentille Andalouse)*, scènes dialoguées dépeignant la carrière d'une entremetteuse venue, comme lui, d'Espagne en Italie.

Nicolo Franco, satiriste natif de Benevent, voulut rivaliser avec l'Arétin qu'il fréquenta à Venise dès 1536; mais celui-ci, voyant qu'il le narguait, le contraignit à quitter la ville. Afin de se venger, Franco rédigea à Casal dans le Piémont *La Priapea* (1541), série de cent soixante-quinze sonnets contre l'Arétin d'une obscénité véhémente, où il s'en prit de façon injurieuse à sa sexualité. Nicolo Franco fut un curieux écrivain arétinesque, dont les dix *Dialoghi piacevoli (Dialogues facétieux)*, traduits en français par l'historien Gabriel Chappuys, eurent du succès. Il eut le tort d'être un calomniateur enragé. Pour avoir diffamé la mémoire du pape Paul IV, et avoir critiqué de manière acerbe son successeur Paul V, il fut arrêté et pendu à Rome en 1569.

On a cru que l'Arétin était l'auteur des *Dubbii amorosi (Doutes amoureux)*, traitant divers cas de moralité sexuelle à la façon des cas de conscience soumis par les pénitents aux théologiens. Un rustre a fait mourir Giulia Rossa «de jouissance et de douleur» parce qu'«il avait un vit énorme». Question: «Cela peut-il s'appeler assassinat?» Réponse: Non, car la loi *Cornelia, Des Sicaires*, dans le Code, ne parle pas de ce genre d'homicide. Giulia di Martino paie un moine, Fra Bricone, «pour l'enfiler à tant par mois» (*per chiavar la un tanto il mese*). Mais elle l'épuise en huit jours et il laisse Fra Venturino le lui faire à sa place. «Fra Bricone doit-il perdre son salaire?» Non, d'après la loi d'Ulpien *Inter artifices, de solutione*. Un ermite demande à une abbesse une miche de pain:

---

1. *La Tariffa delle Puttane di Venegia*, texte italien et traduction littérale (Paris, Isidore Liseux, 1883).

Elle, se relevant les jupes à la ceinture,
Lui montra sa blanche et belle motte,
Et dit n'avoir rien d'autre à lui donner;
Utrum, *devait-il accepter cette charité*[1] *?*

Oui, «puisque la charité se fait comme on peut», selon les Saintes Ecritures. Dans ces quarante-huit doutes scabreux, résolus en se référant à la Bible ou au Digeste, beaucoup concernent la sodomie. La Martuzza, pour se guérir d'une constipation opiniâtre, se fait sodomiser. «Est-elle tenue de le dire à son confesseur?» Non, car prendre plaisir à un remède n'est qu'un péché véniel. Laura Monaca est sodomisée si brutalement par un Génois qu'elle renie saint Pierre dans un juron. «Doit-elle être punie de ce blasphème, et condamnée à avoir la langue coupée?» Non, cela ne l'a pas mise en faute envers les lois civiles et religieuses.

Bien que cet écrit anonyme soit typiquement arétinesque, il est absurde de l'attribuer à l'Arétin qui eut la grandeur de signer ses érotiques de son nom. Il publia fièrement ses scandaleux *Ragionamenti*, en homme responsable de sa pensée, et non honteusement sous un pseudonyme, comme le feront ses successeurs.

L'Académie des Ahuris

Nous avons donc vu apparaître un genre nouveau: le dialogue anecdotique. Deux interlocutrices s'y font des confidences et s'y rapportent des histoires de mœurs; ou encore, une femme très expérimentée y apprend à une novice les secrets de l'amour. Ce procédé du dialogue érotique fut utilisé d'une manière différente, vers 1530, dans la *Cazzaria* d'Antonio Vignale (ou Vignali de Buonagiunti), qui avait fondé à Sienne l'Académie des Intronati (ou Ahuris); chaque membre y portait un surnom, celui de Vignale étant l'Arsiccio, qui signifie le Desséché, le Brûlé (en italien *sapere di arsiccio*, c'est sentir le roussi).

La Cazzaria est un dialogue en prose entre l'Arsiccio et le Sodo (le Solide, surnom de l'Intronato Marcantonio Piccolomini), un étudiant en droit amateur de belles-lettres. Voici ce qui motive le débat: «Le Sodo, à qui l'on demandait, dans un repas donné chez le Salavo à une foule de nobles et d'aimables jeunes gens, pourquoi les couilles jamais n'entrent dans le con ou dans le cul, a répondu qu'il n'en savait rien.» L'Arsiccio fait honte au Sodo de son ignorance, mais celui-ci proteste: «Je n'en suis pas honteux, par la raison que dans mes livres ne sont point couchées par écrit de pareilles saletés... Je n'ai pas établi le fondement de mes études sur le cul ou sur le con, mais sur de plus nobles objets.» L'Arsiccio

---

1. *Doutes amoureux ou cas de conscience et points de droit avec leurs solutions* (Paris, Isidore Liseux, 1883).

lui démontre que les philosophes doivent être capables de tout examiner, même ce qui est vil et laid, et que du reste la sexualité est un sujet hautement philosophique: «La Philosophie n'est rien autre que la connaissance des choses naturelles; or le vit est chose naturelle, le con et le coït sont choses naturalissimes, nécessaires à notre existence [1].»

Ils vont donc discuter d'une façon mi-burlesque mi-érudite de cinquante et un problèmes commençant tous par *perchè* (pourquoi). Les questions traitées sont de ce genre: «Pourquoi le cul des femmes n'a pas de poils? Pourquoi les femmes engrossent en se faisant foutre? Pourquoi les femmes ont leurs règles? Pourquoi les vits ont des nœuds?», etc. Toutes les réponses des interlocuteurs à ces questions obscènes les entraînent à des considérations politiques, religieuses, grammaticales. C'est absolument extraordinaire. Ce «dialogue merveilleux» (comme le qualifiait Ménage qui en possédait une copie manuscrite) résout avec la même verve «pourquoi les anciens philosophes méprisaient les richesses» et «pourquoi les femmes font de tout petits pas». Seul un savant de la Renaissance était capable de ce tour de force.

Ces explications sont ingénieuses, ainsi celle qui détermine «pourquoi la motte est poilue» (*perchè il pettignone sia peloso*): «Si les poils que la Nature a mis sur la motte n'y étaient pas, l'homme et la femme se seraient rarement foutus sans que l'un des deux pubis, par le frottement, ne se fût pelé ou abîmé; c'est pourquoi la prévoyante Nature y avait apporté remède en leur mettant une toison laineuse tout autour.» Vignale nous fait même une révélation inattendue sur sa contemporaine la Joconde, quand il raconte que la Mona Lisa de Santo Gemignano, se plaignant d'avoir un mari *del poco cazzo* («de peu de cas», au sens sexuel), celui-ci lui promit de se faire greffer un pénis de cheval au bas du ventre par le chirurgien de Cole qui avait refait un nez à Lorenzo Gamurini en lui prélevant de la chair dans un bras. Des historiens modernes se demandent où la Joconde a terminé sa vie: *La Cazzaria* nous apprend qu'à cinquante ans elle résidait à Santo Gemignano, qui appartenait au duché de Florence.

Ces propos indécents étaient habituels aux Ahuris dans leurs réunions, où se trouvaient pourtant des personnes de la plus haute distinction, comme le comte Achille d'Elci (dit l'Affumicato). D'ailleurs *La Cazzaria* n'empêcha pas Antonio Vignale de devenir le secrétaire du cardinal Cristoforo Madrucci, gouverneur de Milan. Il écrivit ensuite *La Floria* (1560), comédie en prose racontant les amours du gentilhomme florentin Fortunio et de la jeune Floria; et *Aulcune lettere amorose* (1571), lettre en proverbes, pleine de sous-entendus galants, qui eut beaucoup de succès.

Un autre membre de l'Académie des Ahuris fut Alessandro Piccolomini, né en 1508 à Sienne, futur archevêque de Patras, qui appartenait

---

1. *La Cazzaria*, dialogue priapique de l'Arsiccio Intronato (Antonio Vignale), littéralement traduit pour la première fois par Alcide Bonneau, texte italien en regard (Paris, Isidore Liseux, 1882).

à la famille du pape Pie II. Ce Piccolomini, dit le Stordito (l'Etourdi), publia en 1539 *La Raffaella, dialogo della bella creanze delle donne*[1], dialogue licencieux entre la vieille entremetteuse Raffaella et la jeune Margarita qu'elle incite à prendre un amant, pendant que son mari est en voyage dans le Val d'Ambra. Ce livre est très intéressant par les renseignements qu'il contient sur les mœurs des Siennoises, chez qui règne «la mode de se teindre en rose la figure et la gorge», et dont certaines même «se fardent les jambes, les bras et tout ce qu'elles ont». On apprend qu'elles dormaient en gardant sur le visage un emplâtre composé de vert-de-gris et de blanc d'œuf, pour enlever leurs taches de rousseur. On a le détail de leurs eaux de beauté, de leurs cosmétiques, des devises qu'elles mettaient sur leurs habits afin d'indiquer leur pensée à leurs amants (ces devises étant faites de galons, de franges, de tresses, et de deux ou trois couleurs). On voit comment s'accomplissait la corruption d'une femme mariée par une entremetteuse : Raffaella persuade Margarita qu'elle doit s'amuser pendant qu'elle est jeune, l'instruit de tout ce qui lui donnera du plaisir, lui décrit l'amant idéal si bien que celle-ci dit qu'elle a hâte d'en rencontrer un de cette sorte. Alors l'habile commère lui répond qu'elle en connaît justement un et qu'elle peut le lui présenter.

Alessandro Piccolomini, à qui l'on doit aussi des comédies galantes, dès qu'il devint archevêque se signala par sa piété, sa charité envers les pauvres. Il fut l'un des premiers à écrire des traités philosophiques en italien, et non en latin. Quand on lit un livre érotique de la Renaissance, presque toujours l'auteur est un homme de cette trempe.

Antoine de La Sale et les Cent Nouvelles Nouvelles

La France fut le pays qui profita le mieux de l'exemple de l'Italie. Dès le milieu du xve siècle, Antoine de La Sale témoigna de cet esprit nouveau. Né vers 1385 dans le comté de Provence, fils naturel du chef de bande Bernard, dit Chicot, Antoine de La Sale entra comme page à quatorze ans chez Louis II d'Anjou, roi de Sicile. Il sera écuyer royal de ses successeurs jusqu'au roi René, fera des voyages en Italie et dans les pays du Nord, participera en 1415 à la croisade de Ceuta avec les chevaliers de Jean Ier du Portugal. Après cette vie d'action, ayant plus de cinquante ans, il épousa en 1437 à Arles une fille de quinze ans, Lionne Célerier de La Brosse, et devint précepteur du prince Jehan de Calabre. Il écrivit pour son élève *La Salade*, qu'il publia en 1444, recueil de textes parmi lesquels *Le Paradis de la reine Sibylle*.

Vers 1450 parurent *Les Quinze Joyes de mariage*, où l'auteur avait

---

1. Alessandro Piccolomini, *La Raffaella, dialogue de la gentille éducation des femmes*, traduction d'Alcide Bonneau, texte italien en regard (Paris, Isidore Liseux, 1884).

caché son nom dans une énigme à la fin. Ce fut un bibliothécaire de Rouen, André Pottier, qui révéla dans sa *Lettre à M. Techener* d'octobre 1830 que cette énigme déchiffrée donnait les syllabes *la, sa, le.* L'attribution de ce livre à La Sale est fort vraisemblable. Il contient des expressions picardes, et Antoine de La Sale avait un secrétaire picard, Rasse de Brunhamel. Et puis, le mariage de ce quinquagénaire avec une adolescente avait dû lui causer des déboires conjugaux lui inspirant cette satire. Les quinze «joies» sont détaillées en quinze chapitres, selon une gradation dans le pire. La première «joie», c'est tout le tracas que se donne un jeune homme cherchant à se marier, courtisant une fille et s'endettant pour payer ses noces. Les trois «joies» suivantes, ses embarras quand sa femme est enceinte et a des envies déraisonnables, ses ennuis de père de famille. «La quinte joye», c'est le cocuage; «la sixte joye», la tyrannie de la femme qui veut s'occuper des affaires de son mari. La septième «joie» est dispensée par la femme qui, tout en étant vertueuse, prend son mari pour une nullité sexuelle: «Il y a une reigle géneralle en mariage, que chacune croit et tient; c'est que son mary est le plus meschant et le moins puissant au regard de la matière secrette, que tous les aultres du monde [1].» L'auteur en vient ainsi à la quinzième «joie» qu'il estime «la plus grant et extresme douleur qui soit sans mort»: celle que cause une femme dissolue, qui couche avec tous les hommes qu'elle rencontre, en s'assurant la complicité de sa mère et de ses amies. Dans ce chapitre on voit un pauvre Georges Dandin en proie à une meute de femelles surexcitées prenant le parti de son épouse contre lui. Et Antoine de La Sale conclut: «Il n'est homme marié, tant soit-il sage, cault ou malicieux, qui n'ait une des joies pour le moins, ou plusieurs d'icelles.»

Antoine de La Sale quitta la cour d'Anjou, fut précepteur des trois fils de Louis de Luxembourg et termina le 15 mars 1456, dans sa maison de Châtelet-sur-Oise, son roman *Le Petit Jehan de Saintré.* C'est l'histoire d'un page de Touraine dont l'éducation sentimentale est faite par une veuve, la Dame des Belles Cousines. Il la sert avec ferveur jusqu'au jour où il s'aperçoit qu'elle le trompe avec un abbé: il rendra alors à la Dame, devant toute la cour, la ceinture bleue qu'elle lui a donnée. Avant de mourir en 1461, Antoine de La Sale collabora aussi aux *Cent Nouvelles Nouvelles,* ce qui nous amène à ce monument de la littérature française.

Les Cent Nouvelles Nouvelles, qu'édita en 1480 à Paris le libraire Antoine Vérard, avaient été composées plus de vingt ans auparavant. Louis XI en fut l'inspirateur lorsqu'il était Dauphin, et l'on sait par Brantôme comment se comportait à table ce roi avec ses courtisans: «Celuy qui lui faisoit le meilleur et le plus lascif conte de dame de joye, il estoit le mieux venu et festoyé. Et luy-mesme ne s'épargnoit à en faire.» De 1456 à 1461 le Dauphin Louis, fuyant son père Charles VII, se réfugia au château de Gennape dans le Brabant, sous la protection du duc de Bourgogne. C'est là que pour se distraire lui et son entourage se firent

---

1. *Les Quinze Joyes de mariage,* édition conforme au manuscrit de la bibliothèque de Rouen (Paris, P. Jannet, 1857).

des «contes à plaisance», qu'un secrétaire inconnu transcrivit et classa. Chacun, à son tour, racontait une histoire aux autres: le Dauphin en dit onze, le duc Philippe le Bon trois, son écuyer Philippe de Laon sept, le seigneur de La Roche douze, Jehan de Villiers six. Des officiers de la maison de Bourgogne et même des valets de chambre firent partie des trente-cinq narrateurs de ce recueil.

Seize de ces nouvelles sont imitées de Poggio, quinze de Boccace ou des fabliaux, mais les autres sont des aventures originales, inventées ou réellement arrivées. Il y a plutôt des ressemblances lointaines que des imitations, comme dans l'histoire du chevalier bourguignon qui, voulant coucher avec la femme de son meunier absent, dit à celle-ci: «Certes, m'amie, j'apperçois bien que vous estes malade et en grant péril... Vostre devant est en très grant dangier de cheoir... Le remède si est que au plus tost que pourrez, le fort et souvent faire rencoingner.» Rencoingner, en vieux français, c'est cogner sur un coin pour l'enfoncer. La naïve commère, épouvantée de cette maladie («autant me vauldrait non estre que de vivre sans mon devant», s'écrie-t-elle), l'emmène au moulin où «Monseigneur, par sa courtoisie, d'ung houtil qu'il avoit rencoingna en peu d'heures, trois ou quatre fois, le devant de notre meunière [1]». On trouve en ce «rencoingneur de con» (l'expression est dans la nouvelle) un proche du «faiseur de nez» d'une facétie de Poggio, persuadant une femme enceinte que son enfant naîtra sans nez s'il n'y met ordre.

Ces nouvelles roulent le plus souvent sur les appétits sexuels des femmes, comme celle qui, entendant dire d'un hôtelier du mont Saint-Michel «qu'il portoit le plus beau membre, le plus gros et le plus quarré qui fust de toute la marche d'environ», va en pèlerinage au mont Saint-Michel à seule fin de loger à cet hôtel et d'y expérimenter si le «grand brichouard» de l'hôtelier lui donnera du plaisir. Mais son mari, soupçonnant cette intention, la rejoint, entre à minuit dans sa chambre, à la place de l'hôtelier, la besogne sans qu'elle le reconnaisse à cause de l'obscurité, si bien que le lendemain elle s'en retourne «toute mélencolieuse, pensive et despiteuse pource que point n'avoit trouvé ce qu'elle cuydoit». Au contraire un mari de Flandres, «de qui la femme estoit toute luxurieuse et chaude sur le potage», et qui n'arrive pas à «lui faire tenir coi le derrière», se résigne à la laisser accomplir «tous ses vouloirs et désordonnés désirs». Les hommes ne sont pas moins enragés de luxure, tel cet Ecossais qui se déguisa en femme pendant quatorze ans, ce qui lui permettait de mieux tromper les maris. Ou tel ce jeune époux insatiable: «Quelque part qu'il rencontrast sa femme il l'abatoit, fut en la chambre, fut en l'estable, ou en quelque lieu que ce fust, toujours avoit un assault.»

Antoine de La Sale est le conteur nommé de la 50e Nouvelle, aussi peut-on penser qu'il a fait ou corrigé la rédaction de beaucoup d'autres. En tout cas, son sens exquis du dialogue se retrouve dans les *Cent Nouvelles Nouvelles*. Ainsi, un marchand d'Arras surprend un jour sa

---

1. *Les Cent Nouvelles Nouvelles*, édition revue sur les textes originaux, introduction par Le Roux de Lincy, 2 vol. (Paris, Paulin, 1841).

femme avec un amant, tous les deux nus sur un lit, et de sa cachette les entend se dire:

> M'amie, à qui est ceste belle bouche? — C'est à vous, mon amy, dit-elle. — Et je vous en mercye, dit-il. Et ces beaux yeux? — A vous aussi, dit-elle. — Et ce beau tétin qui est si bien troussé n'est-il pas de mon compte, dit-il. — Ouy, par ma foy, mon amy, dit-elle, et non à un aultre. Il met après la main au ventre et à son devant, où il n'y avoit que redire, si lui demanda: A qui est cecy, m'amie? — Il ne le fault jà demander, dit-elle, on sçoit bien que tout est vostre. Il vient après getter la main sur le gros derrière d'elle, et lui demanda en soubriant: A qui est cecy? — Il est à mon mary, dit-elle, c'est sa part, mais tout le demeurant est vostre.

Dissimulant son ressentiment, le mari fait faire à sa femme une robe de bure grise avec une pièce d'écarlate au bas du dos, et l'oblige à la porter à un festin où il explique à ses invités: «Elle a dit que d'elle il n'y a mien que le derrière, si l'ay houssée comme il appartient à son estat.»

Les Cent Nouvelles Nouvelles, qui inspirèrent Brantôme et La Fontaine, tracèrent la frontière séparant en France l'univers brut des fabliaux de la grâce recherchée des contes galants.

Le pantagruélisme de Rabelais

Au temps de la Réforme, dont il se moqua comme du reste, François Rabelais élargit la liberté d'expression sexuelle. Il fut l'auteur obscène par excellence, tellement obscène que Voltaire, au nom du XVIIIe siècle voluptueux et raffiné, déclarait qu'il y avait à peine trois pages à garder dans son œuvre; il renia sur le tard cette opinion trop sévère. Rabelais ne montra jamais un couple en action amoureuse, mais il plaisanta constamment de ce genre d'action en l'assimilant aux fonctions excrémentielles. Il étala partout son mépris des femmes, qui était celui des moines et des médecins les considérant comme des êtres inférieurs conformément à la doctrine d'Aristote. Etant à la fois moine défroqué et médecin, Rabelais fut doublement misogyne; il ne nous a même pas laissé le prénom de la concubine qui lui donna un fils naturel, Théodule, mort à l'âge de deux ans.

Dès qu'il publia à Lyon en 1532 *Les Horribles et épouvantables faictz et prouesses du très renommé Pantagruel, roi des Dipsodes*, Rabelais s'affirma le contempteur des rapports sentimentaux entre les deux sexes. Pantagruel en naissant coûta la vie à sa mère, et si son père Gargantua «pleuroit comme une vache» du décès de sa femme Badebec, son chagrin ne dura qu'une minute: «Ma femme est morte, eh bien, par Dieu! je ne la resusciteray pas par mes pleurs... Il me fault penser d'en trouver une aultre.» A sa majorité le géant Pantagruel prend pour favori Panurge, «bien galand homme de sa personne, sinon qu'il estoit quelque peu paillard», dont la goujaterie envers les femmes est le titre de gloire.

Ainsi Panurge, voulant coucher avec une grande dame de Paris, lui avoue d'emblée cyniquement: «Madame, saichiez que je suis tant amoureux de vous que je n'en peuz ny pisser ny fianter.» Il l'offense en propos et en gestes, faisant mine finalement de se débraguetter devant elle: «Tenez (montrant sa longue braguette), voici Maistre Jean Chouart qui demande logis.» Comme la dame le repousse en le traitant de «meschant fol», Panurge sème, sur la robe en satin cramoisi et la cotte de velours blanc qu'elle doit porter lors de la procession de la Fête-Dieu, une drogue qu'il a composée avec la matrice d'une chienne en rut. Sitôt que la dame sort de l'église tous les chiens de la ville l'assaillent: «Petitz et grands, gros et menuz, tous y venoient, tirans le membre et la sentens, et pissans partout sur elle. C'estoit la plus grande villanie du monde.» Panurge triomphe et dit aux assistants: «Je croy que ceste dame-là est en chaleur, ou bien que quelque lévrier l'a couverte fraischement.» La scène, «en laquelle feurent veuz plus de six cens mille et quatorze chiens à l'entour d'elle... qui lui montoyent jusques au col et lui gastèrent tous ses beaulx accoustremens», amuse fort le bon prince Pantagruel. Pourtant, ce mauvais tour n'est même pas justifié par le dessein de punir une catin malfaisante; au contraire, c'est une honnête femme mariée, belle et gentille, qui est aussi ignominieusement traitée.

Car Rabelais, se targuant dans la préface de *Gargantua* d'avoir écrit un traité *De la Dignité des braguettes*, entend démontrer que l'homme est supérieur à la femme, possède tous les droits sur elle, en vertu du sceptre royal que la Nature lui a placé au bas du ventre. Il fait des considérations à n'en plus finir sur la braguette de ses héros, comme si c'était le tabernacle d'un dieu. Au contraire, lorsqu'il décrit le *comment a nom* (l'organe innommable) d'une femme, il choisit toujours celui d'une vieille percluse d'infirmités, afin que le spectacle soit affreux. Le lion et le renard prennent pour une plaie «depuis le cul jusqu'au nombril», résultant d'«un coup de coignée», ce qu'ils voient entre les jambes d'une paysanne évanouie, la jupe troussée haut. Le lion apporte de la mousse afin de remplir cette plaie, et s'ébahit après y en avoir introduit seize balles et demie: «Que diable! ceste playe est parfonde: il y entreroit de mousse plus de deux charretées.»

Paraissant en 1535, *La Vie inestimable du grand Gargantua, père de Pantagruel*, fut un éloge démesuré de la phallocratie. La braguette de Gargantua enfant, étincelante de pierreries, est ornée chaque jour de bouquets de fleurs et de rubans par ses gouvernantes, qui restent en adoration devant sa verge:

> L'une la nommoit ma petite dille, l'aultre ma pine, l'aultre ma branche de coural, l'aultre mon bondon, mon bouchon, mon vibrequin, mon poussouer, ma terière, ma pendilloche, mon rude esbat roide et bas, mon dressouir, ma petite andoille vermeille, ma petite couille bredouille.

Aucune héroïne en cet antiroman de chevalerie, racontant la guerre entre Gargantua et Picrochole: c'est le livre de la virilité qui se suffit à elle-même. Les femmes n'y figurent qu'en des propos comme ceux du frère Jean des Entommeures, le moine au grand nez, disant:

> Pourquoy est-ce que les cuisses d'une damoizelle sont toujours fraisches?... C'est (dist le moine) pour trois causes par lesquelles un lieu est naturelle-ment rafraischy: *primo*, pource que l'eau décourt tout du long; *secundo*, pource que c'est un lieu umbrageux, obscur et ténébreux, auquel jamais le soleil ne luist; et tiercement, pource qu'il est continuellement esventé des vents du trou de bize, de chemise, et d'abondant, de la braguette.

L'utopie de l'abbaye de Thélème, qui termine *Gargantua*, n'est pas du tout un idéal de vie amoureuse, mais un projet de réforme des institutions monacales: Rabelais, qui a été tour à tour moine franciscain au couvent de Puy-Saint-Martin à Fontenay-le-Comte, où on lui confis-qua ses livres grecs, moine bénédictin au monastère de Saint-Pierre-de-Maillezais où aucune femme n'était admise, imagine une communauté mixte de religieux et de religieuses, n'ayant d'autre règle que leur bon plaisir. Ce modèle d'une abbaye dont les membres mènent la vie de château exprime uniquement sa religion, plus favorable aux sensualités des jouisseurs qu'aux austérités des ascètes.

Rabelais innova par la richesse de ses *erotica verba*. Les fabliaux, et même François Villon dans ses ballades en jargon, ne parlaient guère que de *biscoter*, de *culeter*. Rabelais eut un vaste vocabulaire qui souligna la bestialité de l'acte sexuel. Il appliqua aux humains des verbes réservés à l'accouplement des chevaux: *roussiner*, des ânes: *baudouiner*, des béliers: *béliner*. Chez lui coïter eut maints synonymes, tels *tabourer* une femme (lui frapper sur le ventre comme sur un tambourin), la *sabouler* (la secouer vivement), lui *donner la saccade*, la *beluter* (la passer au crible), la *braquemarder*, lui *frotter son lard*, l'*embourrer*, etc. Il usa de métaphores, *faire la bête à deux dos (the beast with two backs*, traduira Shakespeare dans *Othello*)[1], *faire la chosette, jouer du serrecroupière*, inventa même des termes burlesques, *fretinfretailler, boutepoussenjam-ber* (de bouter, pousser et enjamber), *brisgoutter, gimbretiletolleter* («la femelle bien à poinct et souvent gimbretiletolletée», dit le prologue du *Quart Livre*), *rataconniculer* (mot forgé sur le vieux français *rataconner*, rapiécer).

Le sexe de la femme est le *callibistri*, le *comment a nom*, le *maujoinct* (mal joint), celui de l'homme le braquemard (épée courte et large), le *bartaviou* (petite saucisse), le *cognoir*, l'*emmanchoir* (enfiler une femme se disant *emmancher sa cognée*, car «tout bon compaignon appeloit sa guarse fille de joye: ma coingnée»), maître Jean Jeudi, maître Jean Chouard, saint Balletrou (Panurge proclame en allant au combat: «Ma seule braguette époussetera tous les hommes, et saint Balletrou, qui dedans y repose, décrottera toutes les femmes»). Les testicules sont les *pelotons*, le *paquet de mariage*, les *couillevrines*, les *boursavits*, etc. Tout

---

1. «Le métier de la beste aux deux dos» est déjà évoqué dans *Le Mari médecin*, une des *Cent Nouvelles Nouvelles*.

ce matériel linguistique, servant exclusivement à la dérision, rabaisse la chair, ce qui est le but de l'obscénité. Boccace, l'Arétin exprimaient pittoresquement l'animalité de l'amour, comme la chose la plus désirable du monde; Rabelais en fait une dégoûtation dont on ne peut que rire ou s'écœurer.

Le *Pantagruel* et le *Gargantua*, pleins de railleries contre l'Université, ayant été condamnés par la Sorbonne le 2 mars 1543, François Ier se fit lire ces livres par son lecteur, l'évêque Pierre du Châtel, et n'y trouva rien de répréhensible. Rabelais ne fut donc pas inquiété, étant d'ailleurs protégé par le cardinal Jean du Bellay, et reçut l'autorisation de publier en 1546 *Le Tiers Livre des faitz et dictz héroïques du noble Pantagruel*, qui porte la misogynie à son comble. Panurge désire se marier, mais craignant d'être cocu, demande conseil à de nombreux personnages, un théologien, un philosophe, une sibylle, un astrologue, etc. Ces consultations se suivent en quarante chapitres qui tous concluent que les femmes ne pensent qu'à cocufier leur mari; pas un instant il n'y est dit que des maris trompent leur femme. Le médecin Rondibilis, représentant Rabelais lui-même (qui fut reçu docteur en 1537 et fit ensuite un cours public à Lyon sur les *Pronostics* d'Hippocrate), énonce: «Quand je diz femme je diz un sexe tant fragil, tant variable, tant muable, tant inconstant et imperfeict, que Nature me semble (parlant en tout honneur et révérence) s'estre éguarée de ce bon sens par lequel elle avoit créé et formé toutes choses, quand elle a basty la femme.» Il y a en elle un animal glouton et insatiable, l'utérus, qui la rend infidèle: «Tout homme marié est en dangier d'estre coqü. Coqüage est naturellement des apennages du mariage.» Le frère Jean des Entommeures est le seul à encourager Panurge:

> Marie-toy, de par le Diable, marie-toy et carillonne à double carillons de couillons... Si continuellement ne exerces ta mentule, elle perdra son laict et ne te servira que de pissotière; les couilles pareillement ne te serviront que de gibbecière.

Il lui donne un remède pour ne pas être cocu sans le savoir, c'est d'imiter Hans Carvel rêvant d'un anneau préservatif du cocuage et se réveillant avec un doigt fourré dans le callibistri de sa femme. Que Panurge ait toujours au doigt cet anneau vivant: cela ne l'empêchera pas d'être cocu, mais au moins il ne l'ignorera pas.

En 1548 le *Quart Livre de Pantagruel*, muni d'un privilège du roi Henri II, fut l'histoire de la navigation des précédents héros en des mers lointaines, afin d'emmener Panurge consulter l'oracle de la Dive Bouteille; elle comporte autant d'allégories que d'escales à des îles imaginaires. Panurge achète en l'île de Medamothi (l'île de Nulle Part) un tableau représentant, d'après Ovide, Philomela dépucelée par son beau-frère Tereus: «Ne pensez, je prie, que ce feust le portrait d'un homme couplé sur une fille. Cela est trop sot et trop lourd. La painccture estoit bien aultre et plus intelligible.» Rabelais nous avertit ici qu'il procédera par sous-entendus: mais il n'en sera pas moins obscène.

Pour figurer la guerre des sexes, il décrira le combat de Pantagruel et des Andouilles symbolisant les femmes, car les Andouilles sont «femelles en sexe, mortelles en condition, aulcunes pucelles, aultres non.» Vaincue, la reine des Andouilles, Niphleseth (nom signifiant le membre viril en hébreu, précisera Rabelais lui-même), avouera à Pantagruel qu'elle l'a attaqué par erreur, en le confondant avec son ennemi héréditaire Quaresmeprenant, et non par méchanceté, «alléguant qu'en Andouilles plustost l'on trouvoit merde que fiel». De même Rondibilis pensait que les femmes, sans avoir mauvais cœur, se conduisaient mal à cause de «certaines humeurs sales» dont elles étaient pleines, provenant de leur utérus.

L'érudition, le lyrisme gras de Rabelais colorent de «gai savoir» ses obscénités. Lors des noces chez le seigneur de Basché, un néologisme indique que Chiquanous met la main sous la jupe d'une femme pour lui tirailler les poils du pubis: «La nouvelle mariée pleurante rioit, riante pleuroit, de ce que Chiquanous... lui avait trepignemampenillorifrizonoufressuré les parties honteuses en trahison.» En ce *Quart Livre* l'estomac, messire Gaster, «le noble mestre es arts», apparaît comme un roi plus puissant que le phallus; frère Jean des Entommeures y décrète qu'il vaut mieux manger et boire que «baiser damoizelles»; le mot final du livre, prononcé par Panurge, est: «Beuvons.»

Le *Quart Livre* fut encore condamné par la Sorbonne, car Rabelais s'y moquait aussi bien des Papimanes (catholiques) que des Papefigues (protestants), puisque dans les deux camps sévissaient les gens qu'il détestait le plus, les «hypocrites, bigots, cagots, vieux matagots, cafards empantouflés». Calvin l'attaqua aussi dans son *De Scandalis* (1550). Rabelais se cacha après avoir résigné ses deux cures du diocèse du Mans dont celle de Saint-Martin de Meudon, qu'un vicaire gérait pour lui (car il n'était curé que de nom), et il mourut à Paris au printemps 1554. Après sa mort on publia un cinquième livre de *Pantagruel*, en 1564, qui semble arrangé par un scoliaste d'après ses inédits. On y trouve le même procédé d'érotisme allégorique, dans la description du pays de Lanternois, lors du souper des Dames Lanternes avalant des chandelles: «La reyne fut servie d'un gros et roide flambeau flamboyant, de cire blanche, un peu rouge au bout»; suggestives sont également les danses des Falots et des Lanternes. L'oracle de la Dive Bouteille, «Trinch», est interprété par la prêtresse Bacbuc comme un conseil de «boire vin bon et fraiz». C'est conclure qu'il est préférable de s'enivrer d'une «liqueur mirifique» excitant l'imagination que de s'enivrer d'amour.

L'intérêt de Rabelais est d'avoir inventé le pantagruélisme («Livre plein de pantagruélisme», affichait le sous-titre de *Gargantua*), art de faire des plaisanteries énormes, d'envelopper d'outrances comiques des vérités philosophiques. Ce qu'on appelle sa «saine gauloiserie», consistant à vanter l'ivrognerie, la goinfrerie et la paillardise, a toujours répugné aux amateurs de voluptés délicates. Son mérite heureusement ne réside pas là, mais dans la préparation du pantagruélion, extrait d'une herbe magique ressemblant au chanvre. Le pantagruélion, «l'idée et exemplaire de toute joyeuse perfection», est une *énergie* sans laquelle rien dans le monde n'est plaisant, ni la cuisine, ni la toilette, ni les industries, ni les sciences et les arts, ni la religion, ni la politique. Le pantagruélisme de Rabelais (mélange du bouffon et du sérieux propre à son humanisme), qui influença divers auteurs jusqu'à Alfred Jarry, rend excusable son obscénité en ses plus fâcheux excès.

Les «gaietés» de la Pléiade

La poésie française du XVIe siècle contribua largement, par ses «gaillardises», à l'enrichissement de la langue amoureuse. Ronsard fut le grand poète érotique français de la Renaissance, qui n'a pas hésité à publier des pièces fort libres dans ses *Amours*, sa *Continuation des Amours*, ainsi que des plaisanteries salaces, dites les «gaietés». Les membres de sa *Brigade* (ainsi qu'il appela d'abord les poètes de la Pléiade) le suivirent en ce domaine. Dans la Pléiade, les poèmes d'amour sont aussi érotiques que les «gaietés»; mais les secondes contiennent des «mots de gueule» soigneusement évités dans les premiers. On nommait «mots de gueule» les mots grossiers faisant partie du langage des crocheteurs: foutre, cul, con, couillon, vit, servant aussi bien aux injures qu'à l'expression brutale des faits sexuels. Le Moyen Age les avait employés naïvement, puisque le vieux français foutre restait proche du latin où *futuere* (du grec *phuteuô*, je plante) était familier, mais non vulgaire; *cunnus* (qui donna con) était déjà plus cru, car les Romains bien élevés disaient *inguina* (l'aine).

En 1553, Ronsard publia son troisième recueil, *Le Livret des folastries*, qui le firent accuser de corrompre les mœurs par les Réformés de Genève. Il ne répondit avec indignation qu'à leur accusation d'être un païen et d'avoir sacrifié un bouc à Bacchus. La *folastrie* (Etienne Durand en écrivit comme Ronsard) évoquait sur un rythme de vilanelle les ébats amoureux d'un garçon et d'une fille. Des huit *folastries* de Ronsard, la première dit sa perplexité entre une «pucelette grasselette» et une «pucelette maigrelette» dont il suppute des plaisirs charnels différents; la plus typique est la *Folastrie IV* où Jaquet et Robine vont faire ensemble un repas sur l'herbe qui s'achève en étreinte amoureuse.

Les poètes avant Ronsard avaient célébré dans des *Eloges* et des *Blasons* certaines parties du corps féminin. Clément Marot avait remporté beaucoup de succès avec deux pièces, *Le Beau Tétin* et *Le Vilain Tétin*. Bonaventure des Périers avait écrit un *Blason du nombril* non moins réputé. Ronsard va mettre à la mode des sonnets en l'honneur du membre viril ou du *cunnus*:

Je te salue, ô vermeillette fente,
Qui vivement entre ces flancs reluis;
Je te salue, ô bienheuré pertuis
Qui rends ma vie heureusement contente.

C'est toi qui fais que plus ne me tourmente
L'archer volant qui causoit mes ennuis.
T'ayant tenu seulement quatre nuits
Je sens sa force en moi desjà plus lente.

O petit trou, trou mignard, trou velu
D'un poil folet mollement crespelu,
Qui, à ton gré, domptes les plus rebelles,

Tous verts galants devroient pour t'honorer
A beaux genoux te venir adorer
Tenant au poing leurs flambantes chandelles[1].

Ronsard a fait une «satyre», *La Bouquinade*, qui raconte la guerre entre Amour et le dieu Pan, celui-ci voulant «assubjetir les bois / Et les subjets de Pan à ses paillardes lois». Pan va chercher Philante pour qu'il défie en combat singulier une femme de l'escorte d'Amour:

     Amour appela
L'impudique Laïs, et en ces mots parla:
«Laïs, si quelquefois tes mignardes caresses
Des vieillards plus glacés ont réchauffé les fesses,
Si tu as quelquefois, en un jour, terrassé
De mille champions les reins demy cassés;
Si, toujours de mes feux heureusement servie,
Tu t'es de mille vits glouttement assouvie:
Ne souffre que ce bouq, ce Satyre vainqueur,
Foule aux pieds, aujourd'huy, nostre immortel honneur;
Oppose aux fiers efforts de sa lance aiguisée
De ton large bouclier la lame non faucée.»
A tant se teut Amour, et Laïs, promptement,
Arma ses beaux atraits d'un simple mouvement.

Laïs, en se préparant, dévoile ses charmes que le poète décrit en détail. Ce «combat à outrance» du satyre et de la courtisane, «de cuisses et de bras rudement accrochez», dure quinze jours:

Mais le seizième jour, des doux efforts premiers,
Philante s'affoiblit, et sa lance baissée
Sans espoir de dresser resta toute faucée;
Les couillons lui pesoient, sa teste chancela...

---

1. Ronsard, *Livret de folastries*, publié sur l'édition originale de 1553 et augmenté d'un choix de pièces d'expression satyrique (Paris, Mercure de France, 1919).

Telle est la raison pour laquelle les satyres sont devenus les fidèles sujets de l'Amour:

Depuis ce grand combat, le Dieu Pan, ses Satyres,
Ses Faunes chèvre-pieds, pleins d'amoureux martyres,
Courent parmy les bois, par sentiers inconnus,
Pour les Nimphes ranger au mestier de Vénus.

A ce propos, il faut bien prendre garde à la différence entre satyre et satire; les deux orthographes coexistent et les auteurs du XVIe siècle l'utilisaient indistinctement. Le Dictionnaire de Richelet donne *satire* et celui de l'Académie française de 1694 *satyre*, dans le même sens. En réalité, comme l'a noté Littré, une satyre (du grec *satura*) est un divertissement poétique des Grecs mettant en scène des satyres et des nymphes; une *satire* (du latin *satirus*) une poésie où, comme Horace et Juvénal, on critique les mœurs.

Les autres poètes de la Pléiade eurent une inspiration non moins libre. Joachim du Bellay publia, dans un tirage à part en 1558, *La Vieille Courtisane*, lamentation d'une prostituée romaine évoquant son passé, sans «mots de gueule» mais d'un ton peu commun. Jean-Antoine de Baïf, fils naturel d'un ambassadeur de François Ier, et fondateur d'une Académie de Musique protégée par Charles IX, parsema ses *Amours* et ses *Passetemps* de pièces où Priape s'adresse à une femme ou à un passant. Amadis Jamyn, le secrétaire de Ronsard, exprimait les ardeurs d'une fille seule dans son lit ou débattait s'il valait mieux accomplir l'acte sexuel le matin ou le soir (*Complainte d'une fille, Du temps de baiser Vénus*).

Pontus de Tyard, seigneur de Bissy en Maconnais, plus tard évêque de Chalon-sur-Saône, écrivit une éloquente *Elégie pour une dame enamourée d'une autre dame* (1573). Car les poètes de la Pléiade étaient de bouillants partisans de l'amour normal, et poursuivaient de leurs invectives les lesbiennes et les sodomites. Ils défendaient les «mille jeux plaisants» d'un homme et d'une femme jouissant ensemble, que bafouaient les homosexuels, les catins, les bigotes. Ronsard écrivit trois sonnets d'une obscénité inouïe contre les Mignons de Henri III, que recueillit Pierre de L'Estoile qui jugeait qu'ils reflétaient «la méchanceté et débordements de ce misérable siècle, où nous voiions tout permis, hors de bien dire et de bien faire».

Estienne Jodelle, dont on a pris trois sonnets priapiques pour des œuvres de Ronsard, s'attaqua aussi violemment à la sodomie dans *Contre l'Arrière-Vénus*, et à une prostituée qui l'avait infecté, *Contre une garce qui l'avoit poivray*. L'extension des maladies vénériennes à cette époque fait que beaucoup de «vers gaillards» ont pour sujet de les maudire.

Le charmant Rémi Belleau, précepteur de Charles de Lorraine et qui fut sourd de bonne heure comme Ronsard, fit un «poème vilain et lascif», *Jan qui ne peult*, dont tout Paris s'amusa en 1577. Selon L'Estoile qui le conserva dans ses manuscrits, il ironisait sur «le mariage de Me Estienne

de Bray impuissant... avec la fille unique de la Damoiselle de Corbie».
C'est l'impuissant qui parle:

> *Hé quoy! tenant ma langue entre l'ivoyre blanc*
> *De sa bouche de baume, enté flanc contre flanc,*
> *Voyant du beau printemps les richesses encloses,*
> *Dessus son large sein les œillets et les roses*
> *Un tétin ferme et rond en fraise aboutissant,*
> *Un crespe d'or frisé sur un teint blanchissant,*
> *Un petit mont feutré de mousse délicate,*
> *Tracé sur le milieu d'un filet d'escarlate,*
> *Sous un ventre arrondi, gracelet, potelé;*
> *Un petit pied mignon, bien faict et bien moulé,*
> *Une grève, un genouil, deux fermes rondes cuisses,*
> *De l'amoureux plaisir les plus rares délices;*
> *Un doux embrassement de deux bras gros et longs,*
> *Mille tremblans soupirs, mille baisers mignons,*
> *Mon vit reste poltron, mollasse en mesme sorte*
> *Qu'un boyau replié de quelque chèvre morte!*
> *Bref, il reste perclus, morne, lasdre et faquin,*
> *Comme un drapeau mouillé ou un vieil brodequin* [1]...

Jusqu'ici le poème est savoureux, assaisonné d'une pointe de burlesque; mais il va devenir horrible, le plaignant se demandant s'il n'a pas besoin de courtisanes pourries dont il décrit les pratiques, pour le faire «arcer».

Les satires (et non plus les satyres, étymologiquement) se multiplièrent chez des poètes d'une autre école que la Pléiade. Le sieur de Sigogne, gouverneur de Dunois et Châteaudun, qui servit les amours d'Henri IV et de Mlle de Verneuil, en fit de très énergiques, comme *Satire contre une dame maigre, Satire contre une dame sale, Satire sur la crainte du cocuage, Le Godemichy*. Ronsard l'avait précédé pour vitupérer cet instrument à la mode, le godemiché, qui détournait la femme de l'homme. Mais le satiriste le plus important fut Mathurin Régnier, secrétaire du cardinal de Joyeuse, et qui l'accompagna à Rome en 1587. Diverses satires érotiques attribuées à Régnier ne sont pas de lui. On lui doit *Contre les sodomites, La Chaudepisse, Contre une vieille courtisane*. Ce sont des pièces difficiles à lire à cause de leurs images assez répugnantes.

Il y eut des thèmes communs à tous ces poèmes réunis dans des recueils collectifs ou particuliers. Les *Baisers* célébraient surtout le contact des bouches et le frisson de plaisir qu'il procurait. Tels furent en 1539 les *Basia* de Jean Second (pseudonyme de Jean d'Everard, qui mourut à vingt-cinq ans), et plus tard les *Baisers* de Jacques Tahureau,

---

1. *Le Cabinet secret de Parnasse*, recueil de poésies libres réunies par Louis Perceau. Tome I: *Pierre de Ronsard et la Pléiade* (Paris, 1928).

le poète des *Mignardises amoureuses de l'Admirée* (1554). Le *Baiser* est une suite de pâmoisons verbales:

> *Baise moy, baise moy! laisse,*
> *Laisse, petite maistresse!*
> *Ha Dieu, vien me secourir:*
> *Ferme ce bel œil, Mignarde;*
> *Non, ouvre-le et me regarde.*
> *Haye! Tu me fais mourir*[1]*!*

Celle que Tahureau appelait l'Admirée était une femme rencontrée au Carnaval de Tours lorsqu'il était adolescent, et aimée depuis lors à jamais. Ses *Baisers*, qu'il lui adresse, sont très caractéristiques; il n'y chante pas seulement le baiser sur la bouche, mais aussi celui sur d'autres parties du corps. Le *Baiser III* («Quand j'engoule tout goulu / Ce blanc téton pommelu») descend jusqu'à la cuisse, avec des exclamations émerveillées. Le *Baiser VI* («Va, je ne demande pas / T'avoir nue entre mes bras») exprime que le baiser de sa dame «proprement vêtue» a une saveur différente de son baiser étant nue.

Les *Enigmes* étaient des poèmes décrivant des actions dont on donnait le sens à deviner. Ces actions semblaient fort obscènes et pourtant ne l'étaient pas. Pierre de Larivey, qui composa des énigmes en forme de sonnets, en présente une où une jeune paysanne agite «un chose gros et long» entre ses jambes:

> *Ses cuisses elle ouvroit d'une tant bonne grâce*
> *Qu'entre deux on voyait, vers le haut, en un coing,*
> *Un trou large et ouvert à y mettre le poing,*
> *Mais qui faisoit, ce semble, assez laide grimasse*[2].

La solution de l'énigme était: «Une fille de village qui pile des herbes dans un mortier.» D'autres de ses énigmes faussement obscènes eurent pour mot «le pot sur le feu», «la viole de gambe», «le faucon de poing usité pour la chasse». Les *Consolations* (comme la *Consolation pour les cocus* de Jean Passerat), les *Invectives* (à une vieille bigote empêchant une jeune femme de rejoindre son amant) furent aussi des thèmes souvent exploités.

Les meilleurs *Blasons*, descriptions partielles de la femme, formèrent l'anthologie établie en 1550 par Charles L'Angelier, *Blasons anatomiques du corps féminin*. On y trouva deux *Blasons du cul* d'Eustorg de Beaulieu, qui fit également les blasons du nez, de la joue, de la langue, des dents. Le *Blason du con* de Rochetel y précédait le *Blason du con de la pucelle* de Claude Chappuys, bibliothécaire du roi, que sa qualité de prêtre ne retint pas de signer cet éloge débutant ainsi:

---

1. Jacques Tahureau, *Poésies*, t. II (Paris, Cabinet du Bibliophile, 1870).
2. *Les Amoureux Passetemps*, ou choix des plus gentilles et gaillardes inventions des XVIe et XVIIe siècles, colligées sur les manuscrits et les éditions originales par Fernand Fleuret (Paris, Editions Montaigne, 1925).

Con, non pas con, mais petit sadinet,
Con, mon plaisir, mon petit jardinet,
Où ne fut onq planté arbre ne souche,
Con, joli con à la vermeille bouche,
Con, mon mignon, ma gentille fossette,
Con rebondy en forme de bossette;
Con revestu d'une riche toison
De fins poils d'or en sa vraye saison;
Con qui tant a de force et de puissance,
Con qui seul peult bailler la jouissance...

En réplique à ce recueil, Charles de La Hueterie publia ses *Contre-blasons de la beauté des membres du corps féminin*, contenant un *Contreblason du cul*, un *Contreblason du con*, des contreblasons de la cuisse, du genou, du pied, où il en dit autant de mal que les précédents poètes en avaient dit de bien. Il conclut par un dixain «s'excusant envers les dames qui ont le corps gentil», où il leur assure que «l'âme est divine et le corps pourriture».

Ce ne fut pas l'avis de Gabriel de Minut, baron de Castera, sénéchal du Rouergue, qui à la suite de son traité *De la Beauté* entreprit en 1585 de blasonner de la tête aux pieds la plus belle femme de Toulouse, Paule de Viguier, baronne de Fontenille. Dans *La Paulegraphie particulière*, en des sortes de poèmes en prose il décrivit successivement tous ses charmes: le poil, le front, l'œil, les sourcils, le nez, la bouche, la gorge, le tétin, le bras, la main, le ventre, «la porte de sortie des enfants» (qu'il compara au port de Corinthe), les cuisses, les fesses («coussinets qui se mettent les premiers à table et se lèvent les derniers du lict»). La «belle Paule», quand il fit ainsi sa «paulegraphie», avait soixante-dix ans; Minut, quinze jours avant sa mort, écrivit encore un sonnet en hommage à cette dame de beauté.

Un autre thème érotique, celui de *la Puce*, est né en 1579 lors des Grands Jours de Poitiers, dans le salon de Madeleine des Roches et de sa fille Catherine, où se réunissaient les magistrats. Etienne Pasquier, apercevant une puce «parquée au beau milieu du sein» de Catherine des Roches, écrivit un poème où il enviait l'insecte qui pouvait se promener sur le corps de «la plus belle des belles». Aussitôt ses collègues, piqués d'émulation, rivalisèrent de poèmes en latin et en français sur le même sujet: les plus graves avocats du Parlement, Claude Binet, Odet de Turnèbe, et même le président Pierre Soulfour, célébrèrent la chance qu'avait cette puce vagabondant «dessus cette tendre chair». Seul Nicolas Rapin écrivit une *Contre-puce* pour la menacer de mort si elle s'avisait de piquer les rondeurs de la jeune fille. La première édition de *La Puce de madame des Roches*, en 1583, fut accompagnée de quatrains de Catherine des Roches «aux poètes chante-puces», les remerciant de leur galanterie.

Les Dames galantes de Brantôme

L'année où mourut Ronsard, en 1584, un de ses meilleurs amis, Pierre de Bourdeille, seigneur de Brantôme, fit une chute de cheval qui lui brisa les reins et le contraignit à rester alité quatre ans dans son château du Périgord. Durant ce temps il rédigea son *Recueil des Dames* que l'éditeur Jean Sambix publia plus tard en deux volumes qu'il intitula lui-même *Vie des Dames illustres* et *Les Dames galantes*. Ce dernier titre eût offusqué Brantôme, car il laissait entendre que son livre traitait des catins, alors qu'il décrivait les manières amoureuses des femmes bien nées. Pour Brantôme, la liberté sexuelle était essentiellement aristocratique, féminine et française. Il trouvait bon que les princesses, comme le soleil répandant partout ses rayons, distribuent leurs faveurs charnelles à la ronde: «Telles belles et grandes dames... ne se doibvent nullement s'arrester à ung amour, mais à plusieurs; de telles inconstances leur sont belles et permises, mais non aux autres dames communes.» Il disait des bourgeoises que «de telles dames moyennes, faut que soient constantes et fermes comme les estoilles fixes, et nullement erratiques; que, quand elles se mettent à changer, errer et varier en amours, elles sont justement punissables, et les doibt-on décrier comme putains de bourdeaux [1].»

Brantôme fut avant tout un soldat et un courtisan; il avait la mâle verdeur de l'un alliée au souci de politesse de l'autre. Son père, le baron de Bourdeille, avait été un familier du pape Jules III, qu'il tutoyait et traitait de «garnement». Sa grand-mère lui fit passer son enfance à la cour de la reine Marguerite de Navarre, dont elle était la dame d'honneur. Son frère aîné, André de Bourdeille, était sénéchal et gouverneur du Périgord. Lui-même, encore étudiant à l'université de Poitiers, il reçut en 1558 du roi Henri II l'abbaye de Brantôme. Il participa fort jeune en 1562 à la première guerre civile, dans l'armée royale catholique, assistant à la prise de Blois, de Bourges, de Rouen, à la sanglante bataille de Dreux. En 1564, il fut de l'expédition organisée par Philippe II contre une forteresse de la côte nord du Maroc. Puis il séjourna en l'île de Malte afin de tenir en échec le sultan Soliman. Lors de la deuxième guerre civile, il fut capitaine des gens de pied dans les compagnies de Strozzi jusqu'à la paix de Saint-Germain du 8 août 1570. En 1573, à cause de son courage pendant le siège de La Rochelle, le duc de Guise lui donna une épée d'argent. Entre ses campagnes militaires, Brantôme fut armateur, et eut des vaisseaux corsaires qui firent de la piraterie en Méditerranée. Il voyagea en Italie, au Portugal, en Espagne, fréquenta la cour au Louvre, à Fontainebleau et à Amboise, où la reine mère Catherine de Médicis, les rois Charles IX et Henri III avaient souvent des conversations privées avec lui.

Quand on lit Brantôme, on découvre donc les opinions d'un chevalier français de la Renaissance, violent, brave, orgueilleux, défen-

---

1. *Des Dames*, dans *Œuvres complètes de Pierre de Bourdeille* publiées d'après les manuscrits par Ludovic Lalanne, t. VIII (Paris, Renouard, 1876).

seur des opprimés, aimant et honorant les femmes. Il en parle gaillarde-
ment, certes, mais avec émerveillement. Il sourit de leurs frasques les
plus libres, sans en tirer de conclusions rabaissantes sur la nature
féminine. S'il reconnaît que certaines d'entre elles sont mauvaises, il
souligne aussitôt après que d'autres ont les sentiments les plus nobles,
les gestes les plus désintéressés. Brantôme exprime magnifiquement
l'idéal du gentilhomme de son temps : avoir une belle et bonne maîtresse,
sachant passer spontanément d'une parfaite dignité mondaine en société
à une grande ardeur lascive au lit. Il en eut plusieurs, à qui il adressa des
poèmes d'amour, telles Mlle de Rouhet, Isabelle de Limeuil (quand elle
fut abandonnée par le prince de Condé). Et il eut une Dame, qu'il vénéra
et servit comme un vrai chevalier : Marguerite de Valois, reine de France
et de Navarre, femme d'Henri IV.

Les anecdotes érotiques de Brantôme sont pour la plupart des
histoires vécues, dont il a été le témoin, le confident, parfois le héros ; il
n'y ajoute des histoires tirées de ses lectures que pour étoffer son *Recueil
des Dames*. Il avoua que depuis sa jeunesse il avait été «toujours fort
curieux d'apprendre». Lisant beaucoup, il interrogeait aussi tous les gens
qu'il rencontrait dans ses déplacements, un maître de poste de quatre-
vingt-dix ans à Novare, la courtisane Faustina à Rome, etc. Mais il
s'informait surtout inlassablement des intrigues libertines des cours de
France, d'Espagne et d'Italie ; les gentilshommes et les grandes dames lui
en racontaient de belles. Il réunit ainsi sur le vif les matériaux de sa
chronique de mœurs.

Dans ses *Vies des Dames illustres*, première partie du *Recueil des
Dames*, Brantôme parle des reines et des princesses avec des détails
qu'un biographe officiel rougirait de mettre. De la reine Anne de
Bretagne, qui boitait, il dit que ce n'était pas un défaut vu qu'une boiteuse
a la réputation de faire bien l'amour : «Elle avoit un pied plus court que
l'autre... dont pour cela sa beauté n'en estoit point gastée... Encore dit-
on que l'habitation de telles femmes en est fort délicieuse, pour quelque
certain mouvement et agitation qui ne se rencontre pas aux autres.» Il
trace un portrait prodigieux de Catherine de Médicis, en nous précisant
qu'elle avait de très belles cuisses (il l'a appris de la dame d'honneur qui
lui attachait ses bas). Il décrit sensuellement le cortège des filles
d'honneur qui la suivaient à cheval, avec «leurs chapeaux tant bien
garnis de plumes», ou qui l'entouraient à la cour en habits somptueux :
«Il faisoit beau voir toute cette belle troupe de dames et damoiselles,
créatures plustost divines qu'humaines.»

Il s'attendrit sur Marie Stuart, qu'il fut chargé d'accompagner dans
son royaume d'Ecosse ; il nous dit qu'elle était poète, mais aussi qu'elle
avait une jambe si voluptueuse qu'un de ses oncles, ayant le privilège de
la chausser tous les matins, tomba amoureux d'elle. D'Elisabeth de
Valois, reine d'Espagne, qui le reçut à sa cour de Madrid, il vante
l'élégance unique : «Elle ne porta jamais une robe deux fois.» De
Marguerite de Valois, dont il détaille complaisamment les beautés, il
déplore de ne pouvoir parler de «celles qui sont secrètes et cachées

soubs un linge blanc». La reine Margot ne cachait que le bas du corps, car ce fut elle qui lança en France la mode d'aller la poitrine découverte presque jusqu'au bout des seins.

Brantôme défend la reine Jeanne Ire de Naples contre ceux qui lui reprochent d'avoir eu quatre maris: «Il valloit mieux qu'elle se mariast qu'elle se bruslast.» Il justifie aussi Jeanne II de Naples, dont le renom d'impudicité fut pire encore: «Elle estoit toujours amoureuse de quelqu'un, ayant, par plusieurs sortes et aveques plusieurs, fait plaisir de son corps. Mais pour cela, c'est le vice le moins blasmable à une reyne, grande princesse et belle.» Ayant envie de Caraccioli, et sachant qu'il avait peur des souris, elle en fit lâcher une près de sa chambre royale, si bien qu'il s'y réfugia alors qu'elle était au lit: «Par ce moyen, la reyne luy descouvrit son amour; et eurent tost faict leurs affaires ensemble.»

Brantôme dédia *Les Dames galantes*, seconde partie du *Recueil des Dames*, au duc d'Alençon, dont il avait été le chambellan et qu'il suivit à Londres en 1579, quand celui-ci voulut épouser Elisabeth d'Angleterre. Le duc d'Alençon aimait les histoires de sexe, comme le lui rappelle Brantôme: «Vous m'avez fait cet honneur souvent à la cour de causer avec moy fort privément de plusieurs bons mots et contes.» C'est d'ailleurs le duc d'Alençon ce prince du sang dont il parle, «lequel faisoit coucher ses courtisanes et dames dans des draps de taffetas noir bien tendus, toutes nues, afin que leur blancheur et délicatesse de chair parût bien mieux parmy ce noir, et donnast plus d'esbat». Et c'est encore le duc d'Alençon qui possédait une coupe d'argent doré où étaient ciselés, à l'intérieur et à l'extérieur, des hommes et des femmes dans toutes les postures du coït, «plusieurs aussi de diverses cohabitations de bestes, là où j'appris pour la première fois (car j'ai veu souvent la dicte coupe et beu dedans, non sans rire) celle du lion et de la lionne». Le duc, quand il invitait à un festin les dames de la cour, leur faisait boire dans cette coupe: «Aucunes demeuroient estonnées et ne sçavoient que dire làdessus; aucunes demeuroyent honteuses et la couleur leur sautoit au visage.» Mais certaines «en crevoient de rire» et on leur demandait pourquoi: «Cent mille brocards et sornettes sur ce subject s'entredonnaient les gentilshommes et dames ainsi à table.» Pour divertir un tel amateur d'actions libidineuses, Brantôme lâcha la bride à sa faconde naturelle.

Le volume des *Dames galantes* est divisé en six discours dont le premier, *Sur les Dames qui font l'amour et leurs maris cocus*, renouvelle un sujet courant depuis le Moyen Age. Brantôme prend plutôt le parti des dames que des cocus, et dénonce avec indignation les maris jaloux, «fols, dangereux, bizarres, mauvais, malicieux, cruels, sanglants et ombrageux, qui frappent, tourmentent, les uns pour le vray, les autres pour le faux». Les femmes ont bien raison d'être adultères, surtout les Françaises, car «en France il fait bon faire l'amour». Et puis, les femmes adultères sont plus scrupuleuses qu'on ne pense, «comme une qui ne vouloit permettre à son amant, tant qu'il couchoit avec elle, qu'il la baisast le moins du monde à la bouche, alléguant par ses raisons que sa bouche avoit fait le serment de foy et de fidélité à son mary... mais quant à celle du ventre, qui n'en avoit point parlé ny rien promis, luy laissoit faire à son bon plaisir». Certaines même mettent leur point d'honneur à ne pas faire d'enfant qui ne soit de leur mari, et pour cela elles ne le trompent que lorsqu'elles sont enceintes de lui: «D'autres femmes ay-je cogneu et ouy parler, qui ne donnoyent à leurs amants leur jouissance, sinon quand elles estoient grosses, afin de n'engrosser de leur semence.»

Brantôme va discuter «en quelle saison de l'année se fait plus de cocus» (en saluant au passage sa chère reine Margot qui a écrit un poème où elle déclare qu'elle préfère l'amour en hiver), et examiner les cocuages des lesbiennes, qu'il nomme «fricatrices, ou qui font la fricarelle» (de «*fricare*, freyer, friquer ou s'entrefrotter»). Il a des histoires sensationnelles de lesbiennes et d'ambisexuelles: «Une fois une honeste damoiselle que j'ay cogneue, à laquelle son serviteur demandoit si elle ne faisoit point cette fricarelle avec sa compagne, avec qui elle couchoit ordinairement: "Ah! non, dit-elle en riant, j'ayme trop les hommes!"; mais pourtant elle faisoit l'un et l'autre.»

Dans son deuxième discours, *Sur la beauté de la belle jambe et de la vertu qu'elle a*, il se pose en connaisseur de l'anatomie féminine. La jambe d'une femme est aphrodisiaque, au point qu'une grande dame de sa connaissance, n'arrivant pas à se faire aimer d'un prince, imagina de rajuster devant lui sa jarretière, découvrant sa jambe jusqu'à mi-cuisse: il en devint aussitôt amoureux. En étudiant «quelle jambe estoit la plus attrayante, ou la nue ou la couverte et chaussée?», Brantôme expose tous les avantages que procure aux femmes tantôt leur jambe nue, tantôt leur pied agrémenté d'un joli soulier. Il conclut que «se doibt bien garder la dame de ne déguiser son sexe et ne s'habiller en garçon», car une femme sous un vêtement d'homme perd le pouvoir sexuel que lui assurent ses jambes, rendues plus troublantes dans le cadre ondoyant d'une jupe.

Le discours *Sur le sujet qui contente le plus en amours, ou le toucher ou la vue ou la parole* est extraordinaire. Naturellement, Brantôme fait l'éloge du toucher, car «la perfection de l'amour c'est de jouir, et ce jouir ne se peut faire sans l'attouchement». Il raconte à l'appui des histoires révélant un trait étonnant des mœurs amoureuses de la Renaissance: *l'assignation*. Cette coutume était imitée du duel, et il s'agissait bien d'un duel sexuel nocturne. Une femme, quand un homme lui plaisait, lui donnait par messager rendez-vous dans une maison sûre; afin de ne pas être reconnue, elle s'y rendait masquée de son *touret de nez* (demi-masque porté par les femmes pour se protéger des intempéries). C'est ce qui arriva à Gruffy, l'écuyer royal, qu'assigna une inconnue et qu'un valet mena les yeux bandés d'un mouchoir jusqu'au lieu où elle l'attendait. Dans une chambre «si obscure qu'il ne pouvoit rien voir ni cognoistre, non plus que dans un four» se tenait une femme parfumée qui s'offrit à lui sans proférer un mot. «Il ne trouva rien que de très bon et exquis tant à sa peau qu'à son linge.» La même cérémonie recommença plusieurs nuits, durant lesquelles il jouit de la dame sans la voir ni l'entendre jamais. Les assignations se faisaient rarement ainsi, mais exigeaient la discrétion. Brantôme parle d'une dame espagnole «qui manda un à une assignation, mais qu'il portast avec lui trois S.S.S., qui estoit à dire *sabio, solo, segreto; sage, seul, secret*».

Pour démontrer que la vue est importante en amour, Brantôme se lance dans une description comparative, la plus minutieuse, la plus variée qu'on ait jamais écrite, des différentes sortes de vulves féminines. On n'en trouve l'équivalent dans aucun des traités de médecine de la Renaissance (on peut m'en croire, je connais les plus originaux [1]):

> Les unes y ont le poil nullement frisé, mais si long et pendant que vous diriez que ce sont les moustaches d'un Sarrazin... D'autres femmes y en a-t-il, qui n'ont de poil point du tout, comme j'ay ouy parler d'une fort grande et belle dame que j'ay cogneue... D'autres en ont l'entrée si grande, vague et large, qu'on la prendrait pour l'antre de la Sibille... D'autres en ont les labies longues et pendantes plus qu'une creste de coq d'Inde; comme j'ay ouy dire que plusieurs dames ont... D'autres femmes y a-t-il qui ont la bouche de là si pasle qu'on diroit qu'elles y ont la fièvre... D'autres il y en a aussi qui sont si bas ennaturées et fendues jusqu'au cul, mesme les petites femmes, que l'on devroit faire scrupule de les toucher, pour beaucoup d'ordes et sales raisons que je n'oserois dire... etc.

Mais quel beau spectacle qu'un sexe de femme lorsqu'il n'a aucune difformité, comme celui de cette belle dame de haut rang dont tout le monde parlait à la cour de France:

> On disait qu'elle portoit là trois belles couleurs ordinairement ensemble, qui estoient incarnat, blanc et noir: car cette bouche de là estoit colorée et vermeille comme corail, le poil d'alentour gentiment frizonné et noir comme ébène... La peau estoit blanche comme albastre, qui estoit ombragée de ce poil noir.

Brantôme, s'extasiant sur les organes génitaux des femmes, loue les chrétiens qui, différents des musulmans s'interdisant de les regarder, «non seulement se plaisent à les voir, mais à les baiser, comme beaucoup de dames ont dit». Il cite maints exemples de seigneurs passionnés pour le cunnilingus, comme «un très grand prince, fils d'un grand roy de par le monde, qui avoit pour maistresse une très grande princesse. Jamais il ne la touchoit qu'il ne lui vist cela et ne le baisa plusieurs fois». Brantôme dit qu'une femme raffole de ce genre d'hommage, à moins d'être mal conformée:

> Quand une belle et honeste femme se met à l'amour et à la privauté, si elle ne vous permet de voir ou taster cela, dittes hardiment qu'elle y a quelque tare... car s'il n'y en a point et qu'il soit beau (comme certes il y en a et de plaisants à voir et à manier) elle est aussi curieuse et contente d'en faire la monstre et en prester l'attouchement.

---

1. Voir mes chapitres sur «la Médecine hermétique» et «la Magie sexuelle» dans mon *Histoire de la philosophie occulte* (Paris, Seghers, 1983).

Brantôme use rarement de ce mot affreux, le con, pour désigner le bijou intime de la femme. Il ne s'en sert que pour citer «un ancien proverbe françois» ou un mot historique: «J'ay ouy parler d'une dame grande, belle et de qualité, à qui un de nos rois avoit imposé le nom de *pan de con*, tant il estoit large et grand, et non sans raison, car elle se l'est fait en son vivant mesurer à plusieurs merciers et arpenteurs.» Il préfère dire le *cas* (du latin *casus*, donnant l'italien *cazzo*, euphémisme nommant aussi bien l'organe féminin que le membre viril). Comme dans l'anecdote où une dame, nue en travers de son lit, est investie par son amant habillé qui en se retirant glisse avec ses escarpins neufs sur le carreau de la chambre, et tombe:

> si bien que le gentilhomme après avoir faict sa glissade, fit précisément l'arrest du nez, de la bouche et du menton sur le cas de sa maîtresse... qui venoit fraischement d'estre barbouillé de son bouillon, que, par deux fois desja il lui avoit versé dedans, et emply si fort qu'il en estoit sorti et regorgé sur les bords, dont par ainsi se barbouilla le nez, bouche et moustaches, que vous eussiez dit qu'il venoit de frais de se savonner la barbe... La dame en fit le conte à une sienne compaigne et le gentilhomme à un sien compagnon. Voilà comment on l'a sceu.

Sa morale de chevalier français s'exprima dans le discours *Sur ce que les belles et honestes dames ayment les vaillants hommes et les braves hommes ayment les dames courageuses*. Il y démontre, avec beaucoup d'exemples, qu'une femme vertueuse et honnête (au sens du latin *virtus*, courage, et *honestus*, honorable) est une femme qui sait se tenir dignement, se gouverner, montrer de la fermeté dans l'adversité et devant la mort. Peu importe qu'elle fasse des folies amoureuses dans un lit, du moment qu'elle ne choisit pas ses amants parmi la canaille et qu'elle ait un caractère noble dans les autres circonstances de la vie. Le proverbe dit: «Lâche de cœur comme une putain»; ce qu'on ne saurait dire d'une grande dame, fût-elle une Messaline, car elle garde le souci de son honneur. En plus, celle-là est grippe-sou, celle-ci est généreuse telle la reine Margot, qui donnait une écharpe de soie brodée de perles et une bague à chaque homme couchant avec elle. Brantôme entend prouver que les jeux sexuels sont vils chez les manants grossiers, sublimes chez les hommes et les femmes à l'âme élevée.

Son discours *Sur ce qu'il ne faut jamais mal parler des dames et la conséquence qui en vient* confirme combien il avait l'esprit chevaleresque. Il énonce comme une règle absolue: «Les dames doivent estre respectées de par tout le monde, leurs amours et leurs faveurs tenues secrètes.» Il s'attaque aux courtisans médisants offensant l'honneur des dames: «Je parle autant de ceux qui en reçoivent des jouissances, comme de ceux qui ne peuvent taster de la venaison et la descrient.» Un aristocrate, un Français, ne doit jamais compromettre les femmes qui ont eu la bonté de s'abandonner à lui: «Elles le veulent bien faire, mais non pas qu'on en parle.» Brantôme blâme Henri III qui disait des horreurs des dames de sa cour, loue les rois qui ont établi la tradition de la discrétion; lui-même, tout en rapportant des histoires vraies, il ne donne pas les noms des héroïnes, sauf s'il s'agit d'affaires notoires.

Dans son discours *Sur l'amour des dames vieilles et comme aucunes l'ayment autant que les jeunes*, Brantôme dit qu'à cinquante ans et plus certaines femmes sont si désirables que bien des gentilshommes les préfèrent aux jeunes. Il a entendu des dames se réjouir d'avoir la ménopause, car elles ne risquaient plus d'être engrossées par leurs amants: «Ce qui empesche plus toute fille ou femme d'en venir là bien souvent, c'est la craincte qu'elles ont d'enfler par le ventre, sans manger des febves.» Il ne faut pas croire qu'une vieille dame n'a plus de sensualité, des médecins lui ont affirmé le contraire: «Ils ont cogneu des vieilles si ardantes et si chaudasses, que, venant à habiter avec un jeune homme elles en tirent ce qu'elles en peuvent, et l'alambiquent et sucent tout ce qu'il a de substance ou de suc dans le corps.» Il a lui-même une provision d'anecdotes savoureuses: «N'y a pas longtemps qu'une dame, veuve de trois marys, espousa en Guienne, pour le quatriesme, un gentilhomme qu'y tient assez quelque grade, elle estant de l'aage de quatre-vingts ans... J'ai cogneu aussi une grand'dame qui en l'aage de soixante-seize ans se remaria et espousa un gentilhomme qui n'estoit pas de la qualité de son premier et vesquit cent ans.» Brantôme explique que la «bouche d'en bas» des dames ne vieillit pas comme leur visage, car elles ont usé celui-ci en le fardant, tandis qu'«aux parties d'en bas n'y appliquent d'autre fard que le naturel spermatic». Ses vieux amis sont de son avis: «Mesme j'en ay ouy parler à plusieurs marys qui trouvoyent leurs vieilles (ainsi les appeloient-ils) aussi belles par le bas comme jamais, en vouloir, en gaillardise, en beauté.» Partisan «des vieilles dames qui ayment à roussiner», Brantôme loue celles qui payent des jeunes gens pour le faire: «La vieillesse les doibt-elle empescher qu'elles ne tastent et mangent quelquefois de bons morceaux, dont elles ont pratiqué l'usance si longtemps?»

Le sixième discours, *Sur les femmes mariées, les veuves et les filles, à sçavoir desquelles les unes sont plus chaudes à l'amour que d'autres*, abonde en histoires succulentes. Si on veut trouver facilement une maîtresse, dit Brantôme, il faut d'abord s'adresser aux femmes mariées: «Tant plus on attise un feu, plus il se fait ardant. Ainsi est-il de la femme mariée, laquelle s'eschauffe si fort avec son mary, que, lui manquant de quoi esteindre le feu qu'il donne à sa femme, il faut bien qu'elle emprumpte d'ailleurs.» Il évoque «une dame de bon lieu» qui, après avoir été caressée par son mari, inhabile à la satisfaire, «il falloit qu'elle courust au secours de son amy: encor, ne se contentant de luy bien souvent, se retiroit seule, ou en son cabinet ou en son lict, et là toute seule passoit sa rage tellement quellement, ou à la mode lesbienne ou autrement par quelqu'autre artifice». Les filles sont «très craintives», mais certaines se dévergondent: «Fermant les yeux à toute considération, elles y vont hardiment, non la teste baissée, mais très bien renversée.» Brantôme réprouve les jeunes filles débauchées, elles jettent l'opprobre sur leur famille et se préparent un triste avenir : «J'ai cogneu une fille de bonne maison, qui, ayant un laquais de l'aage de quatorze ans, et en ayant fait son bouffon et plaisant, parmy ses bouffonneries et plaisanteries, elle faisoit autant de difficulté que rien à se laisser baiser, toucher et taster à luy... Je scay bien que despuis, et mariée et veuve, et remariée, elle a esté une très-insigne putain.» Il vaut mieux attaquer les veuves que les filles : «L'amour des veuves est bon, aisé et proffitable, d'autant qu'elles sont en leur pleine liberté.» Il faut toutefois prendre garde au tempérament insatiable des veuves : «J'ay vu une vieille veuve, dame grande, qui mit sur les dents, en moins de quatre ans son troisième mary et un jeune gentilhomme qu'elle avoit pris pour amy ; et les envoya dans terre, non par assassinat ni poison, mais par atténuation et alambiquement de la substance spermatique. Et à voir ceste dame, on n'eust jamais pensé qu'elle eust fait le coup ; car elle faisoit devant les gens plus de la dévote, de la marmiteuse et de l'hypocrite, jusques-là qu'elle ne vouloit pas prendre sa chemise devant ses femmes de peur de la voir nue, ny pisser devant elles [1].»

En conclusion, Brantôme s'écrie : «Pour faire fin, vive l'amour pour les femmes!» D'autant plus que toutes elles avouent bien haut qu'elles «ne peuvent rien faire de bon sans la compaignie de l'homme». Il rédigea un septième discours, malheureusement perdu, «des ruses et astuces des femmes» en amour, qu'il comparait avec «les stratagèmes et astuces militaires des hommes de guerre». Il était bien placé pour établir cette comparaison. Avant de mourir en 1614 dans le château de Richemont qu'il fit bâtir pour ses vieux jours, Brantôme eut la joie de voir son idole, Marguerite de Valois, lui dédier ses *Mémoires* où elle le qualifia de «cavalier d'honneur, vrai François, nay d'illustre maison, nourry des rois mes père et frères, parent et familier amy des plus galantes et honestes femmes de nostre temps, de la compagnie desquelles j'ay eu ce bonheur d'estre [2]». Qu'ajouter à cela ? Le voilà glorifié à jamais par une des plus fameuses représentantes de «cette belle liberté françoise, plus à estimer que tout» qu'il a si bien célébrée.

Les conteurs «de haulte graisse»

Dans la seconde moitié du XVIᵉ siècle, les conteurs français sont devenus aussi originaux que les conteurs italiens. Contes et nouvelles ne diffèrent que par la longueur, mais veulent être également des histoires de mœurs, réellement arrivées, dont quelquefois on ne déguise même pas les noms des vrais protagonistes. On y glose inlassablement sur les

---

1. *Des dames (suite)*, dans *Œuvres complètes de Pierre de Bourdeille, op. cit.*, t. X.
2. Les *Mémoires* de Marguerite de Valois, répudiée par Henri IV en 1599 et morte en 1615, parurent en 1628. Mais Brantôme en eut connaissance lorsqu'il lui rendit visite à son château d'Usson. •

rapports sexuels, avec force plaisanteries bien salées et poivrées. Tous leurs auteurs sont convaincus, comme Rabelais, qu'il faut estimer par-dessus tout «ces beaux livres de haulte graisse, légers au pourchas et hardis à la rencontre». On appelait «haulte graisse» non le gras de la viande et des sauces, mais la moelle de bœuf, réputée fortifiante. Un conteur «de haulte graisse» faisait donc de son recueil un repas reconstituant pour l'esprit, contenant beaucoup de moelle et de condiments.

Un nouvelliste s'est contenté de publier une seule nouvelle, mais si piquante que, paraissant d'abord à Troyes en 1546, elle fut rééditée à Lyon et à Paris: c'est Jean de La Roche, baron de Florigny, auteur de *Vie et actes triomphants de Catherine des Bas-Souhaits*. Son héroïne, fille d'un magistrat de Bordeaux, a adopté dès son enfance «la bonne coutusme d'employer tout le temps à exerciter diversement son corps, ou plutost à luycter (lutter) en chemise contre quelque robuste combattant». A douze ans, elle se choisit un dépuceleur gigantesque: «Vous eussiez dit l'un estre le grand Centimanus dont parlent si souvent les poètes en leurs fables... et cette fillette auprès de luy la plus petite Pigmée ou Naine qu'on eust sceu regarder.» Ensuite, parmi des jeunes avocats de Toulouse et de Pau, elle se plaît avec eux «qui entendoient le mieux voltiger par dessus les quatre bastons d'un lict».

Son père, après l'avoir laissée «courir à brides abatues à toutes les voluptés», la marie à un conseiller du Parlement de Bordeaux. Elle accouche d'un fils au bout de cinq mois de mariage, que son mari croit de lui: «Ce qui estoit treffaulx, car monsieur le géant Briareüs ou Centimanus et plusieurs aultres y avoient mis la main et bien aultre chose que je ne veulx nommer.» Une fois mariée, Catherine se conduit à la fois en courtisane et en nymphomane: «Elle vendoit chèrement ses plaisirs à ceux qui avoient moyen de les achapter et les donnoient libéralement à ceulx qui n'avoient de quoi payer.» Dans son âge mûr, elle se ruine pour un jeune gentilhomme, et son mari surprenant leur commerce veut la tuer. Il en est empêché par un Cordelier, et pour l'en récompenser elle lui accorde «le doux fruict des délices» de son corps, et le rend savant «en la science des désiréz plaisirs, dont elle faisoit part à ses aimés serviteurs». Jean de La Roche dédie sa nouvelle «à tous les cocuz du royaulme de France et de l'universel monde», car elle leur prouve à quel danger on s'expose en épousant une femme dissolue et en faisant confiance à un moine.

Le meilleur conteur français de ce temps fut Bonaventure des Périers, né à Arnay-le-Duc au début du XVIe siècle, valet de chambre de la reine Marguerite de Navarre (la sœur de François Ier, qu'il ne faut pas confondre avec la première femme d'Henri IV), et lui servant de secrétaire particulier dès 1532. Il vécut à Lyon, qu'il appelait «l'Athènes de la France», au milieu de la société de savants et de poètes qu'elle entretenait autour d'elle, comprenant Clément Marot et Lefebvre d'Etaples. C'était un humaniste complet, composant des vers latins, faisant partie des «novateurs» sachant le grec, et grammairien si réputé que même les grands écrivains le consultaient. La reine de Navarre lui donna d'ailleurs à transcrire et à corriger son *Heptaméron*, ce qui explique pourquoi ce livre est d'un style excellent. Ami de Calvin, il révisa la Bible que celui-ci traduisit de l'hébreu pour les Eglises vaudoises de Suisse; lorsqu'elle parut, il fut impliqué dans les attaques lancées en France contre les sympathisants des Réformés.

En 1537, son *Cymbalum mundi*, «quatre dialogues poétiques fort antiques, joyeux et facétieux» (dans le dernier, deux chiens parlants se moquaient des sottises humaines), fut qualifié de «pernicieux» par la Sorbonne, à cause de son scepticisme railleur; elle fit saisir l'édition et emprisonner le libraire. Bonaventure des Périers eut désormais à se défendre de l'accusation d'être un *lucianiste* (imitateur de Lucien, qui tournait en dérision tous les dogmes). L'année 1544, déprimé de voir la reine de Navarre le disgracier et prendre un autre secrétaire, Bonaventure des Périers, malade et appauvri, se suicida en appuyant le pommeau de son épée à terre et en se jetant sur la pointe, qui pénétra dans sa poitrine pour ressortir par son dos.

L'homme qui a eu cette fin tragique a laissé une œuvre respirant la gaieté malicieuse. Ses amis publièrent à Lyon ses *Nouvelles Récréations et joyeux devis* (1558), contenant quatre-vingt-dix nouvelles. Il y en eut trois rééditions avant la quatrième, vers 1565, augmentée de trente-deux historiettes, dont deux tirées de ses *Discours non plus mélancoliques que divers*. L'édition de 1571, où elles sont classées dans un nouvel ordre, servit de modèle aux réimpressions suivantes. Plus de la moitié du recueil roule sur la sexualité, que l'auteur exprime aussi librement que pittoresquement.

Par exemple, il raconte qu'à Montpellier un gentilhomme va au bal et danse avec une jolie veuve:

> Je croy qu'ils dansèrent la piémontoise et fut question de s'entrebaiser; et advint que ce gentilhomme se print à ceste jeune veuve. Quand ce vint à baiser, il en voulut user à la mode d'Italie, où il avoit esté: car, en la baisant, il luy mit sa langue en la bouche. Laquelle façon estoit pour lors bien nouvelle en France, et est encore de présent, mais non pas tant qu'alors: car les François commencent fort à ne trouver rien mauvais, principalement en telles matières.

La veuve, se croyant déshonorée parce qu'on lui a dit que seule une prostituée est embrassée ainsi, fait un procès à son danseur. Le jour du jugement, le tribunal est rempli de gens de la ville. Le prévenu, lors de l'interrogatoire, s'exclame: «Pourquoy ouvrit-elle le bec, la folle qu'elle est?» Tout le monde rit, et le juge renvoie la plaignante «à la charge que une autre fois elle serreroit le bec, quand elle se laisseroit baiser».

Bonaventure des Périers conte admirablement de tels faits divers sexuels. Son style est un enchantement par sa variété, sa vivacité, sa verdeur, son mélange voulu d'archaïsmes, de néologismes et de dictons populaires. Il campe chaque personnage avec son accent particulier, comme cet ineffable Ecossais qui, venant de se marier, se fâcha parce que sa femme avait des coups de reins trop passionnés lors de l'acte conjugal. «Il sembla à ce povre homme qu'elle avoit appris ces tordions d'un autre maistre que de luy.» Rageant, il lui dit en son mauvais français: «Ah! vous culy, ah! vous culy! C'est une putain qui culy!» Vexée, la jeune femme se plaint à la princesse dont elle est la suivante, et celle-ci convoque l'Ecossais pour le réprimander:

> Comment estes-vous bien si neuf de penser que les femmes ne doivent avoir leur plaisir comme les hommes? Pensez-vous qu'il faille aller à l'escole pour l'apprendre? Nature l'enseigne assez. Et que pensez-vous que vostre femme ne se doive remuer non plus qu'une souche de bois [1]?

L'Ecossais revient à de meilleurs sentiments, et comme sa femme a décidé de ne plus bouger au lit, il la prie d'une voix lamentable: «Culy, culy, ma dam, le vouly bien.» On assiste à la scène, tellement elle est vivante.

Bonaventure des Périers fait bien d'autres contes aussi succulents, tel celui de Mme La Fourrière qui donna une assignation un soir à un gentilhomme s'étant vanté que s'il l'avait pour monture il chevaucherait toute la nuit. Mais il s'endort après la troisième chevauchée, et le lendemain il s'ensuit entre eux un échange de reparties aigres-douces des plus drôles. Et les tours libidineux du curé de Brou, si incontinent avec sa jeune chambrière que son évêque lui défend d'en avoir une de moins de cinquante ans: «Le curé en print une de vingt ans, et l'autre de trente.» Et la mésaventure du procureur qui, voulant coucher avec sa servante naïve, commence à «luy mettre la main au tetin, puis soubz la cotte», et l'entend lui dire que son clerc vient de passer par là si bien qu'elle n'en peut plus. Et le stratagème dont usa «un enfant de Paris» pour jouir d'une cruelle s'amusant à le rendre fou de désir, allant jusqu'à lui promettre de le prendre pour amant s'il lui «baisait le derrière», et le repoussant en riant dès qu'il l'avait fait: «Il manioit le tetin et baisoit voyre, et touchait bien souvent à la chair, mais il n'en tastoit point.» Il faudrait tout citer. Même lorsque Bonaventure des Périers s'inspire d'une nouvelle italienne, il donne à son sujet une couleur locale typiquement française.

Etienne Tabourot, seigneur des Accords, fut un autre Bourguignon qui écrivit des contes «de haulte graisse». Né à Dijon en 1549, il s'inscrivit au barreau de cette ville, et publia en 1572 ses *Bigarrures*, contenant d'après le sous-titre «toutes sortes de folies». Il y montrait tout le parti qu'on pouvait tirer, pour se divertir en société, des rébus, des énigmes, des antistrophes et des contrepèteries, «avec les libres adjonctions des mots tant sales que lubriques que vous pourriez dire, pourveu qu'ils soient ingénieux». Pour nous prouver qu'«il y avoit infinis beaux traits

---

1. Bonaventure des Périers, *Nouvelles Récréations et joyeux devis,* suivis du *Cymbalum mundi,* nouvelle édition revue et corrigée sur les éditions originales par P. Jacob (Paris, Garnier frères, 1872).

qui perdoient leur grace, sans cette liberté», il multiplia les anecdotes concernant les équivoques de voix, donnant un sens obscène à une expression innocente (comme le vieux gentilhomme du Languedoc souhaitant aux dames «bonne vie et longue», en prononçant si mal que l'on comprenait «bon vit et long»), ou le contraire:

> Un autre de Bourgogne disant à toutes les filles qu'il rencontroit: pleust à Dieu, m'amie, que nous eussions mis les culs ensemble, quelques-unes moins rusées estimans qu'il dist mille écus, le remercioient avec une grande révérence. Quelques autres plus fines frottées, qui entendoient son jargon, lui répondoient: Prenez tout, Monsieur, encore vous donnay cent auprès. Entendant sens, autrement sentez, au lieu de cent [1].

Tabourot démontre aussi quels effets de ce genre résultent des amphibologies, dites des Entend-Trois (parce que ce sont des équivoques à trois significations différentes): «Quand quelqu'un feint de ne pas entendre ce qu'on lui propose et répond d'autre, on dit qu'il fait de l'Entend-Trois.» Il débite ses obscénités dans une intention didactique: «Tout en me jouant, j'apprends aux plus grossiers, par ridicules et joyeux discours, des figures de rhétorique, lesquelles s'apprennent quelquefois ès escoles par les régents, à grands coups de fouet.» On lui pardonne ses excès de langage à la faveur de ses révélations sur les coutumes bourguignonnes.

En 1582, Tabourot des Accords acheta l'office de procureur du roi du bailliage de Dijon, et écrivit ses *Escraignes dijonnoises* qui ne parurent qu'après sa mort, survenue en 1590. En Bourgogne, les escraignes étaient des huttes de terre battue où les familles de vignerons se réfugiaient en hiver, les femmes avec leurs quenouilles, pour y faire la veillée jusqu'à minuit à la lueur d'une lampe et de l'âtre rougeoyant. Ils se distrayaient par d'incessantes plaisanteries, que l'auteur chercha à écouter: «Je me fourray après souppé en l'une de ces escraignes de la rue sainct Philbert à Dijon, sous le Tillot, où une vieille qui gardoit les filles commanda à tous ceux qui y estoient, tant hommes que filles, de faire chacun son conte.» Tous les assistants l'un après l'autre, Tiénot Franc Taupin, Margot l'Effondrée, Claudine Coquette, la mère Guedine, racontent leur histoire, malheureusement presque toujours scatologique. Cela rend Tabourot inférieur à Bonaventure des Périers, qui ne s'est jamais abaissé à de telles plaisanteries brenneuses.

Chaque province de France eut ainsi son conteur «de haulte graisse». En Dauphiné, ce fut Nicolas de Cholières, avocat au Parlement de Grenoble, dont les deux gros recueils, *Les Neuf Matinées* (1585) et *Les Après-disnées* (1587), annoncent par leur titre que ce sont des libres propos entre amis, lors d'une promenade ou à la fin d'un repas copieusement arrosé. Il dédia ses *Matinées* au cardinal de Vendôme, Grand Prieur d'Auvergne, en l'avertissant qu'elles étaient «gaillardes et

---

1. *Les Bigarrures et Touches du seigneur des Accords*, dernière édition (à Paris, chez Arnould Cotinet, 1662).

récréatives», mais qu'on en pouvait tirer profit: «Il n'y a point d'apparence d'avoir l'esprit toujours bandé à choses sérieuses.» Dans les trois premières matinées, les interlocuteurs débattent *De l'or et du fer, Des lois et de la médecine, Des mains des avocats* (en y soutenant que «la justice devroit estre administrée gratuitement»). Mais dans les suivantes, *Des Chastrés, Des laides et belles femmes, De la jalousie du Mary et de la femme, De l'Inégalité de l'aage des mariés, Des lettréz et guerriers* (disputant «si une fille doit plus désirer d'estre accouplée à un homme d'estude qu'à un guerrier»), *De la tresve conjugale* (déterminant «en quel temps n'est loisible au mary de toucher conjugalement sa femme»), le ton monte, le parler se colore, les anecdotes les plus réjouissantes se succèdent.

Cholières met toujours aux prises un homme qui dénigre les femmes, un autre qui les défend chaleureusement, et des auditeurs qui les départagent. Ainsi Eusèbe et le Scythe (un gentilhomme surnommé ainsi à cause de son humeur bourrue) s'affrontent, l'un soutenant: «Il y a plus de plaisir avec les belles qu'avec les laides», l'autre rétorquant: «Amour n'a point d'yeux... La jouissance est égale, de nuict tous chats sont gris, et tous trous sont trous et n'y a (dit-on) que le visage qui abuse.» Eusèbe insiste avec éloquence:

> Quand nous avons belle femme, nous sommes moins envieux de nous accoupler à d'autres. Le plaisir que la belle nous donne nous oste la fantaisie de chercher proye ailleurs... Telle conjonction nous retient entre les barrières de l'honnesteté maritale et nous empesche des sursaillies, lesquelles nous pourrions faire, à faute de n'avoir en nostre logis du content à plaisir, comme nous voudrions [1].

A quoi le gentilhomme scythe répond sarcastiquement que l'expérience contredit sa théorie idéaliste:

> Maintesfois celuy qui aura une belle femme s'ira accointer de sa chambrière, qui sera une touillon, une salisson, une gaupe. Je m'en rapporte au seigneur que sçavez, qui fut trouvé tamisant, par sa femme, qui a (par manière de dire) plus de beauté au cul que n'avoit la chambrière en tout son corps, et néantmoins ce pauvre diable se fantasioit quelque amoureuse gaillardise en l'estuy de sa chambrière. Vous riez, ah! qu'il fut moqué...

La langue de Cholières est savoureusement métaphorique. Il appelle le sexe de la femme «son étui», un impuissant un «messer cogne-fétu», les cocus «les confrères de la Lune» (cornus comme elle en son croissant). Un coït illégitime est une «sursaillie», faire l'amour c'est «jouer des basses marches» (remuer les fesses — ou basses marches — comme si l'on actionnait les marches — ou pédales — d'un orgue). Un auteur qui a de telles trouvailles de style n'est jamais vulgaire, même s'il emploie parfois un mot cru. En outre Cholières est résolument féministe,

---

1. *Les Neuf Matinées du seigneur de Cholières* (à Paris, chez Jean Richer, 1585).

et dans le débat où un mari jaloux accuse sa femme d'être trop coquette avec son cousin, en disant: «Je veux estre seul qui trempe mon pain au pot», l'auteur se range du côté de Théodat lui répliquant:

> Vous este maistre et seigneur des biens de la femme, moyennant que vous n'en abusiez... Mais quant au corps, il n'y a Loy à présent qui vous en attribue la seigneurie et maistrise: on ne parle plus de les tuer, frapper ni battre. Si donques la femme a la libre administration de son corps, l'empescherez vous de se donner du plaisir? Qu'y perdez-vous? Elle y gaigne, elle reçoit d'une façon ou d'autre; elle porte une serrure où plusieurs clefs peuvent entrer sans ressort, et vous serez si vilain que vostre femme ne puisse jouer des basses marches? Quel intérest y avez-vous?

Dans le dialogue où Dominique se dépite que sa femme, incommodée, lui refuse le plaisir conjugal, en disant: «J'ay appétit, j'ay la viande, j'en voudroie bien taster, et si je n'oseroie: cela est pour faire perdre patience au plus froid homme de France», Théodat lui remontre qu'il y a des moments où un mari doit laisser sa femme tranquille, sans quoi il n'est qu'un paillard vulgaire:

> Vous vous plaignez que vostre femme ne vous preste l'estuy à toutes les fois que vous voulez. Peut estre pensez-vous que nous ayons les femmes comme les bœufs, les chevaux, les asnes, les mulets: elles sont créatures raisonnables aussi bien que nous... Les maris ne laissent point de paillarder, lesquels à toutes heurtes sursaillent leurs femmes, comme si elles ne leur estoient données sinon afin d'estre l'esgout de leur décharge.

Dans ses *Après-disnées*, Cholières reprend le fil de ses «gayes philosophies», et ses convives Barthélemy, Sylvestre, Rodolphe, le seigneur de Vermille, auxquels se joint mademoiselle Euthélie, débattent *Du Mariage* (s'il vaut mieux être marié que de ne l'être pas), *De la Puissance maritale* («à sçavoir si le mary peut battre et chastier sa femme»), *Du babil et caquet des femmes*, etc. Quand ledit seigneur de Vermille déclare: «J'infère deux articles, le premier que les masles sont bien plus retenus que les femmes; l'autre est que les femmes sont si babillardes, que mesme quand elles auroient conchié leurs chemises, elles ne le pourroient cacher [1]», ses commensaux essaient tous de justifier alors ce travers féminin. Le livre suivant de Cholières, *La Guerre des masles contre les femelles* (1588), trois dialogues sur «les prérogatives et dignités tant de l'un que de l'autre sexe», prouve qu'il était féministe au point de vouloir faire participer les femmes au gouvernement de l'Etat. Ses *Mélanges poétiques*, la même année, témoignèrent de ses amours passionnées. Après sa mort en 1592, on donna de lui une œuvre posthume, *La Forest nuptiale* (1600), «une variété bigarrée, non moins émerveillable que plaisante, de divers mariage», où il décrit les coutumes matrimoniales des Romains, des Ethiopiens, des Lapons, etc.

Noël du Fail, seigneur de La Herissay, fut juge au siège présidial de

---

1. *Les Après-disnées du seigneur de Cholières* (à Paris, chez Jean Richer, 1587).

Rennes en 1553, conseiller au Parlement de Bretagne en 1571. Entre-temps, il avait fait paraître son premier ouvrage, *Propos rustiques* par Léon Ladulfi (anagramme de son nom), qui se terminait par sa devise: «Jouir ou rien». Ce sont des histoires villageoises narrant la bataille des habitants de Flameaux et de Vindelles, la querelle de Guillot le Bridé et Philipot l'Enfumé, etc. Des passages libres où il parle «du gouvernement de l'amour au village» firent dire autour de lui qu'il était malséant à un magistrat de s'adonner à ces balivernes. Il riposta par ses *Baliverneries* (1548), visant à démontrer qu'on peut être un «parfait jurisconsulte» et aimer les «discours plaisants et récréatifs».

L'année de sa mort, en 1585, sortit son meilleur livre, *Contes et discours d'Eutrapel,* entretiens de trois joyeux compagnons, Eutrapel, Polygame et Lupolde, qui parlent de tout, aussi bien de la goutte que de la justice ou de l'amour de soi-même. Ils le font avec verdeur, en nous révélant les mœurs bretonnes. A propos de «ceste grande gorre de vérole» (comme on disait à Rouen, gorre voulant dire truie), ils se content des cas bizarres de leur entourage, se communiquent des remèdes populaires: «Il ne faut pour s'en guérir qu'un peu de treffle à quatre feuilles mystiquement enveloppé dans une procuration... pendue au col, et au reste se tenir sur ses gardes, suer, et faire que la femme, lorsque se fait l'assemblée et concurrence des semences, ouvre la bouche et ne retienne son haleine.»

Guillaume Bouchet, qui fut juge-consul des marchands de Poitiers (c'est-à-dire président du tribunal de commerce, élu par les marchands eux-mêmes), publia dans cette ville où son père était imprimeur son premier volume des *Sérées* en 1584. Ces «propos facétieux et joyeux» avaient été tenus en une quarantaine de soirées (*sérées* en poitevin), lors de «banquets d'amis». Ce livre est passionnant, car il nous renseigne sur la mentalité des bourgeois et des bourgeoises du Poitou, sous les Médicis. Chaque fois les assistants développent ensemble un thème différent: la Sérée I est sur le vin, et on y apprend que le vin blanc est mâle (à preuve la malvoisie, le muscat d'Andalousie, «vins forts et excellents»), le vin rouge femelle; la Sérée III traite «Des nouvellement mariéz et mariées». En d'autres l'assemblée devise librement «Des femmes et des filles», «Des cocus et des cornards», «Des femmes grosses d'enfants», «Des accouchées», «Des nourrices», se racontant tous les ragots de la ville et de la campagne sur le sujet choisi. Les bourgeoises s'amusent beaucoup des naïvetés de mariées villageoises:

> Une mariée, après disner, que l'on danse, qu'on joue, qu'on follastre, vint à montrer son je ne sçais comment a nom: et je m'en croy, car je le vy. Les femmes lui dirent: Et m'amie, cachez vostre petit cas. Nostre mariée, sans s'estonner, leur va dire: Et pourquoy le cacheray-je, puisqu'on me le trouvera bien à ce soir?

Naturellement, il y a une surenchère continuelle, à qui rapportera l'anecdote la plus scabreuse. On apprend là maintes coutumes paysannes, comme celle de faire mettre un «chapeau d'asperges sauvages» à une fille qu'on épousait, parce que l'asperge «avoit vertu de dompter et apprivoiser ceux qui la portent». Les histoires sont souvent spirituellement tournées:

> Un homme, commença-t-il à dire, n'estant guère que marié, alla un jour voir son oncle, encores qu'il n'eust jamais oncle ne tante. Estant de retour, et arrivant sur le souper, sa femme s'en allant au devant de luy, le va embrasser et baiser. Ce jeune marié en la baisant luy demande: Ferons-nous cela ou si nous souperons? Elle lui répond: Mon ami, vous ferez bien tout ce qu'il vous plaira, mais le souper n'est pas encores cuit.

Quand un assistant veut dépasser les limites permises en bonne compagnie, il prévient les dames qu'il va conter «quelque chose qui les pourroit scandaliser» ou il leur promet «qu'il ne diroit rien qui sentist son Mardy-gras». Elles ne s'effarouchent pas facilement, et les histoires de filles *andromanes* (enragées du mâle) ou tendant à prouver qu'en amour «les femmes se plaignent souvent du peu, non du trop», les font rire. La conversation est pourtant fort libre, comme dans la suite de propos exposant des cas de maladies guéries par le coït:

> Vous me faites souvenir, va dire un autre, d'une grand'Dame, qui estant bien malade ne vouloit practiquer ceste recepte, encore que sans ce recipe avec son ingredient on la jugeait à mourir, et que mêmes ses damoiselles lui conseillaient, estant la médecine fort aisée à prendre, comme elles disoient à leur maistresse, veu qu'il ne falloit que prendre du potage à la bite. Ceste Dame parlant à ses filles leur dit: je n'en feray rien, vous seriez les premières à me blasmer et me reprocher que je serois une putain. Elles leur répondent: Madame, n'ayez peur de cela, et à fin que personne de nous autres ne vous injurie, nous le ferons toutes avec vous [1].

Le deuxième et le troisième volume des *Sérées* furent imprimés après la mort de Guillaume Bouchet en 1597. Son œuvre est mieux qu'un répertoire abondant d'anecdotes licencieuses, car il sut mêler constamment des réflexions philosophiques et des observations érudites à ses évocations des scènes de la vie intime au Poitou.

Béroalde de Verville et Le Moyen de parvenir

Le dernier livre de la Renaissance est *Le Moyen de parvenir* de Béroalde de Verville, bien qu'il ait paru au début du XVIIe siècle, sans date ni nom d'auteur; on pourrait croire qu'il annonce l'esprit du siècle qui commence, alors qu'il est la surenchère de tout l'humanisme salé du siècle précédent. François Béroalde de Verville, né à Paris en 1558, publia

1. *Les Sérées de Guillaume Bouchet, sieur de Brocourt*, t. I (Paris, Alphonse Lemerre, 1873).

en 1582 son premier livre, le *Théâtre des instruments mathématiques et mécaniques*. Poète des *Soupirs amoureux* (1583), philosophe des *Appréhensions spirituelles* (1583), mathématicien, horloger, orfèvre, médecin, alchimiste, ce «gentilhomme parisien» entra dans les ordres et devint en 1593 chanoine de Saint-Gatien de Tours. Son état ecclésiastique ne l'empêcha pas d'écrire des romans d'amour, *Les Aventures de Floride* (1595), *Les Amours d'Ænonne* (1597), et surtout ce *Moyen de parvenir* si débordant de pantagruélisme que Martial Roger crut qu'il s'agissait d'un livre posthume de Rabelais.

   Le Moyen de parvenir, œuvre contenant la raison de tout ce qui a esté, est et sera, est l'histoire d'un banquet fantastique, auquel participent tous les humanistes du xvi⁰ siècle, Guillaume Budé, les médecins Paracelse et Fernel, les jurisconsultes Cujas et Pierre Charpentier, mais aussi Plutarque, Jules César et d'autres: «Socrate estoit présent à ce banquet, où il fit bien son debvoir des maschoires.» Tous ces convives boivent immodérément et dialoguent comme des savants ivres, en assaisonnant leurs doctes opinions de coq-à-l'âne et d'obscénités. Nostradamus, faisant une «dissertation sur les culs», remarque à propos des gens qui parlent du nez: «Ce seroit belle chose de parler du cul; ce seroit un langage excellent, il seroit plein de toutes sentences: et si cela estoit on parleroit comme on s'assiet; et si on escrivoit de mesme, vroiment on verroit de belles orthographes de femmes, qui souvent escriroient du cul.» A quoi Hippocrate lui répond: «Si le cul ne se porte bien et ne fait bonne chère, que ses affaires ne soient en bon estat, l'âme en est incommodée.»

   On trouve dans *Le Moyen de parvenir* un grand nombre de devinettes de ce genre:

> Comment est-ce que vous cognoistriez si une fille est pucelle? — Si vous voulez le scavoir, prenez une fille bien faicte, de quinze ans ou environ, mettez-là toute nue, et la faictes tenir debout, et, vous mettant derrière elle, passez vostre main gauche entre ses jambes, et empoignez son cela, son con... Tenant ce con bien justement ferme et clos, vous avancerez vostre main droite, et des deux premiers doigts vous ouvrirez le trou fignon, en esloignant les fesses, puis l'ouverture capable: soufflez de toute vostre force; si d'adventure le vent passe outre, et que vous le sentiez à la main gauche, elle ne sera pas pucelle; autrement, elle le sera.

   Qu'on ne s'y trompe pas, *Le Moyen de parvenir* est un livre de grand rhétoriqueur. C'est de la rhétorique obscène, sans doute, mais extrêmement élaborée. Ses cent onze chapitres s'intitulent d'ailleurs respectivement: *Paraphrase, Axiome, Songe, Corollaire, Homélie, Métaphrase, Problème, Parabole, Minute, Glose, Canon, Remonstrance, Coyonnerie, Leçon, Thèse*, etc. Le défaut inexcusable de cet ouvrage est la scatologie. Parfois Béroalde n'est plus un écrivain, c'est un vidangeur brassant la matière fécale à dessein de nous faire rire. Mais rire à propos des excréments, quelle pitié! Quand j'achetai jadis *Le Moyen de parvenir*, je le revendis peu après tellement je fus irrité de son chapitre sur les pets, de ses contes sur les pisseurs et les pisseuses. C'est seulement maintenant que j'admets qu'il y a dans ce fumier des richesses philologiques de premier ordre.

Car Béroalde de Verville disait : «Notre langue françoise est la plus ample de toutes. *Sic probo* : elle a le plus de termes pour remarquer la copulation.» S'il n'invente pas un vocabulaire érotique comme Rabelais (sauf peut-être quand il nomme les testicules les *cymbales de concupiscence*, les *cailles d'amour*, les *boulettes de Vénus*), il emploie toutes les locutions populaires qu'il entend à la campagne comme à la ville où le peuple disait *faire la cause pourquoi, faire la pauvreté* (pour *faire l'amour*). Son contemporain Guillaume Colletet nous révèle dans ses *Vies des poètes* : «Il aimoyt ces bons mots que l'on appelle mots de gueulle, jusques au poinct que, pour en apprendre de nouveaux tous les jours, il ne feignoit point de fréquenter les brelans et les tavernes avec toutes sortes de personnes, pour abjectes et rustiques qu'elles fussent. Il se rendoit compagnon de leurs desbauches; ce qu'il practiqua mesme despuis qu'il eust pris la soutane.»

Béroalde répand ces locutions dans des contes mettant en scène un marinier de Quillebeuf, une villageoise, une servante parisienne, etc. Ou dans des anecdotes comme celle où un hiver il est auprès d'une cheminée avec la belle Hippolyte qui, pour se chauffer les jambes, soulève sa chemise :

> Je luy dis : «Belle, cachez votre cela.» Elle me dit : «Qu'est-ce que mon cela? — C'est votre minon. — Qu'est-ce que mon minon? — C'est votre petiot de délectation. — Qu'est-ce que mon petiot de délectation? — C'est celuy qui a perdu de l'argent. — Qu'est-ce qui a perdu de l'argent? — C'est celuy qui regarde contre bas. — Qui est celuy qui regarde contre bas? — C'est votre petit croc à faire bon, bon. — Qu'est-ce que mon petit croc à faire bon, bon? — C'est votre chose. — Qu'est-ce que mon chose? — C'est votre con. — Qu'est-ce, qu'est-ce? Je le diray à madame.»

Le sexe de la femme est le cela, Béroalde en donne la raison : «Si vous mettez la main au devant d'une fillette, elle la repoussera viste et dira : "Laissez cela"... Pourquoy est-ce que les femelles repoussent la main, quand on la met vis-à-vis de leur cela? C'est pour ce que ce n'est pas ce qu'il y faut mestre.» Il est piquant de voir ce chanoine faire l'éloge des organes génitaux :

> Il ne faut toujours dire ces parties-là honteuses, d'autant qu'elles ne le sont que par accident : et faisant autrement vous feriez tort à nature, qui n'a rien fait de honteux. Ces parties-là sont secrettes, nobles, désirables, mignonnes et exquises, comme l'or que l'on cache. Il est vray qu'elles peuvent devenir honteuses, et le sont, quand il leur survient une belle petite écrevisse de mer (c'est-à-dire un chancre)... ou qu'une joyeuse chaude-pisse les tient en humeur.

Moins misogyne que Rabelais, il médit seulement des femmes qui cohabitent avec des moines : «Je vous demande, Lipsius, pourquoy les femmes qui ayment le déduist hantent les gens de cloistre? — C'est pource qu'elles ont le feu d'enfer au cul; il faut des couilles bénites pour l'esteindre.» Leur lasciveté vient de ce qu'elles n'ont pas à se fatiguer dans le coït: «Les masles font tout: les femmes sont comme les gueux; elles ne font que tendre leur escuelle.»

Des femmes assistent à ce banquet et y parlent aussi crûment que les hommes, comme sœur Jeanne expliquant ce qu'est un coquebin:

> Ce que les Tourangeaux appellent *coquebin*, les Angevins le nomment *jagois*, et à Paris les femmes le huchent *bringuenel.* — Quelle sorte de personne est-ce? — On nomme ainsi ceux qui n'ont point vu le con de leur femme ou de leur garce.

Ou comme Sapho quand elle décrit les sept merveilles du monde:

> Les sept miracles ou merveilles sont: 1e une poule noire qui fait un œuf blanc; 2e le vin clairet, qui est beu comme vin blanc, et pissé blanc non rouge; 3e le bout d'un homme, qui n'a point d'oreilles et qui oit quand on parle d'accrocher; 4e le cas d'une femme, qui est un vaisseau qui a la gueule contre bas et qui est estanché; 5e le paillard outil d'un amant qui se bande sans guindal, de luy-mesme; 6e le bouton d'amour d'une femme, qui tire la moelle des os, sans les casser; 7e et le cul, qui se ferme et ouvre comme une bourse, sans tirans. A, a, ha, hé.

Béroalde attaque tous les vices du clergé, ou use de comparaisons irrévérencieuses: «Je nommeray le cul *derrière* ou *fondement*; ou *l'un,* d'autant qu'il est un, et qu'il ne peut y avoir en un corps deux culs, non plus que deux papes à Rome.» Comme les audaces du *Moyen de parvenir* furent critiquées, il le désavoua dans *Le Palais des curieux* (1612), étude des curiosités de la nature; mais d'Aubigné et Gabriel Naudé certifièrent qu'il était de lui.

Le Moyen de parvenir a été la lecture récréative des savants du XVIIe siècle. L'illustre érudit Saumaise, durant son séjour en Suède, le lisait quand la reine Christine, dont il était le professeur de grec, entra chez lui; apprenant que c'était un livre obscène, elle lui demanda d'en voir les bons endroits: «Monsieur Saumaise lui en ayant montré un des meilleurs, elle le lut d'abord tout bas en souriant; après quoi, pour se donner plus de plaisir, s'adressant à la belle Sparre, sa favorite, qui entendait le français: "Viens, Sparre, s'écria-t-elle, viens voir un beau livre de dévotion intitulé *Le Moyen de parvenir.* Tiens, lis-moi cette page tout haut." La belle demoiselle n'eut pas lu trois lignes, qu'arrêtée par les gros mots elle se tut en rougissant; mais la reine, qui se tenait les côtes de rire, lui ayant ordonné de continuer, il n'y eut pudeur qui tint; il fallut que la pauvre fille lût tout [1].»

---

1. Bertrand de La Monnoie, préface au *Moyen de parvenir* (Nulle Part, 1734).

Si une femme aussi éminente que la reine Christine, qui étudia la philosophie avec Descartes, ne se scandalisait pas de tels écrits, il serait mal venu aujourd'hui d'être moins tolérant qu'elle.

Le Moyen de parvenir, à la fin du règne de Louis XIV, fut réédité sous un titre plus suggestif, *Le Coupecu de la mélancolie ou Vénus en belle humeur* (1698). Il eut une influence durable dans la littérature française. Grécourt emprunta à ce livre de nombreux sujets de ses œuvres badines (*Les Cerises, Le Médecin banal, La Fille reconnaissante, Les Pelotons,* etc.). Jacques Autreau, auteur de comédies sous Louis XV et du ballet *Platée* mis en musique par Rameau, écrivit aussi des poésies libres d'après *Le Moyen de parvenir.* Les contes en vers de Plancher de Valcour, *Le Petit-Neveu de Boccace* (1770), s'en inspirèrent également. Devenant le citoyen Aristide Valcour lors de la Révolution, celui-ci fut le plus pittoresque disciple lointain de Béroalde de Verville: aussi divers que lui, il composera le mélodrame *Bianco ou l'homme invisible* (1803) et laissera de savoureux Mémoires, *Colin-maillard ou mes Carnavals* (1816). Enfin, même au XIXᵉ siècle, Jules Liber, dans ses histoires fantaisistes, *Les Pantagruéliques* (1854), reprendra encore des thèmes de Béroalde. Cet humaniste outrancier est donc un classique à sa manière, que son dessein avoué de «joindre la récréation avec ce qui est sérieux» rend l'égal de ses plus hardis prédécesseurs de la Renaissance.

4

DÉFENSE ET ILLUSTRATION
DE LA NATURE AU XVIIᵉ SIÈCLE

La répression de la littérature érotique ne commença à être effective qu'à partir de la Réforme, dans le climat des guerres entre catholiques et protestants. Luthériens et calvinistes reprochèrent aux «papistes» de favoriser tous les péchés, notamment le péché de luxure; ceux-ci rétorquèrent en les accusant de n'en être pas exempts, et citèrent pour preuves des écrits de huguenots contenant maintes indécences. Il s'ensuivit un mouvement d'intolérance dans les deux camps, chacun d'eux voulant pouvoir se flatter d'avoir des adeptes irréprochables. Le puritanisme entra dans les mœurs sous l'effet de ces militants religieux antagonistes.

Cette évolution ne s'accomplit que peu à peu. D'abord, parce que protestants et catholiques, pour se reprocher mutuellement leurs prétendues turpitudes, usèrent d'un vocabulaire si cru, évoquèrent de telles bacchanales, que les obscénités les plus fortes de ce temps se trouvent dans des écrits de théologiens et d'historiens. Du côté des catholiques, Luther devint la cible favorite, surtout lorsque l'on connut la grossièreté de ses *Propos de table*. Le premier pamphlet obscène contre lui fut celui du professeur suisse Simon Lemnius, né dans les Grisons, attaché à l'Université de Wittenberg; il publia deux livres d'épigrammes qu'il dédia à l'archevêque de Mayence. Cela déplut à Melanchthon, recteur de l'Académie de Wittenberg, qui prétendit découvrir qu'une de ses épigrammes se moquant de l'ignorant Midas visait l'Electeur de Saxe, ami des Réformateurs; il fit mettre en accusation Lemnius, qui se vit condamné au bannissement perpétuel et à la confiscation de sa bibliothèque. Luther lança contre lui un décret d'exclusion. Réfugié à Bâle, Simon Lemnius publia par vengeance *Les Noces de Luther ou la Monachopornomachie* (1538), afin de prouver que celui-ci était un obsédé sexuel des plus vulgaires. Ce livre est un exemple frappant de la violence verbale dont étaient capables les humanistes de ce temps-là.

Dans une suite de dialogues en vers latins, le mariage de Luther et de Catherine de Bora, qui avait fait scandale, y est ridiculisé en mêlant

Priapée décorant un vase du musée de Syracuse
d'après Vase-Priape, Musée de Syracuse.
(D'après Cl. Roger-Viollet.)

des détails historiques à des calomnies. D'abord, les amis de Luther le dissuadent d'épouser Kate parce qu'elle a eu «mille fouteurs» avant lui; mais celle-ci arrive sur un char avec huit nonnes (allusion à l'histoire connue des neuf religieuses évadées du monastère de Nimptschen en Saxe et débarquant chez Luther le 7 avril 1523). Les noces de Luther et de Kate ont donc lieu; aussitôt après, le ménage entre en dissension. Kate confie à Jutta et à Elsa, femmes de Spalatin et de Jonas, autres chefs de la Réforme: «La nuit, mon Luther ne me fout jamais assez.../ La lubrique Vénus, l'Amour m'oppressent de leurs feux.» Jutta et Elsa, qui se plaignent de l'impuissance et de la jalousie de leurs maris, lui racontent leurs aventures extra-conjugales et lui donnent des conseils de débauche.

Kate prend alors un jeune amant, à qui elle s'abandonne en disant: «Pousse ferme, je t'en supplie, défonce-moi le con; / Que ma septième côte sente les coups de ton nerf[1].» Elle paie dix écus d'or ses services. Ensuite, elle devient la maîtresse de Castor Valens de Bibra, que Luther va invectiver en lui reprochant d'avoir élargi le sexe de sa femme, à force de fourrager dedans; c'est maintenant «le chapeau d'une tête énorme, la gueule d'un four». Parallèlement, on assiste à la dispute bouffonne de Jutta et de Spalatin, l'une se fâchant des importunités de son mari, l'autre répliquant: «Que le Diable te foute, que te foutent les verrats; / Qui pourrait boucher cet immense gouffre vénérien?» Les derniers dialogues sont entre deux voleurs, Schoenius et Corvus, qui se vantent des faveurs de Kate.

Parmi les autres attaquants des luthériens et des calvinistes, Guillaume Reboul, de Nîmes, se signala par son ardent pantagruélisme. Dans *Le Premier Acte du Synode nocturne des tribades lémanes* (1608), il imagine que les religieuses et les religieux réformés d'une ville du lac Léman se réunissent pour décider la perte de leur ennemi Calianthe (c'est-à-dire lui-même). La salle de réunion est ornée de quinze «tapisseries tribadesques» qu'il décrit une à une. La mère abbesse Niobé ouvre la séance par une harangue au nom des «ministresses» qui «en ceste ville ou ès proches confédérées» ont «droicts de fesses et de langues». La bonne dame s'écrie: «Hé que n'ay-je les couillons du plus membru, nerveux et parfaict de la Province, hi, hi, hi, ha, ha! comment je m'en donnerais à travers les orifices inguinaires.» Les harangues de sœur Diaphona, du père Consequutus, de Diaulus valent la sienne. Il s'agit pour Reboul de discréditer ses adversaires en leur faisant avouer que leur religion n'est qu'un déguisement de la concupiscence.

Dans le camp des protestants, les polémistes usèrent de la même méthode de dérision. Henri Estienne, l'imprimeur humaniste, venant d'éditer l'*Histoire* d'Hérodote et furieux d'entendre dire qu'elle contenait des «mensonges ridicules», écrivit son *Apologie pour Hérodote* (1566) en vue de démontrer que les faits du xviᵉ siècle étaient bien plus extraordi-

---

1. Simon Lemnius, *Les Noces de Luther ou la Monachopornomachie*, traduit du latin pour la première fois avec le texte en regard (Paris, Isidore Liseux, 1893).

naires que ceux relatés par l'historien grec. Ce huguenot choisit naturellement des anecdotes desservant les catholiques. Dans les chapitres comme *De combien la paillardise est plus grande aujourd'huy qu'elle n'a esté, De la sodomie et du péché contre nature en nostre temps, De la lubricité et paillardise des gens d'Eglise*, Henri Estienne rapporta des monstruosités qu'il présenta comme «des miroirs de la perversité contemporaine». Mères qui se font maquerelles de leurs propres filles, maris prêtant leurs femmes, bergers ayant un commerce sexuel avec leurs chèvres, forfaits pédérastiques de certains professeurs de la Sorbonne, voilà ce qu'exposait le grand savant protestant au nom de la morale.

Le pasteur Théodore de Bèze, que les luthériens traitaient de «porc» (car il était calviniste), *impurus ille porcus Beza*, à cause des termes de ses sermons, se permit des épigrammes licencieuses, des satires macaroniques comme son *Epitre de Bénédict Passavant*. Sa *Comédie du pape malade*, allégorie en vers ayant pour personnages le Pape, Prêtrise, Moinerie, Satan, l'Outrecuidé, etc., était d'une rare indécence. Ainsi catholiques et protestants se reprochaient mutuellement leurs impuretés vraies ou supposées en des livres fort impurs. Ils s'excitaient les uns les autres à réprimer les mauvaises mœurs sans rien faire pour modérer le langage les concernant.

En outre, l'attachement des érudits catholiques et protestants aux antiquités gréco-latines ralentit le mouvement répressif qui se dessinait. Si à Paris en 1607 le catholique Ramirez de Prado publiait en les commentant élogieusement les épigrammes de Martial, à Leyde le protestant Joseph Scaliger établit la première édition critique des *Priapeia*. Ce que l'on admirait des Anciens, on ne pouvait le blâmer tout à fait des Modernes.

On admit donc l'érotisme gaillard, expression de l'élan vital, ne réservant l'indignation qu'à l'érotisme pervers, signe d'une maladie de l'âme. A Paris, on publia des anthologies de poésies érotiques, comme en 1600 *La Muse folastre* et en 1609 *Les Muses gaillardes, recueillies des plus beaux esprits de ce temps*.

Le premier de ces poètes de gaillardises fut François de Malherbe, que ses «escholiers» avaient surnommé «le père Luxure» pour la raison invoquée par son plus proche disciple, Racan: «Il a toujours esté fort adonné aux femmes et se vantoit en sa conversation ordinaire de ses bonnes fortunes et des merveilles qu'il y avoit faictes.» Ce fut Racan qui copia de sa main et conserva dans ses manuscrits huit sonnets érotiques de Malherbe, les plus beaux de la langue française par la vigueur du sentiment, la cadence de la métrique, l'alliance percutante des mots. Celui-ci, où le poète entreprend sa maîtresse au cours du dîner, fut publié anonymement de son vivant:

Là! Là! pour le dessert, troussez moy ceste cotte,
Viste, chemise et tout, qu'il n'y demeure rien
Qui me puisse empescher de recognoistre bien
Du plus haut du nombril jusqu'au bas de la motte.

Là, sans vous renfroigner, venez que je vous frotte,
Et me laissez à part tout ce grave maintien:
Suis-je pas vostre cœur? Estes-vous pas le mien?
C'est bien avecque moy qu'il faut faire la sotte!

— Mon cœur, il est bien vray, mais vous en faites trop:
Remettez-vous au pas et quittez ce galop.
— Ma Belle, baisez-moy, c'est à vous de vous taire.

— Ma foy, cela vous gaste au milieu du repas...
— Belle, vous dites vray, mais se pourroit-il faire
De voir un si beau con, et ne le foutre pas?

Les sonnets érotiques de Malherbe sont des œuvres de sa maturité; il les a écrits au début du XVIIe siècle (il avait quarante-cinq ans en 1600), et l'un d'eux date même visiblement de sa vieillesse. Il y regrette de ne pas avoir commencé à coïter avant quinze ans, dans les mêmes termes énergiques où il avoue à soixante-douze ans, en évoquant sa jeunesse à Racan: «Je ne trouvois que deux belles choses au monde, les femmes et les roses, et deux bons morceaux, les femmes et le melon. C'est un sentiment que j'ai eu dès ma naissance et qui jusques à cette heure est encore si puissant en mon âme que je n'y pense jamais que je ne remercie la nature de les avoir faites.»

A cette époque, les pires obscénités paraissaient librement, avec indication de leur provenance, car l'édition ne connaissait pas encore de limitation. En 1610, *La Source du gros fessier des nourrices*, où l'on apprend «la raison pourquoy elles sont si fendues entre les jambes», est un livret portant sur la feuille de titre: «imprimé pour Yves Bomont, demeurant à Rouen en la rue de la Chièvre». L'auteur raconte que Prométhée ordonna à Pandora, la première femme créée par Vulcain, de «faire à sa compaigne une ouverture entre ses jambes par laquelle il peust passer aussi gros que le noyau d'une pesche». Les nourrices descendent de celle à qui Pandora a créé un sexe en se trompant, car elle pensa «que Prometheus lui eust commandé faire ung trou à mettre un hoyau ou une beschc».

La même année, *La Source et origine des cons sauvages*, «A Lyon, par Jean de La Montagne», est un traité pseudo-scientifique où l'on disserte du *cas* des femmes, selon les docteurs *in brayeta juris*, en chapitres intitulés «de quelle manière sont les cons et leurs différences», «de la dimension des cons, et de leurs diverses ouvertures et comme se font les cons camus», «quels cons on doit eslire et lesquels on doit éviter», etc. Ces basses plaisanteries n'ont d'autre intérêt que de nous montrer de quoi s'amusait le peuple; certains humanistes les employèrent pour le parodier.

Heureusement, la tradition des meilleurs conteurs libres se perpétua dans *Les Heures perdues d'un cavalier françois* (1615) de R.D.M. (identifié à René de Menou, seigneur de Charmisay), recueil de vingt-huit nouvelles sur «les gentilles adventures de quelques amants»

Ce livre, que l'auteur dédie à la Belle qu'il aime par-dessus tout, fut plusieurs fois réédité au cours des siècles, tant il est plaisant.

Menou parle ainsi d'une châtelaine de Touraine qui, sachant restaurer les virginités perdues, laissa ses quatre filles se faire dépuceler et avoir maints amants, parce que «ceste bonne vieille (l'occasion de les marier se présentant) feroit en sorte que leurs marys ne s'apercevroient pas qu'il n'y eust passé autre chose que de l'eau». Ou il rapporte ses «mille propos de gaillardise» avec des dames, dont l'une lui donne cette raison du cocuage: «Deux font plus qu'un.» Ou il raconte que la femme d'un médecin de Paris, chagrine de s'entendre reprocher de ne jamais remuer pendant l'acte sexuel, demande à un tiers: «Quel remuement je dois faire quand mon mary monte sur mon vaisseau et lève les voiles pour faire voyage?» Le voisin lui donne des leçons de remuement qu'elle met à profit.

Les premiers libertins

En 1618, le libraire Antoine Estoc publia, «avec privilège du roi», *Le Cabinet satyrique ou recueil parfaict de vers piquans et gaillards de ce temps*; le livre contenait quatre cent soixante pièces, dont deux cent trente-trois signées de noms ou d'initiales. Son succès fut tel qu'il dut être réédité trois fois de suite.

Le poète priapique le plus caractéristique du *Cabinet satyrique* fut François Maynard, d'abord secrétaire de Marguerite de Valois, puis président du présidial d'Aurillac dès 1614. Maynard, comme son maître Malherbe, se plut à composer «des sonnets licencieux, dont les quatrains ne fussent pas sur les mêmes rimes»; il excella dans les priapées, mises en épigrammes ou en stances. Les priapées étaient des poèmes en l'honneur des organes génitaux, que l'on invitait la femme à bien considérer et à mettre en service. Estienne Jodelle en rédigea plusieurs, dont l'*Epitaphe du membre de frère Pierre*. Mais ce fut à François Maynard que l'on dut les priapées les plus typiques, comme celle-ci:

> *Margot, me voici vit en main!*
> *Aimons, le temps nous y convie.*
> *Eh! que savons-nous si demain*
> *Est un des jours de notre vie?*
> *La mort nous guette et quand ses lois*
> *Nous ont enfermés une fois*
> *Au sein d'une fosse profonde*
> *Adieu les amoureux ébats:*
> *L'Ecriture ne parle pas*
> *Que l'on chevauche en l'autre monde*[1].

1. *Les Priapées de Maynard* (Bruxelles, Jules Gay, 1864).

La moralité de la priapée est toujours : « Profitons bien de notre corps pendant qu'il est sain et dispos.» Cela peut se dire en mille façons, ainsi que le prouve François Maynard :

Jeanne, dont les yeux m'ont vaincu
Cesse de rougir et de craindre,
Le feu d'amour brûle ton cu
Et mon vit a de quoi l'éteindre.

Il faut donner dans le plaisir ;
Tu n'auras que trop le loisir
De faire la prude et la chaste.

Les ans raviront tes appas
Et ton con deviendra si vaste
Que les mulets n'en voudront pas [1].

François Maynard, qui fera partie de l'Académie française à sa fondation, ne publia qu'une vingtaine de ses priapées de son vivant (alors que le manuscrit de l'Arsenal en contient cinquante-six). Mais ceux qu'il laissa inédits et qui furent d'abord publiés en 1864 à Genève par Prosper Blanchemain pour la Bibliomaniac Society, il en était si fier qu'il les lisait dans les réunions, selon son ami Pellisson disant que Maynard fit des poèmes licencieux jusqu'à sa mort en 1643 : « Encore en ses dernières années où je l'ai connu, il les soutenait partout et déclamait contre la tyrannie de ceux qui s'y opposaient [2]. »

Ce climat de tolérance changea brusquement parce que naquit, au sein des conflits entre catholiques et protestants, un nouveau courant idéologique, le libertinage, suscité par des intellectuels voulant se libérer de la dogmatique des uns et des autres. Le grand adversaire des libertins, le père Garasse, les distingue ainsi des hérétiques : « Les hérétiques ne renvoient pas indifféremment tous les articles de foy : mais ils *choisissent* ce qui est à leur goust »; tandis que les libertins pensent que « c'est la créance des beaux esprits de ne rien croire et de ne se captiver à rien [3] ».

L'un d'eux, l'Italien Lucilio Vanini, sous la régence de Marie de Médicis, fut à Paris le favori d'un groupe de gentilshommes du Louvre (parmi lesquels Bassompierre); mais une affaire de mœurs, suivie de l'assassinat de son rival, le contraignit à fuir. Ses dialogues *De Admirandis naturae arcanis* (1616) le firent en outre accuser d'athéisme. Il s'installa à Toulouse, où la jeunesse dorée se le disputa, à cause de son esprit. Le 9 février 1619, coupable d'avoir tenu en privé des propos irreligieux, il fut condamné dans cette ville à avoir la langue arrachée et à être brûlé vif; il mourut en philosophe, repoussant le crucifix que lui

---

1. *Ibid.*
2. Paul Pellisson, *Histoire de l'Académie française* (Paris, P. Le Petit, 1672).
3. François Garasse, *La Doctrine curieuse des beaux esprits de ce temps* (Paris, S. Chappelet, 1624).

tendait un moine, refusant de demander pardon à Dieu qui, affirma-t-il, n'existait pas ou n'était que la Nature. Vanini — «homme d'un courage désespéré», dira Garasse — fit craindre aux autorités de voir des jeunes gens, sous prétexte de jouir librement de la vie, s'affranchir des préceptes de la religion.

Pourtant en 1620 un autre recueil collectif de poésies érotiques, *Les Délices satyriques*, parut encore muni de l'autorisation royale. Mais certains des poètes étaient suspects d'être athées, ce qui incita le père Garasse à les combattre tous. Il s'acharna particulièrement sur Théophile de Viau, qui avait écrit un sonnet où il disait que, dans une église, il s'était épris d'une femme au point d'en oublier ses devoirs religieux. Théophile était néanmoins un catholique pratiquant, ne manquant pas une messe, communiant, faisant maigre le vendredi; mais il avait horreur de la bigoterie et écrivait ses poèmes érotiques pour scandaliser les bigots. Il n'y réussit que trop bien.

En avril 1623 fut mis librement en vente, dans les galeries du Palais-Royal, *Le Parnasse des poètes satyriques*, suivi de *La Quintessence satyrique*. Cette anthologie contenait trois cent-vingt-cinq pièces érotiques, dont deux cent soixante-sept anonymes; dix-huit poètes y étaient nommés. Ce livre s'ouvrait sur un *Sonnet par le sieur Théophile*, ayant pour premier vers: «Phylis, tout est foutu! Je meurs de la vérole...» et pour dernier: «Je fais vœu désormais de ne foutre qu'en cul!» Bien que Théophile de Viau, consterné de voir son nom en première page, ait fait assigner les éditeurs (Sommaville et Estoc) devant le lieutenant civil et ait obtenu la destruction de tous les exemplaires, il fut lui-même arrêté le 11 juillet 1623 avec Nicolas Frénicle et Guillaume Colletet sur plainte du procureur du roi. Le père Garasse les avait désignés comme les auteurs les plus coupables, en disant: «Je pense avec raison pouvoir défier les Diables de luxure, de fornication, de sodomie et de brutalité, de faire pis qu'ont faict ces trois gosiers de Cerbère[1].» Il ne citait pas François Maynard, dont les priapées étaient les plus violentes du recueil: il ne voulait pas compromettre un président d'Auvergne.

La justice reprocha à Théophile de Viau non seulement ses vingt-cinq pièces érotiques du *Parnasse satyrique*, mais encore tous les passages de ses œuvres où il invoquait la Nature. En effet, le principe philosophique des libertins consistait à se référer à la Nature, pour lui attribuer les pouvoirs que les croyants reconnaissaient en Dieu. La maxime du libertinage, au début du XVIIe siècle, était celle-ci: «Il n'y a point autre divinité ny puissance souveraine au monde que la Nature, laquelle il faut contenter en toutes choses, sans rien refuser à nostre corps, ou à nos sens, de ce qu'ils désirent de nous en l'exercice de leurs puissances et facultez naturelles[2].» Garasse réfuta cette maxime en affirmant que, du point de vue chrétien, «la Nature se prend quasi pour

---

1. François Garasse, *La Doctrine curieuse, op. cit.*
2. *Ibid.*

la volonté de Dieu». Et que cette volonté n'est certainement pas d'engager l'homme à être ivrogne et débauché, comme sont les libertins qui se conduisent en «jeunes veaux».

Le père Garasse s'emportait d'autant plus contre les libertins qu'ils sortaient des rangs des catholiques. Il dit qu'il assista à Poitiers en 1608 aux derniers instants de Nicolas Rapin «ayant vécu l'espace de soixante-quatorze ans avec un assez grand libertinage», lequel se repentit et confessa que «jamais il n'avoit été huguenot ny branlant dans sa croyance». Les libertins ne sont pas des huguenots, mais ils n'en sont que plus répréhensibles de donner le mauvais exemple, de «dire cruement des impudicités horribles et les coucher sottement sur le papier». Garasse ne fait pas le pudibond et avoue qu'il aime Catulle, Martial, Ronsard, parce que leurs vers impudiques sont spirituels : «Il faut qu'une impudicité soit couverte de quelque honorable prétexte pour s'attacher aux esprits, qu'elle soit accompagnée de quelques pointes et subtilités d'esprit.» Au lieu de quoi «tous ces méchants bélitres» prennent pour modèle un auteur ordurier : «Les libertins ont en main le Rabelais comme l'Enchiridion du libertinage. Ce vaurien ne mérite pas la peine qu'on en parle [1].»

On suspecta Théophile de Viau d'être l'auteur de toutes les pièces anonymes du recueil, dont une chanson où un satyre s'adresse à une nymphe pour lui dire :

Approche, approche, ma Dryade!
Ici murmureront les eaux;
Ici les amoureux oiseaux
Chanteront une sérénade;
Les vents nous souffleront au sein
Et, afin qu'un chacun s'applique,
Je te mettrai mon vit en main
Et tu me branleras la picque.

«Branler la pique» se disait du geste des gardes suisses haussant et abaissant leur pique pour présenter les armes; on comprend aisément le sens de cette métaphore érotique. Tous les couplets de cette chanson se terminaient par ce vers équivoque. Jamais dix ans auparavant on n'aurait reproché à un poète un badinage aussi peu grave. La mort du libertin Lucilio Vanino, qui avait fait preuve sur le bûcher d'un héroïsme extraordinaire, avait changé l'état d'esprit général.

Le procès de Théophile de Viau, inculpé de libertinage, fut un grand événement qui marqua une date dans la littérature française; dès lors, les ouvrages érotiques ne purent être édités que clandestinement (comme on le fit pour les rééditions du *Parnasse satyrique*). Le Parlement condamna le 1ᵉʳ juillet 1625 Théophile, emprisonné à la Conciergerie, au bannissement à perpétuité hors du royaume (en réalité il resta caché en France, car il avait de puissants protecteurs). Mais son principal

---

1. François Garasse, *La Doctrine curieuse*, op. cit.

accusateur, le père André Voisin, jésuite du Collège de la Flèche, fut
également banni. On voulait à la fois punir le libertinage et prévenir les
excès d'un puritanisme rigide. Les coïnculpés furent si peu notés
d'infamie à cause de cette affaire que Frénicle devint conseiller à la Cour
des Aides; il fit des poèmes religieux pour faire oublier ses «vers
satyriques».

La répression de la littérature érotique vint du fait que le libertinage
mêla des considérations antireligieuses à des descriptions pornographiques. On aurait continué à publier, avec privilège du roi, des recueils
collectifs de priapées, s'il ne s'y était jamais glissé des impiétés. Mais on
redouta, en tolérant des licences d'expression sur la sexualité, de paraître
autoriser du même coup des blasphèmes. Garasse avait dit que la
doctrine subversive des beaux esprits comportait deux branches, le
libertinage et l'athéisme: «Les uns sont *libertins* et les autres sont tout
à fait *impies*, les uns sont commençans, les autres sont parfaicts, les uns
sont chenilles, les autres sont papillons, les uns sont apprentifs et les
autres maistres en malice [1].» Comme le libertinage risquait de dégénérer
en athéisme, on décida d'interdire les écrits incitant aux plaisirs libertins
afin de prévenir un mal plus grand.

Si l'on pourchassa activement désormais les obscénités contenant
des outrages au christianisme, on resta indulgent à celles qui étaient de
simples facéties. On savait bien qu'aucune loi, aucune prescription
religieuse n'était capable de brider le génie satirique du peuple français.
En 1623 parurent librement *Les Caquets de l'accouchée*, en
huit opuscules — il y en aura bien davantage ensuite —, dont l'auteur
feignait de s'être caché dans la ruelle d'une bourgeoise de Paris,
accouchant de son septième enfant, pour écouter les commérages
gaillards que lui faisaient ses voisines. Après le procès de Théophile, on
laissera publier nombre de livrets priapiques ou scatologiques, comme
L'Ordre des cocus réformés (1626), «chez la veuve du Carroy, rue des
Carmes», ou *Les Secrets du capitaine Freluquin* (1627), secrets permettant, par exemple, à une fille de sortir toute nue dans la rue sans que
personne se moque d'elle [2].

Le libertinage ne s'éteignit pas, mais s'exprima plus discrètement.
Ainsi son représentant le plus étonnant sous Louis XIII, Jean-Jacques
Bouchard, ne chercha pas à publier l'important manuscrit où il nota ses
expériences sexuelles; ce fut Paulin Paris qui le découvrit en 1850, et
Alcide Bonneau qui en fit plus tard l'édition critique sous le titre de
Confessions de Jean-Jacques Bouchard (car celui-ci ne lui en avait donné
aucun). Ce titre est abusif: on ne saurait qualifier de «confessions» un
récit à la troisième personne; en outre, les libertins n'ont commencé
qu'au siècle suivant à exploiter le genre des confessions, comme je le
montrerai plus loin.

---

1. *Ibid.*
2. Cf. *Pièces désopilantes recueillies pour l'esbatement de quelques pantagruélistes* (à
Paris, près Charenton, chez un libraire qui n'est pas triste, printemps de 1866).

Né en 1606, Bouchard était le fils d'un apothicaire qui sollicita la charge de secrétaire du roi, et posséda un manoir à Fontenay-aux-Roses. Travestissant tous les noms dans son livre, il y appelle son père Agamemnon, sa mère Clytemnestre, lui-même Oreste; Paris est Alexandrie, Fontenay devient Naiocrène, etc. Il écrivit tous les passages érotiques de son manuscrit en caractères grecs, de façon que les gens de son entourage ne puissent les déchiffrer.

Au début de ce roman autobiographique, Oreste se trouvant en 1629 aux vendanges à Naiocrène, âgé de vingt-trois ans, essaie pendant deux mois de faire l'amour chaque nuit avec une jeune vachère, sans y parvenir à cause de ses difficultés d'érection. Il repasse alors en son esprit tous les épisodes antérieurs de sa sexualité, afin d'analyser ce qui a pu l'amener à cette impuissance:

> Il se souvint qu'à peine avoit il huit ans qu'il commença à grimper des petites damoiselles qui venaient jouer avec sa sœur: car, au lieu de leur mettre des petits bastons dans le cul, comme font les petits enfants feignant de se donner des clystères, il les enfiloit gaillardement, ne sachant néantmoins ce qu'il faisoit; et n'apprit ce que c'estoit de besogner pour le moins de trois ou quatre ans après, que son frère le lui dit.

Il se rappelle ensuite qu'il découvrit la masturbation à onze ans et que, se croyant l'inventeur de cette pratique, il l'enseigna aux enfants du voisinage. Entrant à Paris au collège de Calvy, dit la Petite Sorbonne, il y devint le meneur d'une dizaine de camarades qui le considérèrent comme leur maître en art masturbatoire:

> Il fut aimé et caressé de plusieurs, à cause des belles et rares inventions qu'il avoit treuvé en ce mestier: voulant qu'on eust toujours devant soi quelque bel objet, comme des femmes nues, ou des cons et des vits de cire lorsque l'on estoit seul, et que l'on eust des poches de peau où le poil fust en dedans, ou des casses d'escritoire pour fourrer son vit dedans, et ce toujours devant le feu s'il y avoit moyen, le plaisir y estant double.

De treize à dix-huit ans, «spermatisant tous les jours deux fois d'ordinaire», il s'adonna à ces plaisirs onanistes. La première femme qu'il connut fut une servante de ses parents, Angélique, n'osant pas s'abandonner franchement à lui, et faisant sembler d'être violée pendant son sommeil:

> Pourveu qu'elle pensast que l'on creust qu'elle dormoit, elle se laissoit tout faire, de sorte que toutes les nuits Oreste l'enfiloit... Elle feignoit de s'endormir dans la plus belle posture du monde: elle se mettoit à genoux, la teste contre terre et le cul en hault, de sorte qu'Oreste lui faisoit facilement l'*argomento* par derrière, *in fica* toujours néantmoins.

Après cet examen rétrospectif de sa sexualité, s'étant persuadé que son impuissance n'est pas irrémédiable, Oreste tombe amoureux d'une belle femme de chambre, Allisbée (c'est-à-dire Isabelle), fort orgueilleuse, d'abord réticente à ses caresses, se donnant à demi, se reprenant, pleurant, boudant, se fâchant. Il se procure des livres de médecine, afin de connaître scientifiquement la Femme, en se servant d'Allisbée comme sujet d'étude anatomique. Il a l'occasion une fois «de pouvoir voir à son aise et loisir les parties dont l'attouchement lui estoit permis». Une autre fois, il obtient, «avec mille baisers et embrassements plus chauds et plus serrés que d'ordinaire», de contempler longuement sa vulve en tenant à la main une chandelle allumée. Il ne procède ni en amant ni en vicieux, mais en jeune humaniste qui cherche à comprendre la Nature. Il l'invite à toucher son priape, et même à le «hocher», en lui démontrant qu'il est aussi naturel de lui saisir le membre viril que la main.

A cette époque, Bouchard est docteur en droit civil et en droit canon, et il lit les *Morales* de Plutarque; il apporte à ses investigations sur le corps d'Allisbée le même sérieux qu'en ses travaux intellectuels. Lorsqu'elle a ses règles — ce qu'elle appelle «avoir du sucre» —, Oreste fait «quantité d'expériences, pour voir si tout ce que disoient les médecins du sang menstrual estoit vray». Il en met sur sa langue, et juge qu'il n'est pas «aspre et corrosif», comme ils le prétendent. Il fait un toucher vaginal à Allisbée et, «après avoir longtemps farfouillé avec le doigt», conclut que le sang menstruel ne sort pas des côtés du col de la matrice, mais plutôt du fond. Il en prélève pour vérifier s'il a tous les inconvénients qu'en disent les manuels — s'il tue les boutures de la vigne, fait fuir les serpents, rend enragés les chiens, etc. —, et se démontre que ce sont là des préjugés ineptes.

Quand Allisbée s'échauffe au point de s'abandonner complètement à lui, Oreste se soucie qu'elle ne devienne pas enceinte. «Jamais il ne voulut attenter à faire l'entier acte de génération, qu'auparavant il n'eust treuvé un moyen certain pour empescher la grossesse.» Il lui fait mettre à l'entrée du sexe des herbes abortives ou stérilisantes (armoise, aristoloche). Il interrompt lui-même le coït s'il le juge dangereux pour elle:

> Entre autres, une fois Allisbée s'estant mise sur lui, elle se laissa tellement emporter à la volupté, qu'elle s'enferra d'elle-mesme jusqu'aux gardes, de sorte qu'Oreste, plus soigneux de son bien qu'elle-mesme, retira son épingle du jeu sans rien faire [1].

La découverte de la liaison d'Oreste et d'Allisbée suscite une tempête dans la maison familiale: il subit la colère de Clytemnestre, qui lui jette son soulier à la figure au cours d'un repas, «la fureur bestiale» d'Agamemnon jaloux des faveurs que la belle chambrière accorde à son fils. Oreste décide alors de partir pour l'Italie le 20 octobre 1630. Le récit de son voyage de Paris à Rome n'est pas moins remarquable que celui de son apprentissage sexuel. Il traverse à cheval Lyon, Avignon et

---

1. *Les Confessions de Jean-Jacques Bouchard* (Paris, Isidore Liseux, 1882). Ce livre émerveilla André Malraux, qui le fit rééditer en 1930 chez Gallimard.

d'autres villes qu'il décrit admirablement, avec des compagnons de route importuns, faisant halte à des hôtelleries pittoresques. A Toulon, qui n'est qu'un village de mille cinq cents feux, il observe les exercices des forçats et transcrit le règlement de la police des galères. Il est l'hôte d'un barbier, dont la femme lui fait des agaceries: «Elle devint si fort amoureuse de luy, qu'après plusieurs poursuites et démonstrations, elle s'advança à lui mettre la main dans les chausses.» Mais, comme il garde «l'appréhension des caprices de son vit», il se borne à échanger avec elle des baisers et des manipulations.

C'était la première fois, dans la littérature européenne, qu'un homme parlait avec tant de lucidité de son expérience sexuelle infantile et de ses crises d'impuissance. La vie de Bouchard à Rome dut être aussi originale. D'après Tallemant des Réaux, il fut membre de l'Académie des Humoristes, et son valet le prenait pour un sorcier parce qu'il était «fort laid, fort noir». Il chercha à obtenir un bénéfice ecclésiastique et mourut en 1644 alors qu'il briguait la place de secrétaire du Conclave.

Ce roman autobiographique de Jean-Jacques Bouchard aurait-il pu être publié sous Louis XIII? Certainement, puisqu'il ne contenait aucune attaque contre la religion. Au temps de la Fronde, guerre civile déclenchée en août 1648 durant la minorité de Louis XIV, la liberté d'expression fut portée à son paroxysme. Dans la masse des pamphlets dits mazarinades, il y en eut de la plus grande obscénité, comme *Testament amphibologique des testicules de Mazarin*, attribuant son élévation à la puissance de ses organes génitaux, ou *Lettre de la signora Foutakina à messer Julio Mazarino*, où une maquerelle propose de lui constituer une armée de prostituées et d'homosexuels pour le défendre. La confession déguisée de Bouchard préparait déjà cette vague frondeuse.

Les «œuvres défendues» de Ferrante Pallavicino

L'Italie n'eut pas au xviie siècle la floraison d'écrivains licencieux que l'on y constatait au siècle précédent; pourtant, il en est un qui égale les plus grands satiristes de la Renaissance et qu'il faut connaître, Ferrante Pallavicino. Né à Plaisance vers 1618 d'une famille noble, il entra dans la congrégation des chanoines de Latran et vint à Venise habiter la maison de son ordre. Faisant aussitôt partie d'un cénacle, l'Académie des Incogniti, il rédigea avec facilité des récits sur des sujets bibliques ou profanes, *Samson, Bersabée, Suzanne, Le Prince hermaphrodite*, etc. Il demanda à ses supérieurs un congé sous le prétexte de faire un voyage en France; au lieu de cela, il resta caché à Venise chez sa maîtresse et envoya à ses amis des «petites lettres» sur ce qu'il voyait à la cour de Louis XIII. Cette brillante supercherie fit sa réputation.

En 1639, Pallavicino partit pour l'Allemagne en qualité de chapelain du duc d'Amalfi. A son retour à Venise, on ne le reconnut plus : son visage était devenu scrofuleux, son humeur chagrine. Il se mit à critiquer amèrement les mœurs et à accuser de népotisme la famille des Barberini, à laquelle appartenaient le pape Urbain VIII et plusieurs cardinaux. Son mécontentement lui dicta *Il Corriere svagliato* (*Le Courrier dévalisé*), dont le thème fut repris après lui. Un prince italien fait arrêter le courrier qui va de Milan à Rome et examiner toutes les lettres par quatre gentilshommes de la Chambre, qui les commentent sarcastiquement. Ils trouvent ainsi une lettre d'une maquerelle demandant à être logée à Rome, parce qu'elle a entendu dire que l'inconduite du clergé y rend sa profession plus lucrative qu'ailleurs. Des lettres contre les nonnes, contre les vices de la cour, contre les censeurs n'étaient pas moins mordantes, si bien que sur les instances de l'archevêque Vitelli, nonce apostolique, l'auteur fut mis au cachot pendant quelques mois.

En 1641, Pallavicino publia son premier livre érotique, *La Rete di Vulcano* (*Le Filet de Vulcain*), parodie d'un mythe antique. Vulcain se venge de sa femme Vénus, qui le trompe avec Mars, en les prenant au piège dans un filet et en les exposant à la risée des dieux de l'Olympe. Traitant cette histoire archiconnue en fait divers, Pallavicino fait de Vulcain un artisan italien, de Mars un militaire, d'Apollon un bourgeois importun, etc. Lucas-Dubreton remarque : «Lorsque l'Olympe se rue dans la maison du forgeron où les deux amants gisent prisonniers du filet d'acier "dans une posture qui exciterait les pierres mêmes à la luxure", nous avons le tableau très fidèle d'une troupe de badauds attirés par un scandale public [1]...»

Mais Pallavicino usa d'un érotisme beaucoup plus fort dans *La Rettorica delle putane* (*La Rhétorique des putains*), qu'il termina le 25 août 1642. Ici, la fille d'un modeste citoyen de Venise est endoctrinée par une courtisane déchue qui lui enseigne l'art de se prostituer en quinze leçons. Après avoir prononcé les trois vœux de luxure, d'avarice et de simulation, la néophyte passe de la théorie à la pratique en des scènes très colorées ; Pallavicino reprend la tradition arétinesque en la modernisant. A la fin il déclare que s'il en sait aussi long sur les prostituées, c'est qu'il ne cesse d'en fréquenter, vieilles et jeunes, croyant que la Nature ne lui interdit pas plus de jouir d'elles que de manger et de boire. *La Rhétorique des putains* eut un succès européen et devint à Londres en 1684 *The Whore's Rhetorik*, l'un des premiers classiques de l'érotisme anglais ; l'adaptateur changea les personnages, et ce fut la maquerelle Mother Creswell qui y donna des conseils à la novice Dorothea.

Pallavicino, voulant être «le fouet des Barberini», publia des pamphlets de plus en plus violents contre Urbain VIII et ses neveux. Ceux-ci ne pouvaient rien contre lui tant qu'il restait à Venise, où le Sénat le protégeait. Mais il rencontra un jeune Français, le chevalier de Morfi, qui

---

1. J. Lucas-Dubreton, *Ferrante Pallavicino ou l'Arétin manqué* (Paris, La Connaissance, 1923).

se dit son admirateur et l'engagea à venir avec lui en France. Quand ils eurent passé ensemble les Alpes, Pallavicino fut entraîné par son compagnon dans le domaine du pape à Avignon où il fut arrêté. Le prétendu Morfi était Charles de Bresche, fils d'un libraire parisien, à qui les Barberini avaient offert trois mille pistoles pour leur livrer leur ennemi. Pallavicino demeura quatorze mois en prison, et le 5 mars 1644 eut la tête tranchée à Avignon à cause de ses libelles polémiques. Deux ans après, le traître Morfi fut assassiné à Paris par l'Italien Ganducci, que gracia Mazarin, ce qui fit dire qu'on avait voulu venger l'écrivain.

Le livre érotique le plus célèbre de Ferrante Pallavicino est l'*Alcibiade fanciullo a scola* (*Alcibiade enfant à l'école*), que l'on imprima à Genève en 1652. Cet écrit, ayant pour sujet l'homosexualité, a une telle qualité littéraire qu'Oscar Wilde en fera le plus grand cas. L'avis au lecteur précise: «Ce livre te montrera la nécessité de bien veiller sur tes jeunes fils, afin de les soustraire à la malignité des maîtres corrompus qui abondent en ce temps-ci.» Baseggio n'hésite pas à conclure: «L'*Alcibiade* est donc une satire virulente contre un ou plusieurs instituteurs en possession de la faveur publique à Venise [1].»

C'est un dialogue entre le jeune Alcibiade et son professeur Philotime, qui lui assure: «Quand l'Amour veut percer un cœur, il n'y a pour lui ni condition, ni âge, ni sexe.» Philotime, cherchant à séduire son élève, lui fait un cours complet d'éducation homosexuelle. Alcibiade, refusant de se laisser entraîner, résiste, ergote, puis cède peu à peu aux raisons alléguées. Philotime tente de le persuader que les rapports amoureux d'un adulte avec un garçon entre neuf et dix-huit ans sont des plus profitables pour tous deux: «L'amour mâle est enfant. Il est vrai que trop bambin, il manque un peu de saveur. Les plus propres au déduit sont ces beaux jouvenceaux composés de miel et d'ambroisie, faits pour nous convier aux plaisirs, comme les autres pour nous en dégoûter.»

Philotime use de tous les arguments possibles pour justifier la pédérastie, même d'une théorie médicale: «Le cerveau humain, qui est un des sens intimes de l'âme et qui dérive de l'intelligence éternelle, est, de sa nature, excessivement humide et froid; en sorte que, si rien ne vient le réchauffer, il reste obtus, incapable de connaître, plein de sécrétions immondes. Ainsi, on voit les odeurs suaves, tièdes et tempérées, contribuer puissamment à le ranimer. Mais rien ne remplit mieux ce but que le sperme d'un homme spirituel et instruit, cette substance a une vertu miraculeuse pour cela. Infusée par la petite porte du jardin, grâce à sa chaleur naturelle, elle envoie vers les régions du cerveau des esprits alertes et subtils qui le disposent à s'assimiler la qualité de l'agent. Un enfant qui veut devenir l'égal de son maître n'a pas d'autre voie que celle-là [2].»

---

1. Giamb. Baseggio, *Dissertation sur l'Alcibiade fanciullo a scola*, traduite et annotée par Gustave Brunet (Paris, J. Gay, 1861).
2. *Alcibiade enfant à l'école*, traduit pour la première fois de l'italien (Amsterdam, chez l'ancien P. Marteau, 1866).

Des critiques ont dit récemment qu'*Alcibiade fanciullo a scola* était d'Antonio Rocco; mais d'autres ont relevé dans le texte des expressions typiquement vénitiennes (comme *maschile schiavone*, «grand esclave du mâle», pour désigner un homosexuel) confirmant l'attribution à Pallavicino. Certains ont cru qu'il prenait à son compte les propos de son magister. Mais son livre est plutôt d'un amateur de rhétorique, s'ingéniant à reconstituer le discours d'un séducteur pervers, avec tous ses sophismes.

Après sa mort, Ferrante Pallavicino passa pour un martyr et eut beaucoup plus d'admirateurs que de son vivant. En 1655, à Venise, l'Académie des Incogniti publia ses *Opere permesse* (*Œuvres permises*) en quatre volumes, avec une histoire de sa vie par Girolamo Brussoni. Puis en 1660 à Villafranca (Genève), d'autres amis éditèrent ses *Opere scelte* (*Œuvres défendues*) en trois volumes. Mais son roman *Taliclea*, œuvre permise, était aussi scabreux que *Le Filet de Vulcain*, œuvre défendue. Ses deux écrits érotiques les plus audacieux, *La Rhétorique des putains* et *Alcibiade enfant à l'école* ne furent repris ni dans ses œuvres permises ni dans ses œuvres défendues. On laissait la postérité en juger. Elle a tranché: ce sont presque exclusivement ces deux livres qui lui attirent encore des lecteurs.

Les classiques du second rayon
sous Louis XIV

Ce fut sous le règne de Louis XIV que parurent les premiers grands érotiques français, car cette période eut des richesses littéraires innombrables. Il y eut d'abord *L'Occasion perdue recouverte* du grand Corneille, dont les copies coururent secrètement Paris vers 1650. Cette pièce poétique de quarante stances était le récit d'un fiasco éprouvé par un amoureux devenant soudainement impuissant auprès de sa belle, et recouvrant le lendemain sa vigueur au moment où il ne l'espérait plus. Le mâle génie de Corneille avait traité ce thème avec autant de délicatesse de sentiment que de précision réaliste. Lysandre rejoint chez elle sa maîtresse Cloris, pendant que son mari Dorimant est absent; ils s'embrassent, ils sont aux prises:

> *Il était couché sur Cloris*
> *Lorsqu'il demeura tout surpris*
> *D'une infortune sans seconde*
> *Et, pour comble de son ennuy,*
> *Ce qui donne la vie au monde*
> *Demeura froid et mort en luy.*

Devant la déception de Cloris, le cavalier démonté essaie de se stimuler au combat et de redresser l'instrument défaillant:

Lysandre a beau se tourmenter
Il a beau le solliciter
Et luy préparer des amorces,
Ce lasche qu'il excite en vain,
Au lieu de reprendre des forces,
Pleure mollement sur sa main.

Corneille fait ressortir tout le tragique de la situation: Cloris s'irrite et congédie Lysandre qui, fou de chagrin, la supplie à genoux de lui pardonner, jure qu'il va se tuer. Le lendemain, la mort dans l'âme, il revient et la trouve endormie sur son lit, le cotillon dérangé, sa cuisse à découvert laissant voir «les délices des dieux». Aussitôt le galant sent en lui des «mouvements étranges», et assaille si impétueusement la dormeuse qu'il en jouit à l'instant où elle s'éveille, sans qu'elle ait pu profiter de ses bonnes dispositions:

Cloris avec sa belle main
Osta la bouche de son sein
Où son amant l'avait collée,
Et se déchargeant peu à peu
Honteuse de se voir mouillée,
Essuya l'eau qui vient du feu.

Elle le querelle de cet acte de plaisir égoïste, mais il l'apaise tendrement, et sa vaillance étant revenue, s'occupe de lui faire trouver le sien:

L'eslevant de terre il la prit
Et la coucha dessus le lit,
Où je ne sais pas ce qu'ils firent;
Je crois bien qu'ils firent cela,
Puisque les Amours qui les virent
M'ont dit que le lit en bransla.

L'Occasion perdue recouverte eut des conséquences curieuses. Le pieux chancelier Pasquier, apprenant que le poème licencieux enchantant Paris était de Corneille, le convoqua pour lui faire honte de cet écrit et l'emmena d'autorité se confesser de ce péché au père Paulin, du couvent de Nazareth. Celui-ci ordonna pour pénitence à Corneille de traduire en vers français le premier livre de *L'Imitation de Jésus-Christ*: cette traduction plut tellement à Anne d'Autriche qu'elle demanda au poète de continuer. Voilà l'origine de cette œuvre célèbre, qui eut trente-deux éditions du vivant de Corneille.

Mais sa pièce érotique fut recueillie en 1658 dans le *Nouveau Cabinet des Muses*, et comme il se gardait de la revendiquer, un poète de cour, Benech de Cantenac, se l'appropria et la mit dans ses *Poésies galantes* (1662). Si bien que, pour préserver la réputation de Corneille, le *Journal de Trévoux* soutint qu'elle n'était pas de lui, mais de Cantenac. La vérité fut rétablie grâce aux *Carpentiana*, recueil des propos du savant

Charpentier. Corneille n'en était pas à son coup d'essai: déjà dans les *Mélanges poétiques* qu'il avait placés à la suite de sa comédie *Clitandre*, en 1632, se trouvaient une *Chanson* extrêmement vive et sept épigrammes licencieuses dont celle-ci, du même style que *L'Occasion*:

> *Lorsque nous sommes mal, la plus grande maison*
> *Ne peut nous contenir, faute d'assez d'espace;*
> *Mais sitost que Philis revient à la raison*
> *Le lit le plus étroit a pour nous trop de place.*

En outre, les critiques ne se sont pas avisés qu'un détail trahissait Corneille: le titre. Il a mit *recouverte* au lieu de *recouvrer* (acquérir de nouveau), ce qui semble une faute de grammaire. Mais dans le *Dictionnaire de l'Académie française* de 1694, il est précisé au mot *Recouvré(e)*: «On dit encore au Palais: *Une pièce nouvellement recouverte*, et prov. *Pour un perdu deux recouverts.*» Seul Corneille, fils d'un avocat général, et qui avait lui-même débuté au barreau, pouvait avoir l'idée d'user d'un terme de droit pour donner à ce fiasco l'allure d'un procès sexuel gagné deux fois. Au siècle suivant, on citera à tort son poème sous le titre de *L'Occasion perdue et recouvrée*.

La première œuvre vraiment scandaleuse du règne de Louis XIV fut *L'Ecole des filles ou la Philosophie des dames* (1655), deux dialogues écrits par Michel Millot l'aîné, contrôleur payeur des suisses; Jean l'Ange, «gentilhomme servant le roi», en assura les frais d'impression et commanda un frontispice au célèbre graveur Chauveau. Mais le livre, tiré à trois cents exemplaires pour des gens de cour, fut saisi sur ordre du procureur du roi; Michel Millot et Jean l'Ange, condamnés à de lourdes amendes, furent l'un pendu en effigie sur le Pont-Neuf, l'autre banni de Paris durant trois ans. Pourtant, le succès de *L'Ecole des filles* alla croissant; en 1661, on en trouva un exemplaire chez le surintendant Fouquet au moment de son arrestation; après les rééditions de 1665 et de 1668, le livre circula secrètement en France. Le 19 novembre 1687, Bussy-Rabutin raconta à Mme de Sévigné qu'on découvrit *L'Ecole des filles* dans la chambre des filles d'honneur de la Dauphine; Louis XIV en fut si furieux qu'il les renvoya toutes. Mais Samuel Pepys parla avec enthousiasme, dans son *Journal*, de la traduction anglaise de ce livre. Plus tard, le Régent Philippe d'Orléans fit graver vingt-quatre planches pour illustrer *L'Ecole des filles*, qu'il goûtait particulièrement.

Dans le premier de ces deux dialogues, Suzanne instruit sa cousine Fanchon, seize ans, qui hésite à offrir sa virginité à son amoureux Robinet, fils d'un marchand de Paris: «Si tu savais quel plaisir c'est, quand un corps nu se vautre sur un autre et que les bras, les jambes, les cuisses sont entrelacés les uns parmi les autres, à la façon des anguilles, tu ne voudrais jamais faire autre chose.» Suzanne lui donne un cours d'éducation sexuelle, en s'impatientant parfois des questions naïves de Fanchon: «Foin, si tu m'interromps toujours!» ou de ses réactions effarouchées: «Hé! pauvre idiote!» Elle lui raconte pour la convaincre comment elle agit elle-même avec son amant:

Tantôt il me fait dessous, tantôt dessus, tantôt de côté, tantôt de travers, tantôt à genoux par devant, et par derrière comme si je prenais un lavement, tantôt debout, tantôt assise quelquefois. Quand il est pressé il me jette sur un coffre, sur une chaise, sur un matelas ou au premier endroit qu'il rencontre.

Elle lui explique que les humains ne sont pas limités comme les animaux à un seul mode de satisfaction: «Il y a cent mille délices en amour qui précèdent la conclusion... car autre chose est le baiser que l'attouchement, et le regard que la jouissance parfaite.» Elle lui cite en exemple un raffinement que lui a imposé son amant:

Il répandit et sema par terre cent boutons de roses, et me les fit aller ramasser toute nue, au beau milieu de la place, me tournant d'un côté et de l'autre, et considérant à la lueur du feu et de la chandelle en divers endroits de la chambre les diverses postures que je faisais en me baissant et en mc haussant après. Il me frotta avec une essence de jasmin par tout le corps et lui s'en frotta pareillement; et nous étant remis sur le lit, nous fimes mille culbutes pour nous égayer [1].

Elle lui détaille tant de caresses qu'elle subit et qu'elle rend que Fanchon se récrie, émerveillée: «Quel dévergondage, ô Dieu! de part et d'autre.» Et Suzanne de répliquer: «Quand on aime bien, ce sont des petites coyonneries qui plaisent toujours.» En effet, cet entretien aux termes crus veut montrer qu'il n'y a de vraie jouissance qu'entre amants passionnément épris et inventant toutes sortes de gentilles manières de s'étreindre.

Au second dialogue, Fanchon revient quelque temps après conter à Suzanne qu'elle a mis ses leçons en pratique avec Robinet. Le récit de leurs exploits est ponctué des exclamations de Suzanne: «Ha! carogne, hé bien?» ou «Ha! la bonne bête!». Puis l'instruction reprend, car Fanchon maintenant veut savoir beaucoup plus de choses. Par exemple pourquoi Robinet, si poli en public, et l'appelant «ma colombe! m'amour! mon cœur!» dit des gros mots quand il la tient en son lit, l'apostrophant: «Hé! ma connaude, hé! ma couillaude.» Suzanne lui apprend que les hommes s'égaient lors de l'acte sexuel à s'affranchir des bienséances:

Au lieu de proférer avec trop de langueur: Allons, ma chère, prenez-moi le membre génital ou nerf qui me pend au bas du ventre, et l'adressez au centre des délices de l'amour! c'est plus tôt dit, dans l'ardeur de la passion: Sus, m'amour, mets-moi le vit au con!... L'amour excuse tout, et il n'y a point de paroles sales à dire entre deux amants qui se baisent étant à chevaucher l'un sur l'autre; au contraire, toutes celles-là ce sont des douceurs.

Fanchon s'inquiète aussi des moyens de ne pas être engrossée. Les réponses de Suzanne sont intéressantes, car elles nous renseignent sur

---

1. *L'Ecole des filles*, avec une préface de Pascal Pia (Paris, Jean-Claude Lattès, 1979).

les précautions anticonceptionnelles des femmes de ce temps et sur leurs ressources en cas de grossesse non voulue. Non seulement leurs diverses façons d'avorter ou d'accoucher clandestinement, mais aussi leur habitude de bouger le plus possible, pour empêcher la semence de pénétrer en leur matrice. Suzanne dit qu'il faut que la femme «tienne les fesses serrées l'une contre l'autre et se remue en façon quelconque que tout ne soit fait et achevé». Fanchon se récrie qu'en ce cas elle ne craint rien: «J'ai toujours remué avec le plus grand appétit du monde.» Ces propos d'une vivacité divertissante prennent à la fin un tour philosophique assez piquant. Ainsi Fanchon s'étonne parce que l'orgasme, causant tant de bonheur, n'éclate pas comme la joie: «Pourquoi ceux qui sont en cet état ne peuvent-ils rire?» Suzanne répond: «C'est que l'âme est tirée en bas par la force du plaisir et comme arrachée de son siège par la grande attention qu'elle porte à cette union si désirée des deux corps, qui se fait en cet endroit.»

Si Michel Millot se fit pardonner plus tard cette «petite galanterie de jeunesse», le libertin Claude Le Petit eut au contraire un destin plus tragique; mais c'était un mauvais garçon coupable d'un crime. Fils d'un tailleur de Paris, Le Petit composa ses premiers vers pour payer ses études de droit; lié avec Michel Millot, il rédigea le *Madrigal* servant de préface à *L'Ecole des filles*. Puis, en juillet 1657, il publia *L'Adieu des filles de joye à la ville de Paris*, à l'occasion d'une rafle de prostituées que l'on expédia en Amérique. Il devint aussi le rédacteur d'une gazette rimée hebdomadaire, *La Muse de Cour*, dont il assuma huit numéros. A la fin d'octobre 1657, voulant se venger d'un moine du couvent des Augustins, il se cacha dans l'église et l'assassina à coups de poignard après l'heure des matines, quand celui-ci éteignait les bougies. Claude Le Petit s'enfuit et erra pendant trois ans et demi en Espagne, en Allemagne, en Italie, le temps qu'on oublie cette affaire.

De retour à Paris en février 1661, il se remit aussitôt à écrire des pièces satiriques, comme *Paris ridicule* où il s'attaquait aux monuments de la capitale, ainsi qu'à ses fameux habitants, tel Mazarin. Tous les jeudis, il fréquenta le concert du sieur Vignon, rendez-vous des beaux esprits. Il y connut Jean Rou, qui dit de lui: «Le pauvre Petit ne vivait que de livrets et d'éloges d'auteurs à la douzaine, propres à être mis en forme de sonnets ou d'épigramme et de madrigal à la tête de leurs ouvrages tant bons que mauvais[1].» Ce même ami, bien que huguenot, déplorait de le voir railler la Vierge et les saints dans des poésies obscènes. Claude Le Petit n'aurait jamais été inquiété s'il s'était contenté de l'érotisme piquant de *L'Heure du berger* (1661), «demi-roman comique ou roman demi-comique» où les amours de Phelonte, «le plus galand homme de la France» et de Philamie, «la plus spirituelle dame de Paris» qui a «un furieux penchant pour sa personne et un merveilleux tendre pour son dur», sont contées en parodiant le style précieux à la mode.

---

1. Jean Rou, *Mémoires inédits* (Paris, Société de l'histoire du protestantisme français, 1857).

Phelonte dit à sa belle: «Je vous baise les pieds, les mains sont trop communes.» L'allégorie finale corrige la Carte du Tendre en décrivant une localité qui n'y est pas indiquée, «la ville de Somatte, capitale du Monde amoureux», ressemblant à «un corps humain estendu par terre». C'est là que se rendent un amant et sa maîtresse afin de jouir l'un de l'autre. Ce roman qui fut «le travail de deux jours et demi» (selon la préface) est entremêlé de poésies dues à «la muse fantasque de Pillette» (anagramme de Le Petit), ancien amoureux de Philamie.

Mais Claude Le Petit eut le tort de bafouer les croyances religieuses et de célébrer des événements scandaleux. Il consacra un sonnet à Jacques Chausson, envoyé au bûcher le 29 décembre 1661 pour avoir violé des jeunes garçons. Il ne défendait pourtant pas de telles mœurs puisqu'il fut l'auteur du ravissant virelai ayant pour refrain: *Le garçon est pour la fille, / La fille pour le garçon.*

Claude Le Petit entreprit de réunir tous ses «caprices satiriques» dans *Le Bordel des Muses ou les neuf pucelles putains.* A Jean Rou qui le lui reprochait, il répondit: «Je n'ai pas un sou, et voilà cent écus qui me sautent au collet; qu'est-ce que mon cœur a à démêler avec une bourse qui est plus plate qu'une punaise[1]?» Ce recueil débutait par toutes sortes d'éloges burlesques qu'il faisait de son livre, comme cette épigramme *Au lecteur critique*:

> *Critique qui fais l'esprit fort*
> *En matière de fouterie*
> *Ne t'étonne pas, je te prie,*
> *De trouver foutre icy d'abord.*
> *J'aymerois mieux mourir de rage*
> *Que d'avoir dedans mon ouvrage*
> *Malicieusement laissé*
> *Aucun mauvais exemple à suivre,*
> *Mais puisque nos ayeux pour nous faire survivre*
> *Ont foutre sur foutre entassé,*
> *Je puis bien commencer mon livre*
> *Par où le monde a commencé[2].*

Ensuite venaient, sous le titre général de *L'Europe ridicule*, les cinq grandes satires qu'il avait composées contre Paris, Venise, Vienne, Madrid et Londres, auxquelles il joignit une *Satyre contre l'auteur par luy-mesme.* Enfin la dernière partie rassemblait soixante-quatre sonnets, madrigaux et stances dont les titres indiquent les sujets: *La Pollution nocturne, Sur une tabatière d'ivoire faite en forme de vit, Sur une vieille qui me prioit de la foutre, Rodomontade poétique à une putain, Impromptu fait en pissant, La fouterie légitime,* etc.

Le *Bordel des Muses* contenait, selon son contemporain Colletet, trop

---

1. *Ibid.*
2. *Les Œuvres libertines de Claude Le Petit,* édition établie par Frédéric Lachèvre (Paris, 1918).

de poésies «pleines d'impiétés et de blasphèmes contre l'honneur de Dieu, de la Vierge et de l'Etat». L'auteur fut immédiatement arrêté; la Chambre criminelle du Châtelet le convainquit de «crime de lèse-majesté divine et humaine» et le condamna, le 31 août 1662, à être exécuté. Claude Le Petit, âgé de vingt-trois ans, après avoir fait amende honorable sur le parvis de Notre-Dame, eut le poing droit coupé place de Grève, le 1er septembre; pour atténuer sa peine, on l'étrangla au poteau avant de le brûler. «S'il eût été appuyé de la moindre recommandation, il auroit pu être sauvé», constate Rou. Un ami allemand de Claude Le Petit, le baron de Schildebek, fit rééditer en 1663 à Leyde *Le Bordel des Muses*, et dit en préface: «Il escrivoit plus par boutade que par malice... Il estoit né si fatalement pour la satyre et pour les femmes qu'il lui estoit aussi impossible de ne point escrire que de ne point chevaucher.»

En janvier 1665, peu après l'exécution de Claude Le Petit, parut chez Barbier la première partie des *Contes et Nouvelles en vers de M. de La Fontaine*, qui le mois précédent en avait déjà publié trois sous ses initiales, afin d'éprouver si l'opinion leur serait favorable. Dans sa préface, La Fontaine reconnaît qu'il s'expose à essuyer deux objections: «L'une, que ce livre est licencieux; l'autre, qu'il n'épargne pas assez le beau sexe.» Il y répond avec désinvolture: «Ce n'est pas une faute de jugement que d'entretenir les gens d'aujourd'hui de contes un peu libres.» Quant aux femmes, il n'en médit pas sérieusement: «Qui ne voit que ceci est un jeu, et par conséquent ne peut porter coup?» La Fontaine défend même les invraisemblances du genre licencieux: «Ce n'est ni le vrai ni le vraisemblable qui font la beauté et la grâce de ces choses-ci; c'est seulement la manière de les conter.»

La Fontaine est donc l'auteur qui entend prouver que, moyennant certaines précautions oratoires, on peut faire admirer le scabreux aux gens de goût les plus difficiles. Son procédé habituel est de nommer les faits sexuels en feignant de ne pas les nommer:

> *Un drôle donc caressait madame Anne;*
> *Ils en étaient sur un point, sur un point...*
> *C'est dire assez de ne le dire point.*
> *Lorsque l'époux revient tout hors d'haleine*
> *Du cabaret, justement, justement...*
> *C'est dire encor ceci bien clairement*[1].

Ce parti pris titille les sens du lecteur d'une manière plus agaçante qu'un récit direct. D'un ton faussement innocent, La Fontaine emploie même des locutions libertines dont il fait malignement ressortir le double sens. Ainsi, quand Renaud d'Ast est hébergé par une belle veuve qui lui accorde «le don d'amoureuse merci»:

> *Au demeurant, je n'ai pas entrepris*
> *De raconter tout ce qu'il obtint d'elle;*

---

1. *Le Cuvier.*

Menu détail: baisers donnés et pris;
La petite oie; enfin ce qu'on appelle
En bon français les préludes d'amour;
Car l'un et l'autre y savaient plus d'un tour...
... Les doux propos recommencent ensuite,
Puis les baisers, et puis la noix confite.
On se coucha [1].

Tout cela semble anodin si l'on ignore — mais le public de l'époque ne l'ignorait pas — qu'en l'argot des ruelles «la petite oie» désignait les caresses de la main d'une femme sur le bas-ventre d'un homme — là où se trouvait l'ajustement de rubans dit «petite oie» —, et la «noix confite» le baiser à la florentine où les langues, en se confondant, gonflent un peu les joues de l'un ou l'autre partenaire.

La Fontaine n'a aucune imagination, n'invente rien; ses sujets sont pris dans Boccace, Rabelais, l'Arioste. Un seul est un fait divers contemporain, révélé par un arrêt du Parlement: *Les Troqueurs*, racontant comment deux villageois près de Rouen, Grégoire et Oudinet, troquent leurs femmes et ensuite, regrettant ce troc, se cocufient l'un l'autre. Dans la préface de la deuxième partie des *Contes*, en 1666, La Fontaine se justifia de piller le bien d'autrui: il le faisait pour prouver qu'il contait mieux que ses devanciers, en employant leurs propres inventions.

La compétition n'est pas toujours à son avantage. Ainsi il tire des *Ragionamenti* de l'Arétin l'histoire de deux nonnes qui ont préparé un repas galant pour leur amant commun et qui, celui-ci ne venant pas, se contentent d'un serviteur du couvent. L'une d'elles, sœur Thérèse, s'assoit sur lui dans un fauteuil que leurs mouvements impétueux brisent; ils tombent à terre et l'autre, sœur Claude, en profite pour chevaucher l'homme démonté:

Thérèse en ce malheur perdit la tramontane.
Claude la débusqua, s'emparant du timon.
    Thérèse, pire qu'un démon,
Tâche à la retirer, et se remettre au trône [2].

Comme la scène est plus truculente dans l'Arétin, racontée par Nanna à son amie Antonia! Un poète de cour affectant la bonhomie ne pouvait que l'affadir, malgré sa prétention d'en polir le style. La Fontaine dit qu'il a voulu peindre un de ces tableaux osés, devant lesquels les collectionneurs placent des rideaux que l'on doit entrouvrir pour les voir. Mais ses rideaux à lui sont transparents:

Nuls traits à découvert n'auront ici de place.
Tout y sera voilé, mais de gaze, et si bien,
    Que je crois qu'on n'en perdra rien.

---

1. *L'Oraison de Saint-Julien.*
2. *Le Rideau.*

Qui pense finement et s'exprime avec grâce
Fait tout passer, car tout passe[1].

A la faveur de ses litotes, La Fontaine se flattait de rendre agréables aux dames des récits érotiques: «Vous ne faites rougir personne, / Et tout le monde vous entend.» Il y réussit tout d'abord: Mme de Sévigné se plut à ses *Contes* et les recommanda à Mme de Grignan. Mais Mlle de Sillery, fille du duc de La Rochefoucauld, écrivit à La Fontaine qu'elle trouvait ses *Contes* trop obscurs, ce dont il se vexa. Ils auraient paru mièvres à la reine Christine, qui riait du *Moyen de parvenir*. Toutes les femmes nobles n'étaient pas aussi hypocrites qu'il le croyait.

Cependant, lorsqu'il publia la quatrième partie de ses *Contes*, leur vente fut interdite en France par ordonnance du lieutenant général de police La Reynie, le 5 avril 1675, prétextant que ce livre «se trouve rempli de termes indiscrets et malhonnêtes, et dont la lecture ne peut avoir d'autre effet que de corrompre les bonnes mœurs et d'inspirer le libertinage». Le plus curieux fut que les œuvres de Boccace, de Rabelais, qu'avait imitées La Fontaine, continuèrent à se vendre librement.

Comment expliquer cette interdiction subite, embarrassant les commentateurs? Les minauderies, les ronds de jambe de La Fontaine pour dire d'une manière mondaine des histoires de sexe paraissaient pires que les indécences franches et naïves des vieux conteurs. Et puis, dans ce nouveau recueil, il contait trop de polissonneries de nonnes, allait jusqu'à révéler que les églises étaient les lieux où se traitaient les affaires galantes:

Placez-vous dans l'église auprès du bénitier;
Présentez sur le doigt aux dames l'eau sacrée;
C'est d'amourette les prier.
Si l'air du suppliant à quelque dame agrée,
Celle-là, sachant son métier,
Vous envoyra faire un message[2].

Badiner de la sorte sur la religion, c'est ce qui avait failli perdre Théophile de Viau. Mais ce poète était moins prudent et rusé que La Fontaine, qui rima par ailleurs un poème hagiographique, *La Captivité de saint Marc*, pour prouver qu'il était bien-pensant. La Fontaine vit simplement ajourner durant sept ans son élection à l'Académie française où à sa réception, le 2 mai 1684, l'abbé de la Chambre lui adressa un discours sermonneur. Les rééditions de 1685 et de 1686 de ses *Contes* à Amsterdam eurent une diffusion clandestine. La cinquième partie, qu'il écrivit malgré sa promesse de renoncer à faire des écrits licencieux, ne fut pas ajoutée au reste de son vivant. D'autres auteurs du grand siècle, qui n'aspiraient pas comme lui à une position académique, furent plus hardis.

Le vendredi 17 avril 1665, Roger de Rabutin, comte de Bussy, âgé

---

1. *Ibid.*
2. *Le Roi Candaule et le maître de droit.*

de quarante-sept ans, fut conduit à la Bastille où il restera emprisonné treize mois pour avoir composé l'*Histoire amoureuse des Gaules*. Ce châtiment, ainsi que le titre suggestif de son livre, lui a donné la fausse réputation d'un chroniqueur scandaleux, dont les révélations croustilleuses sur la sexualité de ses contemporains l'avaient fait punir tyranniquement par Louis XIV. Ce n'est pas le cas. Le roi s'empara simplement de ce prétexte pour mettre quelque temps à l'ombre ce sujet dissipé que détestaient le prince de Condé, Turenne, Louvois, La Rochefoucauld et d'autres hauts personnages de sa cour ; il le sacrifiait à leur ressentiment et il le plaçait à l'abri d'une mauvaise affaire avec l'un d'eux. L'*Histoire amoureuse des Gaules* n'aurait pas amené cette sanction à un auteur moins décrié.

Bussy-Rabutin, d'une illustre famille de France, avait toujours fait preuve d'une insolente désinvolture. Il s'était conduit comme un brigand de grand chemin pour tenter d'enlever Mme de Miramion, en attaquant sur la route de Saint-Cloud, à la tête d'une troupe de cavaliers, le carrosse où elle se tenait avec sa belle-mère et deux suivantes ; elles pensèrent en mourir de peur. En 1660, dans ses terres de Roissy, lui et Vivonne avaient organisé avant Pâques une orgie causant un scandale que le roi avait puni en exilant de la cour les coupables. Bussy-Rabutin commença à ce moment pour se distraire son *Histoire amoureuse des Gaules*, qu'il communiqua à son ancienne maîtresse, Mme de La Baume, qui fit copier le manuscrit à son insu. La copie circula dans Paris et la rumeur amplifia les quelques impertinences qu'elle contenait.

L'*Histoire amoureuses des Gaules* comprend quatre nouvelles à clefs : la première raconte comment Ardélise (Catherine d'Angennes) après avoir épousé Lénix (le comte d'Olonne) prend pour amants Oorondate (le marquis de Beuvron), Candole (le duc de Candale) et d'autres ; la deuxième évoque les intrigues entourant l'union d'Angélie (Mme de Châtillon) et de Ginolic (le duc de Châtillon) ; la troisième est le portrait de Mme de Chéneville (Mme de Sévigné) ; la quatrième décrit les amours de Bussy lui-même avec Bélise (Mme de Montglas). Cette mascarade précieuse où Louis XIV figure sous le nom de Théodose, Mazarin sous celui du Grand Druide, est d'un style médiocre. Bussy-Rabutin croit décrire une femme quand il en dit qu'elle a «le plus beau teint du monde» ou «une bouche agréable et de belle couleur». On ne voit pas ses personnages. Sa phrase la plus osée est celle-ci, à propos de la comtesse d'Olonne : «La dame ne fut pas longtemps sans donner les dernières faveurs au cavalier, et cela durant quatre ou cinq mois, de part et d'autre, sans qu'il y eut aucun tracas.»

Je ne citerais même pas ici l'*Histoire amoureuse des Gaules*, si le succès de sa publication clandestine en 1668 n'avait suscité une imitation bien plus piquante, *La France galante*, que l'on attribua à Bussy-Rabutin. C'est une supercherie. L'auteur véritable est un libelliste exilé en Hollande, Gatien Sandriz du Courtil, fort bien renseigné sur la cour par toutes sortes d'informateurs (ses racontars sont d'ailleurs confirmés par des Mémoires du temps). Si l'on veut connaître la vie sexuelle de

Louis XIV, il faut lire *La France galante*. En une succession de chroniques indiscrètes, aux portraits d'un réalisme presque caricatural, on va le voir «dans son lit d'amour avec aussi peu de timidité que dans celui de justice».

Il s'éprend d'abord de Marie Mancini, «laide, grosse, petite, l'air d'une cabaretière, mais de l'esprit comme un ange; ce qui faisoit qu'en l'entendant on oublioit qu'elle étoit laide». On assiste à son ardent amour charnel pour Mlle de La Vallière, malgré ses défauts physiques: «Elle ne marche pas de bon air, à cause qu'elle boite, elle est blonde et blanche, marquée de petite vérole, les yeux bruns... La bouche grande, les dents pas belles, point de gorge, les bras qui font assez mal juger du reste de son corps.» Telle qu'elle est, Louis XIV l'adore, il est toujours à son chevet à lui donner du bouillon quand elle est enceinte, et pourtant «il a un cœur qui ne sauroit souffrir les ordures d'un accouchement». On croit volontiers notre satiriste lorsqu'il affirme: «La Vallière sera toujours la grande passion du roi, qui lui occupera le cœur et l'esprit; pour les autres, ce ne seront que de petits feux follets.» Mais dans ses révélations sur les relations intimes de Louix XIV avec la vicieuse Mme de Montespan (dont il dit: «Le vice ne lui coûtoit plus rien»), avec Mlle de Fontanges, «le passe-temps royal», il nous montre combien les feux du Roi-Soleil étaient dévorants.

Le chroniqueur nous assure: «Jamais cour ne fut si galante que celle de Louis le Grand. Comme il étoit d'une complexion amoureuse, chacun se fit un plaisir de suivre l'exemple de son prince et fit ce qu'il put pour se mettre bien auprès des dames.» Versailles nous apparaît là comme un nid de vipères lubriques, s'entrelaçant voluptueusement et se mordant. Les déportements de la comtesse d'Olonne, «sans contredit, une des plus belles femmes de France», dont le roi disait «qu'elle faisoit honte à son sexe et que sa sœur prenoit le chemin de ne valoir pas mieux», nous sont contés en détail. On apprend aussi ceux de sa sœur, la maréchale de La Ferté, qui se donnait aussi bien à son valet de chambre qu'au marquis de Beuvron. Au chapitre des *Vieilles Amoureuses*, on verra entre autres comment Mme de Lionne entretenait le jeune comte de Fiesque, son gigolo avant l'invention du mot.

Même la bigoterie de Louis XIV à la fin de son règne, sous l'influence de Mme de Maintenon, qui l'amène à ne jamais permettre à son fils le Dauphin «de galantiser à son tour, ni d'avoir, à son imitation, une maîtresse particulière», a des effets contraires. Le Dauphin marié cède secrètement aux tentations de la cour:

Ayant trouvé une certaine femme de chambre de Madame la Dauphine à son gré, il se leva fort honnêtement d'auprès de sa femme pour aller coucher avec elle, lui ayant fait dire auparavant par un valet de chambre les sentiments qu'il avoit pour elle. La dame étoit trop sensible à l'honneur qu'il

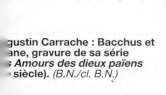

Illustration de la première traduction
française du *Jardin parfumé* du
cheikh Nefzaoui, 1850.
En médaillon : portrait du cheikh
Nefzaoui par un officier
de Bou Saâda. *(B.N./cl. B.N.)*

Trois *asanas* (postures sexuelles) du
recueil de miniatures *Figures
lascives indiennes* (XVIIIᵉ siècle).
(B.N./cl. B.N.)

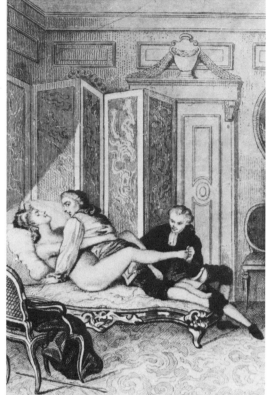

Une illustration de *l'Anti-Justine* **de Restif de la Bretonne.** *(B.N./cl. B.N.)*

Trois illustrations de *l'Histoire de Juliette* **du marquis de Sade, 1797.** *(cl. Khorbina Tapabor.)*

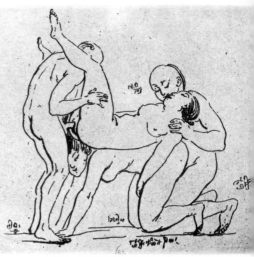

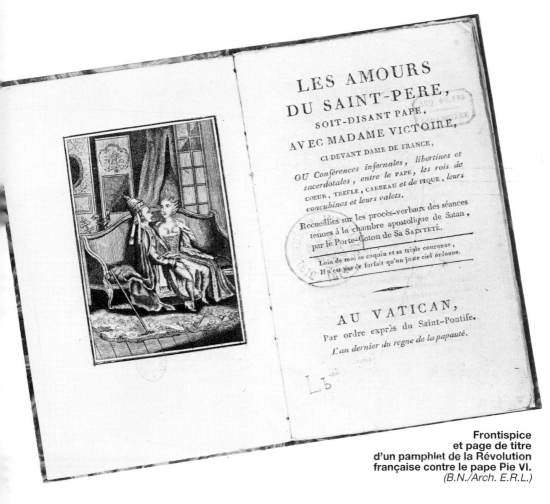

LES AMOURS
DU SAINT-PERE,
SOIT-DISANT PAPE,
AVEC MADAME VICTOIRE,
CI-DEVANT DAME DE FRANCE,

OU Conférences infernales, libertines et
sacerdotales, entre le PAPE, les rois de
COEUR, TREFLE, CARREAU et de PIQUE, leurs
concubines et leurs valets.

Recueillies sur les procès-verbaux des séances
tenues à la chambre apostolique de Satan,
par le Porte-Coton de Sa SAINTETÉ.

Loin de moi ce coquin et sa triple couronne,
Il n'est pas de forfait qu'un juste ciel ordonne.

AU VATICAN,
Par ordre exprès du Saint-Pontife.
L'an dernier du regne de la papauté.

Frontispice
et page de titre
d'un pamphlet de la Révolution
française contre le pape Pie VI.
(B.N./Arch. E.R.L.)

FRONTISPICES DE TROIS LIBELLES RÉVOLUTIONNAIRES :

a Confédération
e la Nature, 1790.
3.N./Arch. E.R.L.)

Les Petits Bougres
au Manège, 1790.
(B.N./Arch. E.R.L.)

Le Cadran
de la Volupté, 1790.
(B.N./Arch. E.R.L.)

Thomas Rowlandso[n]
*La Contemplation et [le]
Concert,* pièces de s[...]
série érotique *Pretty litt[le]
games,* **1843.** (B.N./cl. B.N[.])

lui faisoit pour le refuser; elle tâta du beau prince dans la chambre même de Madame la Dauphine, où elle étoit couchée [1].

Le «beau prince» nous est décrit blond, très gros, l'estomac saillant, avec un grand nez. Le Dauphin (père du futur Louis XV) aura ensuite des rapports sexuels avec une fille d'honneur «plus laide que belle» (le marquis de Créqui servant d'entremetteur) et avec la comtesse du Roure, jolie femme aux yeux bleus à qui il offrira une maison près de la porte Saint-Honoré.

Le morceau le plus surprenant du livre, *La France devenue italienne*, décrit les agissements des homosexuels de la cour de Louis XIV. Tilladet, Manicamp, Grammont et d'autres fondèrent un ordre ayant neuf règles, dont la principale était de bannir les femmes de leur compagnie: «On convint que les chevaliers porteroient une croix entre la chemise et le justaucorps, où il y auroit élevé en bosse un homme qui fouleroit une femme aux pieds.» Leurs réunions dans une maison près de Paris, où ils attirèrent deux jeunes princes, furent dénoncées à Louis XIV: «Le roi, qui haïssoit à mort ces sortes de débauches, voulut beaucoup de mal à tous ceux qui en étoient accusés... Il en relégua quelques-uns dans des villes éloignées de la cour, fit donner le fouet à un de ces princes en sa présence, envoya d'autres à Chantilly.» La méchanceté de ces homosexuels nobles, qui, se croyant tout permis, allèrent torturer par jeu des prostituées dans une maison publique, justifiait une telle sévérité. *La France galante* est ainsi d'une matière encore plus scabreuse que les *Historiettes* de Tallemant des Réaux, qui furent d'ailleurs ignorées du public de ce temps, puisqu'elles ne parurent qu'en 1834.

Corneille Blessebois, l'auteur érotique le plus curieux du siècle de Louis XIV, fut un aventurier se qualifiant de «poète errant». Né à Vernay vers 1648 d'une famille de bourgeois anoblis (son père était conseiller du roi et receveur des tailles, sa mère dirigea la manufacture des points de fil de France), il eut une jeunesse turbulente. Lors de ses études à Alençon («la Sodome normande», selon son expression), il fit circuler dans la ville en 1668 le manuscrit de ses *Aventures dans le parc d'Alençon* où, sous prétexte de résoudre la question: «Aime-t-on par raison ou par caprice?», il révélait les fornications et les adultères de certains habitants. Le 31 juillet 1670, afin de s'opposer aux délégués de Colbert voulant vérifier les comptes du bureau de recettes de Vernay, il incendia la maison de ses parents et, parmi les flammes, en défendit l'approche à coups de fusil jusqu'à ce que les registres fussent tous brûlés. Mis en prison pour ce fait à Alençon, il y resta plus d'un an; mais les complaisances de son geôlier, Le Rocher, l'amitié d'un détenu accusé de malversations, Guillaume Pocquet, et surtout les visites de jolies femmes le comblant de petits soins, lui rendirent ce séjour fort agréable. On voit

1. Bussy-Rabutin, *Histoire amoureuse des Gaules*, suivie de *La France galante*, introduction et notes par Auguste Poitevin, t. II (Paris, Adolphe Delahays, 1858).

par son exemple qu'un prisonnier en province recevait qui il voulait dans sa chambre et y faisait des repas fins apportés de chez un grand traiteur.

L'une des visiteuses, Marthe Le Hayer, son aînée d'une dizaine d'années, se mit en tête de l'épouser. Héritière de son père, le sieur de Sçay, un avocat de la Cour des Aides de Normandie, elle était riche et fantasque. Lorsque Blessebois fut libéré et quitta Alençon, elle le poursuivit; il lui signa une promesse de mariage le 26 décembre 1671, seulement en vue de lui escroquer une somme d'argent. A Paris, il lui présenta l'entremetteuse la Serre comme sa cousine, la confia à elle, et disparut avec le magot. Il s'engagea dans l'armée, sous les ordres de Turenne; mais à son retour d'une campagne, il fut emprisonné au For-l'Évêque à l'instigation de Marthe Le Hayer, qui avait porté plainte contre lui.

Haïssant alors sa maîtresse, Corneille Blessebois entreprit de la ridiculiser dans un roman, *Le Rut ou la pudeur éteinte* (1676), où il la dépeignit sous les traits d'Amarante «qui buvoit le vin comme les petits enfants font le lait» et dont il dit: «C'est une putain à gros calibre, et qui, ayant secoué le joug de la pudeur dès ses plus tendres années, a dépucelé toute la jeunesse d'Alençon.» Corneille Blessebois est un libertin burlesque. *Le Rut* s'apparente au *Roman comique* de Scarron, avec l'appoint d'une obscénité alambiquée.

Ce roman autobiographique commence dans la prison d'Alençon où le héros, Céladon, reçoit la visite de Dorimène, touchée de son sort. A peine ont-ils engagé une intrigue amoureuse ensemble que deux femmes masquées, les sœurs Marcelle et Amarante, viennent à leur tour le provoquer à la galanterie. Puis Dorimène, ayant pris pour confidente son amie, l'entremetteuse Hïante, «une fameuse maquignonne de chair humaine», retourne avec elle à la prison. Aussitôt Céladon, Pocquet et le geôlier Le Rocher s'entendent pour les entraîner dans une partie de débauche:

> L'un baisoit la main blanche et potelée de Dorimène, l'autre pilloit le miel et le sucre de sa bouche coraline, et l'autre lui frisoit le poil du chose, pendant que Hïante étoit désespérée de n'avoir que deux mains à fourrer dans la brayette de trois hommes. Céladon, Poquoit *(sic)* et Le Rocher, ces deux premiers par habitude et celui-ci par enchantement, songeoient à faire des pirouettes sur le nombril de leurs belles...

Ils auraient été trois hommes pour deux femmes sans l'arrivée de Marille, sœur de Dorimène, «une jeune fille de quinze ans à qui la coquille démangeoit excessivement». Sa présence donne le signal de l'escarmouche amoureuse:

> Alors Dorimène s'alla pendre au cou de Céladon de crainte que Marielle ne la préyînt, et le poussant sur son lit mit le monde à l'envers, c'est-à-dire qu'elle monta sur lui où le mélange de leurs langues servit de prélude et fut quasi tout le chatoüillement de leurs acolades. Poquoit qui n'étoit pas sot jetta Marille sur le sien et chercha pendant quelque quart d'heure son

pucelage sans le trouver, combien qu'elle jurât par sa foi que c'étoit là son premier coup et que rien ne lui avoit encore souflé au cu que le vent.
Le Rocher se disposoit à fringuer avec Hïante, il lui leva le cotillon et empoigna hardiment son histoire; mais il fut assez embarrassé lorsqu'ayant voulu prendre un divertissement plus entier, il ne trouva point de place pour étendre sa maîtresse. Il n'y avoit que deux lits dans la chambre, et Céladon et Poquoit les occupaient. Ainsi après avoir quelque moment promené sa proie comme un loup mène une chèvre par la barbe, ils se plantèrent sur les carreaux et culetèrent à la façon des povres gens. Mais Le Rocher étoit si prodigieusement gros, qu'il avoit toutes les peines du monde à mettre le grand Turc dans Constantinople...

Cette scène érotique est bouffonne à souhait, comme en convient l'auteur: «Je crois qu'il faisoit beau voir Le Rocher piquer en vieux Gaulois cette haquenée, qui s'usoit le croupion contre le pavé.» Libéré, Céladon part à cheval sur la route de Sées; il est rejoint par un cavalier qui n'est autre qu'Amarante déguisée en homme. Ils font halte dans une auberge et y participent à une orgie avec l'aubergiste Louis et sa femme. Les épisodes suivants décrivent l'acharnement d'Amarante persécutant Céladon parce qu'il refuse de l'épouser. Elle le fait arrêter à Saint-Germain-l'Auxerrois par la police qui l'emprisonne au For-l'Évêque, où son compagnon de cellule est un homosexuel, le baron de Samoi: «Il avoit un défaut qui n'étoit pas supportable; c'est qu'il ne pouvoit voir un jeune homme d'un peu de mine, sans en être amoureux.» Pour se soustraire à ses assiduités, Céladon pousse dans ses bras Amarante venue le relancer en prison. Celle-ci, croyant que le baron va inciter Céladon à l'épouser enfin, le laisse pratiquer sur elle son action favorite:

Ah, Monsieur, s'écria la folle, en lui mettant la langue dans la bouche, si vous faites ce que vous dîtes, je n'ai rien à vous refuser, et la grace que vous me prométés est si grande que je consens de tout mon cœur à vous en remercier, avant même que de l'avoir receüe. Le Baron de Samoi ne perdit point de temps, il la jeta sur son lit et la chevaucha romainement. Elle voulut faire un peu de difficulté à recevoir cette nouvelle mode, mais quand elle eût vu que l'engin du Sodomiste étoit si petit, elle se mit à chanter, courage, courage, courage.

L'auteur met ici la chanson en trois couplets qu'Amarante chante quand Samoi la sodomise. Céladon, rentrant du couloir dans la cellule, «trouva encore nos bêtes enqueutées». Il félicite Amarante de payer de sa personne pour lui, mais elle se plaint que ce soit déjà fini: «Prenez donc la place de Monsieur, lui dit-elle, car je pense qu'il a fait toute son œuvre.» Céladon se récuse, mais survient à ce moment le frère de Samoi, un scélérat couvert de dettes et de forfaits, M. de La Graverie, qui dit qu'il est prêt à relayer le baron peu enclin à satisfaire une femme:

En disant cela, il tira un grand diable de serpent cramoisi de sa brayette, qu'Amarante, qui en avoit vu de toutes les espèces, ne put s'empêcher d'en témoigner de l'étonnement. Ah! qu'il est beau! qu'il est mignon! le beau fils!

s'écria-t-elle. Hé bien, Mademoiselle, ne pleurés point, reprit la Graverie, vous l'aurés, je ne vous l'ai pas montré pour ne le vous point donner.

Finalement, Amarante épouse La Graverie et ils gèrent ensemble une maison qui devient «une fameuse école à l'instruction de la jeunesse». Des demoiselles d'Alençon «y dansent fort légèrement tous les branles de Cyprine, et l'on en est quitte pour un chancre vérolé, une chaude-pisse cordée et quelquefois pour une vérole gangrenée». Ainsi se termine *Le Rut ou la pudeur éteinte*, ce roman extraordinaire entrecoupé de poésies — dialogue en vers entre Lubin et Toinon, «rêve amoureux», rondeau redoublé, églogue, satire, épigramme, etc. —, qui pourrait être odieux puisque c'est une vengeance contre une femme, mais dont la constante originalité force notre admiration.

Se réfugiant en Hollande, Corneille Blessebois servit comme mercenaire dans les équipages de la Flotte, sur un des quinze vaisseaux de guerre commandés par l'amiral Tromp. A Leyde, où il publia plusieurs livres en 1675, il dédia son roman, *Le Lion d'Angélie*, «histoire amoureuse et tragique», à Daniel Elzevier, capitaine du vaisseau *Le Chêne*, avec qui il avait engagé deux batailles en mer contre les Suédois. Il écrivit aussi là *Marthe Le Hayer ou mademoiselle de Sçay* (comédie obscène en trois actes) et *Filon réduit à mettre cinq contre un*, «amusement pour la jeunesse», dialogue en vers au titre évocateur («mettre cinq contre un», dans l'argot de l'époque, signifiait se masturber avec cinq doigts).

> *Filon dont la couille est plus chaude*
> *Que l'endroit où Nature accoucha du soleil,*
> *Filon, s'imaginant qu'une femme ribaude,*
> *A l'aspect de son vit vermeil,*
> *En seroit aussitôt éprise*
> *Et léveroit sa brenneuse chemise,*

Ce Filon obsédé par le sexe s'adresse d'abord à la jeune Mirène, pour la prier d'accéder à ses désirs: mais comme il est «cent fois plus que Job indigent», et ne peut lui offrir même une pistole, elle le repousse dédaigneusement. Il aborde tour à tour Lisette, Caton et d'autres qui toutes, en apprenant qu'il est miséreux, le rebutent. Il s'exclame:

> *O les désobligeantes filles,*
> *Ce n'est donc plus l'amour des quilles,*
> *Qui leur ouvre aujourd'hui le cu?*
> *En vain mon vit et mes deux billes*
> *Veulent un jeu qui leur est dû,*
> *Puisque je n'ai pas un écu*
> *Tous mes discours sont des vétilles.*

Après une dernière rebuffade, Filon se résout à contrecœur au plaisir des solitaires: «branler le housas». Dans la comédie *Marthe Le Hayer*, le problème de l'amour vénal est exposé encore plus cyniquement. Clarice (qui représente Marthe Le Hayer, comme l'explique Blessebois en préface) et sa servante Génevote désirent pour amants le bretteur Clérimont et son valet Lubin, mais ils exigent qu'elles les paient. Quand le soudard fait des avances à Clarice, la suivante l'interrompt:

Génevote
Vous m'aviez pourtant bien dit que sans argent...

Clérimont
Je ne saurois bander; c'est la vérité pure;
L'aspect divin de l'or me rend la flûte dure,
L'enfle, l'étend, la peint de la couleur du feu,
La rend fort vigoureuse et la dispose au jeu...
Hors de foutre à crédit, soyez belle Clarice,
De nuit comme de jour, sûre de mon service.

Il lui jure que, si elle lui donne une dizaine de louis d'or, il la chevauchera «pendant une semaine, à douze coups par jour». Clarice se livre par dépit au saphisme avec Génevote, et finalement congédie Clérimont ainsi que son valet:

Clarice
Je prétends chevaucher sans vouloir qu'il m'en coûte!
Messieurs les grands fouteurs, que le diable vous foute
Nous chercherons ailleurs à nous faire valoir;
Nos attraits ont encore quelque peu de pouvoir,
Vos vits pour être beaux ne sont pas sans exemple,
Et plus d'un damoiseau nous guigne et nous contemple.

Revenant en France, Corneille Blessebois y connut maintes tribulations. Cet homme irascible fut plusieurs fois incarcéré pour ses violences; il alla jusqu'à battre la femme et la fille d'un perruquier, ce qui le fit écrouer au Châtelet en 1678. Il s'engagea ensuite dans la marine royale, et ayant déserté — peut-être pour échapper au ressentiment d'un supérieur qu'il aurait insulté [1] — il fut condamné le 14 août 1681 aux galères à perpétuité par le Conseil de Guerre tenu à Rochefort. En 1686, reconnu inapte à ramer, il fut débarqué avec d'autres galériens à la Guadeloupe, et placé au Grand-Pérou, sur la côte orientale de la Basse-Terre.

Son maître Charles Dupont, marquis du Grand-Pérou, était recherché en mariage par la propriétaire du domaine voisin de Cocagne, Félicité de Lespinay. Elle voulut user de sortilèges pour l'envoûter. Blessebois promit à l'amoureuse frustrée de lui donner le secret de se rendre invisible pendant la nuit. Il raconta dans son roman, *Le Zombi du Grand Pérou*, comment la comtesse de Cocagne, une créole débauchée qui marchait pieds nus («C'est une truie parée de l'or de sa beauté... Elle

---

1. Frédéric Lachèvre, *Le Casanova du xviiᵉ siècle, Pierre-Corneille Blessebois, normand* (Paris, Honoré Champion, 1927).

est toujours prête à sacrifier son honneur à ses mollesses»), tenta de se faire passer pour un zombi auprès de son amant le marquis du Grand-Pérou.

La justice en 1690 se saisit de cette affaire de magie sexuelle; Blessebois s'enfuit, fut condamné par contumace à faire amende honorable, mais réussit à regagner la France. On lui a attribué un opéra de 1694, *Priape*, dont on a retrouvé le texte et la musique. *Le Zombi du Grand-Pérou* parut en 1696; ce fut la dernière publication connue de Corneille Blessebois, cet écrivain à la fois galant et brutal, qui mit ses expériences vécues en fictions.

Mais le premier chef-d'œuvre de l'érotisme littéraire en France est le livre en latin de Nicolas Chorier, avocat de Grenoble, *Aloisae Sigeae Totelanae Satyra sotadica de arcanis Amoris et Veneris* (*Satyre sotadique de Luisa Sigea de Tolède sur les secrets de l'Amour et de Vénus*). Il fit croire que c'était la traduction latine, due au philologue hollandais Johannes Meursius, d'un ouvrage écrit en espagnol par Luisa Sigea, poétesse de Tolède morte en 1570, qui avait été une fille d'honneur de Dona Maria de Portugal. La supercherie de Chorier était un divertissement d'humaniste, destiné à un public d'érudits; son ami Jean-Baptiste du Mey, futur avocat général du Parlement de Grenoble, en finança la première édition clandestine, vers 1660. Une épître liminaire *Summo viro* («A un haut personnage») montrait Luisa Sigea désincarnée, discutant dans les Champs Elysées avec Pétrone, Boccace et d'autres, pour leur dire qu'elle avait écrit ses dialogues en un mois, sans cesser de mener une vie chaste. Il y avait là six dialogues, se passant tous en Italie; cette indication de lieu contredisant l'attribution à Luisa Sigea, Chorier ajouta un septième dialogue situé en Espagne dans la réédition de 1678, ainsi que deux poésies latines dont l'une, un prétendu éloge de Luisa Sigea par Heinsius, était encore un apocryphe.

Ce fut cette seconde édition qui fit incriminer Nicolas Chorier d'être l'auteur du livre par l'Intendant de Justice du Dauphiné, sur dénonciation de l'archevêque Etienne Le Camus; mais le savant mystificateur parvint à se tirer d'affaire. Il n'eut aucune part à la traduction française de son livre en 1680, *Aloysa ou Entretiens académiques des dames*, médiocre raccourci de l'original. Marié et père de trois enfants, ami de hauts magistrats, auteur de nombreux travaux d'érudition dont une *Histoire générale du Dauphiné*, Nicolas Chorier mourut en 1692, âgé de quatre-vingt-deux ans, laissant des Mémoires où il reconnaît avoir écrit une «satyre sotadique».

Ses *Dialogues de Luisa Sigea*, à la différence des précédents manuels dialogués de ce genre, sont une initiation sexuelle orale accompagnée de travaux pratiques. Dans le premier dialogue, *Velitatio* (*L'Escarmouche*), Ottavia, quinze ans, qui va bientôt épouser Caviceo, s'entretient avec sa cousine Tullia, femme mariée experte au déduit, des plaisirs charnels qu'elle peut espérer du mariage. Le deuxième dialogue, *Tribadicon*, se passe dans le lit de Tullia, qui donne à Ottavia une leçon de saphisme: «Lève plus haut les jambes, croise tes cuisses par dessus les miennes. Je te fais connaître une Vénus nouvelle, à toi qui es toute neuve.» Et Ottavia se laisse faire volontiers: «Ah! Ah! ma chère Tullia, ma maîtresse, ma reine! Comme tu me heurtes! Comme tu t'agites! Je voudrais que ces flambeaux fussent éteints; cela me fait honte, que la lumière soit témoin de ma soumission [1]!»

Le troisième dialogue est un cours détaillé d'anatomie où Tullia, s'exprimant en médecin et en philologue, décrit les fonctions des organes génitaux masculins et féminins, et énumère leurs divers noms latins et grecs. Le quatrième dialogue, *Classicum duellum* (*Le Duel*) est le récit que Tullia fait à Ottavia de sa propre nuit de noces avec Callias, laquelle fut singulièrement mouvementée.

Les deux dialogues suivants sont les plus forts en érotisme et les plus justiciables d'immoralité. Dans *Libidines* (*Voluptés*), Ottavia, mariée depuis peu, apprend à sa cousine qu'elle a déjà épuisé son mari Caviceo, que ses parents ont envoyé se reposer un mois hors de la ville. «Qu'entends-je? Si vite, tu es devenue de cette force?» s'écrie Tullia.

Elle lui conseille de prendre un amant pour suppléer son mari défaillant et lui révèle des adultères insoupçonnables. Même la mère d'Ottavia, Sempronia, «que tout le monde accable d'éloges comme la plus pudique et la plus honnête des femmes», a pour amant le valet Giocondo. Quant à Tullia, que l'on croit fidèle à son mari Callias, son amant est Lampridio: «L'un me commande, c'est moi qui commande à l'autre; je suis l'esclave du premier, le second est le mien; l'un possède mon corps, c'est moi qui possède le corps de l'autre. L'or ne diffère pas plus du plomb que la maîtresse ne diffère de l'épouse.» Lampridio a un ami, Rangoni, avec qui il laisse aussi Tullia avoir des rapports amoureux; celle-ci propose à Ottavia de profiter de ces deux jeunes gens pendant l'absence de Caviceo. «Je partagerai avec toi les baisers, les passions, les reins de mon Hercule. Je te placerai moi-même dans ses bras; de mes mains je le ferai monter sur ton cheval.»

Veneres (*Jeux de Vénus*, qu'Alcide Bonneau traduit: *Façons et Figures*) est un dialogue à quatre voix, entre Tullia, Ottavia, Lampridio et Rangoni, réunis dans la chambre de la première dont le mari est en voyage. Tullia veut être l'ordonnatrice des plaisirs de son élève, sans rien réclamer pour elle-même. Elle pousse Lampridio vers Ottavia en disant: «J'aurai aussi mon petit rôle dans cette pièce: de ma main je dirigerai le viril javelot dans la cible féminine. Très bien: le voilà englouti tout entier! Comme les parties de l'un sont bien faites pour celles de l'autre! Maintenant, n'épargne pas tes flancs, Lampridio.» Ensuite Tullia offre sa cousine à Rangoni, en payant de sa personne:

Tu vois, Ottavia, comme je me mets à genoux, les fesses en l'air et abaissant le reste du corps? Place-toi à la renverse sur mes reins, de sorte que ton dos

---

1. Nicolas Chorier, *Dialogues de Luisa Sigea*. Texte latin revu sur les premières éditions et traduction littérale, la seule complète, par Alcide Bonneau, quatre vol. (Paris, Isidore Liseux, 1882).

joigne étroitement mon dos, tes fesses mes fesses. Ecarte bien les cuisses et, en appuyant du bout des pieds sur le lit, tâche que je sois moins accablée du poids de ton corps.

Rangoni s'exclame: «Oh! la lubrique posture!» Tout ce dialogue commente ainsi les actions successives d'Ottavia et de ses deux partenaires, avec l'aide de Tullia qui, pour exciter leur appétit languissant, les oblige sans cesse à changer de position:

Il me vient une idée. Je vais me tenir debout, Ottavia restera couchée sur le dos, et je lèverai le plus haut que je pourrai sa jambe droite, jusqu'à lui faire toucher le ciel de lit. Etends l'autre cuisse, Ottavia, le plus raide que tu pourras. De cette façon l'entrée du pertuis sera plus étroite et ainsi plus agréable au cavalier.

Entre les pauses, Lampridio raconte comment il a défloré la vierge Laura en présence de la vieille nourrice de celle-ci, à la main officieuse; Tullia décrit une séance d'amour dans une villa de Rome, où elle s'est donnée tour à tour à un Français, un Allemand et deux Florentins. Rangoni remarque au cours de ce dialogue: «Cette ville ne renferme pas de plus spirituelles et de plus polissonnes jeunes femmes que vous ne l'êtes toutes deux.» En conclusion, Tullia dit à Ottavia: «Livre-toi au plaisir, mais sous les dehors de la vertu, et tu n'en passeras pas moins pour une honnête femme... Le monde entier joue la comédie.» Maudissant les puritains qui censurent les ébats charnels, elle fait par contraste l'éloge du préfet (allusion manifeste au protecteur de Chorier, l'Intendant du Lyonnais François du Gué): «C'est un homme affable, courtois, ami des voluptés jusqu'à se moquer du qu'en-dira-t-on... Par Vénus! l'homme n'est digne de vivre que s'il sait vivre. Se priver de Vénus, de Bacchus, des amusements, ce n'est pas vivre: c'est même en être loin.»

Le septième dialogue, ajouté en 1678, est un tissu d'historiettes sur les beautés de la femme, les différentes sortes de baisers, les manies sexuelles des hommes, etc. A la fin, Ottavia remercie Tullia de lui avoir appris à raisonner sur les plaisirs: «Mes parents m'ont donné l'existence; mais l'esprit je l'ai reçu de toi. Une femme sans esprit n'est que de la boue.»

A ceux qui croiraient encore que les livres érotiques sont écrits par des gens vulgaires et pour «gagner de l'argent» (comme si un auteur pouvait s'enrichir avec un roman tiré à trois cents exemplaires), Nicolas Chorier entre autres prouve le contraire. Il était tellement savant que dans sa «satyre sotadique» il a infusé une vie nouvelle au latin. P.E. Pierrugues, en son *Glossarium eroticum linguae latinae* (1826), a catalogué une centaine de termes appartenant exclusivement aux *Dialogues de Luisa Sigea* et égalant en originalité ceux de Martial. C'est Chorier qui appelle un amant un *inscensor* (*un grimpeur*), le sperme *aqua venerea, ambrosius res*, le sexe de la femme *gurgustiolum*, le membre viril *balista, aratrum*, etc. C'est pourquoi tous les érudits, y compris le bon Charles Nodier, ont tant admiré les *Dialogues de Luisa Sigea*.

Toujours sous Louis XIV, *Vénus dans le cloître ou la religieuse en chemise* de l'abbé du Prat (pseudonyme de dom Chavigny de La Bretonnière, un bénédictin de Saint-Maur emprisonné à la Bastille le 5 février 1685 «pour libelles», parmi lesquels probablement ce roman, que l'on réédita en 1719 à Cologne), fut une suite d'entretiens entre sœur Agnès, seize ans, et sœur Angélique à l'intérieur d'un couvent; l'aînée ayant surpris la jeune fille en train de pratiquer ce que la maîtresse des novices appelle «l'intromission extatique» — ou masturbation — lui dit que c'est «l'amusement des jeunes et le passe-temps des vieilles», mais qu'il y a bien d'autres plaisirs. Elle les lui enseigne en entrecoupant ses leçons de «baisers à la florentine». Un sixième entretien aura pour interlocutrices sœur Séraphique et sœur Virginia. La morale de ces dialogues érotiques, préludant aux romans anticléricaux libertins du siècle suivant, est: «*Cherchons la volupté* tant qu'elle est légitime, mais évitons ce qui ne peut être inspiré que par la débauche.»

En 1697, lorsque parut le *Dictionnaire historique et critique* de Pierre Bayle, Jurieu en dénonça à l'Eglise wallonne les obscénités. Bayle répondit par un discours où il distinguait neuf catégories d'obscénités, la plus répréhensible étant celle de l'écrivain qui dit que l'impureté est «le plus sûr moyen de bien jouir de la vie» et «prétend qu'il faut se moquer du qu'en-dira-t-on et traiter de contes de vieilles les maximes des gens vertueux». Il mettait ainsi Ovide, l'Arétin et Nicolas Chorier «dans la première classe des auteurs obscènes». Mais lui, il n'avait fait qu'exprimer crûment comment des personnages réels s'étaient comportés: «Toute l'action qu'on pourrait se permettre contre moi seroit une action d'impolitesse de style.» Bayle convenait que la civilité ordinaire exigeait de bien parler: «Une obscénité, dite en face à d'honnêtes femmes en bonne compagnie, les embarrasse beaucoup. Elles ne peuvent se garantir de ce coup choquant... Rien de tout cela n'a lieu par rapport à un ouvrage. Il ne tient qu'à vous de lire ou de ne pas lire ce qui n'est pas assez chaste à votre gré.»

Tout en reconnaissant la nécessité du beau langage et des bonnes mœurs, Bayle remarquait: «On a eu beau déclamer contre les écrits obscènes, on n'a jamais obtenu que désormais ils serviroient à discerner les honnêtes gens d'avec les malhonnêtes gens. Il s'est toujours conservé dans la République des Lettres un droit ou une liberté de publier des écrits de cette nature [1].» Bayle eut gain de cause, mais la répression de la littérature érotique se maintint, parce qu'après avoir été d'abord une mesure antihérétique, elle devenait une prescription de l'urbanité. C'était une des premières exigences du féminisme, protestant contre l'emploi des mots grossiers, ce qui explique qu'au siècle suivant où les femmes sont reines elle continue à être réprimée.

---

1. *Sur les Obscénités*, remarques par Pierre Bayle publiées pour la première fois séparément (Bruxelles, Gay et Doucé, 1879).

5

L'AGE D'OR DU LIBERTINAGE

Au xviiie siècle, la France fut pour toute l'Europe le modèle de l'art d'aimer et plus précisément de l'art de jouir. Elle exerça le monopole incontesté de la littérature galante. Le roman érotique français prétendit être une étude de mœurs, révélant les dessous de la société, décrivant ce qui se passait dans les alcôves du grand monde et dans les bouges. Il se fit volontiers pamphlet, et entendit démontrer que certains milieux consacrés officiellement aux bonnes mœurs — les couvents, les pensionnats, les ministères, etc. — étaient en réalité des centres de débauche.

La première de ces œuvres licencieuses n'est pas *Le Petit Fils d'Hercule*, portant la date de 1701, car cette date est fausse; le texte fait allusion à deux livres parus en 1775, ce qui le situe au début du règne de Louis XVI. Le siècle des libertins ne s'ouvrit pas sur ce récit des exploits sexuels d'un jeune homme qui, sachant «bander comme un Carme et foutre comme un âne», va de comtesse en duchesse lui payant à prix d'or ce mérite, mais sur les fantaisies de divers poètes. Ainsi Jacques Vergier (assassiné à minuit par la bande à Cartouche, en 1720, rue du Bout-du-Monde à Paris, âgé de soixante-trois ans) laissa de nombreux contes en vers à la manière de La Fontaine: *Saint Guignolé* (saint identifié à Priape, dont les épouses stériles allaient toucher l'effigie au sexe pour avoir un enfant), *La Morte ou le mot obscène* (elle ressuscite en entendant un valet dire «foutre»), *Le Mal d'aventure*, *Les Adieux d'un pucelage à une nouvelle mariée*, etc. Ces contes sont souvent spirituels, malgré des longueurs dues aux épîtres qui les commencent et aux péroraisons qui les terminent [1].

L'auteur érotique le plus apprécié en France dès la Régence fut Jean-Baptiste Villart de Grécourt, né en 1684, chanoine de Saint-Martin-de-Tours qui, après avoir prêché quelques sermons, préféra s'adonner à des badinages. Il accompagna souvent le maréchal d'Estrées en Bretagne, mais refusa la protection de Law, contrôleur général des finances, en lui adressant sa fable *Le Solitaire et la Fortune*. Grécourt vécut au

---

1. Jacques Vergier, *Contes et poésies érotiques* (Paris, Goujon fils, 1801).

La douzième figure de l'Œuvre priapique
de Vivant-Denon (fin du XVIIIe siècle).
(B.N./Cl. B.N.)

château de Véret en Touraine, appartenant au duc d'Aiguillon, passant son temps à écrire des vers égrillards qu'il lisait lui-même en société. Le duc d'Aiguillon fit imprimer à Véret en 1735 avec son aide une importante anthologie de poésies érotiques, *Recueil de pièces diverses rassemblées par les soins d'un Cosmopolite* (avec la fausse référence: Ancone, chez Uriel Bourriquand, A l'Enseigne de la Liberté).

Grécourt y publia quelques-unes de ses productions. Il s'exprimait fort crûment, dans ses facéties comme *Le Cul de la Camargo*, *L'Origine du petit bout des tétons*, *Métamorphose d'un Jésuite en canon de seringue*. Il était capable aussi d'être gracieux, dans ses contes en octosyllabes ou en vers réguliers, *Le Voluptueux*, *Le Pirate*, *L'habit ne fait pas le moine*, *La Lune et la Jarretière*, etc. Certains de ses écrits libres étaient des «jouissances», c'est-à-dire des poèmes décrivant la manière dont il jouissait de ses maîtresses. Sa «jouissance» *T'y voilà donc!* montre comment il réussit, auprès d'une belle qui se défendait, à en venir de caresse en caresse à la prise décisive de son sexe. *Triomphe de l'amour sur la raison et le devoir* est une «jouissance» où il s'ébat dans un lit avec Climène en l'absence de son mari. Son poème *Sur des faveurs accordées à contre-temps* reproche à une femme de s'être offerte à lui pendant sa période critique; il se dit peu fait pour «le passage de la mer rouge».

Le poème de Grécourt le plus célèbre parmi les libertins fut *L'Y ou la fourche*, histoire d'un homme qui avait un pénis monstrueux:

> *Double il était cet instrument malin,*
> *Fourchu de plus, fait de telle manière,*
> *Qu'une branche passant dans la route ordinaire,*
> *L'autre à l'instant prenait l'autre chemin,*
> *Et sourdement enfilait le voisin*[1].

Cet homme épouse une veuve dévote qui se refuse à «cette double intromission» avant d'avoir consulté son confesseur. Celui-ci, embarrassé, en réfère à ses supérieurs, et le membre bifide fait l'objet d'une burlesque controverse. Les œuvres complètes de Grécourt parurent longtemps après sa mort à Tours en 1743 et les plus indécentes furent réunies en un volume à part.

Les contes de fées érotiques

Au début de la Régence parut le premier conte de fées érotique, *Le Canapé couleur de feu* par M. de B***; on l'attribue parfois à Fougeret de Montbron, encore enfant à cette date, parce qu'on prend la réédition de 1741 pour l'édition originale. Un gentilhomme des environs de Liège, le chevalier Commode, rencontre en pleine forêt la fée Printanière, «dame de compagnie de la fée Crapaudine qui règne depuis six cents ans dans

---

1. Grécourt, *Œuvres badines* (Bruxelles, Jules Gay, 1882).

les Ardennes». Elle le transforme en chien pour l'emmener à la cour de Crapaudine et il se glisse aussitôt sous la jupe de sa maîtresse: «Je m'élançai le long de ses jambes, je lui baisais les genoux et mes petites pattes et ma langue allaient fourrageant où elles pouvaient atteindre.» Il redevient homme devant la grosse Crapaudine, qui l'oblige à faire l'amour avec elle; mais il n'y arrive pas et elle se fâche. «Pour expier l'injure que tu m'as faite, dit-elle, on prendra désormais sur toi les plaisirs que tu n'as pu me procurer... Tu ne recouvreras ta première forme que lorsque entre tes bras on aura commis une faute égale à la tienne.» Elle lui crache au visage, ce qui le métamorphose en canapé; quatre génies l'emportent à Paris pour le mettre en vente au pont Saint-Michel.

Le canapé humain est adjugé par enchère à la Fillon, entremetteuse célèbre, qui le place «dans un cabinet préparé pour les joyeux ébats». Le premier à étrenner ce meuble est un abbé avec une prostituée: «J'avoue que de mes jours je ne fus secoué si vigoureusement et à tant de reprises.» Des mousquetaires, des moines se succèdent sur lui par la suite. Puis il est vendu à une dévote qui se met dessus pour se faire donner des lavements: «J'avais la mortification de humer ce qu'elle ne pouvait retenir.» Il doit aussi supporter le poids de son confesseur, M. Ventru, qui s'y couche après ses repas: «Ce n'était point assez que je fusse sans cesse infecté par les deux plus vilains derrières de France, j'étais encore le souffre-douleur des bêtes de la maison.» Acheté par un procureur, Mᵉ Carignan, qui se marie et ne parvient pas à jouir de sa femme sur lui, le canapé retrouve son apparence de jeune homme. Il part à la recherche de la fée Printanière, que Crapaudine lui accorde en mariage à condition qu'il répare l'outrage de l'avoir ratée précédemment. Cette fois la fée Printanière ayant pris la précaution de lui faire avaler un aphrodisiaque, le chevalier Commode réussit à accomplir l'acte sexuel avec Crapaudine.

Cette sorte de féerie érotique plut beaucoup et maints auteurs l'exploitèrent. On y mêla l'orientalisme à la mode, remplaçant parfois les fées par des génies, mettant l'intrigue en des royaumes d'Afrique ou d'Asie. Crébillon fils obtint ses premiers succès avec des contes de fées érotiques remplis d'allusions à la France contemporaine, *Tanzaï et Néadarné* (1734), «histoire japonaise» où la fée Moustache est un portrait ironique de Marivaux; *Le Sopha* (1741), qui reprend en l'amplifiant le thème du *Canapé couleur de feu*; et *Les Amours de Zéokinisul, roi des Kofirans* (1746), allégorie des amours de Louis XV.

Mais le maître du genre fut l'abbé de Voisenon (c'est-à-dire Claude Henri Fusée, né en 1708 au château de Voisenon près de Melun). Il entra dans les ordres parce qu'il était cadet de famille, sans avoir la vocation ecclésiastique; il refusa d'ailleurs en 1741 d'être évêque de Boulogne-sur-Mer, sous prétexte que, ne sachant pas se gouverner lui-même, il n'arriverait pas à gouverner un diocèse. On lui alloua l'abbaye royale du Jard, où il n'eut aucune obligation de résidence. Malingre et asthmatique, mais si vif que le marquis de Polignac l'appelait sa «petite poignée de puces», l'abbé de Voisenon eut pour maîtresse Mme Favart, de la

Comédie-Italienne, et amusa la galerie par des contes licencieux dont il disait : « Tout est voilé ; mais la gaze est si légère que les plus faibles vues ne perdront rien au tableau. » Il adressa des « vers polissons » à Mme de Pompadour, qui les montra à Louis XV : « Ces agréables ordures ont plu infiniment à la Cour », écrivit Bachaumont dans ses *Mémoires secrets*.

Le Sultan Misapouf (1746) est son conte de fées érotique le plus accompli, comme Voisenon le dit en dédicace à une amie : « Ce conte que je vous envoie est si libre et si plein de choses qui toutes ont rapport avec les idées les moins honnêtes qu'il sera difficile de rien dire de nouveau dans le genre. » Le sultan Misapouf raconte à sa femme Grisemine quelle a été sa vie avant de la rencontrer. Son éducation fut confiée à la fée Ténébreuse qui, pour lui apprendre à vivre, le transforma d'abord en baignoire. On y versa de l'eau chaude : « Je ne tardai pas de me voir chargé d'un poids énorme. Mes yeux, dont la fée, par malice, m'avait conservé l'usage, me firent connaître que ce fardeau était un gros derrière, noir et huileux, appartenant à la fée. » Au bout de huit jours, cessant d'être baignoire, Misapouf deviendra successivement lièvre, lévrier, renard, en des situations scabreuses.

A son tour la sultane Grisemine avoue à son époux qu'elle a subi des mésaventures semblables. Elle a été métamorphosée en pot de chambre par la fée Porcelaine, qui la donna à la fée Ténébreuse, laquelle s'en servit tous les soirs. Le sultan s'écrie : « N'est-il pas vrai que c'est une chose épouvantable que l'anneau de cette vilaine-là ? » On devine ce qu'il entend par *l'anneau*. Grisemine surenchérit : « Ah ! épouvantable, seigneur ! » Une fois heureusement le pot tomba et se brisa, laissant Grisemine reprendre sa forme naturelle.

Dans *Zulmis et Zelmaïde* (1747), récit vendu clandestinement, Zelmaïde, fille de la reine Couleur de Rose, doit être mariée au génie Epais, mais elle préfère offrir son pucelage à Zulmis. Celui-ci, séparé d'elle, couche avec la fée Je ne sais Comment qui le transforme en chien ; il revient sous cet aspect à Zelmaïde et passe bientôt ses nuits dans les lits de ses dames d'honneur, tour à tour. Voisenon a aussi écrit un roman de mœurs, relégué à l'Enfer de la Bibliothèque nationale (à cause du frontispice, sans doute, car le texte n'est ni plus ni moins licencieux que ses contes de fées), *Les Exercices de Dévotion de M. Henri Roch*. On y voit un tartufe pratiquer avec la pieuse duchesse de Condor « l'oraison de saint Christophe » et d'autres prières à deux procurant de célestes extases.

Le conte de fées érotique eut tant de vogue que le premier roman de Diderot en fut un, *Les Bijoux indiscrets*, qu'il publia anonymement en janvier 1748. Mangogul, le sultan du Congo, s'ennuie dans sa capitale Banza, malgré l'amour que lui porte sa favorite Mirzoza. Il va voir le génie Cucufa à qui il confie qu'il voudrait pour se distraire connaître les aventures galantes des dames de sa Cour. Celui-ci lui donne une bague d'argent : « Toutes les femmes sur lesquelles vous en tournerez le chaton raconteront leurs intrigues à voix haute, claire et intelligible... par leurs bijoux. » Mangogul éclate de rire : « Des bijoux parlants ! Cela est d'une extravagance inouïe.» Il promet à Mirzoza de ne jamais essayer la bague sur elle et tourne d'abord le chaton vers une fille du palais, Alcine. On entend aussitôt son sexe «murmurer sous sa jupe» qu'elle lui fait prendre des bains astringents d'eau de myrte depuis quinze jours, pour faire croire à son futur époux qu'elle est vierge.

Mangogul à un souper expérimente ensuite sa bague sur la femme de Husseim, dont le bijou révèle qu'il se partage entre Valanto, son jeune page, et le bramine Egon. Les essais de Mangogul se poursuivent méthodiquement — il y en aura trente — avec des résultats curieux, bien que les femmes mettent bientôt des «muselières» à leurs bouches secrètes, afin de les empêcher de parler. Quand sa bague ensorcelle Haria endormie, vieille coquette vivant avec quatre chiens, le «bijou suranné» de celle-ci passe aux aveux: «Retire-toi, Médor, dit-il d'une voix enrouée, tu me fatigues... Ote-toi donc, petit fripon, tu m'empêches de reposer. Cela est bon quelquefois, mais trop est trop.»

La *Correspondance* de Grimm, désignant Diderot comme l'auteur des *Bijoux indiscrets*, ajoute qu'ils sont «obscurs, mal écrits, dans un mauvais ton grossier, et d'un homme qui connaît mal le monde qu'il a voulu peindre». En effet, il y a des longueurs fastidieuses dans ce roman, qui aurait été meilleur plus concis, sans les séances à l'Académie des sciences de Banza sur «le caquet des bijoux» et l'exposé sur «la métaphysique de Mirzoza». Les allusions à la Cour de Louis XV ne sont pas si bien amenées chez Diderot que chez Crébillon fils. *Les Bijoux indiscrets* furent longtemps tenus pour un ouvrage extrêmement obscène, mis à l'index sous la Restauration par décret de police d'août 1825, et condamné à la destruction sous Louis-Philippe, le 2 février 1835.

Les satires anticléricales

Pour soutenir l'action anticléricale engagée par Voltaire, bien des auteurs dénoncèrent la luxure des moines. Le plus original fut Jean-Charles Gervaise de Latouche qui, avant d'être avocat au Parlement de Paris, publia en 1741 *Histoire de Dom B...*, *portier des Chartreux*, roman aussitôt saisi par la police. Constamment réédité au long du siècle, ce livre eut un tel succès que Mme de Pompadour en possédait un exemplaire de l'édition de 1748, et que le marquis de Paulmy fit orner le sien de vingt-huit miniatures peintes sur vélin. «Production plus polissonne que libertine», dira le marquis de Sade du *Portier des Chartreux*, et comme Gervaise de Latouche sur son lit de mort en 1782 demanda à son confesseur l'absolution de ce péché de jeunesse, il ajoutera: «Quelle sottise! L'homme capable de se repentir en ce moment de ce qu'il osa dire ou écrire pendant sa vie n'est qu'un lâche, dont la postérité doit flétrir la mémoire.»

Le narrateur du *Portier des Chartreux*, Saturnin, avoue: «Je suis le fruit de l'incontinence des Révérends Pères Célestins de la ville de R***.

Je dis des Réverends Pères, parce que tous se vantoient d'avoir fourni à la composition de mon individu.» Il a été placé chez un couple de paysans, Ambroise et Toinette, qui lui tiennent lieu de parents, et il grandit à la campagne: «J'avois les dispositions monacales. Guidé par le seul instinct, je ne voyais pas une fille que je ne l'embrassásse, que je ne lui portasse la main partout où elle vouloit bien la laisser aller.» Toinette, en l'absence de son mari, reçoit les visites du père Polycarpe, procureur du couvent, et le garçon, dont la chambre est voisine, les voit par un trou de la cloison opérer l'œuvre de chair. Il invite un jour la petite Suzon à ce spectacle, et il en profite pour tenter de la dévirginiser; mais son lit de sangle casse, et ils en tombent avec un fracas qui attire le moine et Toinette. Celle-ci entraîne Saturnin dans sa chambre sous prétexte de le corriger, mais comme elle est nue, la correction tourne vite en étreinte: «C'est ainsi que pour mon premier coup d'essai, je fis cocu mon père putatif, mais qu'importe?» Le moine, de son côté, essaie de le remplacer auprès de Suzon, qu'il effraie.

Une fois déniaisé, Saturnin intéresse Mme Dinville, femme d'un conseiller de la région; un après-midi, se promenant avec lui dans un labyrinthe de verdure, elle se couche sur le gazon d'une charmille et feint de dormir. Il peut en faire tout ce qu'il veut sans qu'elle semble se réveiller: «Je lui écartai les jambes en regardant ce charmant endroit avec complaisance: ces approches du plaisir sont plus piquantes que le plaisir même; est-il possible d'imaginer quelque chose de plus délicieux que de manier, que de considérer une femme qui se prête à toutes les postures que votre lubricité peut inventer?» Il la possède faussement endormie, mais les fois suivantes, elle fera son instruction libertine. Il la suit si vaillamment qu'il en vient à se fatiguer: «Elle courut aussitôt à une cassette d'où elle tira une petite fiole remplie d'une liqueur blanchâtre, qu'elle versa dans le creux de sa main, et m'en frotta les couilles et le vit à plusieurs reprises.» Après «de petits picotements», il sent «une chaleur prodigieuse» qui le met en état de satisfaire la dame.

Saturnin est placé au presbytère du curé, ce qui lui permet de coucher successivement avec sa gouvernante Françoise et sa nièce Nicole. Puis il entre au couvent des Célestins, reçoit l'habit de l'Ordre et commence son noviciat. Il s'ennuie ferme jusqu'au moment où le père André, à minuit, le fait entrer dans les orgues de l'église. Il y trouve trois moines, trois novices et une jeune femme, Marianne, autour d'une table bien garnie. Le chef de cette bande, le père Casimir, lui dit: «Foutre, manger, rire et boire, voilà notre occupation, vous sentez-vous des dispositions à faire comme nous?» Il acquiesce avec enthousiasme: «Les orgues avaient été choisies préférablement à tout autre endroit, pour le lieu de la scène de ces orgies, parce que, me dit le père Casimir, on ne nous soupçonnera jamais de passer la nuit dans l'église.» Marianne devient bientôt enceinte, et on fait l'éloge de «la bougrerie» à Saturnin privé de femme; il se résout à être bougre.

Mais après avoir reçu la prêtrise, il est invité à dîner par le prieur, qui le juge digne d'apprendre le secret du couvent: «On a un certain nombre de femmes avec qui l'on trouve un soulagement contre la concupiscence.» Elles vivent cachées dans un espace de terrain clos entre la bibliothèque et une ancienne chapelle: «Notre piscine, c'est ainsi que nous nommons l'appartement de nos sœurs. On n'en confie la clef à personne: il n'y en a que deux, qui restent continuellement, l'une entre les mains du père Dépensier, l'autre entre les miennes.» Saturnin aura donc chaque semaine le droit de se rendre à la piscine, «une salle galamment meublée autour de laquelle paroissoient quelques lits commodes pour les combats de Vénus». On y festoie et on y folâtre avec les six nonnes des plus lascives qui y habitent.

Il y accomplit de telles prouesses qu'il finit un jour par se montrer impuissant. Elles se mettent toutes après lui pour l'exciter par des inventions lubriques («l'épisode de la piscine» fut le plus célèbre du livre), mais en vain. Le père Siméon lui dit alors: «Il ne s'agit que de réveiller votre appétit malade par quelque mets succulent, et je n'en connois pas de meilleur qu'une dévote.» Il en repère une au confessionnal, Monique, et recouvre avec elle sa vigueur. Mais cette liaison indispose contre lui les moines, et il est obligé de s'enfuir du couvent sous un déguisement civil.

Saturnin arrive à Paris, y retrouve son amie d'enfance Suzon qui s'adonne à la prostitution: «Lisez et vous allez voir les suites effroyables du libertinage.» En effet, Suzon lui communique la vérole: on l'emmène à Bicêtre, où il demeure entre la vie et la mort jusqu'à ce que les médecins décident de le châtrer. «Je ne pouvois penser sans horreur à ce que j'étois. Le voilà donc, disois-je au fond de mon cœur, le voilà cet infortuné Père Saturnin, cet homme si chéri des femmes, il n'est plus: un coup cruel vient de lui enlever la meilleure partie de lui-même.» Finalement il se réfugie chez les Chartreux, qui en font leur portier: «J'allai me jeter aux pieds du Supérieur: je lui contai mes infortunes. O mon fils, dit-il en m'embrassant avec bonté, louez Dieu, il vous réservoit ce port après tant de naufrages: vivez-y et vivez-y heureux, s'il est possible.»

Tel est le sujet du *Portier des Chartreux*, ce roman dont tout le monde parlait tout bas dans les boudoirs sous le règne de Louis XV. Son anticléricalisme n'est pas bien méchant, c'est celui des fabliaux. La morale ressort même singulièrement fortifiée de sa fin édifiante. Il paraît que Gervaise de Latouche, sur les conseils d'un ami, retrancha maints détails dans son livre: peut-être moins des obscénités que des hardiesses philosophiques [1].

D'autres romans érotiques exploitèrent le même filon, en s'inspirant de scandales précis. Le marquis d'Argens dans *Thérèse philosophe* (1748) partit de l'affaire du jésuite Girard, directeur du séminaire des aumôniers de la marine à Toulon, qui séduisit en 1729 deux jeunes Carmélites, l'une de dix-sept ans, Catherine Cadière, l'autre de quinze

---

1. La seule édition exacte du *Portier des Chartreux* est celle qui fut établie en 1908. Dans cette version originale complète, collationnée sur le manuscrit 412 B de la Bibliothèque de L'Arsenal, on trouve les passages philosophiques supprimés dans les éditions de colportage.

ans, la Laugier. Thérèse, fille d'un bourgeois de Vencerop (Provence), est mise au couvent de Volnot (Toulon). Elle se lie avec Eradice (Cadière) et assiste en cachette aux leçons de piété que lui donne le père Dirrag (Girard). «Oubliez-vous et laissez-vous faire», lui dit-il en glissant entre ses cuisses «le cordon de Saint-François, qui, par son intromission, doit chasser tout ce qui reste d'impur dans le corps de sa pénitente». Dans la seconde partie, Thérèse s'installe à Paris où sa voisine, la Bois-Laurier, l'entraîne dans la vie galante et lui raconte son histoire avec trois Capucins, pour lui donner «une idée de l'exactitude de ces bons pères à observer leur vœu de chasteté». Le marquis de Sade, connaissant bien Jean-Baptiste d'Argens, a révélé qu'il avait fait une première version plus impie de *Thérèse philosophe*, illustrée par le comte de Caylus.

Le chevalier de La Morlière, dans *Les Lauriers ecclésiastiques ou les campagnes de l'abbé de T.* (1748), se moqua des abbés frivoles de son temps, qu'il nommait «ces singes tonsurés, ces bateleurs privilégiés, également propres aux farces ecclésiastiques et aux scènes des cercles mondains». Le narrateur, sitôt ordonné prêtre, a des amours avec la marquise de B. et la présidente de S., et se plaît en libertin à jouir de la soubrette Clairette déguisée en abbé: «Déboutonnant précipitamment sa soutane, je portai mes mains sur son sein, dont la blancheur éblouissante était encore infiniment relevée par le contraste de l'habillement.»

Meusnier de Querlon, dans *Sainte Nitouche ou histoire galante de la tourière des Carmélites* (1770), voulut donner un pendant féminin au *Portier des Chartreux*. Agnès est la fille d'une Ursuline, sœur Radegonde, qui avait trois amants, Duvilly, le père Arlot et le jardinier du cloître. Engrossée par Michel, jeune commissionnaire, Agnès avorte clandestinement et se retrouve grosse des œuvres du chirurgien qui l'a soignée. Mise chez une lingère à Paris, elle a de nombreux amants, parmi lesquels Duvilly, un de ses trois pères supposés. Cela donne lieu à une scène de semi-inceste: «Il faisoit chaud, nous nous mîmes tout nuds. Que mon cher père étoit aimable, s'il est possible que ce fut mon père; il baisa mille fois toutes les parties de mon corps, et mille fois ma bouche parcourut le sien...» Atteinte de la syphilis, Agnès doit subir un traitement à Bicêtre et à la Salpêtrière. Elle entre ensuite chez les sœurs grises, où elle devient «tribade outrée», les quitte après avoir couché avec leur confesseur, se fait entremetteuse, et connaît maintes vicissitudes qui l'amènent à se réfugier dans un couvent de Carmélites.

Il y eut aussi des satires anticléricales en vers, comme *La Capucinière ou le bijou enlevé à la course* (1780), qui fit emprisonner à la Bastille Pierre-François Tissot. Dans ce poème en cinq chants, tendant à prouver que «du vice impur un cloître est le repaire», quatre Capucins d'un monastère près du Pô n'arrivent pas à dépuceler Eglé, au désespoir de celle-ci. Saint François, qu'ils implorent, vient diriger lui-même leur nouvelle tentative, qui cette fois réussit. En ce genre de satire, il y a toujours plus de fantaisie irrévérencieuse que de critique réelle des abus.

Les tableaux des mœurs populaires et mondaines

L'infatigable chroniqueur des mœurs sexuelles du peuple ne fut pas un bourgeois, mais un grand seigneur aimant s'encanailler, le comte Claude Philippe de Caylus, né à Paris en 1692, élevé par sa mère, la belle marquise de Caylus, maîtresse du maréchal de Villeroy. Militaire intrépide, qui se distingua à dix-sept ans à la bataille de Malplaquet, dessinateur et graveur, archéologue, collectionneur, Caylus avait le goût de la plaisanterie et fonda la Société du Bout du Banc où l'on disait des facéties. Jusqu'à sa mort en 1765 il ne cessa d'en écrire, se permettant toutes les licences, allant des contes de fées à des écrits obscènes clandestins. Le catalogue de l'Enfer met sous son nom des textes anonymes qui lui étaient déjà attribués de son vivant: *Le Bordel ou le Jean-Foutre puni* (1736), comédie en trois actes en prose; *Nocrion* (lire ce mot à l'envers), «conte allobroge» de 1747 qui inspira *Les Bijoux indiscrets* à Diderot; *Le Voluptueux hors de combat,* poème décrivant le défi sexuel soutenu entre Luygdame et Chloris; *La Chauve-souris de sentiment* (1763), comédie en un acte où Valère s'efforce d'avoir une chaude-pisse (une chauve-souris, dans l'argot des libertins), afin de la communiquer à sa maîtresse infidèle (qui lui prouve heureusement qu'elle est innocente).

La singularité de Caylus n'est cependant pas dans ces productions. Habillé en homme de peu, avec un habit de gros drap, des bas de coton, il se rendait dans les guinguettes et autres endroits populaires, notant les propos des gens simples qui ne se doutaient pas qu'il était un noble. Il rapporta leurs histoires en des contes restituant leur accent et leur langage. Dans *Histoire de M. Guillaume, cocher,* le cocher d'un carrosse de louage relate «quatre aventures d'amourettes», comme celle de Mam'zelle Godiche, la coiffeuse, ou celle du chevalier de Brillantin. Guillaume les narre populairement, disant: «J'avais un peu viné, je tapais de l'œil» (pour «j'avais bu, je dormais») ou, afin de déclarer qu'il ne redoutait pas d'être cocu: «Je n'ai pas peur de loger à l'enseigne de *j'en tenons.*» Dans *Les Aventures des Bals de bois* (1745), des gens du peuple rédigent tour à tour des lettres sur leurs rencontres galantes aux bals publics de la porte Saint-Antoine ou de la place Vendôme, en employant toutes sortes de barbarismes et d'idiotismes.

Caylus eut peu d'imitateurs, car le goût français visait plutôt au brio du style. Des auteurs comiques utilisèrent le vocabulaire poissard des dames de la Halle; mais les conteurs réalistes voulaient s'exprimer avec élégance. Godard d'Aucour, dans son roman *Thémidore ou mon histoire et celle de ma maîtresse* (1745), a laissé un témoignage sur la vie des filles entretenues; il était lié avec la plus célèbre d'entre elles, la Duthé. Il se garda bien toutefois de leur prêter un parler vulgaire, des mauvaises manières; il a créé un chef-d'œuvre d'érotisme précieux. *Thémidore* fit emprisonner à la Bastille son éditeur, le libraire Mérigot, parce qu'on n'osa pas toucher à Godard d'Aucour, qui était fermier général. On ne reprochait pas au roman d'être érotique, mais d'évoquer un scandale impliquant le président Dubois.

Le romancier des gens du monde, ce fut d'abord Crébillon fils, qui influença même Laclos. Connaissant parfaitement les femmes du bon ton, de Paris comme de la Cour, il les montra exigeantes et fières jusque dans leurs caprices. Avec lui, les dialogues libertins, n'ayant plus un tour pédagogique, devinrent des dialogues en action, véritables scènes de théâtre romanesque. Les *Tableaux des mœurs du temps dans les différents âges de la vie* (1750), que Crébillon fils rédigea clandestinement pour le fermier général La Popelinière, enchaînent des situations habilement suggérées par les propos des personnages. Ce livre fut tiré *à un seul exemplaire*, illustré de vingt miniatures. Cet exemplaire unique, offert à Louis XV après la mort de La Popelinière, sera racheté par le prince Galitzine après celle de Louis XV, et servira à établir l'édition courante. L'attribution à Crébillon fils est indiscutable : il n'y a pas deux styles comme le sien en ce siècle.

Les *Tableaux des mœurs du temps*, ce sont dix-sept dialogues durant lesquels on assiste d'abord aux familiarités de Thérèse et de son amie Auguste au couvent ; puis au mariage de Thérèse avec un comte, à sa nuit de noces (à travers le récit qu'elle en fait à sa mère) ; aux entretiens du comte et de sa maîtresse, la danseuse Chonchette ; au libertinage d'Auguste devenue Mme de Rastard, que l'entremetteuse Mme Dodo engage dans une intrigue ; puis aux tentations de Thérèse, la comtesse, qui finit par prendre pour amant Moncade.

Le parler des personnages est saisi sur le vif. Crébillon fils indique les tournures familières, les mots d'argot d'une fille d'Opéra, les préciosités d'une comtesse. Chonchette explique à une visiteuse pourquoi les nobles recherchent les danseuses :

> En fait de paillardise, nous l'entendons au suprême, et les dames du monde ne sont que des bêtes auprès de nous... C'est que ces grandes dames font ça par poids et mesures, et que nous autres, c'est cul par-dessus tête. Et v'la le go !

Le dialogue XVI, où la comtesse se donne à Moncade dans son boudoir, est une merveille d'érotisme éperdu, avec des mignardises, des mouvements passionnés de sensualité. La fougue de Moncade est irrésistible : «Oui, je veux baiser ton petit nombril ; je veux conduire ma langue comme un pinceau sur toutes ces petites veines bleues que je vois là. Je voudrais porter ma bouche sur tout ton corps, qui est enchanté.» La comtesse passe d'une manière exquise de la pudeur à l'impudeur :

> LA COMTESSE : Je t'abandonne tout, mon amant ! Tout est à toi !... que veux-tu ?

MONCADE: Passer la main sous tes petites fesses pour les soulever un peu... Bon... Bon... Voilà, ma camarade, empoigne, empoigne et place-le-moi!

LA COMTESSE: Est-ce qu'il n'a pas l'esprit de se placer lui-même?

MONCADE: Non, c'est un hurluberlu qui ne sait ce qu'il fait.

LA COMTESSE: Donne-moi donc ce drôle-là... Couche-toi sur moi... Attends... Attends... Ah! comme il me chatouille! là!... c'est là!... Chien! tu me pinces les fesses... c'est là, te dis-je... Pousse... encore... encore... ah!... ah!... il entre... Tu me fais mal!... Non, non... Baise-moi... l'y voilà... Jerni!... Je le sens jusqu'à l'âme... Oh! qu'il est bien... mon ami!... mon ami... je le fais!... je le fais!...

MONCADE: J'achève... j'achève... je n'en puis plus.

LA COMTESSE: Je meurs de plaisir!...

Les paroles dessinent fidèlement les actes qui se suivent sans interruption. Enfin, le dernier dialogue entre la comtesse et Mme de Rastard est une piquante leçon de morale libertine; on a là l'histoire complète d'une jeune femme du règne de Louis XV.

Les romanciers de l'érotisme mondain ne furent pas tous aussi qualifiés que Crébillon fils pour décrire «les mœurs du temps». Vivant-Denon, gentilhomme de la Chambre, dans *Point de lendemain* (1774), sut donner l'air d'une aventure vécue à son histoire de la passade d'une nuit qu'eut avec le narrateur une dame de la Cour. Mais Jean-Baptiste Louvet, fils d'un papetier, qui s'anoblit lui-même en ajoutant «de Couvray» à son nom, n'avait pas pénétré dans les milieux où évolue son héros des *Amours du chevalier de Faublas* (1786). Le chevalier, se déguisant en demoiselle de qualité pour séduire la marquise de B. à la barbe de son mari, ne nous renseigne pas sur la haute société que Louvet ne connaissait qu'à travers ses lectures, du temps qu'il était commis du libraire Préault. Il faut distinguer, en tous ces romans, ceux reposant sur des observations exactes, des autres ne valant que par leur fantaisie.

La censure sous l'Ancien Régime

On se demande sans doute comment se fabriquaient et se diffusaient les livres licencieux dont le siècle des Lumières fit une si grande consommation. La Communauté des libraires-imprimeurs fondée en 1618, sous la protection de l'Université qui lui accordait de hautes prérogatives, était rigoureusement réglementée. Un livre ne pouvait être imprimé que s'il était muni d'un privilège du roi (à l'auteur ou au libraire-éditeur) ou d'un permis d'imprimer. Le syndic et ses adjoints avaient un droit de visite tous les trois mois chez les libraires et les imprimeurs pour vérifier s'ils ne contrevenaient pas à cette loi dans leurs publications. Un directeur de la Librairie, assisté d'un inspecteur de la Librairie et du lieutenant général de police, faisait respecter un tel ordre de choses.

Dès l'ordonnance de janvier 1629, renouvelée par l'arrêté du Conseil d'Etat de mars 1682, l'approbation d'un censeur royal fut nécessaire à la délivrance d'un permis d'imprimer. La censure était divisée en plusieurs classes: théologie, médecine, belles-lettres, etc. Les censeurs royaux, nommés par le chancelier ou le garde des Sceaux sur proposition du directeur de la Librairie, devaient tous résider obligatoirement à Paris. Ils n'étaient plus rétribués; tout au plus pouvaient-ils espérer au bout de vingt ans une pension modique (environ quatre cents livres). Il y avait beaucoup de demandeurs pour cet emploi honorifique; le nombre des censeurs royaux passa en France de quarante et un au début du xviiie siècle à cent soixante-dix-huit à la veille de la Révolution. Chaque censeur désigné pour un manuscrit l'examinait soigneusement, en le parafant page par page, et s'il était certain en tant que spécialiste qu'il ne contenait pas d'erreurs (en mathématiques, en religion, en géographie, etc.), il apposait dessus sa formule d'approbation.

Comme le titre de censeur suggère un pédant tatillon et puritain, il faut prendre garde que Crébillon fils, emprisonné à Vincennes pour *L'Ecumoire* en 1732, exilé trois mois de Paris en 1742 pour *Le Sopha*, auteur anonyme du beau livre érotique analysé plus haut, a été censeur royal de 1759 à sa mort en 1777. Sébastien Mercier, qui eut affaire à lui, a vanté sa gentillesse envers les hommes de lettres, qu'il ne cessait de soutenir généreusement. Un auteur avait la possibilité de choisir son censeur, et même d'en réclamer un autre si le premier refusait de l'approuver.

L'approbation du censeur, le permis d'imprimer n'empêchaient pas un livre d'être condamné par la Sorbonne, le clergé ou le Parlement, s'ils y trouvaient à redire. Quand on saisissait un lot de livres prohibés, on les envoyait à la Bastille pour qu'ils soient mis au pilon, en présence du lieutenant général de police; mais on sauvegardait vingt exemplaires de chaque ouvrage pour les conserver en dépôt dans les Archives de la forteresse. D'où vient que tant d'écrits obscènes ou séditieux ont pu être réédités plus tard.

Les pamphlets politiques, les systèmes déistes ou athéistes, les romans érotiques, n'étant pas de nature à recevoir de permis d'imprimer, constituèrent la masse des livres édités clandestinement. On les fabriqua d'abord dans les pays protestants non soumis à la censure, la Hollande, l'Angleterre, la Suisse. Quand ces pays défendirent cette activité pour des raisons diplomatiques, la fabrication des livres prohibés se fit en France, avec les fausses indications: à Amsterdam, La Haye, ou Londres. Une trentaine d'imprimeries clandestines se créèrent à Avignon, parce que cette cité pontificale bénéficiait de l'immunité civile et religieuse. On y publia des érotiques anticléricaux comme *Le Portier des Chartreux* et *Thérèse philosophe*, avec la complicité de certains ecclésiastiques, ce dont s'indigna un mémoire de police du temps, déplorant «que les plus grands seigneurs d'Avignon autorisent les imprimeurs qui font ce genre de commerce à monter des presses dans leurs maisons, et que là ils peuvent faire imprimer impunément sans craindre l'inquisition et le gouvernement [1]». Plus de cinq cents colporteurs de livres prohibés se fournissaient à Avignon régulièrement. Lyon et Rouen furent les deux autres villes de France où l'on en imprima le plus.

Ils étaient fabriqués par des ouvriers imprimeurs à l'insu de leurs maîtres, ou parfois avec leur assentiment. Puis on se servit de presses portatives qui ne faisaient aucun bruit et que l'on pouvait cacher dans une armoire; on n'y travaillait que la nuit, dans une cave, un grenier ou une écurie. Les livres étaient confiés ensuite à un colporteur, qui les faisait passer en fraude à la douane. A la barrière d'octrois de Paris, tout ballot de livres était intercepté par les commis et transporté à la Chambre syndicale qui l'examinait. Les fraudeurs avaient de multiples ruses, comme de dissimuler les livres prohibés sous d'autres marchandises. Deux cent soixante exemplaires d'un ouvrage furent mis ainsi au fond de plusieurs caisses de figues.

L'expression de «vente sous le manteau» (on disait aussi «sous la redingote») date de cette époque. L'un des premiers à qui on l'appliqua fut le colporteur Goguery, fournisseur en livres prohibés du prince de Condé, qui avait un entrepôt à Montreuil et faisait entrer ses livres un à un dans Paris en les cachant sous son ample redingote. De même les colporteurs sur les promenades publiques, tenant en montre des brochures anodines, entrouvraient leur manteau pour proposer aux passants des livres prohibés qu'ils attachaient dessous.

Il y eut un véritable engouement en France pour les livres érotiques et philosophiques prohibés. Les grands seigneurs, voulant manifester leur vocation de mécènes et se mettre au-dessus des bourgeois du Parlement, protégeaient les colporteurs qui les répandaient. Comme les carrosses de la haute noblesse n'étaient pas visités à la douane, ils servirent à passer des ballots de livres interdits. Et comme il y avait des «lieux privilégiés» — maisons princières, jardin du Palais-Royal, cour des Grandes Ecuries du Roi, etc. — où le syndic des libraires et la police n'intervenaient pas, ducs et comtes les offrirent aux colporteurs pour qu'ils y étalent leur marchandise défendue. La cour de l'hôtel de Soubise (là où sont aujourd'hui les Archives nationales) devint un magasin en plein air de «mauvais livres». La comtesse de Brionne donna une place chez elle au libraire Dufresne pour qu'il y tienne boutique de livres érotiques. D'après Belin, le château de Versailles était «l'endroit de France où il y avait le plus de livres philosophiques et licencieux». On en saisit une quantité impressionnante au cours d'une perquisition en 1749, aussi bien dans les appartements des grands seigneurs que dans les chambres des laquais. A Versailles même, il y avait des imprimeries clandestines dont les colporteurs allaient vendre des livres «sous la redingote» aux courtisans dans le parc.

Les interdictions qui frappaient les livres libertins, loin d'en arrêter le débit, incitaient les amateurs à se les procurer à n'importe quel prix.

---

1. Cité par J.P. Belin dans *Le Commerce des livres prohibés à Paris de 1750 à 1789* (Paris, Belin frères, 1913).

Grimm dit qu'en 1748 on allait jusqu'à payer cinq louis d'or *Thérèse philosophe*. Quand Choiseul interdit *Tant mieux pour elle*, il s'en vendit sous le manteau quatre mille exemplaires en quinze jours; dès qu'il permit de l'exposer publiquement, plus personne ne l'acheta. Le syndic des libraires s'alarma au point d'avertir le lieutenant de police Sartine que «la sévérité portait en vingt-quatre heures le prix d'un in-douze de trente-six sols à deux louis». Diderot, dans sa *Lettre sur le commerce de la librairie*, le confirma: «Plus la proscription était sévère, plus elle haussait le prix du livre, plus elle excitait la curiosité de le lire, plus il était acheté, plus il était lu.» Il révéla que beaucoup d'académiciens et de libraires auraient aimé dire aux magistrats: «Messieurs, de grâce un petit arrêt qui me condamne.» Et que, dans les imprimeries, les ouvriers applaudissaient l'annonce d'une condamnation, en criant joyeusement: «Bon, encore une édition!»

Des sanctions étaient constamment prises pour arrêter cet intense trafic illicite. Comme les auteurs ne signaient pas, ce n'étaient pas eux qui étaient inquiétés, mais les imprimeurs et les colporteurs. Les propagateurs de livres philosophiques étaient punis plus durement que ceux de livres érotiques. En 1768, le colporteur L'Ecuyer vendit *L'Homme aux quarante écus* de Voltaire et *Le Christianisme dévoilé* à un garçon épicier qui les revendit à son maître. Le colporteur et le garçon furent condamnés aux galères, ce qui indigna le public. En général, les peines étaient plus modérées: mise au carcan, bannissement temporaire de la ville où le libraire exerçait son commerce, ou emprisonnement à la Bastille. Ce dernier point est significatif. La Bastille était la prison des nobles, dont on traitait les occupants comme des pensionnaires du roi. Mettre un colporteur à la Bastille, au lieu de l'interner à la Force ou au Châtelet avec des délinquants vulgaires, c'était dire que tout ce qui touchait à la littérature, même un vendeur ambulant, était anobli de ce fait. L'embastillement ne durait pas plus de quelques semaines. Si le colporteur Pasdeloup resta cinq ans à la Bastille, ce fut à la demande de sa sœur, une bigote janséniste pensant assurer ainsi le salut de son âme.

Il ne régnait donc pas sur l'édition française un climat de répression épouvantable, malgré les apparences. Lorsque l'admirable Malesherbes fut directeur de la Librairie de 1750 à 1763, assisté de d'Hémery comme inspecteur et de Sartine comme lieutenant de police, un vent de libéralisme souffla sur les affaires littéraires. Ce fut Malesherbes qui inaugura les «permissions tacites» (cent par an sous son ministère), promesses faites aux éditeurs de ne pas les poursuivre s'ils publiaient un livre sans permis d'imprimer: «On prenait le parti de dire à un libraire qu'il pouvait entreprendre son édition mais secrètement; que la police ferait semblant de l'ignorer et ne le ferait pas savoir [1].» Bien mieux, si le Parlement décidait d'une poursuite contre un livre ainsi mis au jour, il

---

1. *Mémoires sur la librairie et sur la liberté de la presse*, par M. Lamoignon de Malesherbes (Paris, H. Agasse, 1809).

était convenu que Sartine préviendrait discrètement à l'avance l'éditeur, afin qu'il eût le temps de mettre à l'abri son stock.

Une immense tolérance envers les livres défendus, sous les dehors d'une vétilleuse intolérance, voilà donc ce qui caractérise la censure au XVIIIe siècle et explique la prolifération des écrits libertins. On doit remarquer que, malgré ces lectures, cette société fut la plus polie du monde. L'exigence du *bon ton* prévalait dans les salons. Nul n'aurait eu l'idée d'y faire une plaisanterie indécente ou d'y citer *Le Portier des Chartreux*; il en aurait été aussitôt exclu comme un homme de mauvaise compagnie. L'auteur d'un roman contenant des mots orduriers savait fort bien faire sa révérence aux dames en tirant le pied, et leur tourner un madrigal précieux. C'était dans une «petite maison», au cours d'un souper arrosé de champagne entre intimes, que l'on s'offrait le luxe du mauvais ton, pour se délasser un instant du bon ton que l'on observait scrupuleusement par ailleurs.

Les comédies des théâtres clandestins

Il y eut au XVIIIe siècle, exclusivement en France et surtout à Paris, des comédies érotiques représentées dans la plus stricte intimité, soit chez un grand seigneur, soit chez un comédien, soit chez une entremetteuse en son établissement.

La première en date et en originalité fut de Marc-Antoine Legrand, sociétaire de la Comédie-Française, acteur-auteur qui y monta des parodies et des vaudevilles destinés à concurrencer le Théâtre de la Foire, que le public préférait au répertoire des Comédiens-Français. Il eut un grand succès avec *Le Roi de Cocagne* en 1718, où débuta son élève Adrienne Lecouvreur. Petit et contrefait, Legrand interprétait mal certains rôles et répondait par des boutades aux sifflets du parterre. «On sifflait Legrand pour se donner le plaisir d'entendre ses ripostes», écrit Fournel. Il mourut en 1728 et l'on réédita en 1732 *Le Luxurieux*, sa comédie en vers dont les dialogues sont un feu roulant d'équivoques.

Isabelle y reproche d'abord à son frère Valère d'être «toujours plongé dans la luxure»:

Isabelle
On vous voit tous les jours hanter les mauvais lieux.
Les femmes de ce temps épuisent bien les bourses.
Valère
Dans les miennes, ma sœur, j'ay de grandes ressources;
J'en puis sans m'épuiser tirer ce que je veux.

Elle se plaint ensuite de son amant le capitaine Branlard, venu le jour de l'an la saluer sous sa fenêtre avec sa compagnie:

Isabelle
Il présente sa picque, il en fait mille tours,

Me saluant au son des fifres et des tambours;
De cette honnêteté j'étois assez contente;
Mais à peine fût-il à la porte d'Orante,
Qu'il aime depuis peu, qu'avec un grand fracas,
Il fit tout à la fois tirer tous ses soldats.
Ah! J'en suis enragée.

Valère
Hé quoy, cela vous pique?

Isabelle
Comment donc, devant moy venir branler la picque,
Et aller décharger ailleurs?

Tout est sur ce ton. Valère désire coucher avec Agnès, qui exige auparavant de se marier; il organise une fausse cérémonie de mariage, grâce à des compères déguisés en aumônier et en notaire. Ensuite, voulant que le «présent con... trat vaille», il jouit d'Agnès qui lui communique une maladie l'obligeant à invoquer le dieu Mercure à la fin.

Charles Collé, l'un des fondateurs du Caveau, se vit commander en décembre 1736 une pièce licencieuse par le duc de La Vallière, qui voulait l'interpréter avec des amis dans son château de Champs. Cette pièce fut *Alphonse dit l'Impuissant,* sur un thème fort usité en ce genre de spectacle. Alphonse, roi de Portugal, raconte à son Premier ministre, Alcimadure, le fiasco de sa nuit de noces avec la reine Leonor. Leur mariage est stérile depuis six ans à cause de son impuissance. Or s'il n'a pas d'enfant, son beau-frère Alvarez sera désigné roi à sa place. Alphonse demande à son Premier ministre de le sauver: «Dans le lit de la reine entre sans nul effroi, / Fais ce que jusqu'ici n'a pu faire ton roi.» Alphonse ignore qu'Alcimadure est eunuque et ne peut s'acquitter de cette mission. Mais le ministre pousse Alvarez lui-même dans le lit de la reine et le poignarde ensuite quand il a donné un héritier au trône.

Baculard d'Arnaud, à vingt-trois ans, fut mis à la Bastille pour deux mois, le 12 mars 1741, à cause de sa comédie-ballet, *L'Art de foutre ou Paris foutant,* représentée le premier de l'an chez la dame Lacroix, tenancière d'une maison close rue de Clichy. Toutes les filles du lieu y figuraient dans des tableaux vivants, mais l'auteur avait eu l'imprudence de ridiculiser dans sa pièce un commissaire du Châtelet. Baculard d'Arnaud se fera ensuite une réputation vertueuse d'écrivain des familles par ses romans sentimentaux et son théâtre pleurnichard.

Collé osa plus encore lorsqu'il devint «lecteur et secrétaire de Mgr le duc d'Orléans» et fournisseur de son théâtre privé du faubourg Saint-Martin, dont l'étoile était la maîtresse du duc, Mlle Gaussin. Ce fut là qu'on représenta le jeudi 4 avril 1754 *Léandre étalon,* une bouffonnerie si obscène qu'elle est à l'Enfer de la Bibliothèque nationale [1]. Léandre a été vendu à Constantinople par des corsaires pour servir d'étalon dans le sérail du grand Turc et se plaint des fatigues de sa tâche. Collé note

---

1. Cf. *Parades inédites de Collé*: 1. *Le Mariage sans curé*; 2. *La Guinguette*; 3. *Léandre étalon, publiées textuellement d'après les manuscrits de l'auteur* (Pais, 1864). Ce livre est à la cote Enfer 302 de la B.N.

en son *Journal* que ses parades non moins libres, *Isabelle précepteur*, *Tragiflasque*, furent jouées le 30 août suivant devant la duchesse d'Orléans et ses dames d'honneur «qui rirent continuement et sans intermittence». Le *Théâtre de société* de Collé contenait des comédies moins indécentes; mais les diverses éditions de ses *Chansons gaillardes par un âne-onyme* se vendirent sous le manteau, car c'étaient des obscénités à chanter lors des orgies dans les «petites maisons».

Deux acteurs de la Comédie-Française, Mlle Dumesnil et Grandval fils, achetèrent un terrain à la Barrière-Blanche (aujourd'hui la rue Blanche à Paris) où ils eurent leur maison et leur théâtre privé. Grandval fils (dont le père Nicolas Ragot de Grandval avait été aussi un auteur burlesque) y créa quelques comédies libres de sa façon pour des amateurs avertis. La première, *La Nouvelle Messaline* (1750), parodie le style de Corneille avec un vocabulaire obscène. Messaline, fille de Couillanus, roi de Foutange, avoue à sa suivante Conine que son amant Vitus n'est plus comme à leur première rencontre:

> *Sur un lit de gazon il me surprit dormante,*
> *Il leva de sa main ma jupe un peu flottante,*
> *De sa large culotte il arracha son vit...*
> *Et pour tout dire enfin, Conine, il me le mit.*
> *Quel plaisir! Que de coups! Justes dieux! Quelle joie!*
> *Pyrrhus en eut-il plus lorsqu'il vit brûler Troie?*
> *Sans jamais de mes bras vouloir se dégager*
> *Je le vis et bander et foutre et décharger.*
> *Eh bien donc ce Vitus, dont la vigueur extrême*
> *Me foutait, refoutait, sans en paraître blême,*
> *Aujourd'hui par un sort que je ne comprends pas,*
> *Est plus mol que ne fut laine de matelas.*

Messaline convoque Pinez, Matricius et Nombrilis, les fait tirer au sort dans quel ordre ils offriront avec elle «un sacrifice à Priape»; mais ils restent impuissants tous les trois. Elle éclate:

> *O rage! O désespoir! O Vénus ennemie!*
> *Etais-je réservée à cette ignominie?*
> *... N'est-ce donc pas pour toi le plus sanglant affront,*
> *Qu'on m'ait enfin réduite à me branler le con?*

Dans la dernière scène, pendant que Vitus et Conine sont ensemble, deux soldats viennent leur raconter que Messaline est entrée dans la salle des gardes et a ordonné à tous les hommes rassemblés: «Bandez et foutez-moi», ce qu'ils ont fait.

Le répertoire de Grandval fils à son théâtre de la Barrière-Blanche n'usa pas souvent de ces gros mots, mais fut toujours scabreux. Dans *Le Tempérament* (1756), «tragi-parade traduite de l'égyptien», le roi Ratanfort ne peut consommer son mariage avec la reine Belendraps, parce que sa belle-mère Fessaride lui a fait prendre un réfrigératif. Belendraps donne au roi une heure pour réussir l'acte conjugal, sinon elle le trompera avec Impias, grand prêtre de Priape. Dans *Léandre-Nanette*, Léandre se déguise en femme afin de se faire engager comme soubrette par Nanette, épouse de Cassandre; et il doit se défendre des assiduités du mari. Dans *Les Deux Biscuits*, un biscuit soporifique et un biscuit aphrodisiaque causent des troubles divers à la cour de Gàspariboul, roi d'Astracan. Une autre pièce de Grandval fils fut horriblement scatologique, *Sirop au cul ou l'heureuse délivrance*, «tragédie héroï-merdifique» où le roi Sirop au cul se bat contre le roi Saligot.

L'obscénité de ces pièces étaient dans les tirades, naturellement; les actes étaient racontés, non mimés. On imagina de joindre les gestes à la parole vers la fin du règne de Louis XV. Ainsi, *Les Plaisirs du cloître* (1773), comédie en trois actes en vers libres, dont l'auteur est inconnu, fut destinée à une représentation privée; mais les acteurs — non les actrices — se récusèrent au dernier moment. On les comprend. Au début Marton, pensionnaire d'un couvent, se tord de désir sur son lit en lisant *Le Portier des Chartreux* et en vient à se toucher. La Supérieure lui confisque le livre et lui fait donner la discipline sur les fesses par sœur Thérèse, maîtresse des pensionnaires. Sœur Agathe console Marton, lui parle des plaisirs de l'amour et lui annonce la visite secrète de deux hommes. Au troisième acte, Clitandre et un jésuite se livrent à toutes sortes d'ébats avec Marton et sœur Agathe. Ils se déshabillent et Clitandre leur dit:

> *Que chacun m'écoute en silence:*
> *Agathe aura la complaisance*
> *De se coucher sur ce sopha.*
> *Le Père s'en emparera.*
> *Sur le dos de sa Révérence*
> *Aussitôt Marton s'étendra:*
> *J'ouvrirai la danse avec elle.*
> *A chaque coup reçu, ma Belle*
> *Sur le Père retombera.*
> *Par ce secours, mon allumelle*
> *Plus fort chez la nonne entrera.*
>   (Ils s'arrangent.)
> *...Qu'à son rôle chacun s'applique.*
> *Ce ricochet voluptueux*
> *Va nous rendre tous quatre heureux.*

L'auteur dit à regret, dans la préface de sa pièce: «La difficulté de bien distribuer les rôles a empêché jusqu'à présent qu'elle ait été jouée [1].»

Le prince d'Hénin, prenant pour maîtresse en 1770 Sophie Arnould, chanteuse de l'Opéra-Comique défrayant la chronique scandaleuse, voulut égayer les soupers qu'il lui offrait par des comédies érotiques. Il les commanda à Delisle de Sales, écrivain cynique surnommé «le singe

---

1. *Théâtre gaillard*, tome II (Glasgow, 1776). Ce livre rassemblant la plupart des comédies libertines du XVIIIᵉ siècle a eu plusieurs rééditions.

de Diderot» et auteur de *La Philosophie de la Nature*. Delisle de Sales fit ainsi un *Théâtre d'Amour*, «composé de pièces grecques, assyriennes, romaines et françaises», dont le manuscrit formait quatre gros volumes reliés en maroquin rouge. Les dialogues suggestifs s'y accompagnaient de pantomimes sexuelles. Ainsi Junon, délaissée par Jupiter, séduisait Ganymède; la scène où le jeune homme la mettait nue, parcourait son corps de baisers, devait être exécutée en détail.

Delisle de Sales précise dans la note explicative: «Quatre pièces de ce recueil, *Junon et Ganymède*, *La Vierge de Babylone*, *César et les Vestales*, et *Le Jugement de Pâris*, ont été jouées sans qu'on se permît d'y changer un seul mot [1].» Il ajoute que l'une d'elles eut pour interprètes Sophie Arnould et «un chevalier de Malte qui se disait issu du fameux Grammont». Ces spectacles conçus pour réveiller les sens blasés du prince d'Hénin, dit «le nain des princes», se terminèrent en juillet 1779 quand il rompit avec Sophie Arnould qui venait de lui donner «un cadeau de galanterie» (une blennorragie), comme le révéla Mettra dans sa *Correspondance*.

La poésie de la chair: de Giorgio Baffo à Alexis Piron

Le poète de la chair qui se détache d'une façon exceptionnelle dans la première moitié du XVIIIᵉ siècle est un Italien de Venise, Giorgio Baffo, dont l'œuvre comprenant plus de six cents sonnets, madrigaux et canzone invoque sur tous les tons la *mona* et le *cazzo* (autant dire la moniche et le vit), en associant de hautes spéculations philosophiques à ses obsessions sexuelles délirantes.

Ce personnage singulier, patricien vénitien, descendait d'une riche famille de magistrats qui lui légua un magnifique palais construit par le Sansovino; son train de vie y était des plus modestes, et il nous apprend lui-même qu'il se tenait ordinairement «dans un coin de la cuisine». Né en 1694, il fut le tuteur de Casanova et peut-être le sigisbée de sa mère, qui était comédienne; Casanova, en ses *Mémoires*, le traite de «sublime génie, poète dans le plus lubrique de tous les genres, mais grand et unique». A la fin de sa vie, Baffo sera élu membre de la Quarantia, Cour Suprême de Justice de Venise; il ne brigua d'ailleurs pas cet honneur, il y fut porté par ses amis et son élection a été décrite par lui comme un combat de Polichinelle. Il ne voulut pas se marier «de peur de produire des enfants qui peut-être se feraient pendre», et ses amours se bornèrent probablement aux frasques qu'il dépeignit avec tant de verve. Alcide Bonneau nous invite à n'en pas être dupe: «Les obscénités énormes dont

---

1. Le *Théâtre d'Amour* de Delisle de Sales est resté inédit. On en trouvera des extraits, d'après le manuscrit original de la collection Bégis, dans le livre de G. Capon et R. Yve-Plessis, *Paris galant au XVIIIᵉ siècle: les Théâtres libertins* (Paris, Plessis, 1905).

il se vante, les goûts d'empereur romain qu'il affiche, tout cela n'était que jeu d'esprit. Il avoue spirituellement qu'il se les donnait par pur caprice, rien que pour montrer la bonne veine en poésie et pour ne pas faire de tort à sa nation [1].»

Baffo se livre en ses poèmes à des constatations d'un pessimisme total sur l'espèce humaine, en leur donnant toujours un tour luxurieux:

L'auteur voudrait rester dans la moniche jusqu'à la fin du monde.

Neuf mois au plus l'homme reste
En prison dans le ventre de la femme
Avant de s'élancer hors de la moniche
Et de venir respirer en ce monde.

Après mille tourments, il lui faut aller
En une lugubre sépulture
Et pour couronnement à sa misère
Y rester éternellement.

Je voudrais que tout se passât à rebours,
Que lorsqu'on est mort, dans le tombeau
On n'eût à rester que neuf mois,

Et en revanche, par un décret de la Nature,
Qu'on séjournât dans une moniche de femme
Tant que ce monde aurait à durer [2].

Baffo évoque toutes les péripéties de la vie à Venise: les fêtes de l'Ascension, la venue du duc d'York, les débuts de la danseuse Clementina, les incidents des Casinos où les femmes embaument «le bouton de rose et la violette», il renseigne les visiteurs sur les possibilités offertes par les prostituées:

Chez la Marion, la Hollandaise, la Trombettina,
Gardez-vous d'aller: ce n'est pas bonne marchandise;
Non plus chez la Margherita, la Meneghina,
La Zane, la Schizza, l'Allemande, la Cappona...

Sa plaisanterie n'épargne personne, il s'en prend même longuement au pape Clément XIII. Ce dernier ayant ordonné qu'on brise à coups de marteau le sexe des statues, Baffo se répand en sarcasmes:

S'il se flatte de détruire de cette façon
Tous les membres virils, je n'hésite pas à lui dire
Qu'il y en aura sur terre tant qu'il vivra.

On comprend que Baffo ait été inquiété par les Inquisiteurs d'Etat du Conseil des Dix, quand ils eurent connaissance de ses productions qui

---

1. Alcide Bonneau, *Curiosa* (Paris, Isidore Liseux, 1882).
2. *Poésies complètes de Giorgio Baffo,* en dialecte vénitien, littéralement traduites pour la première fois avec le texte en regard (Paris, Isidore Liseux, 1884).

circulaient manuscrites dans la ville. Traduit devant eux, Baffo dut leur promettre de modérer sa faconde. Il leur dira toutefois:

Ecoutez un conseil à sculpter dans la pierre:
Moins d'hypocrisie et meilleur jugement.

Baffo mourut en 1768, à soixante-quatorze ans, après avoir fait de sa vieillesse un thème de lamentations comiques, dans une série de poèmes où il imagine l'enterrement de son *cazzo*, avec les plus belles courtisanes de Venise pour cortège:

Je suis vieux, c'en est fait, prenons patience;
Je ne suis plus bon à faire des coïonneries,
Pour moi désormais sont finis les goûters
Et mon vit m'a demandé de prendre congé.

Il fut toujours apprécié de ses amis, qui vantaient son bon sens, sa politesse et l'élégance de son langage, ce qui justifie le mot de Ginguené: «Il écrivait comme un satyre et parlait comme une vierge.» Lord Pembroke, grand admirateur de Baffo, fit les frais de la première édition de ses poésies complètes, *Raccolta universale delle opere di Giorgio Baffo, Veneto* (Cosmopoli, 1789).

Il faut revenir en France pour trouver des poètes non pas comparables, mais aussi forts que le sénateur vénitien. Ainsi, Pierre Honoré Robbé de Beauveset fut le poète érotique le plus réputé sous le règne de Louis XV et même au-delà. Il débuta en publiant *Le Débauché converti* en 1736, sans nom d'auteur; il avait alors vingt-deux ans. C'était la plainte d'un libertin qui venait d'attraper la vérole avec une fille qu'il croyait pucelle. Cette pièce en alexandrins avait un accent énergique digne des grands satiristes d'autrefois. Ensuite, Robbé de Beauveset se fit une spécialité de réciter ses poésies libertines dans les soupers. Au dixième vers, généralement, les femmes se cachaient le visage derrière leur éventail. En leur présence, il disait des choses pas trop vertes, comme son épître à un peintre ayant représenté une nymphe nue entreprise par un faune en rut.

Mais dans les soupers orgiaques, il lisait ses pièces les plus débridées, *Le Baromètre des Jésuites, L'Origine des caleçons, Le Dénoueur d'aiguillettes*, etc. Robbé de Beauveset est un poète assez déplaisant, car il va même jusqu'à la scatologie, comme dans *Les Deux Besoins contrariés* ou dans son ode, *Le Vrai Bonheur*, totalement grossière. Pourtant, il fut protégé par Mme du Barry et hébergé un temps par la comtesse d'Olonne, qui le mit sur son testament.

Lorsque Robbé de Beauveset lut à Piron son poème sur la vérole, celui-ci lui dit: «Monsieur, vous me paraissez plein de votre sujet.» Alexis Piron, écrivain anticonformiste et enjoué, fut si prompt aux reparties mordantes que Voltaire lui-même n'eut jamais le dernier mot avec lui et le craignit. En 1710, âgé de vingt et un ans, avocat débutant à Dijon, Piron écrivit son *Ode à Priape* que Voisenon, dans ses *Anecdotes littéraires,* jugeait «un chef-d'œuvre pour la force, l'énergie et le débordement». Les libertins en surent les stances par cœur:

> *Le foutre est la base du monde,*
> *Le foutre est la source féconde*
> *Qui rend l'univers éternel.*
> *Et ce grand tout que l'on admire,*
> *Ce bel univers, à vrai dire,*
> *N'est qu'un vaste et noble bordel*[1].

L'*Ode à Priape,* recopiée et divulguée par ses collègues du Barreau de Dijon, vint entre les mains du président Bouhier et du procureur général; ils ne firent qu'en rire et Piron ne fut pas sanctionné. En 1717, quittant la robe d'avocat, Piron alla s'installer à Paris, sans argent et sans crédit. Il composa pour l'Opéra-Comique *Arlequin-Deucalion,* dont le succès fut le point de départ de sa carrière littéraire. Sa comédie, *Le Métromane,* fut regardée par ses contemporains comme «une des meilleures comédies que l'on ait faites depuis Molière».

On répétait partout en France ses bons mots et ses épigrammes. Ses démêlés avec l'Académie française le rendirent plus célèbre que s'il en avait fait partie. Il était la terreur des académiciens dont il disait, en passant devant leur palais du quai Conti: «Ils sont là quarante qui ont de l'esprit comme quatre.» Il n'était pas plus tendre pour la Comédie-Française et répondait quand on en critiquait le désordre: «C'est une vieille catin qui a perdu ses règles.» Aimant boire du bourgogne et folâtrer, Piron écrivit nombre de poèmes érotiques, *Il faut toujours que la femme commande, Etymologie de l'Aze-te-foute, Tirliberly, Le Désagrément de la jouissance, Leçon à ma femme,* etc. Il mourut à quatre-vingt-quatre ans, en 1773, spirituel jusqu'au bout. Devenu aveugle, ayant mal boutonné sa culotte, il se promenait aux Tuileries avec sa nièce qui lui chuchota: «Mon oncle, tout le monde nous regarde... cachez... votre histoire. — Ah! mon enfant, reprit Piron, il y a longtemps que cette *histoire*-là n'est qu'une *fable*[2].»

Les *Œuvres badines* de Piron, maintes fois rééditées, ne cessèrent d'être interdites qu'au début du xxe siècle. Mais son ode violemment érotique, *Confessions de mon oreiller,* qu'il légua à ses descendants en stipulant de ne pas la publier avant un siècle, est encore inédite. On lui attribue aussi une comédie en trois actes, *Vasta reine de Bordélie* (1773), dont les notes d'une édition ultérieure prétendent qu'elle fut jouée en privé par Mlle Raucourt (dans le rôle de Vasta) et Le Kain (dans celui du prince Fout-six-coups). Cette pièce outrancière, parodiant *Le Cid* avec des personnages nommés Vit-en-l'air, Tétasse, Couille-au-cul, etc., a plus de verve que de grossièreté. Qui n'a pas lu Piron ignore ce que fut l'esprit

---

1. Alexis Piron, *Œuvres badines,* tome X des *Œuvres complètes* (Paris, F. Guillot, 1928-1931).
2. Cousin d'Avalon, *Pironiana* (Paris, 1802).

français au xviiie siècle, jouisseur, moqueur sans méchanceté, mettant de la grâce dans l'obscénité la plus forte.

A l'imitation de son *Ode à Priape*, Sénac de Meilhan, intendant d'Aunis et de Saintonge, rival de Necker au poste de ministre, fit un poème épique en six chants, *La Foutromanie* (1775), où se proposant de «poétiser en jargon ordurier» il s'efforça de démontrer que «le vrai bonheur est dans la jouissance». Il y évoqua les foutromanes à imiter, selon lui, les dieux de l'Olympe «toujours pendus aux cons de leurs déesses», les filles de l'Opéra, «bordel royal, distingué, chromatique», les moines et les nonnes, les duchesses, Catherine II de Russie, «l'aimable souveraine» qui «fout à gogo» et comble d'honneurs ses favoris «pourvu qu'ils soient bandants». Son dernier chant fait l'éloge des remèdes permettant d'exercer la foutromanie sans perdre sa santé, et se termine sur ce conseil: «Foutez jusqu'au trépas.» Sénac de Meilhan, qui composa aussi *La Foutriade, La Masturbomanie*, fut par ailleurs un économiste, un historien et un romancier des plus sérieux.

John Cleland, *initiateur de l'érotisme anglais*

En Angleterre, l'expression littéraire de l'érotisme prit un tour vraiment original au temps d'Edmond Curll (mort en 1747), appelé «le père de l'édition pornographique anglaise». Il édita d'abord des livres de sexologie, le premier étant en 1708 *The Charitable Surgeon* de John Marten, traitant des maladies vénériennes. Parmi ses auteurs de fictions, le meilleur fut Thomas Stretser, lequel se distingua particulièrement par ses descriptions du Merryland (ou Pays de la Joie), c'est-à-dire du Sexe vu comme un continent.

Cette tradition amusante remontait à Charles Cotton, un poète du Staffordshire qui avait publié en 1684 *Erotopolis, the Present State of Betty-Land*, allégorie faisant du corps féminin le Betty-Land, «royaume de l'amour», ayant pour villes principales Pego (le pénis, dans l'argot anglais du xviie siècle) et Lipstick (le clitoris), pour provinces Bedford (le milieu du lit), Willshire (le comté du désir) et Guelderland (la région des invités). Les sports préférés des habitants du Betty-Land étaient le jeu de *In and In* (le rentre-dedans) et celui consistant à enfiler une bague avec une lance. Thomas Stretser fit beaucoup mieux dans le genre. En s'inspirant du catalogue de plantes d'un botaniste, il rédigea des études pseudo-scientifiques du phallus comme si c'était un «arbre de vie» et de la vulve comme un fruit paradisiaque, *The Natural History of the Arbor Vitae* et *The Natural History of the Frutex Vulvaria* (1732) par Phylogynes Clitorides.

Puis Thomas Stretser donna *A New Description of Merryland* (1740)

par Roger Pheuquewell Esq. (déformation de Fuckwell, «qui fout bien»)
où, parodiant les manuels de géographie, il retraçait la topographie, le
climat, les côtes et les ports du Merryland, autrement dit des parties
génitales de la femme. Stretser critiqua lui-même facétieusement son
livre dans *Merryland displayed* (1741) [1], disant que le précédent auteur
connaissait mal le pays et reproduisant à l'appui une carte du Merryland
(calquée sur une planche du *Traité des maladies des femmes grosses* du
chirurgien français Mauriceau). En d'autres textes du même ordre,
relatant les découvertes d'un gentleman-jardinier dans la caverne de
Merlin (*Little Merlin's Cave*, 1737) ou décrivant les mœurs d'une
«anguille électrique», l'humour anglais s'empara de l'érotisme.

Pour spirituelles que fussent ces fantaisies, elles semblèrent
mineures dès qu'apparut John Cleland. Né en 1707, fils du colonel
écossais William Cleland dépeint sous le nom de Will Honeycomb par
Addison dans son *Spectator*, John Cleland, après ses études au Collège
de Westminster, partit en qualité de consul pour Smyrne, puis occupa
en 1736 un poste de fonctionnaire de la Compagnie des Indes à Bombay ;
un différend entre lui et la présidence de ladite société l'obligea à revenir
en Angleterre. Ses difficultés matérielles à Londres le firent mettre à la
prison pour dettes, et ce fut là qu'il écrivit les *Memoirs of a Woman of
Pleasure* (1749) connus plus tard sous le titre de *Mémoires de Fanny Hill*.
Le libraire Ralph Griffith lui acheta le manuscrit vingt guinées et retira
de la vente de l'imprimé dix mille livres sterling.

John Cleland s'inspira des romans français (surtout *Manon Lescaut*,
Thémidore) et prit pour modèle Fanny Murray, une jolie prostituée qui
en 1746, à dix-sept ans, travaillant à la *Rose Tavern*, avait commencé à
être l'idole des aristocrates du Tout-Londres. Il imagina qu'une telle
créature faisait le compte de ses expériences. Fanny Hill, en deux lettres
à une correspondante, raconte ses souvenirs de jeunesse. Originaire d'un
village près de Liverpool, orpheline à quinze ans, elle fut conduite à
Londres par une voisine qui la confia à Mrs. Brown, la directrice d'une
maison de prostitution. La sous-maîtresse Phoebé fut chargée d'éveiller
ses sens, et la forma si bien que Fanny Hill ne tarda pas à satisfaire les
clients les plus difficiles, comme lord B. ou Mr. H., dont les portraits sont
finement dessinés. Un des habitués, le jeune Charles, lui inspire une vive
passion et lui fait connaître toute la gamme des plaisirs voluptueux.

Fanny Hill passe ensuite chez Mrs. Cole, une entremetteuse qui
organise dans son établissement des orgies. Une de ces parties collec-
tives, où Fanny Hill tient un rôle des plus actifs avec un baronnet, ses
amis, les pensionnaires Emily et Harriett, est décrite fort gracieusement.
John Cleland idéalise la débauche, beaucoup plus brutale à Londres en

---

1. La traduction française du *Merryland* de Stretser s'intitula: *Description topogra-
phique, historique, critique et nouvelle du pays et des environs de la Forêt Noire* (vers 1750).
Une imitation presque supérieure à l'original fut *Cléon, rhéteur cyrénéen* (1750) où Cléon
— anagramme de «le Con» —, parlant à la première personne, décrit son palais, son
royaume, ses occupations avec le vicaire (le doigt du milieu) ou Demichog (le godemiché).

son temps; il indique à ses concitoyens comment ils devraient se conduire dans les lieux de plaisir.

La réalité n'était pas si charmante. Les prostituées des maisons closes de Covent Garden et de Flesh Market donnaient leurs gains à leurs maîtres; elles n'avaient droit qu'à être logées et nourries. Les joues peintes, les yeux noircis à l'encre de Chine, ornées de bijoux en verroterie, elles ne possédaient même pas en propre les oripeaux voyants que leur fournissait leur procureuse. A la moindre plainte de celle-ci ou d'un client, ces malheureuses étaient envoyées à la prison de Marshalsea ou condamnées à carder le chanvre à Blackfriards. Seules les filles servant dans les tavernes fréquentées par la *gentry* devinrent des courtisanes à la mode, comme Betty Sans-Souci, Jane Douglas, Fanny Murray. Mais Cleland voulut introduire en Angleterre les manières galantes de la France; son texte anglais est d'ailleurs parsemé de locutions françaises et il y règne le ton de courtoisie que le maréchal duc de Richelieu adoptait envers les pires putains, qu'il saluait toujours respectueusement en alléguant qu'il fallait honorer toutes les femmes.

Cleland a une telle bienveillance qu'il atténue même l'épisode de flagellation du livre. Fanny est aux prises avec Mr. Barville, qui a la passion de fouetter et de se faire fouetter; mais il n'est pas cruel, et dès qu'il l'a frappée d'une poignée de verges, il donne de tendres baisers à ses fesses endolories. Elle-même, en lui appliquant des coups de verges, se désole de lui faire mal. Quand, excité par cette double fustigation, Barville veut procéder au coït, comme Fanny ne peut supporter le contact du lit sous son derrière cuisant, il trouve un expédient: «Il entrelaça mes jambes autour de son cou, si bien que je ne touchais à terre que par la tête et les mains. Quoique cette posture ne fût point du tout agréable, notre imagination était si échauffée et il y allait de si bon cœur qu'il me fit oublier la douleur de ma position forcée.» Barville lui offre ensuite un magnifique cadeau et complimente Mrs. Cole sur sa pensionnaire. L'histoire de Fanny Hill se termine bien: la jeune femme achète une maison à Marylebone avec l'argent de ses prostitutions, retrouve un jour Charles qui l'épouse, et elle conclut en disant que rien ne vaut les délices de l'amour conjugal.

Comme on lui reprocha ce roman licencieux, Cleland s'en justifia par le manque d'argent. Le président du Conseil privé, lord Granville, lui fit accorder une pension de cent livres, afin qu'il puisse se consacrer désormais à d'autres œuvres; il en bénéficia jusqu'à sa mort en 1789. En arguant de son exemple, on essaya parfois d'excuser les écrivains célèbres qui ont laissé des érotiques, en prétextant qu'ils les firent pour s'acquitter de leurs dettes. Cette excuse est la pire de toutes, puisqu'elle assimile l'auteur à un prostitué littéraire; s'il a rédigé des obscénités simplement par amour du gain, il était capable d'écrire aussi bien pour la même raison des délations, des appels au meurtre, des pamphlets racistes; toutes sortes d'infamies seraient ainsi excusables en littérature, ce qu'on ne saurait admettre.

En outre cette excuse est fausse, car un auteur a d'autres moyens de gagner sa vie, ne serait-ce qu'en écrivant des articles pour les journaux. Un livre érotique ne lui rapportera guère, ce genre de publication se faisant sans contrat, donc sans droits sur les ventes et les traductions; il devra se contenter d'un forfait. On a vu si Cleland a fait une bonne affaire! Et puis, on ne s'improvise pas auteur érotique; il faut pour cela avoir le goût et même le don d'exprimer des débordements sexuels. L'homme racontant des histoires pornographiques le fait par passion, même si celles-ci lui sont rémunérées.

John Cleland donna ensuite en 1751 les *Memoirs of a Coxcomb* (*Mémoires d'un fat*), une farce, *The Ladies Subscriptions* (1755), deux tragédies; il fit des travaux de philologie sur le celtique et des articles de journaux qu'il signait Modestus. Il écrivit encore un roman galant, *The Surprizes of Love* (1765), comprenant «le roman d'un jour ou une aventure à Greenwich Park» et «le roman d'une nuit ou une aventure à Covent Garden». Longtemps considéré comme un pornographe négligeable, John Cleland est aujourd'hui l'objet de thèses qui en font l'égal de Daniel Defoe [1].

Il influença, d'une manière ou d'une autre, tous les auteurs érotiques anglais jusqu'à la fin du xviiie siècle. On fit à son exemple des vies de courtisanes, comme *Memoirs of a Magdalen or History of Louisa Mildmaid,* ou des vies de jeunes gens selon le style de *Fanny Hill,* comme *Memoirs of an Oxford Scholar.* Même l'homme d'Etat John Wilkes, qui fut exclu de la Chambre des communes à cause de sa parodie obscène de Pope, *An Essay on Woman* (1763), commença ces trois épîtres en vers par: «Eveille-toi, ma Fanny», en songeant autant à Fanny Hill qu'à Fanny Murray qui à cette époque, retiréc du commerce galant, s'était mariée avec David Ross, un acteur de Drury Lane. Les adversaires politiques de Wilkes prirent prétexte de son *Essai sur la femme,* tiré à quatorze exemplaires dans l'imprimerie privée de son domicile à Great George Street, pour l'accuser d'immoralité à la Chambre des lords; en réalité, ils voulaient l'abattre pour ses attaques contre le roi.

Les *Mémoires de Fanny Hill* devinrent dans la traduction française de 1751 *La Fille de joie,* et suscitèrent des imitations en France. Fougeret de Montbron, sans chercher à les imiter — auteur d'un pamphlet contre les Anglais, il dédaignait leur littérature —, fit le seul roman qu'on puisse leur comparer, *Margot la ravaudeuse* (1750). Son héroïne Margot Tranchemontagne, après avoir travaillé rue Saint-Antoine à rapetasser les chausses des laquais, se lance dans la prostitution en devenant une des «abbesses de Cythère» de Mme Florence, puis se fait danseuse d'Opéra; ses débauches avec un milord, un fermier général et d'autres galants sont d'un réalisme très pittoresque.

---

1. Cf. William H. Epstein, *John Cleland: Images of a Life* (New York, Columbia University Press, 1974).

Andrea de Nerciat,
Grand Maître des Aphrodites

Le chevalier Andrea de Nerciat, de la noblesse de robe de Dijon, ex-capitaine des gendarmes du roi à Versailles, a été certainement le plus grand romancier érotique de toute l'Europe, sachant exprimer le pire libertinage sans être vulgaire, n'avilissant jamais l'esprit en excitant les sens [1]. Quand Bricon, dans *Le Diable au corps*, dit à la marquise: «Les préjugés sont morts... Les plus honnêtes gens se permettent tout aujourd'hui», celle-ci répond: «Ce qui ne dégoûte pas, à la bonne heure!» Ainsi Nerciat ne veut pas dégoûter son lecteur ni le heurter de front. Chez lui, pas de flagellations, de brimades et de mises à mort; ses amants ne s'infligent pas mutuellement des cruautés affreuses, ils ne cherchent qu'à se caresser et à jouir en variant les poses. Sa perversité n'est pas assimilable à la méchanceté, mais seulement à la taquinerie pure. Son style tout en finesses rappelle à la fois les *Contes* de La Fontaine et *Les Fausses Confidences* de Marivaux. C'est pour notre amusement qu'il anime, en des tableaux grouillants de vie, des personnages de la comédie sexuelle, auxquels il donne des noms-calembours: la comtesse de Troubouillant, la marquise de Bandamoi, la duchesse de Confriand, la baronne de Matevits, le vidame de Pillemotte, le vicomte de Durengin, etc. Les rivaux de Nerciat, quand ils affublent comme lui leurs héros de sobriquets suggestifs, ne·savent pas si plaisamment les faire agir en fonction de leurs appellations.

Ses romans exquis *Félicia ou mes fredaines* (1775), *La Matinée libertine ou les moments bien employés* (1787), *Le Doctorat impromptu* (1788), *Monrose ou le libertin par fatalité* (1792), *Mon Noviciat ou les Joies de Lolotte* (1792), ainsi que ses *Contes saugrenus*, suffiraient à le mettre hors de pair. Mais ce sont ses deux vastes fresques romanesques, *Le Diable au corps* et *Les Aphrodites*, descriptions complètes des raffinements du libertinage sous le règne de Louis XVI, qui le placent au sommet de la production libre de son temps, par le brio du style comme par la multiplicité des aventures et des observations sur les mœurs.

Le Diable au corps, «fort singulier roman dramatique», en neuf parties, fut écrit en 1777, mais ne fut publié intégralement qu'en 1803. Nerciat y avertit le lecteur: «Si vous voulez être agité, sans qu'on vous trouble; séduit, sans qu'on vous entraîne... bornez-vous aux romans de boudoir, à la *petite curiosité libertine*: ce livre n'est point votre fait.» Il va raconter les plus folles actions d'hommes et de femmes endiablés par le désir, comme le titre l'indique, voulant tout oser en luxure. Mais il

---

1. Cf. «Andrea de Nerciat et le libertinage chevaleresque» dans mon livre *Les Libérateurs de l'amour* (Paris, Seuil, 1977). A la suite de cette publication, un descendant de l'écrivain, le baron de Nerciat, ancien ambassadeur, prit contact avec moi pour me remercier de cette étude sur son ancêtre et me signaler une lettre conservée au ministère de la Guerre où Nerciat se justifie de son rôle d'agent secret sous le Directoire

usera de ménagements, au point de préciser, avant une scène particulièrement corsée: «La suite étant d'une grande force, pour peu qu'on soit
scrupuleux, on fera bien de ne pas continuer de lire. L'abbé Boujaron qui
va paraître est un très sale et très scandaleux personnage.» Quand
Mme Couplet, la proxénète, s'exprime sur un ton grossier, il s'en excuse
en disant: «Il faut peindre avec vérité.» Et quand il doit rapporter un
incident tragique, il le déplore: «Que ne puis-je, lecteurs, me dispenser
de prendre ici les crayons noirs dont je déteste me servir!» Nerciat veut
que «cette véridique compilation de prouesses libidineuses, de priapiques excès» nous fasse «connaître le *vrai beau* du libertinage (car il a le
sien aussi)».

Ses deux héroïnes, la marquise, «une superbe brune aux grands
yeux noirs et hardis», et son amie, la rousse comtesse de Mottenfeu, leurs
nobles amis dont Le Tréfoncier, grand seigneur allemand («goûts
bizarres, libertinage d'officier, caprices de prélat»), leurs jolies sou-
brettes Philippine, Nicole, leurs beaux valets Belamour, Joujou, Zamor,
pratiquent un «libertinage à casser les vitres». Les caractères sont
différenciés et contrastés. La comtesse de Mottenfeu est une nymphomane insatiable, qui n'hésite pas à se mesurer avec plusieurs partenaires
à la fois et même avec un âne (dans une scène renouvelée des contes
milésiens). Elle s'exprime en argot de boudoir, appelant ses galants des
tapeurs ou des *tapedrus*, les sodomites des *fauxconniers* ou des *anuistes*
(«anuiste, d'*anus*; comme casuiste, de *casus*»). Nerciat explique: «La
comtesse a beaucoup de ces mots peu connus, qu'elle a pour la plupart
inventés, comme *anuiste*, qu'on a déjà vu; *boutejoie* pour membre viril;
clitoriser pour ce vilain mot branler; *gitonner* pour f... en cul, mot fort
sale, et qui n'est nullement de bonne compagnie.» Cette diablesse a des
reparties effrontées, comme de dire à un visiteur, après une séance
d'amour: «Je viens de m'en donner. Je suis encore dans le crépuscule du
plaisir.»

Au contraire la marquise, quand elle s'abandonne à un excès,
prétend qu'elle cède à «un torrent de tendre folie». Si un jeune homme
fatigué se montre impuissant, elle constate que «son thermomètre est
descendu au *variable*». Elle a des engouements pour certains hommes:
«La marquise, incapable d'avoir ce que les gens à sentiment nomment
de l'*amour* (qu'elle fait profession de regarder comme la chose la plus
ridicule et la plus dangereuse), ne laisse pas d'être sujette à des *caprices*
d'une vivacité particulière qui leur donne, à bien peu de chose près, le
caractère de cet amour par elle si détesté.»

Nerciat rend d'une manière incomparable le comique de l'érotisme,
en faisant intervenir des comparses pittoresques, comme le chevalier de
Rapignac au fort accent gascon, qui jouit de la suivante Nicole dans la
nuit: «Au lit pour lors, non dedans, mais dessus, voilà nos deux
champions qui s'accolent avec fureur, s'enchevêtrent, s'enclouent, se
ballottent, se trémoussent, se mordent, bondissent, vagissent, se contre-
poussent à se disloquer les membres; se distillent enfin l'un dans l'autre
et meurent de plaisir.» La «fête priapique» donnée par Le Tréfoncier

dans sa petite maison des Boulevards est une orgie où le merveilleux n'exclut ni le réalisme ni la fine psychologie. Dans le cadre luxueux d'un salon octogonal parfumé, éclairé d'une lumière douce, aux murs tapissés de glaces, les couples s'enlacent tandis qu'un orchestre invisible commence «une fanfare pétulante exécutée par des instruments à vent», à laquelle succéderont un voluptueux andante, puis un *presto-six-huit* (une gigue), etc. Une servante noire, «la jeune Zinga... vêtue d'une simarre couleur de feu, bordée d'hermine, et coiffée d'une espèce de turban enrichi de plumes et de pierres précieuses», éveille le désir lesbien de la comtesse. La scène entre la Noire et la Blanche est d'un peintre: «Bouche à bouche, sein contre sein, corail contre corail, l'ébène et l'ivoire s'agitent, s'embrasent, et n'ont pendant quelques instants qu'une âme.»

Le romancier décrit les multiples accouplements en s'exclamant: «Quelle fougue! Quelle tempête de désirs! Quels flots de vie et de bonheur!» Comme il se donne pour un «docteur en phallurgie», il évoque la jouissance des femmes par des indices physiologiques précis, comme «ce léger bruit intestin que les experts connaissent à merveille». Il oppose aux «comédiennes de Paphos», qui veulent faire croire qu'elles jouissent en se convulsant et en poussant des râles, le comportement de ses héroïnes: «Philippine est complètement immobile; mais un imperceptible frisson des fesses et certaine pulsation intérieure du clitoris, semblable au battement d'une montre, sont des symptômes que tout votre art ne feindra point.» Cette somptueuse «fête priapique», interrompue par un incendie causé par un participant ivre renversant une bougie, dénote avec quelle maîtrise Nerciat sait doser ses effets romanesques.

Le Diable au corps se termine sur une orgie masquée non moins étonnante, dans la maison de rendez-vous de Mme Couplet à Paris. Comme pour un bal costumé, tous les personnages se sont travestis: la marquise en raccrocheuse, la comtesse en cabaretière, Le Tréfoncier en paillasse, d'autres femmes en poissarde, en bacchante, d'autres hommes en portefaix, en apothicaire, en matelot, etc. Une fille est nue, Mlle de Nimmerneim, parce qu'elle représente la Vérité. Le clou de cette orgie est lorsque la comtesse de Mottenfeu viole le comte Chiavaculi, «l'archibougre», «le pygolâtre» qui déteste les femmes: «Elle triomphait du plus vicieux et du plus entêté des hommes. Elle venait de lui arracher, en faveur de la Vénus naturelle, un acte d'adoration que le pervers avait juré de lui refuser à jamais.» Chiavaculi s'écrie: «C'en est fait, je fus un sot, je vais cesser de l'être.» Et pour prouver qu'il est converti à «cette entaille magique où la Nature a fixé le siège des voluptés», il va s'agenouiller devant chaque femme présente pour donner un baiser à son sexe.

A la fin de cette «rapsodie érotique», dans un ajout ultérieur, Nerciat nous renseigne sur ce que sont devenus ses héros, passé l'âge d'avoir «le diable au corps». La comtesse s'est rendue malade des excès de sa nymphomanie: «Elle n'a plus que la peau; ses superbes cheveux sont presque tous tombés.» Mais, comme elle a fait un important héritage, elle reste «toujours infiniment aimable et gaie encore, malgré son fâcheux état». La marquise vit avec le chevalier de Pasimou, un partenaire de débauche qu'elle a placé dans les gardes-françaises: «Que la marche de la fortune est bizarre! Pasimou, libertin, homme de bordel la nuit, mais de jour homme de bonne compagnie, trouve à travers une orgie l'être qui doit faire son bonheur.» D'autres se sont mariés, Belamour avec Philippine, M. de Fortbois avec Nicole, etc. Le Tréfoncier se partage entre une femme, la comtesse de Himmelsgluck (Bonheur du ciel), et son secrétaire intime.

Les Aphrodites (qui parurent en 1793 hors de France) offrent l'intérêt supplémentaire de se situer au début de la Révolution française. Un des héros est d'ailleurs un ci-devant comte membre de l'Assemblée constituante (siégeant alors dans le manège des Tuileries). En ces «fragments thali-priapiques pour servir à l'histoire du plaisir», on apprend que derrière les émeutes populaires, de l'été 1789 à l'automne 1791, une société de privilégiés continua de jouir clandestinement des plaisirs du sexe, de la table et du jeu. On peut en croire Nerciat, acteur et spectateur de cette société. Les Aphrodites ou Morosophes sont une confrérie secrète internationale, dérivée de la franc-maçonnerie, ayant pour but le libertinage, dont le centre de réunion est une propriété surnommée l'Hospice, ensemble de jardins et de bâtiments magnifiques près de Montmorency. L'Hospice est administré par une surintendante, Mme Durut, assistée par sa sœur Célestine et la soubrette Fringante; de jeunes domestiques des deux sexes, les Camillons et les Camillonnes, en assurent le service.

L'Ordre des Aphrodites comprend environ deux cents adeptes *intimes*, et des *auxiliaires* qui ne sont pas au courant des secrets de l'association: «La différence qu'il y a, chez les Aphrodites, entre les intimes et les auxiliaires, est à peu près la même que chez les Francs-Maçons entre les maîtres et les servants.» L'Ordre est dirigé par un Grand Maître (élu par les sœurs) et une Grande Maîtresse (élue par les frères), l'un et l'autre renouvelés chaque année. Les adeptes ont pour décoration un «cygne d'émail, entouré d'une couronne imitant le myrte mêlé de roses», qu'ils portent en sautoir avec un ruban vert à liséré ponceau. Un système de cotisations pourvoit à l'entretien de l'Hospice: «Chaque membre, lors de sa réception, faisait à l'Ordre un don selon sa fortune. Il déposait en outre dix mille louis pour lui-même et cinq mille pour la dame reçue avec lui, car les dames ne payaient rien.» Les intérêts de ces fonds placés à cinq pour cent servaient à défrayer les dépenses.

Les Aphrodites sont donc la chronique de tout ce qui s'accomplit dans l'Hospice, au début de la Révolution. Le livre est divisé en huit parties, chacune de quatre chapitres. Chaque chapitre ou plutôt chaque acte (puisque des dialogues de théâtre s'intercalent habilement dans le récit) a un titre: *C'est toi? C'est moi. — A bon chat bon rat. — Vive le vin! Vive l'amour! — Est-il possible? Pourquoi non? — Ah! qu'on est fou!* etc. Des notes en bas de page (de «l'éditeur» ou du «censeur») sont facétieusement didactiques. Quand Mme Durut, emportée par son tempérament, s'écrie: «Eh! foutre!» la note en bas de page dit: «Pardon, cher lecteur.»

Les adeptes de l'Ordre des Aphrodites, évoluant dans le cadre luxueux de l'Hospice, sont des types humains que Nerciat a observés, depuis la belle et hautaine duchesse de L'Enginière, qui enrage de l'abolition des privilèges, jusqu'au prince Edmond (visiblement calqué sur le prince de Ligne auquel Nerciat dédia en 1782 ses *Contes nouveaux*). L'héroïne la plus débridée est ici la marquise de Fièremotte («21 ans, brune, grande, svelte. Taille de Minerve, traits gracieux et fins, aux yeux près, qui sont longs, à fleur de tête et décorés de prunelles brûlantes... Certain duvet noirâtre à la lèvre supérieure donne à cette physionomie un air de guerre amoureuse qui n'est point menteur»). Cette marquise fait volontiers l'amour avec ses laquais, en disant: «La main sur la conscience, ma chère Durut, avouez que même en France il n'y a pour le boudoir que le militaire et la haute livrée. Tout le reste est à faire pitié!... Le chanteur craint d'affaiblir sa poitrine; le danseur ménage ses jambes et craint de ne pouvoir s'enlever. Un bel esprit! ne m'en parlez pas...»

Inaugurant le simultanéisme dans le roman, Nerciat, à peine a-t-il décrit une scène dans un boudoir de l'Hospice, qu'il en évoque une autre se passant au même moment dans un autre boudoir. Cela lui permet de faire contraster sans cesse le tragique et le grotesque, le tendre et l'obscène, le réel et le fantastique. Ainsi une action voluptueuse ravissante se joue entre la marquise de Fièremotte et Limecœur à qui l'on a mis «le masque aveugle» (un quart de masque de cire noire, n'ayant point d'ouverture pour les yeux, et dont on ne peut soi-même se délivrer parce qu'il est fermé à clé). On a fait croire à Limecœur que la marquise a une figure d'une laideur repoussante, mais au fur et à mesure qu'il la caresse il en doute: «Elle lui prend la tête avec un emportement badin, le baise, et lui porte ses charmants tétons à la bouche; il en dévore amoureusement les fraises durcies par le désir.» Après la jouissance, il la supplie de le délivrer du masque: «Eh bien! délicieuse horreur, que risques-tu de me montrer ta figure?... Puis-je ignorer que Bérénice ne pouvait avoir de plus beaux cheveux que les tiens?... Diane pouvait-elle avoir la tête mieux placée sur un col arrondi par l'Amour?» Mais la marquise refuse: «Si tu venais à voir mon horrible visage!...» Limecœur se retire désespéré de ne pas savoir qui est la femme qu'il a étreinte. A côté de ce marivaudage érotique, en même temps, dans la salle voisine Célestine, *première essayeuse*, est aux prises avec le hobereau Trottignac, dont elle mesure la capacité d'érection en attachant à son membre viril des poids d'une grosseur progressive (car tout nouveau venu est visité par le chirurgien de l'Hospice, vérifiant qu'il est sain, et *essayé* par une dame).

Des contrastes tragi-comiques sont également ménagés dans un même tableau. Le prince Edmond et le comte de Schimpfreich se portent parieurs dans un tournoi d'amour où sept femmes doivent recevoir chacune les hommages de sept hommes en l'espace de deux heures. Le prince parie deux mille louis qu'ils y parviendront, le comte qu'ils n'y arriveront pas. Le tournoi se prépare dans le «salon d'if», une enceinte circulaire ornée d'ifs, de jasmins d'Espagne et de statues. Un cercle de loges permet à de nombreux spectateurs d'assister à ces divers assauts amoureux. L'entrée des acteurs du pari se fait aux sons d'instruments exécutant *Les Mariages samnites* de Grétry. Dames et cavaliers prennent place dans des *avantageuses*, sièges spécialement conçus pour favoriser l'acte sexuel. La femme y est renversée en arrière sur un demi-matelas recouvert de satin, qui la soutient de la tête aux reins; ses cuisses sont en l'air et ses pieds s'engagent dans des étriers fixes et rembourrés. L'homme qui s'allonge sur elle a sous ses genoux une traverse large et douillette, et appuie ses pieds contre un troussequin. Grâce à ce meuble extraordinaire, les mouvements d'un couple sont plus balancés, plus aisés, et se poursuivent sans fatigue.

Quelle n'est pas la stupéfaction du comte de Schimpfreich de reconnaître, en l'une des femmes, la baronne de Wakifuth, la jeune Eulalie dont il est amoureux fou depuis six ans, et qui ne lui a accordé qu'une seule fois ses faveurs, si bien qu'il la croit froide comme glace. Dès qu'elle fait sa première passe, le comte s'évanouit; on le ranime, et chaque fois que la baronne change de partenaire le jaloux fait «la grimace d'un homme à qui l'on tourne un poignard dans le sein». Quand elle est sous Boutavant, le comte reste «plus de six minutes en convulsion». L'intérêt du lecteur va donc être partagé entre les affres du comte de Schimpfreich assistant, sans pouvoir faire autrement, aux débordements de celle qu'il aime, et les plaisirs convulsifs d'Eulalie avec sept amants successifs. Mais l'intrigue a encore des rebondissements, car après le tournoi le comte perdant la raison propose à celle-ci de l'épouser; comme elle l'éconduit, il demande au prince Edmond d'intercéder pour lui. Et ledit prince, d'abord dédaigneux d'aborder une telle créature, succombe à ses charmes et trompe l'ami qu'il voulait servir.

Nerciat qui, décoré de la croix de Saint-Louis, avait été reçu chez les duchesses de Versailles, lesquelles ne toléraient une histoire leste que si elle était dite avec délicatesse, conserve ses habitudes mondaines dans ses romans. Il appelle les poils du pubis «la brune tapisserie du salon du plaisir», les fesses d'une jolie femme «les beautés occidentales», «les sœurs arrondies» ou «les deux hémisphères de neige rosée». Il invente le verbe inir (du latin *inire*, entrer dans) pour exprimer le coït: «Le chevalier l'*init* avec toute l'ardeur et la grâce imaginables.» La scène où Mme de Montchaud, «grosse et succulente dondon» de vingt-quatre ans, et Mme de Valcreux, d'un an plus jeune, essayent ensemble un formidable godemiché serait grossière chez un autre; Nerciat en fait de la haute comédie, prêtant à rire sans honte.

Non moins réjouissant est l'épisode où Lucette Fleur, une créole de l'île de Bourbon, déguisée en homme sous le nom de M. Vaudhour, portant «le chapeau retapé à la vieille mode et la perruque noire à l'anglaise», demande à Mme Durut de lui fournir un joli garçon habillé en fille, afin de se donner le plaisir d'une liaison où les rôles sont intervertis. Nerciat s'amuse à faire tourner cette fantaisie libertine en

parodie de *La Mère coupable*, le «drame larmoyant» de Beaumarchais:
car la demoiselle Fleur, alias M. Vaudhour, découvrira en Béatrix (le
travesti dont elle se fait caresser) un fils naturel qu'elle a eu jadis.

Les échos de la Révolution dans ce lieu de délices y font les
contrastes les plus saisissants. La marquise de Fièremotte frémit en
apprenant que des Jacobins se sont infiltrés parmi les Aphrodites: «Ici
des Jacobins! Si la peste se déclare une fois dans cet asile du plaisir,
personne n'y mettra plus les pieds.» Toute sa famille a émigré, mais la
marquise hésite à le faire: «Ces démocrates sont exécrables; on n'entend
parler que de crimes, de meurtres, d'incendies... Il est vrai que mes sœurs
ne m'encouragent guère à venir les joindre. Elles me mandent que, dans
cette Allemagne, on n'est ni logé ni nourri, et qu'elles s'ennuient comme
des marmottes.» Limecœur doit s'enfuir de France parce qu'il s'est pris
de querelle avec un révolutionnaire, au Théâtre de Monsieur, et «a
couché sur le carreau son homme». Si Nerciat ne manque pas une
occasion de persifler les sans-culottes, «ces nouveaux soldats soi-disant
citoyens dont la moitié n'a que le courage de la férocité», il déplore aussi
«la fichue mode d'aller, sur les bords du Rhin, joindre l'armée de nos
princes émigrés». Un Aphrodite revenu de Coblence décrit «cette toile
d'araignée où tant de nobles moucherons se sont désastreusement
empêtrés» et affirme que la contre-révolution va à l'échec.

A la cinquième partie des *Aphrodites*, coup de théâtre: on voit
réapparaître la comtesse de Mottenfeu, que Nerciat n'a pas eu le cœur
de laisser longtemps impotente. Son tempérament a repris le dessus et
s'est même fortifié lors d'un séjour à Londres. Elle montre à Mme Durut
le registre qu'elle tient de ses amants d'occasion: «Quatre mille neuf cent
cinquante-neuf, ma fille, depuis le jour de mon début jusqu'à celui-ci:
tout autant.» Et comme celle-ci est incrédule: «Mais songe donc... en
vingt ans!... songe qu'une année est composée de trois cent soixante-cinq
jours... Je te parle donc à peine de deux cent soixante à quatre-vingts
animaux porte-pine par an.» La comtesse a divisé le registre de ses
amants par classes: deux cents soixante-douze grands seigneurs et
prélats, neuf cent vingt-neuf officiers, trois cent quarante-deux financiers, etc. Certains noms sont mis entre guillemets ou suivis d'une
virgule: «Les noms sans virgules ni guillemets sont ceux des gens
favorisés à l'ordinaire. Les autres... cela parle de soi-même.»

Ayant pris de l'âge, la comtesse de Mottenfeu ne jouera qu'un
moindre rôle dans *Les Aphrodites*: elle y sera surtout l'organisatrice
d'une mystification contre un baronnet anglais, sir Henri Harrisson qui,
inconsolable de la mort de sa maîtresse Zéphirine, l'a fait embaumer et
vénère son corps enfermé dans une châsse de verre. La comtesse
propose au baronnet de ressusciter Zéphirine, en se faisant passer pour
la magicienne Nécrarque; il la prend d'abord pour une «archifolle», puis
se convainc de ses pouvoirs. En réalité Zéphirine n'est pas morte, et son
prétendu cadavre qu'il emmène partout avec lui n'est qu'une statue de
cire. Un ami, complice de Zéphirine en fugue à l'étranger, lui avait fait
croire à sa mort et fourni cette fausse momie. La comtesse donne un

narcotique à sir Harrisson qui se réveille dans un souterrain où une fantasmagorie le persuade qu'il est dans l'autre monde; il y retrouve en délirant de bonheur Zéphirine revenue exprès à l'Hospice pour lui offrir ce simulacre de résurrection. La scène est à la fois libertine et attendrissante.

A la fin du livre, Nerciat dit qu'il aurait voulu «pousser, avec le temps, jusqu'à cinquante ou soixante cahiers la collection des faits et gestes des Aphrodites». Mais dès octobre 1791, les membres de l'Ordre s'apprêtent à quitter la France où les gens de plaisir ne sont plus en sécurité. Auparavant, Nerciat nous fait assister à une «grande cérémonie» du vendredi dans la Rotonde, espèce de temple avec une plate-forme centrale entourée de gradins en amphithéâtre. Une centaine d'Aphrodites réunis en comité directeur écoutent Longin, l'orateur perpétuel, faire diverses annonces (il leur apprend ainsi le décès de leur doyenne, la vieille présidente de Conbanal, morte pour avoir essayé un «lit électrique» avec un de ses amants). On discute un mémoire concernant l'exclusion de vingt-huit frères *rétroactifs* (pédérastes opiniâtrement insensibles au charme des femmes). On élit pour Grand Maître Dom Ribaudin de La Couleuvrine, ci-devant abbé de l'Ordre de Cîteaux, maintenant révolutionnaire sans-culotte, car il est «du petit nombre de ces hommes courageux qui se sont mêlés aux ennemis de la cause royale exprès... afin de la mieux servir». (Voilà une lueur authentique sur le double jeu de certains acteurs de la Révolution, comme Mirabeau.)

Après un concert et d'autres récréations, c'est «l'entrée des couples qui passaient ce jour-là de la classe des *affiliés* à celle des *profès*». Ils se donnent le baiser d'obligation, «commun aux deux sexes, sur les yeux et la bouche», puis ils rendent hommage à la Grande Maîtresse en lui baisant les bouts des seins et, ployant les genoux, le «divin bijou». L'Ordre des Aphrodites, ainsi confirmé, s'efforcera de reconstituer ensuite à l'étranger un lieu de réunion semblable.

Sade ou la Terreur sexuelle

Le marquis de Sade eut évidemment plus de puissance que Nerciat, mais c'était un grand paranoïaque, évitant grâce à l'exutoire de l'écriture romanesque le naufrage mental où sombrera le président Schreber étudié par Freud. Le transfert de ses passions du réel dans l'imaginaire sera pour lui un facteur d'équilibre, une délivrance d'autant mieux ressentie que les scènes qu'il imaginait étaient paroxystiques. Il se rassurait sur ses propres besoins cruels en s'offrant le spectacle de personnages qui en avaient de pires encore[1]. Il y a en Sade un dédoublement comparable à celui du Dr Jekyll et de Mr. Hyde; Sade-

---

1. Cf. «Le marquis de Sade et la tragédie du plaisir», dans *Les Libérateurs de l'amour, op. cit.*, où j'ai analysé l'œuvre de Sade en fonction de sa vie privée.

Jekyll veut être un auteur classique, il souhaite en écrivant ses contes être considéré comme «le Boccace français»; et Sade-Hyde, presque en même temps, se défoule de sa violente perversité en rédigeant *Les Cent Vingt Journées de Sodome* (œuvre commencée le 27 octobre 1785 à la Bastille et «finie en trente-sept jours»), catalogue de quatre cent soixante manies sexuelles (simples, doubles ou criminelles) décrites par des «historiennes» aux quatre libertins du château de Silling dans la Forêt-Noire, qui s'en excitent pour commettre des abominations avec leur sérail de garçons et de filles.

Sade-Jekyll et Sade-Hyde vont jusqu'à se défier, à rivaliser en employant le même sujet. Le premier publie en 1791 *Justine ou les Infortunes de la vertu*, d'un style décent que n'eût pas désavoué l'abbé Prévost, où une jeune fille de la noblesse est en butte à des persécuteurs; le second surenchérit en 1797 avec *La Nouvelle Justine ou les Malheurs de la vertu*, dans laquelle une héroïne similaire subit des sévices sexuels si atroces que même les amateurs de livres érotiques sous le Directoire s'en indignèrent. Le journaliste Villeterque, le 30 vendémiaire an IX, rendant compte d'un recueil de nouvelles de Sade-Jekyll, *Les Crimes de l'amour*, dit qu'il est soupçonné d'avoir fait cet horrible ouvrage, *La Nouvelle Justine*. Aussitôt celui-ci le traite de «lâche *calomniateur*», se défend avec fureur contre cet «affreux soupçon» et proteste qu'il ne saurait être l'auteur de «ce livre infâme que pour l'intérêt même des mœurs on ne doit jamais nommer» (*sic*). Et Sade-Jekyll d'ajouter, la main sur le cœur: «J'ai dit et affirme que je n'avais point fait de *livres immoraux*, que je n'en ferai jamais.» Ne nous hâtons pas de l'accuser de fourberie. Sade-Hyde ne lui semble pas le vrai Sade: il n'est que le loup-garou en quoi se transforme, par intermittence, le grand seigneur de La Coste.

Cette *Lettre à Villeterque, folliculaire* nous renseigne sur l'esthétique de Sade, opposant «les tableaux du crime triomphant» à ceux de «la vertu malheureuse», afin d'inculquer au lecteur *la terreur* et *la pitié*. Ce contraste est très appuyé dans *La Nouvelle Justine*, où les persécuteurs sont rendus terrifiants et les persécutées apitoyantes par des procédés de mélodrame. Justine, dans ses aventures, va de mal en pis; à chaque pas des périls la guettent, des hommes en qui elle se fie s'acharnent soudain contre elle, des lieux où elle croit se réfugier lui deviennent des enfers. Quand elle tombe dans l'abbaye de Sainte-Marie-des-Bois, c'est pour y être prisonnière de six moines pervers: «L'âge et la beauté de cette jeune fille n'enflamment que mieux ces scélérats.» Ces moines séquestrent aussi d'autres filles, gardées par des duègnes, pour les soumettre à leurs passions criminelles. Les horreurs s'accumulent, au point que même un simple repas en comporte: «Les duègnes annoncèrent qu'elles avaient besoin de chier. — Dans les plats, dans les plats! dit Clément. — Dans nos bouches, dit Sylvestre. Ce dernier avis prévalut.» Le contraste terreur/pitié veut que ce spectacle terrorisant ait pour spectatrice cette héroïne douce, pieuse, qu'il appelle avec insistance «la pauvre fille», «la pudibonde Justine», afin d'inciter le spectateur à la plaindre.

C'est la terreur sexuelle que Sade entend faire régner dans ses histoires, et non la terreur sentimentale des romans noirs anglais. Ses héros pensent tous que le vrai plaisir c'est la douleur; certains désirent d'ailleurs souffrir en jouissant, et se font fouetter ou molester pendant l'acte sexuel. Mais, comme ils ne veulent pas aller jusqu'à l'auto-destruction, ils préfèrent causer la douleur des autres. Plus elle sera grande, plus leur plaisir sera parfait. La confession du moine Jérôme à ses collègues est celle d'un sadique intégral, ajoutant la cruauté mentale à la brutalité physique. Il leur raconte comment, au cours d'un voyage en Italie, il tue Alberoni, l'amant d'Héloïse. Celle-ci s'évanouit: «D'autres que moi eussent peut-être profité de l'évanouissement de leur victime pour en jouir avec plus de calme. Je pensais bien différemment: j'eusse été désolé que cette malheureuse n'eût pas la possession de tous ses sens, afin de mieux goûter son infortune.» Il la fait revenir à elle et commence à la tourmenter: «Oh! scélérat! me dit cette intéressante fille en pleurant. Que prétends-tu donc encore? et quels nouveaux supplices me sont préparés?» C'est alors que Jérôme va la violer par-derrière, dans la situation la plus épouvantable qu'on puisse imaginer: «Je la couche sur le cadavre de son amant, et les réunis si bien par l'attitude que je leur fais prendre, que leurs bouches se trouvent, pour ainsi dire, collées l'une sur l'autre. On ne se peint point l'effroi, l'horreur, le désespoir où ce nouvel épisode plonge ma victime.»

Dans *La Nouvelle Justine*, le comte de Gernande, dont le plaisir consiste à saigner les femmes aux quatre membres, et à les laisser mourir en se vidant de leur sang, a un physique effrayant: long nez, sourcils broussailleux, bouche édentée, voix rauque et menaçante, mains énormes d'étrangleur. En face de ce repoussoir, sa femme de dix-neuf ans, Mme de Gernande, blonde aux yeux noirs, à la taille fine, semble un ange: «Pas un de ses gestes, pas un de ses mouvements qui ne fût une grâce, pas un de ses regards qui ne fût un sentiment.» Sade se délecte à développer ce contraste entre une telle beauté et une telle laideur, «l'image d'un beau lys où le frelon impur avait fait quelques taches». Mais tout le portrait élogieux de la comtesse n'est fait que pour rendre plus atterrant le moment où son mari l'offrira à des sacripants: «Voici ma femme que je vous livre, mes amis, dit Gernande; je vous conjure de l'insulter, de la molester, de la tourmenter en tous sens et de toutes les manières possibles.»

Sade, écrivain terroriste, cherchant à bouleverser le lecteur, sait fort bien qu'en faisant agir sans fin des personnages terribles, il manquera son but. Il leur prête donc des discours intimidants. Il utilise l'effet de la terreur que produit un criminel raisonnant, qui justifie ses instincts sanguinaires par des arguments d'une apparente logique. On peut espérer qu'un homme sans cœur sera accessible à la raison. Justine exhorte donc ses bourreaux à la raison. Mais que répondre à d'Estreval qui dit: «Je suis scélérat en libertinage», et fait l'éloge de la scélératesse? à Gernande qui démontre que les femmes sont des êtres inférieurs, dont la destruction est souhaitable, en insistant: «Je les méprise autant que je les hais»? La victime est alors précipitée dans un monde sans espoir, puisque le Mal y formule les dogmes. Et comme si cela ne suffisait pas, l'auteur accablera le lecteur de ses propres réflexions pessimistes. Devant le moine Sylvestre violant et tuant sa fille, Sade remarquera: «Et voilà l'homme, quand ses passions l'égarent! le voilà, quand ses richesses, son crédit ou sa position le placent au-dessus des lois!» Ecrasante dialectique moyennant quoi il présente la terreur sexuelle comme une fatalité.

Juliette ou les Prospérités du vice (1797) est assurément le roman le plus significatif, le plus «réussi» de Sade. Dans les précédents, les femmes n'y sont que des figurantes passives, tandis que dans celui-là on trouve une galerie de libertines implacables, Juliette de Lorsange, la Durand, Mme de Clairwil, la princesse Borghèse, la signora Zanetti, qui tiennent tête à des libertins fabuleux, Noirceuil, Saint-Fond, Belmor, le bourreau Delcour, l'ogre Minski, Sbrigani, Moberti, dans une action frénétique et constamment criminelle. On a cru que Sade nous présentait ses héros en exemple, mais il faut noter qu'il les qualifie toujours de scélérats, de coquins, de monstres. Ainsi à propos de Moberti: «Rien d'horrible comme les propos de ce *scélérat* pendant cette jouissance. Il ne parlait que de crimes, que d'abominations, que de meurtres, que d'incendies, que de massacres.» Et quand Zeno, chancelier de la république de Venise, maltraite la jeune Virginie: «Le *scélérat*, alors n'écoutant plus que sa passion, saisit des verges, nous fait tenir Virginie et, sacrant comme un *malheureux*, le *coquin*, en moins de cent coups, met en lambeaux le plus beau cul du monde.»

En outre, beaucoup de ces libertins sont laids, comme si Sade voulait établir une conformité entre leurs actes et leur physionomie: «Moberti a cinquante-quatre ans; il est roux comme Judas; ses yeux sont chassieux et petits; sa bouche large et mal garnie.» Ce Moberti, chef des filous de Venise, se revêtait dans ses orgies d'une peau de tigre «dont les quatre pattes étaient armées d'ongles monstrueux». Il mord jusqu'au sang les fesses d'Angélique en imitant les aboiements d'un dogue. Il combine avec Juliette l'assassinat de la signora Zanetti: «Il saute sur sa maîtresse, en me faisant un signal; je l'aide; nous lions et garrottons cette *malheureuse* sur un banc de bois. Il s'établit à califourchon sur elle et, de ses griffes aiguës, le *scélérat* lui arrache les yeux, le nez et les joues.» (Sade s'apitoie sur la Zanetti, «*cette infortunée*», en oubliant que l'instant précédent elle vient elle-même de poignarder une jeune fille.)

A côté des orgies de Nerciat, enjouées, émoustillantes, où les personnages baignent d'une façon enviable dans le luxe et la volupté, les sinistres orgies de Sade sont des cauchemars. L'orgie offerte par Juliette à Saint-Fond se passe dans un lieu funèbre: «La salle entière était tendue de noir, des ossements, des têtes de cadavres, des larmes d'argent, des faisceaux de verges, des poignards et des martinets ornaient cette lugubre tapisserie; dans chaque niche était une des vierges branlées par une tribade, toutes deux nues, appuyées sur des coussins noirs, ayant des attributs de la mort perpendiculaires à leur front.» Les «plaisirs» qui s'accomplissent dans ce décor ressemblent à des scènes de boucherie:

«Différents instruments de supplice étaient distribués çà et là; on y voit entre autres une roue fort extraordinaire. La victime, liée circulairement sur cette roue enfermée dans une autre garnie de pointes d'acier, devait en tournant contre ces points fixes, s'écorcher en détail et dans tous les sens.» La «charmante Fulvie», fille de condition sortie d'un couvent de Melun, sera sacrifiée sur cette roue, après que Louise, âgée de seize ans, eut subi «ce supplice chinois qui consiste à être hachée toute vive en vingt-quatre mille morceaux, sur une table», et que Palmire fut «étendue ensuite sur une croix de Saint-André pour y être rompue vive». Et ce ne sont là que les moindres actions de ces tableaux orgiaques, extériorisations des fantasmes les plus morbides.

Juliette, en vertu de son principe: «Le vice amuse et la vertu fatigue», ne recule devant aucune horreur, en alléguant: «Tant pis pour les victimes, il en faut.» Elle aide Cornaro, «d'une des familles les plus distinguées de Venise», à sodomiser et à tuer trois jeunes garçons. «Mangeons leurs fesses sur le gril», propose *le scélérat*. Aussitôt, Juliette organise un souper à quatre (deux autres femmes y sont invitées) pour «manger de la chair humaine». A son retour à Paris, elle revoit Noirceuil qui lui dit: «Je veux me marier... me marier deux fois dans le même jour: à dix heures du matin, je veux, habillé en femme, épouser un homme; à midi, vêtu en homme, épouser un bardache comme femme... Il faut que, vêtue en homme, tu épouses une tribade à la même messe où comme femme j'épouserai un homme; et que, vêtue en femme, tu épouses une autre tribade vêtue en homme.» Juliette consent à cette combinaison impure et sacrilège, si bien qu'à la fin de son histoire Noirceuil, devenu Premier ministre de la France, en fait sa favorite pour le reste de sa vie. Ainsi le vice est magnifiquement récompensé, alors que la vertu est punie. Sade-Hyde se moque ici de Sade-Jekyll qui disait à Villeterque: «Moi... je n'ai montré le vice dans mes ouvrages que sous les couleurs les plus capables de le faire détester.»

Il y a une distinction à faire en érotisme entre l'imaginable et le réalisable. On peut admirer l'imaginable, à cause de son intensité d'expression, alors que l'on réprouverait le réalisable correspondant. La violence verbale de Sade m'intéresse, bien que les situations qu'il évoque me répugnent; je trouverais bon que l'on mît hors d'état de nuire les énergumènes dont il fait ses héros, commettant à plaisir les crimes les plus abjects; je les accepte seulement parce qu'ils me conduisent à la limite extrême de l'imaginaire. On ne peut aller plus loin dans l'horreur sexuelle qu'il ne l'a fait en pensée. La performance de l'écrivain fascine même lorsqu'on désapprouve son libertinage destructeur.

Mirabeau, le libertin de qualité

Sade a parlé avec le plus grand mépris, dans *Juliette*, des écrits érotiques de Mirabeau, «qui voulut être libertin, pour être quelque chose, et qui n'est et ne sera pourtant rien toute sa vie». Dans une note additive il précise: «Une des meilleures preuves du délire et de la déraison qui caractérisèrent, en France, l'année 1789 est l'enthousiasme ridicule qu'inspira ce vil espion de la monarchie.» Malgré cet avis d'un connaisseur, il est permis de penser que l'*Erotika Biblion* (1782) et *Ma Conversion ou le Libertin de qualité* (1783) sont deux livres de Mirabeau fort intéressants, se distinguant par un cachet personnel de ceux de Nerciat et de Sade. Les autres romans libertins attribués à Mirabeau ne sont pas de lui, comme *Le Rideau levé ou l'Éducation de Laure* (1785), qui est du marquis de Sentilly. Les libraires spéculaient sur le nom de Mirabeau, que ses démêlés avec sa famille mettaient en vedette; et lui s'enchantait de la réclame que lui faisait l'attribution de tels ouvrages scandaleux. Il alla jusqu'à prétendre, dans une lettre, qu'il avait écrit *Parapilla* (poème en cinq chants de Charles Borde, histoire d'un couvent dans le jardin duquel il pousse des phallus).

Mirabeau, gros et laid, le visage défiguré par la petite vérole, devait ses conquêtes à sa vitalité prodigieuse. Il eut sa première affaire galante à treize ans, des amours plus ou moins secrètes avec Mme de Guéménée, avec Mme de Bussy, avec des filles et des servantes; il se faisait payer par les unes, payait les autres. Ses manières étaient cérémonieuses et affectées en public, mais dans le privé il se plaisait à agir et à parler en arsouille. Il mangeait une nourriture si épicée que ses invités en avaient des crachements de sang et le traitaient de «salamandre». Enfermé à vingt-six ans au fort de Joux, près de Pontarlier, en 1775, il profita de ses permissions de sortie pour séduire Sophie Monnier, femme du premier président à la Cour des comptes de Dôle; il s'évada et enleva Sophie déguisée en homme le 24 août 1776. Ils vécurent ensemble quelque temps en Hollande, ensuite il fut emprisonné au château de Vincennes, de mai 1777 à décembre 1780.

Il faut savoir que Mirabeau n'est même pas l'auteur de la plupart de ses ouvrages politiques, y compris de ses discours. Il se contentait d'arranger les textes que lui fournissaient des aides, en y mettant des pointes et des métaphores de son cru. C'était un tel plagiaire que Garat découvrit qu'il avait copié dans le *Mercure de France* une de ses lettres d'amour à Sophie. L'*Erotika Biblion* et *Ma Conversion* sont au moins deux ouvrages que l'on peut croire bien de lui et pour cause: il se trouvait enfermé au donjon de Vincennes au moment où il les composa. N'ayant rien d'autre à faire en sa claustration que lire et écrire, bridé dans son puissant tempérament sexuel, il était tout naturel qu'il travaillât à ces livres-ci pour se distraire.

Dans l'*Erotika Biblion*, en utilisant les commentaires de Dom Calmet sur la Bible, il voulut démontrer que l'on ne pouvait reprocher aux Modernes leur libertinage, car les Anciens avaient eu des mœurs bien plus corrompues encore. En dix chapitres ayant des titres bizarres tirés du grec ou de l'hébreu, *Anélytroïde, Ischa, Tropoïde, Thalaba, Anandryne, Akropodie, Behemah, Anoscopie,* Mirabeau trace des tableaux de l'onanisme, de la bestialité, de la pédérastie, du lesbianisme et d'autres pratiques sexuelles des peuples de l'Antiquité. Ce discours paradoxal, soutenu par une érudition assez superficielle, vaut surtout par le tour provocant de ses réflexions philosophiques.

Ma Conversion ou le Libertin de qualité est la confession d'un jeune gentilhomme décavé qui décide de se prostituer et avoue d'emblée: «Je ne veux plus foutre que pour de l'argent, je vais m'afficher étalon juré des femmes sur le retour, et je leur apprendrai à jouer du cul à tant par mois.» Ses amours tarifées avec une gigantesque Américaine, avec la vieille Mme In Aeternum ou avec Mimi la Tribade, se déroulent en scènes violentes, obscènes et bouffonnes. On reconnaît parmi les héroïnes des contemporains (la duchesse de Polignac, par exemple, qu'il appelle la marquise de Vit-au-Conas) et même Mlle Guimard évoquée sous son propre nom («elle fout comme une enragée», affirme le narrateur Condesiros qu'elle paie pour le lui faire six fois par jour). Ce libertin est un révolutionnaire prophétisant: «Une révolution, éloignée peut-être, mais certaine, menace de nouveau le monde; nous foulerons aux pieds ces hommes superbes qui osent nous dédaigner.» Le style impétueux et canaille du récit, qui était celui de Mirabeau lui-même dans l'intimité, donne un relief étonnant aux situations décrites.

Les pamphlets révolutionnaires

Nombre de livres pornographiques de ce temps furent des pamphlets dits «révolutionnaires» parce qu'ils s'attaquaient à Louis XVI, à Marie-Antoinette et à leur entourage. Il ne faut surtout pas croire que ces pamphlets sont dus à des réformateurs vertueux dénonçant avec une sincère indignation les turpitudes de la Cour. En réalité leurs auteurs étaient de simples maîtres chanteurs, espérant tirer de gros profits des victimes de leurs libelles diffamatoires. Théveneau de Morande, fondateur du journal *Le Gazetier cuirassé*, montra aux escrocs littéraires comment opérer. Il rédigea contre Mme du Barry les *Mémoires secrets d'une femme publique*, en quatre volumes avec gravures, et en adressa quelques bonnes feuilles au chancelier Maupeou en annonçant qu'il ferait paraître le tout si on n'achetait pas son silence. Louis XV et ses ministres en furent consternés, car Morande, bien renseigné par des courtisans hostiles à la favorite, révélait la vulgarité de Chonchon (petit nom de la du Barry dans l'intimité), l'abaissement moral qu'elle faisait subir au roi. Beaumarchais, en mars 1774, fut envoyé à Londres afin d'y négocier avec le pamphlétaire, qui menaçait de diffuser son livre venant d'être imprimé à six mille exemplaires. Théveneau de Morande exigea, pour détruire toute l'édition, une somme de trente-deux mille livres et une pension de quatre mille livres réversible à moitié sur sa femme. Il obtint satisfaction, et les *Mémoires secrets d'une femme publique* furent brûlés dans un four à briques.

A sa suite maints folliculaires, en amplifiant des ragots, écrivirent des manuscrits prétendant dévoiler les débordements de Marie-Antoinette et firent savoir au lieutenant général de police Lenoir qu'ils renonceraient à les publier moyennant finances. Ce genre de spéculation réussit au libraire Boissière qui édita à Londres *Les Amours de Charlot et de Toinette* (1779), pamphlet en vers raillant l'impuissance de Louis XVI et racontant que Marie-Antoinette couchait avec son beau-frère, le comte d'Artois; Louis XVI, par l'intermédiaire de Goezman, en acheta au prix de dix-sept mille quatre cents livres à l'éditeur tous les exemplaires pour les faire mettre au pilon. Il en réchappa toutefois quelques-uns. Laffitte de Pelleport, voulant exercer le même chantage avec *Les Passe-temps de Toinette et du vizir Vergennes*, manqua son coup et se retrouva à la Bastille. D'autres pamphlétaires furent des écrivains aux gages de grands seigneurs cherchant à se venger d'une disgrâce royale. Enfin, aux approches de la Révolution, les écrits satiriques émanèrent d'hommes de parti ou de mécontents assouvissant leurs fantasmes sexuels et politiques.

Ces pamphlets ne furent pas simplement des discours accusateurs. Ils prirent la forme du roman par lettres, du récit historique, du conte en vers, du dialogue, du vaudeville, de l'allégorie ou du compte rendu d'une séance délibérative. Une vingtaine d'entre eux, conservés à l'Enfer de la Bibliothèque nationale, sont d'une obscénité incroyable. L'auteur voulait frapper l'imagination du peuple, pour mieux exciter sa haine et sa jalousie. Il s'agissait de lui faire croire que ses dirigeants avaient les plus mauvaises mœurs, qu'ils ne pensaient qu'à détourner les fonds publics et à s'amuser, non à aider les miséreux.

La principale victime de cette campagne diffamatoire fut Marie-Antoinette. Sa légèreté, son orgueil, le favoritisme excessif qu'elle accordait aux lesbiennes de sa Cour, ayant elle-même ce penchant (un de ses premiers actes de reine fut de payer les dettes de Mlle Raucourt, qui s'habillait en officier de dragons pour séduire les femmes), faisaient supposer qu'elle avait des passions insatiables. Dans *Le Cadran de la volupté*, on la vit débaucher un page, assister à une fête nue réglée par Cagliostro. En 1789, *L'Autrichienne en goguettes ou l'orgie royale*, «opéra-proverbe» (probablement de Mayeur de Saint-Paul), la montra partageant ses caresses entre la duchesse de Polignac et le comte d'Artois; *Le Godemiché royal*, entretien de Junon et d'Hébé, prétendit révéler ses vices. Les *Soirées amoureuses du général Mottier et de la belle Antoinette*, «par le Petit Epagneul de la Reine», en trois parties dialoguées, furent un faux témoignage sur ses rapports intimes avec le général de La Fayette et la comtesse de Lameth.

Ces calomnies devinrent de plus en plus horribles à mesure que la Révolution avança. Après *Les Fureurs utérines de Marie-Antoinette, femme de Louis XVI* (1791), satire en vers passant les bornes, illustrée de deux gravures obscènes, *La Vie privée scandaleuse et libertine de Marie-Antoinette, depuis la perte de son pucelage jusqu'au 1er mai 1791*, en deux volumes, eut tout d'un roman pornographique. Dubroca, dans la *Feuille de Correspondance du Libraire* de 1792, reconnut que cette biographie indécente reposait sur «de fortes présomptions», non sur des faits prouvés, mais il ajoutait: «Quand il arriverait que les traits les plus faux de cette histoire seraient crus à la lettre, ce ne serait qu'une juste peine que subiraient des êtres malveillants.» Cette *Vie* calomnieuse de la reine, augmentée d'un troisième volume, fut rééditée en 1793 pour préparer le public à son exécution.

Les grandes dames de la Cour reçurent aussi leur paquet. Lorsque la duchesse de Polignac eut émigré précipitamment au lendemain de la prise de la Bastille, on publia *La Messaline françoise ou les Nuits de la duch... de Pol...* (1789), dénonçant ses amours lesbiennes en un récit où étaient impliquées la reine et la princesse d'Hénin. Sylvain Maréchal, écrivain extrémiste qui participa plus tard à la Conspiration des Egaux, dans son *Almanach des honnêtes femmes pour 1790*, divisa ses illustres contemporaines en douze classes (une par mois de l'année): les fricatrices, les tractatrices, les fellatrices, les siphniassiennes, les phicidisseuses, etc. Sylvain Maréchal témoignait là d'une haute érudition libertine, puisée dans le *Lexicon* de Suidas. Les siphniassiennes, par exemple, pratiquent sur l'homme une caresse que les Anciens croyaient inventée par les habitantes de Siphnios. Les phicidisseuses, ce sont les femmes qui «tremblent aux approches d'un homme vigoureux et leur préfèrent la langue délicate de leurs petits chiens».

Un série de pamphlets tourna en dérision les délibérations législatives. Le premier d'entre eux, *Dom Bougre aux Etats-Généraux*, fit arrêter le 28 octobre 1789 Restif de La Bretonne, acccusé d'en être l'auteur par son gendre Augé; mais il se défendit si bien que l'on condamna Augé lui-même à cinq jours de prison pour dénonciation sans preuve. Cet écrit est plutôt d'un imitateur de Restif, à qui il rend d'ailleurs hommage. Dom Bougre annonce que ses doléances, différentes de celles des cahiers des bailliages, ne sont pas moins intéressantes. Elles visent à supprimer tous les abus sexuels défavorisant la natalité, en des chapitres intitulés: *1. Des filles de joie. 2. Des Sodomistes. 3. De la Bestialité. 4. De l'inceste. 5. Du gamahuchage. 6. De quelques autres abus qui nuisent à la population.* L'usage de «redingotes à l'anglaise, c'est-à-dire de *gondons*», préservatifs en boyau de bœuf, est ainsi réprouvé, sauf avec des prostituées contaminées. L'auteur s'indigne parce que les Français et les Françaises pratiquent trop le gamahuchage: «Gamahucher, c'est faire avec la langue et la bouche l'office du membre viril ou du vagin.» Calculant tout ce qu'une telle habitude fait perdre d'enfants à la France, il s'écrie: «O mauvais citoyens! cessez, cessez ce jeu exécrable, foutez, mes amis, foutez et peuplez, c'est le grand objet de la Nature.»

Dès que l'Assemblée nationale commença à siéger aux Tuileries, des pamphlets érotico-humoristiques s'attaquèrent à elle. *Les Enfants de Sodome à l'Assemblée nationale* (1790) donne les noms de tous les députés pédérastes et de leurs complices, avec des détails sur leurs débauches secrètes. Ils se rencontrent aux Tuileries dans l'allée des Soupirs, «et chez l'abbé Viennet, le plus zélé partisan de la bougrerie».

Ils ont fondé l'Ordre de la Manchette, comportant des statuts en sept articles, un comité civil, un comité militaire et des membres prétendants, dont le but est ainsi défini : «L'anti-physique... sera à l'avenir une science connue et enseignée dans toutes les classes de la société.»

Le ci-devant marquis de Villette, homosexuel mêlé à divers scandales mondains sous l'Ancien Régime, s'était affilié au Club des Jacobins et clamait partout ses opinions démagogiques. Un pamphlet le ridiculisa cruellement, *Vie privée et publique du ci-derrière marquis de Villette, citoyen rétroactif* (1790), partant sans doute d'un Feuillant. «Il apporta en naissant son goût décidé pour le péché de Sodome», explique le pamphlétaire, parce que sa mère, étant enceinte de lui, avait «fricassé les épinards» avec son apothicaire. On notera ce terme d'argot révolutionnaire désignant l'acte sodomique. A une séance du Club des Jacobins, où les dénonciations contre les privilèges se succédaient à la tribune, Villette était censé dire :

> Je vous dénonce la lettre A, qui depuis l'invention de l'alphabet occupe le premier rang parmi ses compagnes, quoiqu'il n'y en ait pas une qui ne la vaille à tous égards, et je demande que la lettre Q préside à son tour.

Dans *Requête et décret en faveur des putains, des maquerelles et des branleuses*, daté de «l'an second de la régénération foutative» (1790), celles-ci s'adressent aux «Grands Législateurs de l'Etat» pour qu'ils ordonnent que tous «les bougres, les bardaches et les brûleurs de paillasses» soient marqués au front d'un signe infamant les faisant montrer du doigt. Un autre pamphlet répondant à celui-là, *Les Petits Bougres au Manège*, en «l'an second du rêve de la liberté», reproduit l'exploit de signification contre les requérantes de Boniface Grande-Fesse, huissier de la Manchette, et le discours d'un délégué voulant inscrire le droit à la bougrerie parmi les droits de l'homme :

> La liberté individuelle, décrétée par nos très augustes et très respectables représentants, n'est assurément pas un être de raison; et, d'après ce principe, je puis disposer de ma propriété, telle qu'elle soit, selon mon goût et mes fantaisies : or mon vit et mes couilles m'appartiennent; et soit que je les mette en civet, soit que je les mette au court bouillon, ou, pour parler clairement, que je les mette dans un con ou dans un cul, personne n'a le droit de réclamer contre l'usage que j'en fais...

Certains de ces pamphlets roulent dans la même farine les révolutionnaires et les contre-révolutionnaires, si bien qu'on ne sait plus de quel parti est l'auteur. Dans *Bordel national* (1790), le frontispice représente la reine et la citoyenne Théroigne devant une statue de Priape qu'elles ornent d'une main de guirlandes, en palpant de l'autre main ses organes génitaux. Ces deux ennemies s'accordent à merveille pour inaugurer un bordel dans le domaine du duc d'Orléans. Ce libelle comprend *L'Hymne à Priape* chanté par les deux femmes, une *Epître à Mlle Théroigne* signée Couillardin, un Prospectus attribué à celle-ci, un dialogue et le texte des

«Conditions et qualités pour être admis au Bordel National tenu au Cirque du Palais-Royal».

Les pamphlets contre les prêtres furent faits avec une intention féroce de leur nuire que l'on ne trouvait pas dans *Le Portier des Chartreux*. L'abbé Maury était particulièrement visé parce qu'il défendait à l'Assemblée constituante les droits de l'Eglise et du clergé contre tous les orateurs du côté gauche. *Les Fredaines lubriques de l'abbé J*** F*** Maury* (1790), prétendues révélations sur sa vie privée, portent en exergue: «De la chaire au tripot, du tripot à l'autel, / Maury ne fit qu'un saut de l'église au bordel.»

Dans *Les Délassements secrets ou les Parties fines de plusieurs députés de l'Assemblée nationale*, l'auteur se flatte de «démasquer des hypocrites», en révélant les libertinages de l'abbé Ringard, de l'abbé Legros, de l'abbé Veytard et du cardinal de Rohan avec des femmes du monde. Au premier chapitre, il rapporte ainsi tous les transports amoureux de l'abbé Ringard, curé de Saint-Germain-l'Auxerrois, et de Mme de Romainville au cours d'un rendez-vous, d'après le témoignage d'un voyeur qui aurait tout vu et tout entendu.

Le pamphlet anticlérical le plus fort, réimprimé en 1872 d'après l'exemplaire du Bristish Museum, fut le *Courrier extraordinaire des fouteurs ecclésiastiques* (1790), recueil de lettres annoncé comme la «correspondance intime, secrète et libertine de quelques prélats de qualité, de plusieurs prêtres paillards et d'un certain nombre de prestolets luxurieux avec des gourgandines titrées, des putains bourgeoises, des filles de joie du Tiers Etat et des raccrocheuses du quart». Toutes ces lettres sont du genre de celle de l'abbé Renaud parlant à un ami de la femme de chambre Thérèse.

> Je vais te la peindre: œil furtif et agaçant l'appétit; en un mot un œil à la fouterie, et comme on dit assez vulgairement, un œil demandant l'aumône au pont-levis d'une culotte; taille svelte et élégante; des tétons d'une tournure admirable et plus que suffisants pour remplir la main d'un honnête homme; une croupe divine... Le conin de Vénus n'aurait pas obtenu la pomme de discorde si Thérèse eût montré le sien.

Cet ouvrage, dit la page de titre, a été composé par Machault, évêque d'Amiens: c'est faux, naturellement. On voulait compromettre Machault, renommé pour ses bonnes œuvres, sa foi intransigeante lui faisant repousser le «serment civique» exigé des prêtres.

La calomnie, le faux témoignage, l'esprit de délation, le mensonge cynique sont bien plus odieux dans ces écrits que les racontars sexuels. On y généralisa l'usurpation d'identité, mettant pour nom d'auteur à un pamphlet obscène le nom de la personnalité contre qui il était dirigé. Ainsi pour attaquer Théroigne de Méricourt cherchant à organiser une Garde nationale féminine, on publia *Catéchisme libertin à l'usage des filles de joie, par Mlle Théroigne* (1792). Ce catéchisme par demandes et réponses expliquant «comment doit se comporter une putain lorsqu'elle a donné dans l'œil à quelque bon fouteur» est suivi d'une *Oraison à saint Garcelin* («le protecteur déclaré des putains»), de *Litanies des filles de joie*, de *Poésies libres*, et se termine par une approbation de l'abbé Maury et de l'évêque d'Autun affirmant : «Nous, docteurs en fouterie... certifions avoir lu et relu un livre intitulé *Petit Catéchisme libertin*... ne pouvant dans tout son contenu que servir à l'instruction des toupies et à leur faire faire des progrès rapides dans la paillardise.»

L'émigration suscita un des meilleurs pamphlets érotiques révolutionnaires, *Les Délices de Coblentz ou anecdotes libertines des émigrés français* (1792). Mme de Mesgrigny y écrit à son amie Mme de Saluces, restée à Paris, qu'elle a trouvé à Coblence «le théâtre de toutes les dissipations et des passe-temps les plus doux». Dans la maison du comte de Vintimille elle a participé avec des officiers, un prestolet, un robin, des femmes comme la Rosainville et Blandine, à de folles orgies qu'elle évoque pittoresquement. Quand le marquis de Fontaine l'attaque, elle dit : «Je sentois déjà sa machine hydraulique qui s'égaroit dans les touffes épaisses de mon parc noir... Le mouvement que je fis excita l'inondation de l'écume de Vénus qui roula sur toutes mes cuisses.» Une autre fois, elle exprime en ces termes qu'ils se caressent mutuellement :

> Il promenoit déjà ses mains folâtres et ses regards avides sur tous les bijoux de l'amour... remettoit dans mes mains ce bout de nerf docile qui s'allongeoit, se raidissoit, et faisoit trotter ses doigts sur mes cuisses et mon ventre ; il en plongea un avec tant de violence dans mon centre conique que l'émotion qu'il me causa me fit lâcher l'aiguille de montre que je tenois dans la main.

Ce journaliste de la Révolution retrouve instinctivement la verdeur des conteurs satiriques du xvie siècle, tant ce style est inné dans l'esprit français. Ses métaphores rendent fort amusantes des scènes de coït, comme celle où le prestolet renverse Sophie sur un lit :

> Elle alloit se laisser vaincre ; mais soit caprice ou soit goût, il se contenta sans doute parce qu'elle avoit la gorge extrêmement belle, de lui placer son dard au milieu des tétons, et après lui avoir savonné abondamment les potirons d'amour, il alloit quitter la partie, quand en l'embrassant elle lui dit : Vous croyez donc mon bijou que je dois céder à vos fantaisies, et que vous ne contenterez pas les miennes. Allons, allons, pas de réplique, j'ai des araignées dans le bas du ventre qu'il faut épousseter avec ce manche...

Les Délices de Coblentz eurent un tel succès que l'auteur publia une suite, *Fête brillante donnée par le prince de Condé aux illustres émigrés français*, où une réunion de douze hommes et de douze femmes met aux prises, dans le palais de Condé à Coblence, son fils, le duc de Bourbon, «les deux frères du gros Louis XVI» (à savoir le comte de Provence, «cochon châtré», et le comte d'Artois), le président d'Aligre, l'électeur de Mayence, l'évêque-prince de Liège, avec Mme de Balby, Rosette, l'actrice du Théâtre d'Audinot, et d'autres dames qui bientôt seront «patinées, troussées, embrochées sans façon». Elles se montrent insatiables à «se faire ouvrir le ventre, à coups de cheville humaine», elles perdent toute retenue: «Leurs propos les plus doux imitoient ceux des harengères bricolées dans un taudis par des porte-faix.» La narratrice conclut: «Si nous faisons la guerre, ce n'est que sur des canapés et la verdure.» Le but de ce libelle est de prouver aux patriotes qu'ils n'ont rien à craindre de l'armée des coalisés, dont les chefs ne songent qu'à se vautrer dans la débauche.

D'autres pamphlets s'en prirent à la Comédie-Française, accusée d'être «un repaire d'aristocrates». On se servit de la sociétaire la plus scandaleuse, Mlle Raucourt, pour les déshonorer toutes. *Anandria* (1789), reprenant la *Confession d'une jeune fille* de Pidansat de Mairobert, raconte comment Mlle Sapho, la *succube* de Mme de Furiel [1], est reçue dans la secte des Anandrynes que dirigeait Mlle Raucourt. L'*anandryne* (étymologiquement: *l'anti-homme*) est la lesbienne qui se refuse à tout contact avec l'homme; tandis que l'*amphibie*, tout en cultivant sa perversion, garde un amant ou un mari. Durant la scène de réception, Mlle Sapho était mise nue dans le Temple de Vesta de la secte, au milieu des tribades en habits de cérémonie, «les mères avec une lévite couleur de feu et une ceinture bleue, les novices en lévite blanche avec une ceinture couleur de rose». Ce livre, réédité en 1791 sous le titre de *La Nouvelle Sapho ou histoire de la secte des Anandrynes*, grossi de huit pages sur les comédiennes anandrynes, fut présenté comme une œuvre de «la citoyenne Raucourt».

La Liberté ou Mlle Raucourt (1791), pamphlet dans le style jovial et ordurier du père Duchêne, est un procès «à toute la secte anandryne assemblée au foyer de la Comédie-Française». Les pièces de la procédure comportent un discours de la citoyenne Raucourt, une «Intervention des tribades dans la cause des bougres et des bardaches», et un «Exploit de signification signé: Gratte-con, huissier». Le tout est «collationné, pour servir en jugement, et scellé du grand sceau de la société portant l'empreinte d'un clitoris imperceptible au milieu d'un large con».

Les autres théâtres suspectés de sympathies royalistes firent aussi l'objet de tels pamphlets obscènes, dont le plus violent fut *Les Bordels de Thalie* (1793), où le compère Mathieu, personnage de révolté cynique créé par l'abbé du Laurens, recueillait les «confessions paillardes» des acteurs du Théâtre lyrique, de l'Ambigu comique, de Nicolet. En écoutant les aveux des «passe-temps orduriers» auxquels ils se livraient ensemble, même l'impudent compère Mathieu ne pouvait s'empêcher de s'indigner: «Ah! grands dieux! quel brigandage! quel putanisme!»

Après une interruption sous la Terreur, en raison de l'abolition de la liberté de la presse, les pamphlets obscènes refleurirent sous le Directoire où le plus étonnant fut *La France foutue*, «tragédie lubrique et royaliste» en trois actes et en vers. L'exemplaire de la Bibliothèque nationale provient de la bibliothèque de Talma, et contient un exorde

---

1. Pidansat de Mairobert dit des succubes: «On appelle ainsi les patientes dans les combats amoureux de femme à femme.»

ordurier de cinquante-deux vers copié de sa main. La pièce dit: «Bonaparte règne en maître.» Cela laisserait supposer que *La France foutue* date du début du Consulat, en 1799, et non de 1796 comme on l'a cru. Mais le texte, sinon la publication, a été visiblement rédigé sous le Directoire par un royaliste désespéré, exhalant ses rancœurs avec une éloquence vindicative. Il demande au lecteur de ne pas se méprendre à son titre: «J'ai fait une priapée d'événements tragiques parce que le Français s'ennuie de tout, et qu'ennuyé de lire, il faut quelque chose qui le stimule.»

Cette pièce allégorique met en scène la France, en tunique blanche, manteau de velours bleu ciel parsemé de fleurs de lys d'or, et sa dame d'honneur la Vendée, en robe grise décorée par les armes des provinces insurgées pendant la Révolution. Toutes deux sont menacées par l'Angleterre, «maquerelle tenant bordel chez le duc d'Orléans», qui cherche à les «faire foutre» par le duc d'Orléans, le comte de Puisaye, général des Chouans, Frédéric-Guillaume III, roi de Prusse, François II, empereur d'Allemagne, et Charles IV, roi d'Espagne. Cela donne des scènes de ce genre:

Charles

Dans nos communs désirs, bandant tous pour la France,
Nous désirons tous trois dans cette circonstance
Savoir qui de nous trois le premier foutera.

L'Angleterre

Celui qui d'entre vous le premier bandera.

Charles

C'est juste.

François

J'y consens.

Frédéric

Je l'approuve de même.

D'Orléans

De vous céder le pas mon regret est extrême,
Mais je vous l'ai promis.

Frédéric

Duc, bandez le premier,
Et mettez avant nous le pied dans l'étrier.

François

Sa suivante par qui sera-t-elle baisée?

Puisaye

Je me charge à moi seul de foutre la Vendée.

L'Angleterre

Les voici toutes deux.

Malgré cette obscénité continue, la pièce est puissamment dramatique, bien construite, avec des tirades pathétiques lorsque la France et
la Vendée se plaignent d'être livrées à des ruffians. L'auteur explique
d'ailleurs: «Je n'ai point mis dans la bouche de la France aucune
expression lubrique, ni dans celle de la Vendée, jusqu'au moment où,
ayant été foutues, elles ont pu parler comme les autres, vu que ce langage
est dans l'esprit de mon poème.» Dans la dernière scène, après l'exécution de Louis XVI, le duc d'Orléans vient dire à la France: «C'en est fait,
je triomphe, et vous serez foutue.» Il s'empare de la France et l'entraîne
vers le lit de repos; mais elle le poignarde et veut s'enfuir avec la Vendée.
Hélas! l'Angleterre ordonne au comte de Puisaye de poignarder la
Vendée, qui tombe morte aux pieds de la France. Celle-ci, terrifiée,
s'adresse aux spectateurs:

> Trop coupables Français, sans roi et sans autels,
> Quand vous vengerez-vous de tant de criminels?

Si Talma faisait tant de cas de *La France foutue*, c'est que ce
pamphlet théâtral a un accent unique. L'auteur l'a accompagné de notes
historiques remarquables. Il y règne une haine de l'Angleterre typique de
l'époque révolutionnaire, où l'on rendait Pitt responsable des malheurs
de la France.

Les mémorialistes du sexe

Ce fut au xviiie siècle que les Mémoires se transformèrent en
Confessions; auparavant, un homme racontant sa vie, comme le cardinal
de Retz, glissait légèrement sur ses amours et évoquait surtout les
événements politiques auxquels il avait participé. Au contraire, dans les
Mémoires du genre des Confessions, l'auteur expose en priorité ses
passions, ses goûts, sa sexualité, en prétendant y mettre la même
sincérité que s'il s'adressait à un ami ou à un confesseur.

Au début, on fit une distinction bien nette entre la vie privée et la vie
publique. Le travesti François Timoléon de Choisy entreprit d'écrire des
Confessions exprimant sa perversion sexuelle; il n'en parut qu'un
fragment à Anvers, *Histoire de madame la comtesse des Barres* (1735);
trois autres fragments inédits, conservés à la Bibliothèque de l'Arsenal,
n'y furent joints qu'en 1862. C'est un document vécu remarquable,
malheureusement incomplet. Choisy, cadet de trois frères, avait été
habillé en fille par sa mère dès l'enfance; pour qu'il n'eût point de barbe,
on lui frottait les joues «avec une certaine eau qui fait mourir le poil dans
la racine». A vingt-deux ans, sa mère étant morte, il s'installa à Paris dans
une maison du faubourg Saint-Marceau: «Je me faisois appeler par mes
laquais madame de Sancy», dit-il. A l'Opéra, il trônait dans sa loge en robe
blanche à fleurs d'or, avec des rubans roses, des diamants, des mouches.

Au bal du Palais-Royal, il eut beaucoup de succès en danseuse: «Il me vint force amants, la plupart pour se divertir, quelques-uns de bonne foi.»

Ensuite Choisy acheta le château de Crespon près de Bourges, et s'y fit passer pour une jeune veuve, la comtesse des Barres. Il s'éprit d'une jolie voisine, Charlotte, la fit habiller en garçon et nommer monsieur de Mauny, et se maria avec elle. Leur nuit de noces fut chaste: «Nous nous abandonnâmes à la joie sans sortir de l'honnêteté, ce qui est difficile à croire et ce qui est pourtant vrai.» Choisy était heureux d'entendre dire, quand il sortait en femme avec Charlotte en homme: «La femme est bien faite, mais le mari est bien plus beau.»

Devenu l'abbé de Choisy, distingué par sa mission au Siam, il rédigea ses *Mémoires* sur sa vie publique sous le règne de Louis XIV, en se proposant d'y mêler des épisodes de sa vie privée: «On rira de me voir habillé en fille jusqu'à l'âge de dix-huit ans; on n'excusera pas ma mère de l'avoir voulu. Le voyage à Bordeaux ne laissera pas de divertir.» Mais ces épisodes furent supprimés du manuscrit, soit par lui, soit par son exécuteur testamentaire. On ne saura rien de son séjour à Bordeaux où, pendant cinq mois, il joua au théâtre en se faisant prendre pour une actrice. Ses *Mémoires* ne forment donc pas un tout; il ne venait encore à l'idée de personne de décrire dans un même livre la face diurne et la face nocturne de son existence.

Jean-Jacques Rousseau fut le premier à démontrer, par ses *Confessions* (1782), qu'une autobiographie pouvait dérouler l'ensemble des actions d'un homme, tant amoureuses que professionnelles. Dans un discours d'une éloquence magnifique, il parla aussi bien de son exhibitionnisme sexuel d'enfant, de ses amours avec Mme de Warrens et avec Mme d'Houdetot, de ses rêves, de ses maladies, que de ses rapports avec le roi Stanislas et le maréchal de Luxembourg. Il apprit au public qu'un autoportrait littéraire ne se limitait pas à la tête, mais décrivait tout le corps.

Restif de La Bretonne s'efforça de surpasser Rousseau par le réalisme de ses aveux dans *Monsieur Nicolas ou le Cœur humain dévoilé* (1794-1797), en quatorze volumes contenant les détails les plus crus sur son fétichisme du pied, son obsession de l'inceste, ses mésaventures avec toutes sortes de filles [1]. Restif alla plus loin encore en concevant comme des confessions déguisées *L'Anti-Justine* (1798) où son langage semble le flot d'un égout charriant des immondices. Il attribua ce roman autobiographique à l'avocat Linguet qui l'aurait écrit à la Conciergerie, en floréal an III, avant d'être guillotiné. Le livre devait avoir sept ou huit parties: il n'en fit que deux. Le but en était vertueux, naturellement, comme toujours chez Restif. Il voulait combattre la nocivité des romans de Sade: «La *Justine* de Sade me tomba sous la main. Elle me mit en feu; je voulus jouir et ce fut avec fureur: je mordis les seins de ma monture; je lui tordis les bras... Honteux de ces excès, effets de ma lecture, je me

---

1. Cf. «Restif de La Bretonne et la rage de l'amour», dans *Les Libérateurs de l'amour, op. cit.*

fis à moi-même un *Erotikon* savoureux, mais non cruel, qui m'excita au point de me faire enfiler une Bossue-Bancroche, haute de 2 pieds. Prenez, lisez et vous en ferez autant.» Mais l'auteur, en cherchant à «ranimer les maris blasés auxquels leurs femmes n'inspirent plus rien», patauge et s'embourbe dans ses obscénités, alors que Sade survole les siennes comme un aigle observant le terrain de ses prédations.

Le héros Cupidonnet, dont la jeunesse amoureuse est rapidement contée, se retrouve bientôt avec deux filles, Conquette-Ingénue et Victoire-Conquette, dont il devient le premier amant. Il n'y a rien de tel que l'inceste, affirme gravement Restif, pour détourner l'homme du sadisme. Conquette-Ingénue épouse un veuf débauché, Vitnègre, qui la vend à ses amis. L'un d'eux est le moine Foutamort, «le fouteur à la Justine», qui ne jouit que dans la cruauté: il tue la courtisane Conillète et la mange; et comme elle avait la vérole, il en meurt.

Ayant retiré Conquette-Ingénue des griffes de son gendre, Cupidonnet entend fournir lui-même aux besoins de son tempérament. Mais, puisqu'elle a dix-neuf ans et lui quarante ans, il lui dit: «Je ne suis plus en âge à te rassasier de voluptés. Ainsi je te le ferai mettre par de jolis jeunes gens, graduant la grosseur des vits.» Il l'offre d'abord à un «gros homme vigoureux, lubrique à l'excès», nommé Montencon, puis à son secrétaire Traitdamour. Il dirige les assauts contre Conquette-Ingénue en affirmant: «Une femme vaut seize hommes au jeu couillard; ne la laissons ni refroidir ni chômer.»

Dans le «commencement des grandes fouteries» (ou «fouteries majeures»), Cupidonnet décide d'organiser avec sa fille aînée «une partie tous les huit jours». Deux jeunes gens, Baisemotte et Cordaboyau, trois filles, Rosemauve, Minone et Connète, y participent. Les scènes qui se succèdent sont si folles que Restif dit: «Ho! que les puristes ont dû se récrier au chapitre précédent!... Hé bien, puristes, je m'en fous.» Le style a d'étranges mignardises: «Elle gigotait, criotait, soupirotait», des tours d'argot érotique: «Et toi (dis-je à Connète), *boulonne-lui la bouteille-à-miel du Bourdon d'amour*», des métaphores outrancières: «Et je grinçais des dents, lui tenant toujours le poil du con, ce poil soyeux qui lui formait une longue et superbe perruque à la Louis XIV» (*sic*). Le roman est entrecoupé d'histoires que se racontent les protagonistes, comme celle de Piochencul et de la Piochée, ou celle de Fysistère dit le Velu ou l'homme-à-queue (car il est poilu comme un singe et a une queue au bas du dos) qui à Sens possède une veuve, Mme Linars, et ses six filles.

Evidemment ce sont là des «rabachages à faire bandocher» (comme s'intitule un chapitre) et Restif s'en lassa le premier. La seconde partie de 1798 est inachevée, s'arrêtant brusquement au début d'une phrase: «Elle...», alors que Cupidonnet dans un souper raconte comment il a dépucelé Victoire-Beauxtalons. Restif était absolument sincère en prétendant: «Je veux préserver *les Femmes* du délire de la cruauté.» Mais il faudrait écrire en cas une *Anti-Anti-Justine* pour les préserver du délire de l'inceste. Il imprima cet ouvrage lui-même directement sans brouillon, à quelques exemplaires, voulant vérifier son effet sur des lecteurs de son entourage, avant de procéder à un tirage plus important.

L'Anti-Justine, moitié pochade moitié document psychopathologique, clôture la production libre du xviiie siècle dont les amateurs pensaient tous comme Restif : « Un auteur doit avoir pour but le bonheur de ses lecteurs... Or de toutes les lectures la plus entraînante est celle des ouvrages érotiques, surtout lorsqu'ils sont accompagnés de figures expressives. »

Cette même année où Jean-Baptiste Choudard-Desforges publia aussi *Le Poète ou Mémoires d'un homme de lettres* (1798) qu'un article de *La Décade philosophique* accusait d'être rempli de « détails qu'une prostituée ne saurait lire sans rougir » (mais ils paraîtraient anodins aujourd'hui à une lycéenne), Casanova mourait au château de Dux en Bohême, après y avoir rédigé ses *Mémoires* de 1789 à 1792, et un *Précis de ma vie* en 1797. Les *Mémoires* de Casanova ne sont pas un livre du xviiie siècle. Ils ont d'abord été publiés dans une traduction allemande en douze volumes par l'éditeur Backhaus de 1822 à 1827 ; la version française fut établie à la même période d'après cette édition allemande, et plus tard un professeur français de Leipzig, Jean Laforgue, établit une autre édition d'après l'original.

La chance des *Mémoires* de Casanova est d'avoir paru au xixe siècle. Ils seraient passés inaperçus en son temps, éclipsés par d'autres contenant des aventures amoureuses plus étonnantes que les siennes, comme les *Mémoires* du maréchal de Richelieu en huit volumes, transcrits par Soulavie. Le grand public prit plus tard Casanova pour l'archétype du libertinage de son siècle (sur lequel il n'eut pas la moindre influence), parce que les vrais maîtres du genre demeuraient confinés dans les enfers des bibliothèques ; il n'en est qu'un libertin mineur, et c'est plutôt comme aventurier qu'il convient de le juger.

6

LES LIVRES CLANDESTINS
DU XIXᵉ SIÈCLE

Le premier livre érotique du xixᵉ siècle, paru en 1800 clandestinement et anonymement, fut *L'Enfant du bordel* de Charles Pigault-
Lebrun, écrivain très estimé de Napoléon et de son frère Jérôme. Cet
auteur injustement oublié, l'un des meilleurs du Directoire et du
Consulat, eut une vie aussi fertile en aventures que ses romans. Né en
1753. à Calais où son père était magistrat, envoyé à Londres afin d'y
apprendre le commerce, il séduisit la fille d'un négociant, l'enleva sur un
brick en partance pour le Brésil; mais le bateau fit naufrage et la jeune
Anglaise périt. De retour à Calais, il fut emprisonné à la demande de son
père et ne sortit de prison qu'au bout de deux ans. Il entra alors dans la
gendarmerie d'élite, dite Petite Maison du Roi, et devint le boute-en-train
de son régiment en garnison à Lunéville, «ce qui ne l'empêchait pas
d'avoir régulièrement deux ou trois duels chaque mois[1]». Il enleva une
autre jeune fille, Eugénie, fut arrêté par la maréchaussée et de nouveau
interné. Ensuite, acteur à Lille dans une troupe de comédiens sous le
nom de Legris, il retrouva Eugénie qu'il voulut épouser; mais le maire
lui opposa un décret constatant, d'après un témoignage de son père, qu'il
était mort depuis longtemps. Il engagea un procès pour établir officiellement qu'il était vivant, et fut condamné à ses frais. Sous la Révolution,
il participa à la bataille de Valmy comme sous-lieutenant de dragons. A
Paris, après avoir été régisseur de théâtre, auteur de comédies, il
commença avec *L'Enfant du carnaval* (1796) la série des romans gais et
licencieux qui firent sa vogue. Dans *L'Enfant du bordel* (une commande
de son éditeur, nous précisa-t-il), tout le monde reconnut malgré
l'anonymat son imagination pétulante, son art de multiplier les événements sans laisser un instant souffler le lecteur.

Le narrateur, Chérubin, racontant ses amours d'adolescent, montre
d'abord comment son père Théodore, un jeune comte, rencontre sa
mère Cécile, petite marchande de modes, et nous décrit leurs étreintes

---

1. *Vie et aventures de Pigault-Lebrun*, publiées par J.-N. B. (Paris, Gustave Barba,
1836).

pas toucher à terre. Ce sera le moment d'introduire ton membre.

5ᵉ Manière. ___ Tu feras placer la femme par terre, couchée sur le côté ; tu te placeras ensuite toi-même sur le côté ; puis, entrant entre ses cuisses, tu introduiras ton membre dans son vagin. Mais le coït sur le côté prédispose aux douleurs rhumatismales et à la sciatique (63).

6ᵉ Manière. ___ Fais placer la femme sur ses genoux et sur ses coudes, comme lorsqu'elle s'agenouille pour prendre la position de la prière. Dans cette posture, la vulve ressort en arrière ; c'est par là que tu l'attaques et que tu lui introduis ton membre (64).

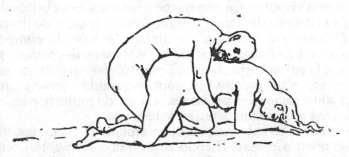

Motif d'une page du *Jardin parfumé* du cheikh Nefzaoui,
traduction française calligraphiée
sous la direction du commandant Maréchal, 1850.
(B.N./Cl. B.N.)

variées. Mais sa mère meurt en accouchant de lui, son père doit s'enfuir en Suède pour avoir tué un homme en duel; une tenancière du Palais-Royal, madame D...y, le recueille et l'élève. Cette matrone fraîche et séduisante, lorsqu'il a quatorze ans, lui fait maintes agaceries, puis un matin dans son lit l'attire contre elle:

> Cependant mes mains, tremblantes de désirs, erraient sur la gorge de ma belle maîtresse. Je sentis bientôt une des siennes qui se glissait le long de ma cuisse et semblait chercher à découvrir si j'étais bon à quelque chose; elle dut être contente car je bandais... je bandais... comme quand on bande pour la première fois.

Sitôt déniaisé il devient la coqueluche des filles de la maison, notamment de Félicité, qui s'amuse à bafouer sa patronne: «Elle trouva plaisant de se donner à moi devant sa rivale sans que celle-ci se doutât de rien.» Ainsi Félicité se penche dans l'alcôve où est couchée madame D...y, tire les rideaux sous prétexte de lui faire une confidence à voix basse, et offre à Chérubin ce que dévoile son jupon qu'elle laisse tomber:

> Je dirigeai mon dard dans cet antre charmant... A l'instant suprême, elle déraisonna si visiblement que madame D...y lui demanda en riant si elle était folle. Pour toute réponse, Félicité colla sa bouche sur celle de sa rivale et se mit à la branler pour détourner son attention. Cette dernière, qui n'était jamais rebelle à une telle attaque, s'y livra entièrement, et nous arrivâmes tous les trois presque en même temps à la fin de la carrière.

La tenancière, se fâchant une nuit où Chérubin et Félicité lui jouent un tour encore plus libertin, les chasse. Ils vont vivre ensemble dans une chambre garnie rue d'Argenteuil. Félicité continue à se prostituer et, afin de faciliter son commerce, déguise Chérubin en femme: «Me voilà donc en fourreau de linon rose, chapeau et souliers blancs, et trottant avec elle sous les galeries du Palais-Royal.» Il assiste à ses passes, jouit même d'une lesbienne à qui Félicité le présente comme s'il était une amie à l'anatomie monstrueuse: «Telle que vous la voyez, elle est douée d'un clitoris à faire honte à la plus belle cheville humaine.»

La jeunesse du protagoniste donne à ses actes amoureux la vivacité d'une suite d'espiègleries sexuelles. Le baron de Colincourt l'emmène chez lui et veut le violer, le prenant pour une fille; la baronne le secourt et, en vue de le protéger de son mari, lui fait partager son lit; il lui montre incontinent qu'il est un garçon en la possédant. Emprisonné à Saint-Lazare, s'évadant, devenant l'amant d'une danseuse d'opéra, puis de la lubrique Mme de Senneville qui le retient cinq mois dans son château près de Fontainebleau, il court de volupté en volupté dans des situations inattendues; une simple promenade à la campagne lui fait surprendre trois baigneuses nues et profiter de l'occasion. A dix-sept ans, il retrouve son père, colonel de dragons, qui en fait un lieutenant dans son régiment. Pigault-Lebrun publia d'autres romans de cette verve, quoique moins libres, tel *Le Garçon sans souci* (1817); avant de mourir, il se passionna pour le magnétisme au point de magnétiser lui-même des sujets.

Sous le Consulat et le Premier Empire, des livres très obscènes furent d'incomparables documents de mœurs, comme *Le Boudoir d'amaranthe* (1803), histoire d'une fille entretenue où apparaît la Destainville, célèbre maquerelle de l'époque, et surtout les *Lettres d'un Provençal à son épouse* (1805), qui nous renseignent sur l'état de la galanterie à Paris. Le Provençal raconte d'abord à sa femme, restée à Marseille, la scène fantastique qu'il a vécue dans un bordel de la rue de la Tannerie, fréquenté par des aveugles et des sourds-muets. Il lui décrit en ses autres lettres ce qu'il a vu dans les lieux où se concentrent les racoleuses, le quai des Quatre-Nations (quai Voltaire), le quai de la Vallée, le pont Notre-Dame, la rue de la Lanterne. Mais il ne veut pas, «sans aucun plaisir, attraper la gale avec ces barboteuses». On apprend là pourquoi on a baptisé les prostituées des pierreuses:

> ... J'allais ensuite sur la place de la Révolution: cette place est, à ce qu'il paraît, presque toujours encombrée de grosses pierres de taille. C'est le quartier général des malheureuses, et comme elles vous exploitent dans les pierres sans doute est-ce là l'étymologie de leur titre de pierreuses.

On y trouve aussi les descriptions les plus réalistes des lupanars du Palais-Royal, tel l'établissement de la Lévêque:

> Les bordels de Marseille étant encore plus malpropres que n'est celui où je suis, qui est tenu par une nommée la Lévêque, je vais te décrire les ustensiles et les attributs qui le décorent. Dans chaque petite chambre est un trumeau auquel sont attachés des disciplines et des martinets faits de cordes à petits nœuds et armés d'épingles; sur la cheminée sont des redingotes anglaises et des godmichés à l'usage du plaisir sodomique; une cuvette, un pot à l'eau et une serviette figurent sur la commode.

Le Provençal nous révèle également les possibilités de débauche offertes par certains salons bourgeois et certains théâtres: «Le foyer du théâtre Montansier, ma bonne femme, est proprement dit un bordel public pour l'un et pour l'autre sexe... Là on se parle, on se heurte, on se pince, on se dit de charmantes grossièretés, et cela par pure gentillesse.» Ces lettres sont émaillées de termes d'argot érotique du temps, le Provençal appelant ainsi son membre viril son *bibi*, et disant lorsqu'il se met en érection: «Bibi, qui faisait bâton, fut remarqué de la belle [1].»

Les *Mémoires d'un vieillard de vingt-cinq ans* (1809) de Louis-Julien Rochemond, d'un style plus relevé, restent le meilleur exemple de l'érotisme Premier Empire. La composition fait alterner agréablement le récit à la troisième personne, la confession directe, le dialogue de théâtre et le roman par lettres. Le héros, Philippe d'Oransai, de la noblesse vendéenne, après avoir longuement évoqué les amours de son père,

---

1. *Lettres d'un Provençal à son épouse*, par M. H....y (à Paris, au Palais-Royal, 1805).

narre les siennes avec des périphrases suggestives. A quatorze ans, il prend des «leçons de Cythère» en observant les couples se caressant dans les grottes d'une colline. Il surprend ainsi Olympie et un commandant de la Garde nationale se reposant d'une première étreinte:

> Couchée sur son dos, Olympie, à demi nue, la gorge découverte, caressait d'une main impatiente l'épée du militaire qui s'était courbée; le garde national, dans les yeux duquel brillait une flamme amoureuse, jouait avec son doigt dans la bague d'Olympie, qui par ses tortillements réitérés lui prouvait le plaisir qu'il faisait ressentir à tout son être; cependant les forces se raniment, l'amour saisit son dard et le plonge dans le carquois humide. Les baisers, les caresses se succèdent avec rapidité, ils sont heureux...

Exprimant toujours les ébats charnels les plus libres en des termes fleuris, d'Oransai conte ses «folies amoureuses» avec des jeunes filles semblant peintes par Prud'hon: Euphrosine, Honorée de Barène, «la folâtre Eudoxie», Joséphine de Melfort, la grisette Jenni Dastin, Ambroisine. Le passage où il jouit de la chanteuse Célénie dans sa loge est un morceau d'anthologie:

> Je hasarde une main libertine qui commence à gagner pays; je découvre des rondeurs exquises, mais je ne m'y arrête pas, comptant bien y retourner à loisir, et je m'avance hardiment jusqu'à la citadelle dont il me tarde de m'emparer. Malgré une légère résistance de Célénie mon doigt force l'entrée, pousse sa pointe et ne tarde pas à rencontrer la petite éminence qui forme la clé de la position, il l'attaque avec cette habileté que peut seule donner une longue expérience, et je le sens bientôt qui gonfle et se raidit sous l'effet de mes caresses tandis que Célénie se pâme sur mon épaule en poussant des soupirs voluptueux.

Quand ensuite il fait s'agenouiller Célénie sur une causeuse pour la prendre en levrette, jamais une telle scène n'a été décrite avec plus d'enthousiasme poétique. Il se récrie en relevant sa robe par-derrière:

> Ciel! que de beautés! des jambes faites au tour que dessine un bas de soie rose retenu au-dessus du genou par un ruban couleur de feu, plus haut, deux piliers d'albâtre d'un galbe exquis et supportant deux globes pétris par la main même des grâces, blancs comme neige, fermes, rebondis, et qui pressés l'un contre l'autre semblent ne pouvoir se séparer (...) Célénie se laisse aller sur la causeuse, je la serre alors étroitement, j'enfonce le fer jusqu'aux gardes, tandis que je m'étends sur les deux coussins élastiques et moelleux qui s'agitent sous moi, dans les dernières convulsions du plaisir, et c'est dans cette ravissante position que nous atteignons, au milieu d'un torrent de délices, la félicité suprême [1].

Cet hymne à la beauté de l'amour physique, d'où tout mot sale, tout personnage laid est proscrit, vante la supériorité sexuelle des filles de condition sur les catins. «Combien de femmes galantes ne sont que des

---

1. *Mémoires d'un vieillard de vingt-cinq ans*, par Louis-Julien Rochemond (à Amsterdam, chez Auguste Brancart, 1886).

écolières auprès de certaines femmes du monde!» remarque d'Oransai à propos de la perverse Clotilde Derfeil, dont il expérimente la «science du plaisir et de la volupté», et dont les lettres détaillent comment elle sollicita les «violences obscènes» du fermier Pierre et connut «les fureurs de Sapho» avec Justine et l'actrice Céline. Ce roman érotique a l'originalité d'être entrecoupé d'évocations de la guerre de Vendée et de la société secrète des Invisibles — à laquelle appartient le héros —, traquant les responsables impunis des noyades révolutionnaires de Nantes. A la fin d'Oransai se marie et, colonel de l'Empire, d'amant volage devient époux fidèle.

Sous la Restauration, *Les Matinées du Palais-Royal* (1815), sans doute de Lallemant, exposèrent le libertinage d'une jeune bourgeoise émancipée, Julie B., fille d'un bijoutier de la rue Richelieu. En compagnie de son amie Adélaïde, elle cherche le plaisir au Palais-Royal, et perd son pucelage lors d'une partie carrée en cabinet particulier avec Lucien et Derly. Ensuite elle fréquente la «société d'amateurs» de Mme de Saint-Léon, où l'on fait tout autre chose que de jouer la comédie, couche avec son coiffeur Jasmin: «Julie avait déjà fait heureux plus de douze amants lorsque M. B. songea à lui donner un parti [1].» Mais son mariage ne l'empêche pas de courir encore le guilledou au Palais-Royal, habillée en homme, et d'y séduire sous ce travesti un garçon de quatorze ans, Julien, qu'elle déniaise. Une fin indiquant qu'elle se remarie à un comte de l'Empire a été surajoutée pour laisser croire que le portrait de Julie B. est celui d'une parvenue du régime impérial.

Caroline et Saint-Hilaire (1817), qui s'intitulait primitivement *Caroline ou mes F...* — titre que l'éditeur modifia étourdiment, sans prendre garde qu'il n'y avait aucun Saint-Hilaire en cette histoire —, eut un succès persistant tout au long du siècle. L'auteur, Rioust, avait fait ses humanités, comme il y paraît dans son *Avis* où, pour prouver que «l'amour de la fouterie a toujours été le sceau qui a distingué les héroïnes», il invoque Leonide et Dematrion, citoyennes de Lacédémone, la patriote romaine Laufella et bien d'autres «grandes fouteuses» qui ont remué les empires: «Esther livra son cul à Assuérus et fit une révolution. Thébé, femme d'Alexandre, tyran d'Ephores, foutit avec ses trois frères pour obtenir d'eux la mort du tyran. La fameuse Pucelle foutit avec Dunois et reconquit la France...» Ainsi Caroline, retrouvant son amant Saint-Far, lui fait le récit de ses aventures, si libertines qu'il l'interrompt constamment pour soulager avec elle son excitation. Orpheline de la région lyonnaise, elle débuta dans la maison où Mme Durancy vivait avec son amant Varennes (qu'elle faisait passer pour son fils) et sa femme de chambre Jeannette (qui était en réalité un homme, Brabant). Cela donna lieu à maints quiproquos scabreux. Puis elle connut des expériences non moins bizarres, comme son mariage avec le Turc Ali qui fit participer à leur nuit de noces quatre hommes et quatre femmes

---

1. *Les Matinées du Palais-Royal, ou Amours secrètes de mademoiselle Julie B. devenue comtesse de l'Empire* (Paris, chez les marchands de nouveautés, 1815).

chargés de former autour d'eux des tableaux vivants lascifs. Ses scènes originales, son style mêlant les mots crus et les exclamations délirantes expliquent pourquoi ce livre eut tant de rééditions.

A cette époque Henri Beyle rédigea les divers morceaux réunis dans *Les Ecrits érotiques de Stendhal* (que publia en 1928 la Société stendhalienne). Ils contiennent un conte en vers, *L'Honneur français*, qu'il écrivit en trois heures lorsqu'il était lieutenant de dragons, pour relater une expédition avec cinq amis, à onze heures du soir, au bordel de Brescia où ils se partagèrent deux prostituées. Un sbire et sa suite, en raison de leur vacarme, voulurent les conduire au poste pour tapage nocturne. Ces «écrits érotiques» rassemblent aussi des anecdotes libres notées par Stendhal d'un ton cynique, disant ainsi de sa maîtresse Louason «qu'elle avait le foutre tragique, qu'il lui en faudrait long comme cela», ou décrivant la méthode qu'il emploie au lit «lorsqu'il s'agit d'enfiler une femme honnête». On y trouve aussi des lettres qu'Henri Martineau n'a pas reproduites dans l'édition de sa *Correspondance générale*: celle du 12 juillet 1820 à Milan, racontant comment «la reine Caroline d'Angleterre faisait ici l'amour publiquement avec un palefrenier du général Pino, nommé Bergami». Et celle du 23 décembre 1826 où Stendhal affirme qu'il aurait voulu écrire autrement *Armance*, en montrant les caresses que son héros impuissant (ou babylan) faisait à son héroïne:

> Olivier, comme tous les Babylans, est très fort sur les moyens auxiliaires... Une main adroite, une langue officieuse ont donné des jouissances vives à Armance.

Mais l'auteur s'est astreint à «la peinture par l'imagination du spectateur», sans couleurs crues, lui laissant tout à deviner:

> Le genre de peinture dont je me sers, le genre noir sur blanc, ne me permet pas de suivre la vérité. En 2826 si la civilisation continue et que je revienne dans la rue Duphot, je raconterai qu'Olivier a acheté un beau godemiché portugais en gomme élastique, qu'il s'est proprement attaché à la couille, et, qu'avec ledit, après avoir donné une extase complète à sa femme... il a bravement couronné son mariage [1].

Le polygraphe P. Cuisin, cité élogieusement dans le *Manifeste du surréalisme*, publia des livres que la police interdit en 1825, comme *La Volupté prise sur le fait* (1815), «folie érotique» dédiée aux «libertins systématiques et calculateurs». L'auteur, en ses «rondes de nuit» à travers Paris, assiste aux «cours de physique galante» qui se donnent aussi bien dans les bains Montesquieu, dont les baignoires servent aux ébats des bourgeoises avec leurs amants, que dans la maison d'un pharmacien du Marais. Même l'île Saint-Louis réputée si vertueuse («C'est là, dit-on, que sont réfugiées les bonnes manières, les mœurs antiques de la *vieille roche*») lui permet de voir une douairière s'offrir

---

1. *Les Ecrits érotiques de Stendhal* (Bruxelles, 1928).

à un jeune homme déguisé en femme de chambre. L'interdiction de cette œuvre légère et pittoresque était inepte. Une enquête de Cuisin sur la prostitution, *La Galanterie sous la sauvegarde des lois* (1815), se vendit au grand jour ; mais sa réédition, *Fastes, ruses et intrigues de la galanterie*, fut condamnée à la destruction le 8 septembre 1836 par la cour d'assises de la Seine. Il avait suffi d'un changement de titre pour rendre le texte condamnable ! Rien ne prouve mieux l'inconséquence de la censure.

D'autres ouvrages de Cuisin furent mis à l'index et retirés des cabinets de lecture, tels son roman sur les amours d'un hermaphrodite, *Clémentine orpheline et androgyne* (1819) ; son «manuel portatif» indiquant comment on peut avoir des aventures galantes et se caresser à la dérobée dans les voitures publiques, *L'Amour au grand trot ou la Gaudriole en diligence* (1820) ; et sa revue générale des locations meublées de Paris, *La Vie de garçon dans les hôtels garnis de la capitale* (1820). Le narrateur est un célibataire prenant plaisir à passer d'un hôtel à un autre pour y faire le voyeur. Il observe des accouplements étranges en vingt-quatre établissements : l'Hôtel garni du Désir, rue des Sens-Echauffés ; l'Hôtel du Pucelage, passage de l'Imposture ; l'Hôtel des Jouissances délicates, rue du Silence ; le Grand Hôtel dégarni de l'Ennui, rue de l'Amour-Conjugal, etc. Ce livre extravagant, mi-reportage mi-allégorie, est le plus curieux de Cuisin, qui termina sa vie sous Louis-Philippe comme garde du magasin des poudres.

Les frénésies secrètes du romantisme

Le romantisme a donné quelques beaux échantillons de littérature érotique. En Allemagne, Goethe, dans ses *Erotica romana* (poèmes qu'il a exclus de ses *Elégies romaines* parce qu'ils étaient trop libres), ainsi que dans ses *Epigrammes vénitiennes*, a rivalisé avec les poètes latins les plus scabreux. E.T.A. Hoffmann, qui fit de nombreux écrits licencieux que brûla son exécuteur testamentaire, le conseiller Hitzig, en a au moins publié un à Posen en 1815, *Schwester Monika* (*Sœur Monica*). Rudolf Frank, le savant éditeur des œuvres complètes d'Hoffmann, authentifia ce roman après en avoir retrouvé le manuscrit chez un chimiste de Munich, dont la femme descendait d'un des amis intimes d'Hoffmann, et qui en possédait aussi des dessins, des partitions et un récit inédit, *Le Mystérieux*.

Avant E.T.A. Hoffmann, il exista une littérature galante allemande tout au long du XVIIIe siècle, dont le premier auteur fut August Bohse. Elle s'inspirait des galanteries littéraires françaises, au point que les mots *galant* (adjectif et adverbe), *galantes abenteuer* (aventure galante) furent introduits à cette époque en Allemagne. Dans les romans de Bohse, de Celander, de Johann Gottfried Schnäbel, quand on ne traitait pas des fredaines d'un étudiant, on s'attardait à la description d'une nuit de noces. Le plus grand succès de cette littérature, attribué à Gustav

Schilling, avait été *Les Singularités de M. de H., gentilhomme allemand* (1787), où un jeune homme, après avoir surpris son père abusant d'une jeune fille, cherchait à son tour à devenir un séducteur. Mais les érotiques détruits d'E.T.A. Hoffmann, à en juger par *Sœur Monica*, devaient être supérieurs à ceux-là.

Dans *Sœur Monica*, l'héroïne raconte aux nonnes qui l'entourent la vie de sa mère Louise von Willau, la fille la plus sensuelle de Troppau. Louise avait cinq amies et elles se complaisaient ensemble à des jeux saphiques, comme de se dénuder et de se fesser mutuellement avec des branches de rosier; puis elle rencontra le colonel von Halden qu'elle séduisit. L'ayant trompé ensuite avec un Français, le sous-lieutenant Beaubois (scène que vit Monica enfant par un trou de serrure), Louise dut s'enfuir, emmenant sa fille et le précepteur de celle-ci, le frère Gervasius, à Teschen chez sa tante. Elle mit Monica dans l'Institution de jeunes filles de Mme Chaudeluze, où se passaient des saturnales, et dont l'organiste, le maestro Piano, devint le nouvel amant de Louise, etc. Cette action décousue, mais authentiquement hoffmanienne, dans un style plein d'allusions littéraires et musicales, a des touches de sadisme, comme lorsque Louise circoncit Beaubois ivre mort ou qu'elle participe à des séances de flagellation.

Après *Sœur Monica* il n'y eut plus de roman érotique allemand intéressant jusqu'à *Die Verschwörung in Berlin* (*La Conspiration de Berlin*) de Carlo Dandini (pseudonyme d'un auteur inconnu), vers 1850. Le sujet n'a rien de politique : c'est l'histoire d'un groupe de jeunes gens se réunissant pour se raconter leurs exploits sexuels.

En France, les écrits romantiques les plus licencieux parurent dès la révolution de 1830. Mlle Mars, la glorieuse actrice que l'on surnommait le Diamant, interpréta doña Sol dans *Hernani* en faisant de telles avanies à Victor Hugo qu'il la menaça de lui retirer le rôle. Un partisan du maître, pour le venger, lança contre la reine du théâtre une satire érotique, *La Perle* (1830), prétendant révéler «les différentes phases de sa vie voluptueuse». Le lecteur la suit ainsi du temps où, élève de Mlle C. (Clairon), elle fut déflorée par le jeune vicomte Victorien de St.A., jusqu'à celui où elle se donna au marquis de M., en face d'une psyché dont la glace reflétait leur accouplement. Le satirique anonyme n'accable pas sa victime : «La Perle ne doit pas être regardée comme une Messaline; elle fout avec délicatesse, avec volupté, elle est grande, remarquable, distinguée; dans tout ce qu'elle fait, elle veut être un modèle et elle y réussit.» Ailleurs, il dit plus brutalement : «Son con seul est chaud; mais la tête est froide ainsi que le cœur, c'est la marquise de Merteuil, à la scélératesse près.» Il convient qu'elle a toujours voulu des amants éminents : «Il ne suffisait pas de l'aimer pour lui plaire, il fallait aussi des qualités transcendantes, un beau nom, des talents, une réputation honorable.» Evoquant les officiers qui «ont foutu le Mars femelle», il précise qu'il leur fut plus difficile de la vaincre en combat singulier que de triompher sur les champs de bataille, mais qu'ils en retiraient bien plus de satisfaction :

Quel bonheur! quelle ivresse! quand on pouvait la voir sur le dos, les jambes en l'air, les cuisses entrouvertes, présentant le plus beau con à un vit bien bandant prêt à la foutre, comme un refouloir qui va écouvillonner une pièce de canon en batterie [1].

L'auteur conclut en supputant qu'il aura d'autres débordements de la Perle à signaler plus tard, puisqu'en son âge mûr (Mlle Mars avait cinquante et un ans quand elle joua *Hernani*) elle se spécialisait dans l'éducation amoureuse des jeunes gens.

La Tourelle de Saint-Etienne (1831), visant à dénoncer les «saintes turpitudes» de la «canaille sacerdotale», relève de la tradition révolutionnaire des pamphlets anticléricaux. Le libelliste affirme que la tourelle de Saint-Etienne, un bâtiment attenant à la sacristie de Notre-Dame de Paris, et détruit depuis la chute de Charles X, était un «séminaire de Vénus» où trente jeunes filles de seize à vingt ans servaient aux plaisirs des vicaires généraux et des chanoines, sous la direction d'une sœur ayant office de matrone. Diverses anecdotes crûment exprimées accusent de toutes les lubricités de hauts ecclésiastiques, comme Mgr de Queylen, archevêque de Paris: «Le séminaire de la tourelle était toujours un atelier de libertinage, c'était le haras où les étalons du clergé venaient donner des preuves de leur vigueur et de leur inconcevable paillardise.» Naturellement, le pouvoir royal n'ignorait rien de ces abus et les couvrait: «L'impotent Louis XVIII se faisait rendre compte chaque jour de ce qui se passait dans les sentines du vice, il s'en égayait avec ses familiers.» L'auteur justifiait son tissu de calomnies par cette réflexion: «Comment être religieux, lorsqu'on voit que le culte a de tels ministres [2]!»

Le plus amusant de ces érotiques du romantisme fut *Les Amours secrètes de M. Mayeux* (1832), semblant une légende faubourienne; Mayeux, petit bossu cynique et fanfaron, sorte de Polichinelle français, était une invention du caricaturiste Traviès qui devint si populaire que d'autres dessinateurs s'en emparèrent et que l'on en fit des contes pour rire. Il nous dit qu'il fut apprenti à Paris chez un imprimeur en taille-douce jusqu'à seize ans, et qu'il conquit sa première maîtresse, la modiste Annette, le 1er janvier 1813. Ensuite il eut Joséphine Montée, la femme d'un postillon, qu'il emmena à l'Hôtel des Trois-Lurons; il se plut à son tempérament volcanique, mais désapprouva «son opinion bonapartiste exagérée». Dans un bordel, huit prostituées l'ayant entendu déclarer «qu'aucune fille publique ne pourrait se flatter que Mayeux l'eût foutue» se mirent nues, et l'empêchèrent de sortir avant qu'il ne les eût toutes honorées. Puis il séduit Eugénie, nièce de l'abbé Delille, Louise, cuisinière de la rue du Caire, etc. Enfin, après avoir été un héros sur les barricades de 1830, il se marie avec une orpheline à qui il jure fidélité. Une seconde

1. *La Perle ou quelques années d'une femme célèbre* (à Cythère, chez le gardien du Temple, 1830).
2. *La Tourelle de Saint-Etienne ou le séminaire de Vénus* (à Cythère, chez le gardien du Temple, 1831).

version, *Les Douze Journées érotiques de Mayeux* (1835), consista en douze commentaires à des gravures attribuées à Traviès lui-même.

Vingt Ans de la vie d'une jolie femme (qui eut sept éditions clandestines), et son complément, *Vingt Ans de la vie d'un jeune homme*, antidatés de 1789, furent en réalité du début du règne de Louis-Philippe, et eurent pour auteur-éditeur un républicain agité, Félix Régnier-Becker, menuisier devenu commissionnaire de librairie, ayant participé aux combats des Trois Glorieuses. Ces deux romans, d'un style trivial mais véhément, manifestent l'antiromantisme des sociétés secrètes républicaines (Régnier-Becker était carbonaro). Son héroïne, Julia R., après avoir été dépucelée par la supérieure de son couvent au moyen d'un godemiché, retourne chez son oncle, s'enfuit avec son secrétaire Adolphe, le quitte parce qu'il la trompe, épouse son propriétaire M. Delval, «un bande-à-l'aise économiste» qui la laisse sur sa faim. Elle prend donc des amants, Valville, Ernest, et surtout l'officier Saint-Firmin, qui la comble au point qu'elle s'écrie: «Quelle nuit! quel homme! quel amour! J'aurais voulu n'être qu'un con pour jouir des pieds à la tête [1].» Quant au héros de l'autre livre, il déclare d'emblée: «Je n'ai jamais eu cet enthousiasme romantique qui fait dire à certains amants épris d'une femme: une chaumière et ton cœur.» A la veille de se marier, il se remémore les fredaines qu'il a faites entre quinze et trente-cinq ans, depuis le jour où il laissa tomber exprès son mouchoir pour regarder sous la jupe de Mme de La F., assise devant une cheminée «les deux pieds sur les croissants destinés à retenir la pelle et les pincettes».

Les Amours, galanteries et passe-temps des actrices (1833) nous informent sur les actrices des Variétés, du Gymnase, de la Comédie-Française, de l'Ambigu, qui passionnèrent les romantiques. Au cours d'un dîner, elles décident que «chacune ferait sa confession de l'occasion de sa vie galante où elle aurait eu le plus de plaisir». Jenny Colon, dont fut amoureux Gérard de Nerval, dépeinte ici sous le nom de Jenny Coton, avoue qu'elle trouve sa meilleure jouissance à s'asseoir sur les genoux d'un homme, à se laisser trousser jusqu'aux aisselles, mais seulement pour s'offrir à ses caresses manuelles: «Je serre mon aimable amant à l'étouffer, et poussant de légers soupirs je lui mets dans la main des indices non équivoques du plaisir qu'il me fait goûter.» Ce trait outrancier désigne en Jenny Colon une coquette accordant des demi-faveurs, et explique pourquoi Nerval eut à s'en plaindre.

Dans le genre frénétique, *Gamiani ou deux nuit d'excès* (1833) a été, selon des contemporains, exécuté en trois jours par Alfred de Musset qui paria lors d'une réunion littéraire qu'il était capable de faire un roman des plus obscènes sans employer un seul mot grossier. Cette anecdote n'a rien d'invraisemblable; Musset, jeune débauché, faisait volontiers des paris sexuels, comme le 12 septembre 1831 celui d'accomplir un coït devant Mérimée et Delacroix, au bordel Leriche, sur un lit entouré de

---

1. *Vingt Ans de la vie d'une jolie femme* (à Vito-Cuno-Culo-Clytoropolis, chez Bandefort, 1789).

vingt-cinq chandelles allumées. Mais il était tellement ivre, écrivit Mérimée, que «malgré tous les efforts et la science de deux assez jolies filles il a été impossible d'en rien tirer [1]». On a supposé par la suite que son héroïne était George Sand, ce qui est inepte; la liaison Musset-Sand commença en juillet 1833, après la publication de ce roman sous forme de cahiers calligraphiés illustrés de douze gravures (dont dix sont attribuées à Achille Devéria et deux à Grévedon; mais cela me semble douteux, vu la médiocrité de certaines d'entre elles).

La comtesse Gamiani est une réplique de la comtesse Foedora, «la femme sans cœur» de Balzac, et son soupirant Alcide, comme le Raphaël de *La Peau de chagrin*, se cache un soir chez elle pour surprendre ses secrets. Découvrant qu'elle est lesbienne et assistant à sa possession de la blonde Fanny, il les interrompt et se mêle à leurs ébats. Mais Gamiani, «Prométhée femelle dévorée par cent vautours», se révèle insatiable, démoniaque; ni Alcide ni Fanny ne peuvent l'apaiser, elle se roule sur des peaux de chat, se fait lécher devant eux par son énorme chien Médor, caresser par sa servante, «la mâle Julie». Elle leur dit: «Que voulez-vous? J'ai la triste condition d'avoir divorcé avec la nature. Je ne rêve, je ne sens plus que l'horrible, l'extravagant. Je poursuis l'impossible.» Elle leur raconte sa vie, faite de tels excès qu'elle a été jusqu'à s'accoupler avec un âne.

«*On a des preuves* que M. Alfred de Musset est l'auteur de ce roman», affirma en 1866 l'éditeur Poulet-Malassis qui, bien renseigné, précisa que la poésie *Ce qu'il me faut* attribuée à Musset dans une réédition de *Gamiani* était en réalité de Gustave Drouineau. Toutefois Alcide Bonneau, par admiration pour Musset, nia qu'il eût écrit *Gamiani* en y relevant des faiblesses de style, comme «la vitre de mes yeux», «le mirage éblouissant», «s'étreindre soi-même», etc. Non, dit-il, ce poète de vingt-deux ans qui venait de publier ses *Contes d'Espagne et d'Italie* ne pouvait avoir «griffonné ces insipides niaiseries [2]». On y trouvait même *raffinerie* au lieu de *raffinement*, l'auteur confondant une fabrique de raffinage et l'action de rendre plus fin un plaisir. Mais Bonneau oubliait que le style de Musset a souvent des négligences, lorsqu'il évoque dans ses poésies les «lèvres de pur-sang de Julie» (ce qui suppose qu'elle avait une tête de cheval) ou qu'il dit à Laure:

Si l'esprit et les sens, les baisers et les larmes
Se tiennent par la main de ta bouche à ton cœur...

L'esprit et les sens qui se tiennent par la main de la bouche au cœur: cette métaphore brouillonne est pire que les incorrections de *Gamiani*. L'écriture de Musset vaut par le ton fougueux, non par les détails, et ce ton se retrouve dans les accents de Gamiani disant à Fanny: «Oh! oui,

---

1. Mérimée, *Lettre du 14 septembre 1831 à Henri Beyle*, dans *Correspondance générale*, t. I (Paris, Le Divan, 1941).
2. Alcide Bonneau, «Alfred de Musset est-il l'auteur de *Gamiani*?» (*La Curiosité littéraire et bibliographique*, t. II, 1881).

je personnifie les joies ardentes de la matière, les joies brûlantes de la chair! Luxurieuse, implacable, je donne le plaisir sans fin, je suis l'amour qui tue!» La scène finale où elle empoisonne Fanny, s'empoisonne elle-même et s'écrie dans les convulsions d'une dernière étreinte: «Je meurs dans la rage du plaisir», est du même aloi que le suicide de *Rolla*.

Dans la période où le romantisme social succéda au romantisme littéraire, *Le Tartufe libertin ou le triomphe du vice* (vers 1844) s'attaqua à la classe dirigeante louis-philipparde en la symbolisant par Valentin de Saint-Gérand: «Le vice et la dépravation furent ses seules qualités et il n'eut d'autre talent que de cacher son affreux caractère sous le masque de l'hypocrisie.» Valentin donne un somnifère à sa cousine Eugénie, qui doit épouser Valbreuse, et la dépucelle pendant son sommeil; il console ensuite perfidement Valbreuse, désolé après la nuit de noces d'avoir été frustré de la virginité de sa femme. Nommé directeur du conseil d'administration des orphelinats, Valentin abuse de sa fonction pour coucher avec une veuve et sa fille, avec la supérieure d'une maison de charité, et même pour sodomiser un jeune homme, Saint-Félix, qu'il empoisonne afin d'éviter d'en être dénoncé. Valentin fera un riche mariage et accédera à tous les honneurs grâce à sa tartuferie. L'auteur conclut que, loin d'être unique en son genre, ce profiteur est le type auquel ressemblent les ministres et les gouverneurs de province: «Ils rient de la misère des peuples au sein de la bombance... Ces messieurs ont des concubines, des prostituées, qu'ils salarient aux dépens du budget et des contribuables [1].»

Théophile Gautier s'abandonna plutôt à la truculence, dans ses «galanteries poétiques» comme *Musée secret* ou comme *La Mort, l'apparition et les obsèques du capitaine Morpion* (à chanter sur une marche funèbre de Reyer); et dans ses lettres à Apollonie Sabatier, dite la Présidente, femme de plaisir entretenue par le financier Mosselman, rieuse, faisant scandale en posant nue pour le sculpteur Clesinger ou en portant des toilettes que lui dessinaient des peintres. Son salon rue Frochot bruissait le dimanche d'habitués aux propos lestes. Gautier lui adressa de Rome, le 19 octobre 1850, sa première «lettre ordurière» qu'il signa «le Cochon imaginaire ou le Salop sans le savoir», récit bouffon de son voyage en Italie avec le journaliste Louis de Cormenin. A Venise, en quête de Vénitiennes, ils suivent un ruffian qui demande pour eux dans les familles «s'il y aurait une fille de bonne volonté qui voulût se faire fauberder le gin-gin, moyennant finances». Une femme enceinte s'offre aux deux amis: «Quoique âgée de vingt-deux ans, elle avait déjà dégueulé six moutards par sa bouche poilue.» Ils la repoussent:

Quelque entreprenant que l'on soit, on ne peut faire remonter un fœtus à

---

1. *Le Tartufe libertin ou le triomphe du vice* (à Cythère, chez le gardien du Temple, *ca* 1844).

coups de pine dans le ventre de sa maman; et il n'est pas drôle de sentir un
môme faire la culbute sur le tremplin de votre gland [1].

Ils se rendent à Florence, qui contient une putain unique, «si occupée
qu'il faut se faire inscrire quinze jours à l'avance». Un voyageur n'y peut
escompter de bonnes fortunes:

> Quant aux femmes honnêtes, il est difficile de les bourriquer, parce qu'elles
> ont toujours un cataplasme viril sur la motte. Le mari, l'amant et le
> domestique se succèdent avec bien peu d'interruption; il faut attendre une
> vacance, et se tenir au bord du con, sa racine à la main, pour la planter au
> moment où la place est vide, ce qui arrive rarement.

A Rome, ils admirent les seins des Romaines: «Ce sont deux
mappemondes que l'on porte devant soi, un second cul appliqué sur
l'estomac, deux immenses terrines vues du côté bombé, un Capitole et
un Palatin de chair humaine.» Cette lettre de Rome est une gageure de
lettré; au moment où il l'expédiait, non seulement Gautier vivait déjà en
concubinage avec la cantatrice Ernesta Grisi, mais encore il était
amoureux de Marie Mattei.

Dès lors, à tout propos, Gautier se plaît à écrire «quelques porque-
ries» à la Présidente, en lui envoyant des billets pour l'Opéra ou en
l'invitant à dîner, comme en novembre 1857: «Tu devrais venir manger
un léger quartier de charogne dans ma caverne sur les cinq heures et
demie... Réponds par un hochement de clitoris à la dinde qui te remettra
ce poulet.» Ses messages se terminaient par des traits de ce genre: «Je
te lécherais bien le cul s'il n'était pas si propre» ou encore: «Puisse mon
sperme jaillir jusque la rue Frochot, de chez moi, paraboliquement, dans
tes cheveux roux et sur ta glace!» Il y ajoutait des apostilles pour sa sœur
Adèle, dite Bébé, maîtresse du peintre Fernand Boissard: «Mes indécences les plus spermatiques à Mlle Bébé.»

Tout prouve que Théophile Gautier n'a jamais fait l'amour (ou
«trinqué du nombril», selon son expression) avec la Présidente. Cette
débauche verbale était une parade virile. Lui supposant un tempérament
volcanique, il lui disait à outrance tout ce qu'il ne lui faisait pas. La
Présidente, que les Goncourt surnommaient «une vivandière de faunes»,
se plia gaiement à la salacité du grand homme, comme un modèle posant
des nus supporte sans s'émouvoir des plaisanteries de rapins. Gautier,
maniant de grasses métaphores, nommant sa verge «maître Jean
Chouart» ou «le pilon du mortier de Cythère», et l'entrecuisse féminin
«le café à deux colonnes», ne pouvait lui faire tourner la tête. La sensuelle
Présidente préféra se donner à Baudelaire qui en ses poèmes et en ses
lettres la traitait d'«Ange de lumière», quitte à encourir un fiasco: le
chemin menant au sexe d'une femme passe par son cœur.

---

1. Théophile Gautier, *Lettres à la Présidente et Galanteries poétiques*, avec une
introduction et des notes par Helpey, bibliophile poitevin (Neuilly, Editions du Musée
secret, 1927).

Baudelaire et le culte de la Vénus noire

La honte du XIXᵉ siècle fut le procès des *Fleurs du Mal* et la condamnation de Baudelaire, le 20 août 1857, que le ministère public accusa de faire des œuvres qui «conduisent à l'excitation des sens par un réalisme grossier et offensant pour la pudeur». Rien n'est plus injuste: Baudelaire n'était pas un poète érotique, mais un grand poète exprimant tout, de l'érotisme au spleen, sans rupture de ton. Se faisant gloire d'être un esprit catholique et aristocratique, Baudelaire se montra toujours méprisant envers «l'amour de l'obscénité, qui est aussi vivace dans le cœur de l'homme que l'amour de soi-même [1].» Son univers sensuel est tout le contraire de l'obscénité: aucun mot cru, aucune locution triviale n'y ont jamais place. Ce dandy de l'amour et de la littérature s'astreignit à cette règle d'or: «*Le style d'autant plus décent que les idées sont moins décentes.*» Ennemi irréductible de la gaudriole, de la plaisanterie égrillarde, de la sensualité facile des épicuriens, Baudelaire entend suggérer que les plaisirs sexuels forment une contre-religion à laquelle préside «l'Archidémon, prince de la chair et seigneur du péché». Il évoque «les jouissances terribles du vice», ses joies et ses peines inséparables, en disant: «Il faut peindre les vices tels qu'ils sont, ou ne pas les voir [2].»

L'innovation de Baudelaire fut d'associer l'érotisme à la mélancolie, à l'inquiétude métaphysique, à l'obsession du néant. Nul poète ne l'avait fait avant lui. Il écrivait à vingt-cinq ans:

Vous est-il arrivé comme moi de tomber dans de grandes mélancolies, après avoir passé de longues heures à feuilleter des estampes libertines? Vous êtes-vous demandé la raison du charme qu'on trouve parfois à fouiller ces annales de la luxure... et parfois aussi de la mauvaise humeur qu'elles vous donnent? Plaisir et douleur mêlés, amertume dont la lèvre a toujours soif!

La douleur vient de la déception de voir vulgairement défigurées des actions érotiques dont on devrait pourtant retirer le plus grand plaisir: «Si ces sujets étaient traités avec le soin et le recueillement nécessaires, ils ne seraient point souillés par cette obscénité révoltante, qui est plutôt une fanfaronnade qu'une vérité.» Il prend pour exemple une lithographie de Nicolas Maurin: «Un jeune homme déguisé en femme et sa maîtresse habillée en homme sont assis l'un à côté de l'autre, sur un *sopha* — le sopha que vous savez, le sopha de l'hôtel garni et du cabinet particulier. La jeune femme veut relever les jupes de son amant [3].» Baudelaire regrette que «cette page luxurieuse» soit tracée «sans trop de

---

1. *Le Salon de 1846* (Paris, Michel Lévy, 1846).
2. *Ibid.*
3. Baudelaire, *ibid.*

délicatesse malheureusement», alors qu'elle exprime «une des grandes vérités de l'amour libertin». Lui, il saura être délicat dans le traitement de tels «sujets amoureux».

Baudelaire écrivit dans sa jeunesse un long poème érotique et le lut à ses amis d'une voix psalmodiante, dans l'appartement mansardé de Louis Ménard, place de la Sorbonne. Asselineau nous en a révélé le thème: «C'était la douleur d'un amant qui voit sa maîtresse violée par toute une armée... Je crois que Louis Ménard sait encore la pièce par cœur.» Charles Cousin, ami d'enfance de Baudelaire, a donné une analyse plus détaillée de ce poème en six chants, *Cauchemar*. Il débutait sur un chant d'amour radieux: «Portrait du poète et de la bien-aimée. Mélange des cœurs. Ciel sans nuages. Béatitude.» Trois autres chants évoquaient la jalousie du roi, qui sommait le poète de lui *prêter* sa maîtresse. Refus de celui-ci, menaces du tyran (Louis-Philippe) annonçant une vengeance inouïe. Sommeil des amants, que réveillait la rumeur crescendo d'une troupe en marche.

Le cinquième chant décrivait le viol collectif de la femme surprise au lit: «Ce qui vient s'arrête; la porte s'ouvre au nom du roi! C'est l'armée tout entière, tambour-major en tête, qui, sous les yeux du bien-aimé paralysé d'horreur, vient souiller sa maîtresse. Description plastique des exécuteurs de l'œuvre infâme. Costume, geste, attitudes diverses de l'infanterie, de la cavalerie et des armes spéciales.» Le sixième chant était un violent délire: «Le poète est devenu fou. La muse ne lui envoie plus que des rimes insensées. Malédiction[1]!»

Sous la main d'un tel virtuose de la langue française, *Cauchemar* de Baudelaire devait être la pièce érotique la plus étonnante de tout le romantisme. Il a détruit lui-même cette perle fausse, voulant que la postérité le jugeât sur ses purs diamants noirs, les pièces condamnées recueillies en 1866 dans *Les Epaves*, livre tiré à deux cent soixante exemplaires. L'acte de Baudelaire déchirant *Cauchemar*, écrit après *A une mendiante rousse*, est un acte souverain. D'autres auraient conservé par narcissisme ce caprice licencieux, mais lui, soucieux de perfection, l'élimina pour ne pas être classé parmi les «auteurs orduriers». Cela relevait du même dandysme qui lui faisait garder une politesse cérémonieuse envers les prostituées, et qui, par haine du débraillé, le rendait d'une élégance irréprochable, avec son linge blanc, son habit en queue de sifflet, son haut-de-forme à bords larges exécuté selon ses indications.

Baudelaire demeure ainsi le poète unique, incomparable, de la volupté raffinée et du culte de la «Vénus noire», c'est-à-dire de la femme dont la beauté a un caractère mystérieux, et dont le tempérament offre tous les signes de la bizarrerie et de la dépravation. Il trouva sa «Vénus noire» dans la personne de la métisse Jeanne Duval, qu'il connut en 1842, alors qu'elle était figurante en de petits théâtres: passion orageuse, car elle buvait, avait de méchants caprices, le trompa souvent, même avec son coiffeur; mais passion qui se poursuivit pendant vingt ans et lui

---

1. Charles Cousin, *Voyage dans un grenier* (Paris, D. Morgand et C. Fatout, 1878).

inspira des vers d'une sensualité troublante. De cette «nymphe ténébreuse et chaude», qui possédait «au bout de deux beaux seins bien lourds / Deux larges médailles de bronze», il célébra «la peau couleur d'ambre», le «parfum mélangé de musc et de havane», les «cheveux élastiques et rebelles» qu'il mordillait avec la sensation de manger des souvenirs. Zola a évoqué gauchement la beauté canaille de sa Nana, «à la croupe gonflée de vices». Baudelaire a une image autrement saisissante : «L'ornière de son dos par le désir hanté.» Il reconnut à Jeanne l'art de provoquer l'excitation et de la satisfaire :

> Ah! les philtres les plus forts
> Ne valent pas ta paresse,
> Et tu connais la caresse
> Qui fait revivre les morts!
>
> Tes hanches sont amoureuses
> De ton dos et de tes seins,
> Et tu ravis les coussins
> Par tes poses langoureuses.

Une «Vénus noire» n'est pas nécessairement une femme au teint brun. Quand Baudelaire se sépara de Jeanne, il lui substitua en 1863 une fille de même nature, Berthe, sa «petite folle monstrueuse aux yeux verts», qui avait «des joues extrêmement pâles» : mais c'était une Vénus noire par tout son comportement pervers. Les lesbiennes, même les blondes, sont des «Vénus noires» dont il a parlé sur un ton nouveau, fraternel et compréhensif :

> Vous que dans votre enfer mon âme a poursuivies,
> Pauvres sœurs, je vous aime autant que je vous plains,
> Pour vos mornes douleurs, vos soifs inassouvies,
> Et les urnes d'amour dont vos grands cœurs sont pleins!

Capable des sarcasmes misogynes les plus caustiques, des maximes les plus désabusées sur l'amour, par désespoir ou par défi, Baudelaire a néanmoins été l'inaugurateur d'un art d'aimer exigeant, somptueux, d'un érotisme extatique et douloureux qu'il compara lui-même au chant du Venusberg de Wagner, dans l'ouverture de *Tannhaüser* : «Langueurs, délices mêlées de fièvre et coupées d'angoisses, retours incessants vers une volupté qui promet d'éteindre mais n'éteint jamais la soif ; palpitations furieuses du cœur et des sens, ordres impérieux de la chair, tout le dictionnaire des onomatopées de l'amour...»

Les livres interdits sous Napoléon III

Le règne de Napoléon III fut extrêmement vertueux en surface, si vertueux que même un roman-feuilleton de Xavier de Montépin, *Les Filles de plâtre* (1855), fit condamner son auteur le 14 février 1856 à trois mois d'emprisonnement et à cinq cents francs d'amende. De nombreux passages étaient incriminés dans les sept volumes de ces aventures galantes des actrices Jane, Vignette et Claudia la lesbienne (cette dernière aimant une femme clown que lui dispute la directrice de son théâtre). Le comte de Montépin, le romancier populaire le plus fécond du siècle (il enterra même Ponson du Terrail, le père de *Rocambole*, qui avait dit en débutant : «Je tomberai Montépin»), n'avait pourtant rien d'un séditieux ; on lui devait la fondation d'un journal du parti conservateur, *Le Lampion*. L'année suivante, Flaubert fut jugé à la 6e Chambre correctionnelle pour *Madame Bovary*, dont le procureur Pinard dénonça dans son réquisitoire «la couleur lascive».

Napoléon III et sa cour n'avaient pas tous les vices que leur attribua Pierre Vésinier dans son calomnieux pamphlet *Les Amours de Napoléon III* (1863), faisant du palais des Tuileries un centre de proxénétisme et d'orgies. C'est probablement les attaques contre «la dépravation impériale» qui poussèrent les autorités à sévir, pour montrer qu'elle n'existait pas. Mais l'empereur, s'il frappait de sa badine au Salon des Refusés de 1863 le scandaleux *Déjeuner sur l'herbe* de Manet, acceptait néanmoins en cadeau du roi Victor-Emmanuel vingt-quatre aquarelles érotiques du peintre allemand Herbstoffer [1]. Ce ne sont pas nécessairement les gens vertueux, comme l'avait déjà remarqué Pierre Bayle, qui s'indignent publiquement des obscénités, mais parfois des débauchés craignant de se démasquer en les approuvant.

Quelques personnalités se plurent à réagir contre l'hypocrisie officielle du Second Empire. Ainsi, dans la maison de l'auteur dramatique Amédée Rolland, 25, rue de la Santé aux Batignolles, un groupe d'écrivains créa en 1862 un théâtre érotique de marionnettes, l'Erôtikon Theatron, qu'anima le grand marionnettiste Lemercier de Neuville. Ce théâtre était une salle vitrée, aux murs décorés de fresques représentant des spectateurs dans des loges ; la scène avait seize plans de profondeur, une machinerie permettant des effets spéciaux. Le matériel comprenait huit poupées sculptées, douze costumes et trente-six décors.

L'inauguration eut lieu le 27 mai 1862 avec *Signe d'argent*, vaudeville en trois actes d'Amédée Rolland et Jean Duboys. C'était une pièce scatologique sur les «envies» d'une femme enceinte, la marquise de Coquencu, qui obligeait son mari à manger un excrément et se faisait besogner par son valet Germain. Parmi les spectateurs, il y avait Alphonse Daudet, Théodore de Banville, les romanciers réalistes Duranty et Champfleury, Paul Féval, l'auteur du *Bossu*, le chroniqueur judiciaire Jules Moineaux (père du futur Courteline), etc. Deux femmes seulement étaient présentes, Mlles Guimond et Antonia Sari.

Lemercier de Neuville donna une autre fois une parodie amusante de Marivaux, *Les Jeux de l'amour et du bazar*, où Dorante est un maquereau qui veut jouer le rôle d'un miché, tandis que Sylvia est une

---

1. Cf. *La Galerie des Victor-Emmanuel, dits les Héros d'amour*, avec vingt-quatre gravures sur acier (Neuchâtel, 1870).

tenancière de bordel à qui il prend la fantaisie de faire le trottoir. Le racolage de Dorante par Sylvia, ses pratiques obscènes (elle lui fait «le chapeau-du-commissaire»), la manière dont se dénoue le quiproquo sont des scènes burlesques exprimées dans l'argot des «mangeurs de blanc» (ou souteneurs). Une autre parodie de Lemercier de Neuville, *Un caprice*, dialogue entre le gandin Florestan et la «drôlesse» Urinette, occasionna en octobre 1863 un incident comique. On avait persuadé un professeur allemand, Louis Wihl, que l'Erôtikon Theatron avait été fondé par des libres penseurs du Collège de France. Poulet-Malassis raconte: «Le soir de la première représentation du *Caprice*, il arriva donc flanqué de deux volumes de Hegel... Mais à la scène capitale du vaudeville, quand Urinette se lave le cul, le vertueux philosophe n'y put tenir et sortit en bousculant les chaises.»

Henri Monnier, alors âgé de soixante-quatre ans, proposa à l'Erôtikon Theatron *La Grisette et l'étudiant*, et en fit parler lui-même les trois personnages. La grisette monte rejoindre l'étudiant dans sa mansarde, résiste mollement à ses caresses, puis s'y abandonne avec des transports qui dérangent, à travers la cloison, le voisin Joseph Prudhomme. Cela donne des passages de ce genre:

> LA GRISETTE (*au paroxysme de la jouissance, et criant*): Ah! cela vient... Tu me mouilles... Ah! comme je jouis, mon Dieu! comme je jouis!... Ça me va dans la plante des cheveux... Ah! oui, tue-moi... Ah! tue-moi... Ah! tue-moi!... — LA VOIX DE M. PRUDHOMME: Pas d'assassinat dans la maison, s'il vous plaît! Eh! là-bas, avez-vous bientôt fini vos turpitudes? — LA GRISETTE (*gigotant toujours*): Qu'est-ce que c'est donc là, à côté? — LA VOIX DE M. PRUDHOMME: Vous allez me porter à de regrettables attentats sur ma personne.

Henri Monnier contrefit si bien ces trois voix qu'il obtint une ovation de l'auditoire, quand il se montra derrière les marionnettes pour saluer, et qu'il donna une seconde représentation.

L'Erôtikon Theatron dura à peine deux ans, et Poulet-Malassis en recueillit les pièces dans *Le Théâtre érotique de la rue de la Santé* (1964). Henri Monnier nia alors avoir composé *La Grisette et l'étudiant*, craignant de nuire à sa carrière. Il ne se trompait pas puisque ses huit dialogues, *Les Bas-fonds de la société* (1862), jamais censurés, furent condamnés à la destruction en 1865. Poulet-Malassis le réprimanda: «Voyons, Monnier, tu as vraiment tort de renier ton essai de comédie libre... Il vaut mieux, mille fois, que ta pièce des *Peintres et bourgeois*... qui a obtenu un four si funèbre dedans l'Odéon, noir caveau [1]!» Pour le confondre Poulet-Malassis publia *Deux Gougnottes, sténographie de Joseph Prudhomme* (1864), une autre comédie érotique d'Henri Monnier copiée sur le manuscrit autographe appartenant à Nadar. Ces deux œuvrettes furent réunies ensuite dans *L'Enfer de Joseph Prudhomme* (1866), avec un fac-similé d'écriture prouvant qu'elles étaient bien d'Henri Monnier.

---

1. *Le Théâtre érotique de la rue de la Santé* (Batignolles, 1864).

La finesse psychologique de *Deux Gougnottes* est absolument remarquable. Louise de Laveneur et Henriette de Frémicourt, obligées par les circonstances à passer la nuit dans la même chambre d'un château, se déshabillent et se couchent avec toutes sortes de façons mondaines. Au lit, elles bavardent en minaudant, avancent prudemment l'une vers l'autre:

> HENRIETTE: J'ai toujours froid aux pieds... — LOUISE: Je vais les réchauffer aux miens; voulez-vous? — HENRIETTE: Mais vraiment, chère madame, vous avez mille fois trop de bontés.

Puis Louise montre à Henriette comment l'embrasse sa petite amie Nini, et la sentant frissonner, éclate soudain: «Donne ta bouche, ange adoré! ton joli petit bec... Encore! encore!...» Et c'est un délire de volupté entre elles deux, traité de la manière la plus convaincante. *L'Enfer de Joseph Prudhomme* fit d'Henri Monnier un maître de l'érotisme du Second Empire.

Dans un tout autre milieu, on eut des préoccupations similaires qui aboutirent à *L'Ecole des biches ou mœurs des petites dames de ce temps*, recueil de seize dialogues dont l'épilogue est daté du 1er décembre 1863, mais qui n'a été publié qu'en 1868. Cet ouvrage est le produit de la collaboration de plusieurs viveurs, Edmond Duponchel, ex-directeur de l'Opéra de Paris sous Louis-Philippe, Baroche, fils d'un ancien ministre de la Justice, l'avocat bibliophile Alfred Bégis, le collectionneur Frédéric Hankey, qui le conçurent et l'écrivirent pour l'instruction de leurs biches. La biche, c'était la jolie femme entretenue richement et s'efforçant d'avoir de belles manières dans le libertinage: ce qu'on appellera plus tard une demi-mondaine.

Caroline, la biche du comte Henri de Sarsalle, initie à l'amour physique sa petite cousine Marie Auber, qui veut donner sa virginité au peintre Adrien Lebel. Pour «préparer les voies à la prise prochaine de (son) pucelage», Caroline révèle à Marie toutes sortes de raffinements d'hygiène, avant de la faire jouir dans une étreinte saphique:

> CAROLINE: Passons maintenant dans mon cabinet de toilette, et allons faire prendre un bain d'eau froide alcoolisé à nos pays bas. — MARIE: Tiens, pourquoi cela? — CAROLINE: Parce que c'est une excellente préparation à de voluptueux combats.

Après quelques entrevues n'ayant pour but que le plaisir lesbien, Caroline amène Marie à se laisser déflorer dans son salon, elle étant présente et dirigeant l'opération. Tout se passe à merveille, mais Marie exige qu'à son tour Caroline se prête à la mâle vigueur d'Adrien. Quand celui-ci la sodomise tandis que Marie la caresse en même temps, Caroline s'écrie: «Ah! le gredin! l'y voilà tout entier! Toi, chère Marie, introduis ton doigt dans mon bijou; enfonce, enfonce... Ah! mes amis, maintenant, allez bien ensemble, poussez... Arrive qui plante, je me moque de tout!»

La suite est de la même veine. Adrien revient maintes fois chez Caroline, et y accomplit divers exploits libertins avec celle-ci, sa servante Antonia et Marie. Le comte de Sarsalle a la fantaisie de posséder Marie, et Caroline la complaisance d'organiser leur conjonction amoureuse à laquelle elle participe elle-même activement. Puis Marie, devenue une biche bien élevée, apprend à son amie Louisa comment elle pourra satisfaire deux amants à la fois. Pendant qu'elles sont au lit à batifoler survient Martin Duvernet, l'entreteneur de Louisa, enchanté de les surprendre enlacées et se glissant entre elles pour se mêler à leurs jeux. *L'Ecole des biches* se termine sur des recommandations de modération aux gens de plaisir, à qui les auteurs disent qu'«un peu de raison dans la pratique de la vie, même la plus légère, est un sûr moyen d'éviter bien des dangers».

En 1868 parut aussi *Un été à la campagne, correspondance de deux jeunes Parisiennes, recueillie par un auteur à la mode*, qu'un jugement du tribunal correctionnel de Lille, le 6 mai 1868, condamna à la destruction. Mais ce roman eut huit rééditions jusqu'en 1894 et devint un classique de l'érotisme du XIXᵉ siècle. Félicien Rops, qui fit le frontispice, avait désigné l'auteur en mettant un Z sur les planches des exemplaires de luxe: or Z était l'initiale avec laquelle Gustave Droz signait ses articles de *La Vie parisienne*. Tout le monde sut qu'*Un été à la campagne* était de Gustave Droz, auteur en 1862 de *Monsieur, Madame et Bébé*. Mais quand celui-ci renia *Un été à la campagne*, l'éditeur Poulet-Malassis accepta de faire croire qu'il avait acheté ce roman à un jeune homme inconnu, de Bruxelles. Assertion invraisemblable, car ces pages reflètent l'esprit vif et pétillant d'un boulevardier parisien, ayant le style de Gustave Droz.

Un été à la campagne, ce sont quarante et une lettres qu'échangent deux amies très intimes de pension, dont l'aînée, Albertine B., est devenue sous-maîtresse d'un pensionnat près de Paris, tandis que l'autre, Adèle F., va passer trois mois dans la maison de campagne de sa tante, en l'absence de son oncle nommé colonel d'un régiment en Algérie. Adèle raconte qu'elle s'amuse à observer son entourage en se cachant: «Figure-toi que personne ne se défie de moi; on me prend pour une enfant. J'ai bientôt dix-huit ans, et c'est à peine si on m'en donne quinze.» Cette jeune voyeuse contemple d'abord sa tante en camisole de nuit dans sa chambre, se caressant après avoir lu une lettre de son mari. La dame sort d'une boîte oblongue «une sorte d'instrument bizarre, de forme ronde allongée», et se renverse sur un fauteuil: «Là, de la main gauche écartant les obstacles, elle maintient avec la droite son singulier partenaire, et, en dépit d'une résistance désespérée, le fait complètement disparaître dans un certain réduit où il se trouve étroitement emprisonné.» Désormais Adèle appellera par plaisanterie le godemiché de sa tante *mon oncle*.

De ce ton badin, allusif, d'une fausse ingénuité, Adèle notera pour son amie les faits et gestes des invités et des domestiques de la maison, l'avocat Mᵉ J., un couple de nouveaux mariés, Lucien P., la cuisinière

Mme Pruneau, la blonde camériste Rose. Dissimulée dans la grange un soir, elle regarde «la grosse Pruneau en déshabillé galant» chevaucher le jeune palefrenier Nicolas couché sur le dos. Puis elle assiste en cachette aux étreintes de Me J. et de Rose, et découvre avec un «vague désir, mêlé d'effroi», le formidable membre viril du quadragénaire.

De son côté Albertine confie à sa correspondante comment elle a attiré dans son lit sa servante Félicie, qui se montra aussitôt experte au baiser lesbien: «Le vieil Esope avait bien raison, ma chère, lorsqu'il affirmait que la langue est la meilleure chose du monde... Quelle source d'indicibles jouissances dans cet organe de la parole... C'est à en mourir!» Un mois après, elle est heureuse que Félicie la quitte pour un carabinier: «D'abord, je me tuais avec cette fille-là: si tu voyais comme je suis maigrie.» Albertine ensuite s'éprend d'une pensionnaire, Jeanne, qui est très pieuse et fait ses prières après leurs corps à corps exaltés.

A la fin Adèle raconte qu'elle vient de perdre sa virginité avec Lucien P.; mais il part bientôt, et elle craint d'être enceinte. Heureusement le colonel arrive en permission et la marie à un vicomte. Quant à Albertine, elle épouse le directeur de la pension devenu veuf. Les deux amies se décrivent leur nuit de noces: Adèle persuade son mari qu'elle est vierge, Albertine ne parvient pas au plaisir avec le sien malgré sa bonne volonté: «Ma rebelle nature se cabre devant ce qui fait le bonheur des autres femmes.» Ce roman est dans la pure tradition libertine française, où les scènes les plus libres, les plus excitantes, sont relatées sans un seul mot grossier, en usant de malicieuses périphrases.

On attribue à Paul Perret, collaborateur de *La Revue des Deux Mondes*, auteur de romans de mœurs (*Les Amours sauvages*, *Ce qu'elles aiment en nous*, etc.), le dernier livre érotique paru à la fin du Second Empire, *Les Tableaux vivants ou mes confessions aux pieds de la duchesse* (1870). Le narrateur Richard de La Brulaye, «un homme sans préjugés», entend sa maîtresse la duchesse lui demander un soir: «Raconte-moi tes anciennes amours... Je veux jusqu'à demain jouir par les oreilles.» Il lui fait le récit de quinze «anecdotes véridiques», sur ses liaisons avec la jeune Valentine à qui il enseigna comment «plumer l'oie» (c'est-à-dire le caresser d'une main experte), avec la comtesse Laurence réclamant d'être fouettée, avec Thérèse de Charnac se dévergondant parce que «c'est la mode», etc. Au matin la duchesse lui avoue: «Tes contes m'ont mise en feu. Je ne peux pas te dire ce que j'en pense. Je brûle, viens!» Dans cet épilogue elle surpasse en perversité les héroïnes dont il lui a parlé. *Les Tableaux vivants*, traduits en anglais, furent considérés en Angleterre par John Atkins comme une sorte de chef-d'œuvre.

Le Parnasse satyrique du xixᵉ siècle

La poésie «gaillarde» ou «satyrique» du xixᵉ siècle fut un genre assez bas, où rien ne rappelle la verve drue des priapées de la Renaissance. Elle eut pour coryphée Pierre-Jean Béranger, le chansonnier de l'opposition sous la Restauration, qui en 1834 publia ses *Chansons érotiques*; celles-ci constituèrent le tome V de ses *Œuvres complètes*, le supplément réservé aux souscripteurs. Béranger avait alors annoncé qu'il n'écrirait plus; il n'était pas encore député, mais il bénéficiait d'une gloire exagérée. Ses quarante-quatre chansons érotiques, sans doutes chantées en leur temps au Caveau, le cabaret du Palais-Royal, sont des grivoiseries fondées sur des équivoques de mots ou de situations. Dans *Les Archers de l'amour*, les verbes bander et débander sont employés à profusion, mais à propos de l'arme de Cupidon. *Le Grand Marcheur* est aussi à double sens; il dit: «Leste et gai, j'enfile, j'enfile, j'enfile... / J'enfile droit mon chemin.»

L'anticléricalisme de Béranger se manifesta dans des pièces comme *La Relique de saint Nicolas* (c'est un objet que les femmes, selon lui, aiment à tenir dans leurs draps), *L'Abbesse d'un couvent comme il y en a encore beaucoup* (chanson d'une tenancière de maison close donnant des conseils à toutes ses prostituées), *L'Oratoire d'une dévote*, où il montre Claire priant devant un Priape, avec un paroissien illustré d'emblèmes phalliques. Son antimilitarisme lui dicta *Le Tour de ronde*, rapport d'un caporal à son commandant sur les femmes de militaire, qu'il a surprises en train de tromper leur mari. Le Béranger populiste se plut, dans *L'Ouvrière*, à évoquer la grisette se servant de sa main pour autre chose que des travaux de couture:

Quel plaisir (bis) *je r'ssens à l'ouvrage!*
Ah! je suis tout en nage.
Ma mère avait raison, je l'vois,
Not' bonheur est au bout des doigts.

Dans *Les Sœurs*, une autre grisette explique comment sa sœur Zoé l'a initiée au saphisme. Une chanson, *La Souris*, recommande à Lise qui a peur des souris de ne pas redouter «la souris libertine» d'un garçon: «Lise, laissez-la faire. / Elle cherche son trou.» On a peine à croire, devant ces bagatelles, qu'un tel poète ait passé pour un génie. Pauvre poésie et pauvre joie sexuelle, représentant tout ce que combattit Baudelaire, qui visa Béranger en proclamant son dégoût «des hymnes vulgaires de l'amour, tels que les peut concevoir un galant en belle humeur».

Auguste Poulet-Malassis fit paraître en 1863 *Le Parnasse satyrique du XIXᵉ siècle*, deux volumes formant en tout sept cent trente pages, afin d'imiter le fameux recueil du XVIᵉ siècle qui avait suscité le procès de Théophile de Viau. Il voulait que ce fût le monument de la poésie érotique contemporaine, offrant un large choix de pièces romantiques et parnassiennes. En fait, le meilleur et le pire se côtoient dans ce florilège, qui débute par *Les Culottes*, «chanson en manière d'ordure» de Béranger. Les pièces condamnées de Baudelaire, les fantaisies de Banville, les poèmes de Gustave Nadaud sur les filles galantes (*Les Reines de Mabille, La Lorette*), celui de Barbey d'Aurevilly sur sa

maîtresse rousse y voisinent avec les chansons d'Emile Debraux interdites sous la Restauration (*C'est du Nanan, Ma Lisa tiens bien ton bonnet*,
etc.), des fables scatologiques du Dr Toirac et de Lachambeaudie, des
parodies comme celle du *Lac* de Lamartine par Albert de La Fizelière (où
le mot lac est remplacé par le mot con), des satires grossières (telle
Madame Sand de Louis Reybaud). Une grande place est faite aux
«gaillardises» de Félix Bovie, «poète belge, peintre et riche propriétaire,
très inconnu en France». Parmi les obscénités les plus fortes se trouve
l'*Examen de Flora* de Louis Protat, avoué à la Cour impériale (dont le titre
initial était *Examen de Mademoiselle Flora à l'effet d'obtenir son diplôme
de putain et d'être admise au bordel de Madame Lebrun*).

Le *Parnasse satyrique du XIXᵉ siècle* remporta un vif succès grâce à
l'éloge qu'en fit *La Vie parisienne* (11 juin 1864): «Tout le monde est un
peu compromis là-dedans, les plus illustres et les plus obscurs, car tout
le monde a eu dans sa vie un moment de délire.» Non content de le
rééditer, Poulet-Malassis lui adjoignit un troisième volume en 1866. Ce
Nouveau Parnasse satyrique du XIXᵉ siècle, comprenant *Les Lèvres roses*
de Mallarmé, *Pièce égrillarde* de Louis Bouilhet, s'enrichit dans sa
réédition de 1881 des outrances de l'école naturaliste: la *Ballade des
pauvres putains* d'Henri Céard, *Entre cocus* de Léon Hennique, *Les Lits*
de Paul Alexis, *Sonnet saignant* et *Sonnet masculin* de J.-K. Huysmans
(traitant, l'un du «gamahuchage» d'une femme ayant ses menstrues,
l'autre d'un accouplement pédérastique, avec un luxe de détails horribles). Les jeunes écrivains des soirées de Médan se livraient là par jeu à
une compétition de réalisme ordurier; Guy de Maupassant, dans *Ma
Source, 69, La Femme à barbe*, les surpassa tous en gravelures, par des
vers de ce genre:

> *Salut, grosse putain, dont les larges gargouilles*
> *Ont fait éjaculer trois générations,*
> *Et dont la vieille main tripota plus de couilles*
> *Qu'il n'est d'étoiles d'or aux constellations!*

Albert Glatigny, se disant «un poète lyrique aux ardeurs d'étalon»,
s'adonna à des facéties obscènes méritant l'indulgence plénière. Ce
bohème famélique, maladif, bouffonnait pour oublier sa misère. Fils
d'un gendarme de Bernay qui le maltraitait, il partit à quinze ans avec
une troupe de comédiens ambulants, et passa toute sa vie dans des
tournées minables, faisant le souffleur, le «second régisseur» ou l'acteur
de «grandes utilités». A dix-huit ans, il rencontra Poulet-Malassis à
Alençon, où celui-ci avait son imprimerie, et fut initié par lui à la poésie.
Ses recueils *Les Vignes folles* (1860), vers «faits au hasard des chemins»,
Les Flèches d'or (1864), en firent une recrue estimée de l'école parnas-
sienne. Lors de ses séjours à Paris, où il fut un temps improvisateur de
bouts-rimés au café-concert de l'Alcazar, les poètes de *La Revue
fantaisiste* accueillirent fraternellement ce baladin que François Coppée
nous dépeint «grand jusqu'à l'infirmité, d'une maigreur et d'une agilité
de sauterelle».

La première incartade grivoise de Glatigny fut *Scapin maquereau*, pièce en un acte et en vers représentée en janvier 1863 au Théâtre de marionnettes de la rue de la Santé. Elle est assez abominable, roulant tout entière sur la saleté de Lucinde, fille de Corbin, qui ne trouve pas à se marier parce qu'elle ne se lave pas et a des morpions. Corbin demande à Scapin de faciliter le mariage de Lucinde, malgré cet inconvénient.

En 1866, résidant à Bruxelles, Glatigny y termina ses *Joyeusetés galantes et autres du vidame Bonaventure de la Braguette*, comprenant entre un sonnet-préface et un sonnet final quarante pièces naïvement provocantes. Il y fait parler une petite fille de douze ans déclarant: «Je suis celle qui branle», décrit des femmes bestiales comme *L'Idiote* et *Hermance*, «louve inassouvie», des bouges enfumés où règne «la débauche crapuleuse», étale sa haine du bourgeois dans *Sentiments chrétiens*:

> *Quand un bourgeois est cocu,*
> *Mon cœur, triste d'ordinaire,*
> *Est heureux d'avoir vécu,*
> *Et ce fait le régénère.*

Et de même qu'il félicite la bourgeoise de bafouer son époux en se livrant à des turpitudes, de même il s'adresse *Au vieux que j'ai fait cocu* pour lui détailler comment il a pollué sa moitié. Il dédie ce madrigal à une femme du monde:

> *Je veux vous adorer ainsi qu'une déesse,*
> *Et quand le ciel mettra son manteau brun du soir,*
> *J'élèverai vers vous, ô blonde enchanteresse,*
>   *Ma pine, comme un encensoir!*
>
> *Et je ferai sortir, en blanchissante écume,*
> *Le foutre parfumé de ce rude flacon,*
> *Et je transvaserai cette liqueur qui fume,*
>   *Dans le vase de votre con* [1]...

L'hurluberlu qui écrivait de tels vers alla soigner tous les jours Baudelaire à Bruxelles, quand celui-ci tomba malade à l'Hôtel du Grand Miroir. Il se battit en duel au pistolet avec le critique Wolf parce qu'il avait dit du mal de Banville. Dans un accès de désespoir, il écrivit une lettre à la fille de Mallarmé, Geneviève, âgée d'un an, pour lui confier sa détresse. On ne saurait donc lui en vouloir de ses incongruités, qu'il poursuivit dans *La Sultane Rozréa* (1870), «ballade traduite de Lord Byron par Exupère Pinemol», aux strophes évoquant les lubricités d'une sultane de quinze ans et du maréchal des logis Corbineau. Et dans *Les Bons Contes du sire de la Glotte* (1870), poèmes affreux tournant en dérision des bourgeois pédérastes, comme celui d'*En famille* qui abuse

---

1. Albert Glatigny, *Vers d'album*, dans *Joyeusetés galantes et autres du vidame Bonaventure de la Braguette* (Luxuriopolis, à l'enseigne du beau Triorchis, 1866).

de son fils, ou le vieux rentier assis sur un banc des Champs-Elysées près d'une gueuse lui faisant «l'âpre travail du branlage en plein air».

L'année suivante, Glatigny dit: «Le temps des chansons en l'air a passé.» Il venait de s'éprendre d'une orpheline, Emma, aussi petite qu'il était grand, qui accepta de l'épouser en 1871, et l'assista vaillamment dans sa phtisie et sa «maladie pécuniaire». Il avouait: «Je me croyais usé par quinze ans d'amours malsaines. Non. Emma a réparé tout cela.» Mais il mourut en 1873, à trente-quatre ans, d'une hémoptysie foudroyante, si pauvre qu'il redoutait «d'arriver au crevage de faim absolu»; sa veuve, à qui Victor Hugo porta secours, ne lui survécut pas.

Après lui Théodore Hannon, le poète belge des *Rimes de joie* (1881), qui fonda la revue wallonne *L'Artiste*, voulut aussi être un «monsieur de la Braguette» en publiant ses *Treize Sonnets du doigt dedans*, ayant pour thème principal la masturbation féminine. Ces fantaisies salaces d'un écrivain gai ne valent ni qu'on s'en indigne ni qu'on s'y attarde.

Une tentative qui mérite plus d'intérêt est celle d'Edmond Haraucourt dans *La Légende des sexes, poèmes hystériques* (1882), parce qu'il la soutint avec une certaine ampleur poétique. Haraucourt disait de *La Légende des sexes*: «Ce livre est l'épopée du bas-ventre.» Il avait voulu y mettre tout ce qui manquait dans *La Légende des siècles* de Victor Hugo, «l'Art et la Science du Rut et du Coït», et il affirmait: «*La Légende des sexes* n'est point une parodie, elle est un complément.» Il commença par *Le Coït des atomes*, celui qui a produit le monde, évoqua *L'Eden* avec le premier coït d'Adam et Eve, décrivit des épisodes mythologiques, Pasiphaé, Danaé, fit en vieux français une *Ballade des Malséans pucelaiges*, alla d'un *Sonnet pointu* (en forme de triangle, où une femme s'adresse à son amant) à *L'Obsession* (d'un faune hanté par la luxure), et termina sur un rêve cosmique de «coït éternel», tous les astres formant «l'immensité d'un rut peuplant les univers».

On refusa d'élire Edmond Haraucourt à l'Académie française parce qu'il avait publié à vingt-sept ans *La Légende des sexes*. On oubliait les vers autrement obscènes de tels des premiers académiciens, François Maynard et Isaac du Ryer. Mais sa préface annonçait déjà: «S'ils nous lisent, les poncifs et les pontifes nous couvriront d'ignominie et nous fleurdeliseront du mot de pornographe; les artistes seuls et les femmes comprendront que nous ne sommes qu'un lyrique, jouant au bilboquet avec la boule de son hystérie sur le manche de ses érections.» Même à la fin de sa vie, devenu conservateur du musée de Cluny, Haraucourt continua d'être plus fier de *La Légende des sexes* que de *L'Ame nue*.

Verlaine est l'unique poète du XIXe siècle qui ait traité l'obscénité avec une versification aussi savante que celle de ses poésies non obscènes. Il publia clandestinement en décembre 1867 *Les Amies*, sonnets superbes sur les «femmes damnées», chez Poulet-Malassis à Bruxelles, sous le nom du licencié Pablo de Herlagnez. *Femmes* (qu'il voulait d'abord intituler *D'aucunes* ou *Ruts*) parut en 1890 dans la même ville, sous le même pseudonyme, débutant par une *Ouverture* en rimes féminines (comme il se devait):

Je veux m'abstraire vers vos cuisses et vos fesses,
Putains, du seul vrai Dieu seules prêtresses vraies,
Beautés mûres ou non, novices ou professes,
O ne vivre plus qu'en vos fentes et vos raies!

S'ensuivaient dix-sept poèmes (le dernier, *Morale en raccourci,* servant de conclusion) d'une étourdissante virtuosité, *A celle qu'on dit froide, Partie carrée, Goûts royaux,* etc. Verlaine traduisait ses envies les plus lubriques en métaphores somptueuses, comme dans *Au bal,* «un rêve de cuisses de femmes», où il s'imagine étendu par terre au milieu de danseuses qui toutes, l'une après l'autre, viennent s'accroupir sur sa figure. Il rendait ses vers d'une souplesse extraordinaire, grâce à des césures variées et des enjambements.

Le recueil analogue que lui inspirèrent ses liaisons homosexuelles, *Hombres,* ne fut édité qu'en 1904, huit ans après sa mort, d'après un manuscrit sur papier d'hôpital datant de 1889 à 1891. Le premier poème, vantant «le cul de l'homme fleur de joie et d'esthétique», est suivi de *Mille e tre* évoquant ses amours avec les deux Charles, Odilon, Antoine, Auguste («Mes amants n'appartiennent pas aux classes riches»), de priapées comme *Balanide* (hommage au gland), de pièces décrivant avec précision les actes de Sodome.

Quant aux *Stupra,* sonnets que Verlaine aurait écrits avec Rimbaud, ce sont des faux sauf un seul, le *Sonnet du trou du cul* («Obscur et froncé comme un œillet violet», etc.), parodie du *Sonnet des fesses* que publia Albert Mérat dans son recueil *L'Idole.* Les autres *Stupra* ont été fabriqués par un habile pasticheur d'après des expressions de Rimbaud que Verlaine a citées en épigraphe à deux de ses poèmes: «Nos fesses ne sont pas les leurs», et sa définition de la femme: «ange ou pource» (féminin de pourceau). Les *Stupra* furent mis au jour en 1923 par Pascal Pia, spécialiste des supercheries littéraires, et accrédités par Aragon, qui signa Marcelle la Pompe la préface de la réédition de 1925 [1].

Découverte de l'érotologie orientale

Ce fut au XIXᵉ siècle que l'Occident découvrit l'érotologie orientale et la révéla aux Orientaux eux-mêmes, qui n'en soupçonnaient pas l'intérêt particulier. Jusqu'alors les Occidentaux s'en tenaient à l'érotologie gréco-romaine, dont le professeur Friedrich-Karl Forberg, conservateur de la bibliothèque de Cobourg, dressa magistralement l'inventaire en 1824 dans son *De Figuris Veneris.* Mais en 1850, le baron de R..., capitaine d'état-major à Alger, composa la traduction d'un manuscrit

---

1. Certains ont supposé que Marcelle la Pompe était Pascal Pia lui-même ou Renée Dunan. Mais cette préface contient une allusion au banquet Saint-Pol-Roux que seul pouvait faire Aragon, qui y était présent.

arabe du xvie siècle, intitulé *Le Jardin parfumé* pour le délassement de l'esprit (*Er Roud el âater fi nezaha el khater*). Cet ouvrage avait été écrit vers l'an 925 de l'hégire par le cheikh Nefzaoui, habitant Tunis, à la demande du vizir Mohammed ben Ouana ez Zouaoui. La traduction française fut autographiée en 1876 à trente-cinq exemplaires, par les soins de quatre officiers formant la Société J.M.P.Q., et illustrée d'un portrait du cheikh Nefzaoui, de treize planches hors texte et de quarante-trois dessins.

Le *Jardin parfumé*, divisé en vingt et un chapitres, contient toutes sortes de conseils techniques, et des histoires fatalistes comme celle du bouffon Bahloul qui jouit plusieurs fois de Hamdouna, femme d'un vizir. Elle dit à sa suivante, qui lui reproche de s'être abandonnée à un bouffon : « Toute vulve porte inscrite à son ouverture le nom de celui qui doit y entrer » (paraphrase de la parole de Mahomet : « Tout homme porte inscrite sa destinée sur son front »). Le cheikh Nefzaoui enseigne les six mouvements en usage dans le coït, les onze positions propres aux Arabes et les vingt-neuf employées par les peuples de l'Inde. Il recommande particulièrement le *dok el arz* (le pilement sur place), c'est-à-dire le coït étant assis. Il explique les causes de la jouissance dans l'acte sexuel, raconte des anecdotes sur les ruses et les trahisons des femmes, donne des remèdes contre l'impuissance et la stérilité, des moyens de provoquer l'avortement ; il indique à l'homme qui a un trop petit membre comment en augmenter la dimension (le frotter, par exemple, avec de l'huile où l'on a fait cuire des sangsues). Et par quel remède alimentaire devenir un amant infatigable, comme Abou el Heïdja qui déflora quatre-vingts vierges en une nuit après avoir mangé des pois chiches et bu du lait de chamelle mélangé à du miel.

Le chapitre le plus extraordinaire du *Jardin parfumé* concerne le coït entre deux personnes de conformation différente. D'abord le coït de *l'homme obèse* et de *la femme maigre* : « Le meilleur parti à prendre, c'est que la femme se charge du rôle actif. A cet effet, l'homme s'étend sur le dos, les cuisses rapprochées, et la femme s'assied sur son membre en écartant les jambes. » Les rapports de *l'homme gras* et de la *femme grasse* sont plus complexes : « Ce qu'il y a de mieux à faire, en cette circonstance, c'est que la femme se place à genoux et les mains à terre, de façon que son derrière soit plus élevé que son dos... Il l'accoste alors par-derrière, à genoux, tenant dans ses mains son ventre qu'il pose sur le derrière de la femme, et il introduit son membre dans le vagin. » Pour une *femme très grande* et un *homme très petit*, « la difficulté à résoudre est que leurs organes de génération et leurs bouches se rencontrent simultanément ». *L'homme excessivement petit* a trois manières de s'unir avec la *femme d'une taille élevée*, mais ces postures sont fatigantes. Enfin le cheikh Nefzaoui termine sur *le coït entre bossus* : il examine toutes les positions possibles si l'homme est bossu ou la femme bossue, s'ils sont bossus tous les deux, si leur bosse est sur leur dos, leur poitrine, ou devant et derrière à la fois [1].

Ce fut Guy de Maupassant, séjournant à l'oasis de Bou Saâda en Algérie, qui découvrit la traduction française du *Jardin parfumé*. Le commandant Maréchal, chef du Cercle militaire, lui montra son exemplaire à couverture bleu vif portant le titre arabe en lettres d'or. Maupassant écrivit le 25 août 1884 à un éditeur parisien: «Les dessins de cette traduction sont faits par un officier d'État-Major. Tous sont remarquables. L'un d'eux me paraît être un vrai chef-d'œuvre. Il représente deux êtres épuisés après l'étreinte.» Maupassant a rencontré l'officier traducteur, dont il dit: «Malheureusement il n'a pas osé traduire un des chapitres concernant un vice fort commun en ce pays, "la Pédérastie", mais, en somme, le livre est, en son genre, un des plus curieux que l'on puisse trouver.» L'édition autographe fut reproduite en 1885, puis Isidore Liseux donna en 1886 du *Jardin parfumé* une «traduction revue et corrigée».

Parallèlement, en 1883, parut *The Kama Sutra of Vatsyayana* traduit du sanscrit en anglais et tiré à deux cent cinquante exemplaires *for private circulation*; édité par la Hindoo Kama Shastra Society (Société de l'Art d'aimer hindou), ce livre avait été imprimé à Londres, bien qu'on ait mis le nom de Bénarès sur sa couverture. Le collectionneur anglais sir Henry Spencer Ashbee était le responsable de cette entreprise. Il avait fait appel au pandit Brugwuntlal Indraji, qui, aidé d'un étudiant connaissant mieux l'anglais que lui, Shivaram Parshuram Bhide, compara les différentes copies de l'ouvrage dans les bibliothèques de l'Inde, et se servit d'un commentaire intitulé *Jayamangla* pour corriger les passages des cinq premières parties. Si bien que les *Kāma sūtra* (*Aphorismes sur l'Amour*), en leur édition anglaise, furent une œuvre plus complète que les versions sanscrites de leur pays d'origine.

On ne sait rien de Vatsyayana, vivant entre le Iᵉʳ et le VIᵉ siècle de l'ère chrétienne. Son livre comprend sept parties, trente-six chapitres, soixante-quatre paragraphes, et environ mille deux cent cinquante *slokas* (versets). Avec cet art de l'énumération minutieuse propre à la pensée hindoue, le texte nous apprend quelles sont les quinze sortes de femmes dont on ne doit pas jouir: «Une femme chassée de sa caste... Une femme qui exprime publiquement son désir du commerce sexuel... Une femme qui sent mauvais... Une femme qui est votre proche parente... Une femme qui vit en ascète», etc. Parmi les Nayikas, «femmes dont on peut jouir sans péché», on peut avoir affaire à une femme Mrigi (Biche), Hastini (Éléphant), ou Vadawa (Jument): «L'homme est divisé en trois classes, savoir: l'homme-lièvre, l'homme-taureau et l'homme-cheval, selon la grandeur de son *lingam*. La femme aussi, suivant la profondeur de son *yoni*, est une biche, une jument ou un éléphant femelle. Il s'ensuit qu'il y a trois unions égales entre personnes de dimensions correspon-

---

1. *Le Jardin parfumé du cheikh Nefzaoui* (Paris, Bibliothèque des Curieux, 1920).

dantes, et six unions inégales quand les dimensions ne correspondent pas; soit neuf en tout [1].»

Les *Kāma sūtra* décrivent les sept sortes de congrès, les embrassements, les baisers, les marques d'ongles, les morsures, les manières de donner des tapes, les huit sortes de plaintes (le son Hinn, le son roucoulant, le son pleurant, le son Phoutt, le son Soûtt, le son Plâtt, etc.). Ils détaillent les vingt-quatre sortes d'hommes qui obtiennent du succès auprès des femmes et les quarante et une sortes de femmes qui sont aisément conquises (une femme vaniteuse, une femme qui vous regarde de côté, une femme que son mari maltraite sans cause, etc.). Ils apprennent la conduite à tenir pour aborder une femme, acquérir une épouse, avoir des rapports conjugaux et extra-conjugaux: «Lorsque la femme lève ses deux cuisses toutes droites, cela s'appelle la *position levante*. Lorsqu'elle lève les jambes et les place sur les épaules de son amant, cela s'appelle *la position béante*.» Il y a aussi la *position en paquet*, la *position en forme de lotus*, la *position tournante*, etc.

Le brahmane Vatsyayana permettait l'adultère en divers cas: «On peut s'adresser aux femmes d'autrui pour des raisons spéciales, et non pour la satisfaction d'un désir charnel.» Par exemple, il est licite qu'un homme couche avec l'épouse d'un autre en se disant: «Cette femme fera tourner en ma faveur l'esprit de son mari, qui est très puissant.» Ce religieux envisage sereinement l'amour collectif: «Lorsqu'un homme jouit en même temps de plusieurs femmes, cela s'appelle le *congrès du troupeau de vaches*.» Il y a certaines régions où c'est le contraire qui se produit: «A Gramaneri, plusieurs jeunes gens jouissent d'une femme qui peut être mariée à l'un d'eux, soit l'un après l'autre, soit tous en même temps.»

La sixième partie des *Kāma sūtra* est dédiée aux huit sortes de courtisanes. L'auteur leur prodigue les conseils pratiques, les vingt-sept moyens à employer pour tirer de l'argent d'un amoureux, et les vingt-huit façons graduées de s'en débarrasser (la vingt-huitième étant le renvoi). La septième partie parle de tout ce qui accroît la séduction et excite le désir. C'est là que sont décrits «certains *apadravyas*, sortes d'objets qu'on se met sur le *lingam*, afin d'augmenter sa longueur ou sa grosseur».

Deux voyageurs signant seulement des initiales A.F.F. et B.F.N. découvrirent aussi l'*Ananga-Ranga* de Kalyana Malla; ils en firent en 1885 une traduction anglaise tirée à quatre exemplaires. Kalyana Malla était un brahmane du XVIe siècle, natif de Kalinga, qui écrivit son livre pour l'instruction de Lada khan, fils d'Ahmad khan, *subadhar* (vice-roi) de Gujarat (Guzerate), appartenant à la dynastie Lodi ou Pathan. L'*Ananga-Ranga* est un très beau manuel d'amour conjugal, qui mériterait d'être plus célèbre que les *Kāma sūtra*. L'auteur révèle les jours et les heures où la jouissance est la plus grande. Il enseigne que «la passion

---

1. Vatsyayana, *Les* Kāma sūtra, *manuel d'érotologie hindoue* (Paris, Isidore Liseux, 1885).

réside dans différentes parties et membres du corps féminin, et qu'en y appliquant le *chandrakala* nécessaire, autrement dit les attouchements préparatoires, il en résultera grand plaisir».

Il décrit les principaux *asanas* (postures sexuelles) en les subdivisant: la femme couchée sur le dos (onze subdivisions), couchée sur le côté droit ou gauche (trois subdivisions); debout (trois subdivisions); assise de diverses manières (dix subdivisions); couchée sur la poitrine et le ventre (deux). Total vingt-neuf, et avec trois formes de *purushayîta* (la femme chevauchant l'homme), trente-deux. Kalyana Malla conclut: «J'ai, dans ce livre, montré de quelle façon le mari, en variant les plaisirs de sa femme, peut vivre avec elle comme avec trente-deux femmes différentes, lui procurant des jouissances toujours nouvelles qui rendent la satiété impossible.»

L'épanouissement de l'érotisme anglais

On assista au XIXᵉ siècle au développement intensif de la littérature érotique anglaise. Au XVIIIᵉ siècle, à Londres, des périodiques comme *The Rambler's Magazine*, *The Bon Ton Magazine* et, en 1795, *The Ranger's Magazine* publiaient pour tout le monde les textes les plus osés, avec des illustrations graveleuses, sans être jamais prohibés. Un poème licencieux, *The Plenipotentiary* (1788), eut pour auteur un ami du prince de Galles, le capitaine Charles Morris. Selon un historien, «la pornographie avait cours librement en Angleterre à cette période[1]». Mais en 1797 le roi George III fit une proclamation contre le vice, invitant ses sujets à le combattre sous toutes ses formes. La Society for The Supression of Vice, fondée en 1802, se donna pour tâche la chasse aux écrits et aux gravures obscènes. Elle eut fort à faire, car si au siècle précédent, lorsque la liberté d'expression était assurée, peu d'auteurs suivirent John Cleland et John Wilkes dans leurs audaces, dès qu'elle fut entravée les œuvres licencieuses proliférèrent dans l'ombre.

Le principal éditeur pornographique de Londres fut George Cannon, un clerc de notaire qui se consacra à l'édition clandestine de 1815 jusqu'à sa mort en 1854. Il dut payer en 1828 vingt livres d'amende pour la publication de *The Festival of Passions*. Il édita ses livres les plus érotiques sous le pseudonyme de Mary Wilson, comme *The Voluptuarian Cabinet*, quatre volumes de dialogues et de récits. Les successeurs de Cannon furent William Dugdale, qui publia *Don Leon*, un poème homosexuel attribué à lord Byron — mais c'est un faux —, et John Camden Hotten, l'éditeur de *Songs and Ballads* de Swinburne.

La grande spécialité de la littérature érotique anglaise est le roman traitant de la flagellation, qu'on a d'ailleurs appelé «le vice anglais[2]». Les

---

1. H. Montgomery Hide, *A History of Pornography* (New York, Dell Publishing, 1965).
2. Cf. Ian Gibson, *The English Vice* (Londres, Duckworth, 1978).

punitions corporelles dans les écoles, dans l'armée et la marine, dans les prisons, orientaient la sexualité nationale vers cette perversion. Des journaux familiaux, comme *The Herald Family*, donnaient des conseils aux mères anglaises pour bien fouetter leurs enfants; les petites annonces indiquaient des clubs de flagellants, des modèles de fouets. Les gentlemen allaient recevoir des coups de martinet ou de verges appliqués par de *fine women* (jolies femmes) dans des maisons spécialisées, dont les directrices étaient qualifiées de *governesses* (gouvernantes). La *governess* la plus célèbre de Londres fut Theresa Berkley (morte en 1836), qui opérait au 28, Charlotte Street, Portland Place. Ce fut elle qui inventa le *Berkley Horse* (ou *chevalet*), châssis incliné où elle attachait le gentleman nu pour le fouetter, tandis qu'une fille de l'autre côté manipulait les organes génitaux de celui-ci, passant à travers une ouverture.

Le premier roman important sur la flagellation fut *Venus School Mistress, or Birchin Sports* (*Vénus maîtresse d'école, ou les jeux de la fustigation*), que George Cannon réédita vers 1840 en l'augmentant d'une préface historique sur les *governesses* qu'il avait connues. Puis vint *The Merry Order of St. Bridget* (1857) de James G. Bertram, que traduisit en français Hugues Rebell sous le titre d'*Une société de flagellantes*, «réminiscences et révélations d'une soubrette de grande maison, Margaret Anson». Un autre classique, *Colonel Spanker's Lecture* (vers 1866), s'intitula en France *Conférence expérimentale par le colonel Cinglant*.

Le poète Charles Algernon Swinburne, qui affichait glorieusement ses perversions (homosexualité et bestialité), prit le goût de la flagellation durant ses études à Eton de 1848 à 1853, et en fit le sujet d'un poème épique, *The Flogging-Block*. Son roman inachevé *Lesbia Brandon* (édité pour la première fois en 1952) est le miroir de sa perversité: lady Wariston est à la fois l'objet de l'amour incestueux de son jeune frère Bertie, et de l'amour saphique de la poétesse Lesbia Brandon. Lady Wariston prend pour amant Denham, le précepteur de Bertie, qui se venge des humiliations qu'elle lui fait subir en fouettant à outrance celui-ci. On pense que Swinburne a écrit en partie le livre érotique anonyme *The Romance of Chastisement, or Revelations of the School and the Bedroom, by an Expert* (1866). Ce *Roman du châtiment, ou Révélations sur l'école et la chambre à coucher, par un expert*, fournit la matière des *Contes du fouet* édités à Paris par Carrington.

Maupassant, qui visita Swinburne à Etretat, dans la «Chaumière de Dolmancé» que le poète anglais habitait en 1875 avec Powell (fils d'un lord), le dépeignit à ses amis comme «un petit homme au bas de la figure fourchu», agité d'un tremblement perpétuel, «et parlant toujours avec l'air d'un fou». Swinburne lui montra des photos obscènes faites en Allemagne et Powell masturba un singe tout en parlant: «Oui, ils vivaient tous deux ensemble, se satisfaisaient avec des singes ou de jeunes domestiques qu'on expédiait d'Angleterre à Powell à peu près tous les trois mois ¹.» Swinburne collabora aussi à un recueil collectif d'érotisme sadique, *The Whippingham Papers* (1888).

L'écrivain érotique anglais le plus intéressant du XIXᵉ siècle, si intéressant que certains critiques disent qu'il aurait pu faire meilleur usage de ses dons, fut Edward Sellon, fils d'un gentleman de moyenne fortune. Il s'engagea en 1834 dans l'armée des Indes, où il fut nommé capitaine à vingt-cinq ans, et revint à Londres après dix ans de service. Il se maria en 1844 pour faire plaisir à sa mère, mais se sépara de sa femme après avoir vécu quelque temps avec elle dans le Devonshire. Auteur d'un livre sur les temples monolithiques de l'Inde, Sellon composa aussi des romans pornographiques pour l'éditeur William Dugdale. En 1865, *The New Epicurean or the Delights of Sex* fut l'histoire d'un amateur de filletttes; *Phoebe Kissagen*, qui en est la suite, a pour héroïne une maquerelle, et fut traduit en français sous le titre de *Mémoires d'une procureuse anglaise*. En 1866, *The New Ladies' Tickler* (*Le Nouveau Chatouilleur des dames*) devint un succès de la littérature de flagellation non sadique. Edward Selllon se suicida au Webb's Hotel de Piccadilly en avril 1866, à quarante-huit ans. On publia en 1867 son autobiographie libertine, *The Ups and the Downs of Life* (*Les Hauts et les Bas de la vie*), où il raconte en détail ses amours en Inde avec des *ladies* et des *native women*. Sellon fut aussi un dessinateur remarquable, dont les connaisseurs apprécièrent les dessins et les aquarelles érotiques.

La réputation de puritanisme rigide que l'on a faite au règne de la reine Victoria a été démolie par Steven Marcus qui étudia «les autres Victoriens», mécènes et propagateurs d'écrits clandestins ². Il y eut en effet à Londres toute une communautè de collectionneurs de livres érotiques et d'estampes libertines; le premier fut Richard Monckton Milnes (lord Broughton), dont la maison de campagne, Fryston, était surnommée Aphrodisiapolis, tant elle contenait d'œuvres excitant à l'amour. D'autres amateurs rivalisèrent avec lui, sir Herbert Spencer Ashbee, James Campbell Reddie, William S. Potter, Coventry Patmore, le cinquième comte de Rosebery, le deuxième marquis de Milford-Haven, Michael Sadleir, etc. Cette société victoriennc d'csprits anticonformistes fit découvrir au monde entier les *Kāma sūtra* et patronna les plus curieux érotiques anglais de la fin du XIXᵉ siècle.

Certains de ces collectionneurs en écrivirent eux-mêmes (seuls ou avec des collaborateurs). Un avocat célèbre, Frederick Popham Pike, fut l'auteur anonyme de *Cythera's Hymnal* (1870), recueil de chansons grivoises. Lord Broughton publia sous le nom de George Colman *The Rodiad* (1871), poème sur la flagellation.

James Campbell Reddie, qui légua sa collection au British Museum, avec trois volumes manuscrits de *Bibliographical Notes* (car c'était un

1. Propos de Maupassant rapporté par Edmond de Goncourt dans son *Journal*, le 28 février 1875, t. II (Paris, Flammarion, 1956).
2. Steven Marcus, *The Others Victorians: A Study of Sexuality and Pornography in Mid-Nineteenth Century England* (Londres, Corgi Books, 1971).

érudit prodigieux), fit paraître en 1866 *The Adventures of a Schoolboy* (*Les Aventures d'un étudiant*), qu'illustraient huit dessins d'Edward Sellon. Après la mort de Reddie en juillet 1878 à Crieff (Ecosse), on publia en 1881 son roman inédit, *The Amatory Experiences of a Surgeon* (*Les Expériences amoureuses d'un chirurgien*), dont le héros fait prendre des aphrodisiaques aux femmes qu'il veut séduire; et en 1882, *The Mysteries of Verbena House*, qu'il avait écrit en collaboration avec George Augustus Sala. La Verbena House est une institution *fashionable* pour demoiselles à Brighton, où la flagellation fait rage: «Un des meilleurs livres du genre», affirma Peter Fryer, conservateur du Private Case (l'Enfer) de la British Library [1].

The Romance of Lust (*Le Roman de la luxure*), quatre volumes parus de 1873 à 1876, fut commencé par William S. Potter durant un voyage au Japon. Revenu à Londres, il se fit aider par divers auteurs pour le terminer. C'est un répertoire complet de tous les fantasmes masculins. Le narrateur, Charles Robert, est un adolescent que la Nature a doté d'un pénis gigantesque et qui en fait l'essai sur une femme mariée, Mrs. Alice Benson, sur ses préceptrices Miss Aline et Miss Frankland, sur sa tante, femme d'un pasteur. Sa technique est de contrefaire le niais, pour que les femmes aient envie de l'initier. Afin de séduire la mère de son ami Henry, Mrs. Dale, il se plaint d'être en érection, comme s'il ne comprenait rien à ce phénomène: «Ça me fait beaucoup souffrir en devenant si dur... Chère maman, pouvez-vous m'enseigner comment je puis guérir?» Elle lui répond: «Nous femmes, nous sommes faites pour réduire les raideurs de ce genre.» Mais après le traitement qu'elle lui administre il enfle bientôt de nouveau, et Mrs. Dale dit: «Je dois t'apprendre plusieurs manières d'enlever la raideur de ce gros morceau, qui paraît plus désireux que jamais d'être soulagé.»

Le Roman de la luxure s'apparente aux caricatures obscènes de Thomas Rowlandson, mi-grotesques mi-fantastiques: la libido de Potter s'amusait à des effets énormes, invraisemblables. Ainsi son héroïne, Miss Frankland, est velue comme aucune autre femme au monde, avec des poils jusque sur la poitrine et les bras. Charles a une verge si monstrueuse que lorsqu'il la sort du sexe d'une femme cela fait «un bruit sonore pareil à celui d'une bouteille de champagne dont le bouchon saute». William S. Potter mourut en 1897, à soixante-quatorze ans; il possédait les fameux tableaux érotiques commandés à Boucher par Mme de Pompadour pour exciter Louis XV, mais ils furent détruits par les autorités britanniques après sa mort.

Les Anglais devinrent si inventifs en érotisme littéraire que les Français, maîtres du genre depuis deux siècles, accaparèrent leurs productions pour les adapter. *The Power of Mesmerism* (1871), histoire de Frank Etheridge qui, s'étant initié au mesmérisme en Allemagne, revient chez son père à Brackley Hall dans le Devon, et hypnotise sa sœur Ethel, sa mère, le pasteur et ses deux nièces, afin de les contraindre sous

---

1. Peter Fryer, *Forbidden Books of the Victorians* (Londres, The Odyssey Press, 1970).

hypnose à des orgies, sera en France *Le Magnétiseur libertin* (1890), où l'étudiant en magnétisme Jules Ancourt endort sa sœur Lucienne et d'autres personnes de son entourage, à qui il suggère diverses pratiques de luxure. On tirera de *The Pearl*, «journal de lectures facétieuses et voluptueuses», des récits d'inceste et de flagellation comme *Sub-Umbra, or Sport among the Shee-Noodles* (1880), dont on fera *A l'ombre ou Mes ébats parmi les ingénues* (1887). Un «conte en cinq tableaux», *The Story of a Dildoo* (1880), aura trois éditions à Paris sous le titre d'*Histoire d'un godemiché* (1886). On y enseignera la manière de se servir d'une «seringue des dames» en caoutchouc (alors que les godemichés étaient auparavant en porcelaine, en ivoire, en corne ou en bois). Une jeune fille de New York, Florence McPherson, «la lionne de Madison Square», achète ainsi «un modèle exact de vit humain, bien bandant, colorié comme s'il était naturel, la tête d'un rouge vif et la base ornée de jolis poils frisés». Son amie Laura l'utilise avec elle en attachant les courroies autour de sa taille et de ses cuisses, nous donnant une intime leçon de choses. D'autres romans insulaires aussi ingénieux séduisirent le continent. La puce, qui, dans *The Autobiography of a Flea* (1881), raconte toutes les actions libidineuses qu'elle voit en fréquentant les corps de Bella et de Julia, se retrouvera francisée dans les *Souvenirs d'une puce* (1890)[1].

L'ouvrage le plus ambitieux de cette période, *My Secret Life*, parut à Amsterdam vers 1890 en onze volumes formant un ensemble de quatre mille deux cents pages; des séries complètes de l'édition originale (tirée à dix exemplaires seulement) se trouvent au British Museum, ainsi qu'aux bibliothèques de l'Université de Yale et de l'Institut Kinsey à Bloomington (Indiana). L'auteur de cette monumentale autobiographie paraît être sir Henry Spencer Ashbee, né en 1834, président d'une firme commerciale d'aromates à Londres, voyageur qui parcourut l'Afrique et l'Asie, et collectionneur de livres érotiques dont il fit le catalogue sous le nom de Pisanus Fraxi, *Index librorum prohibitorum* (1877). Avant de mourir en 1900 dans son domaine de Fowlers à Hawkhurst (comté de Kent), il voulut laisser le témoignage de ses expériences sexuelles plus nombreuses que celles de Casanova.

Dans le premier volume de *My Secret Life*, le narrateur (ou Wattie) raconte ses sensations érotiques d'enfant; il tourne autour des servantes de sa mère et à seize ans fait ses débuts avec la femme de chambre Charlotte, la cuisinière Mary, puis les deux sœurs Sarah et Martha, qui sont jalouses l'une de l'autre, etc. Chaque relation est particularisée: Mary, plutôt réticente, ne lui cède que graduellement, après lui avoir versé un broc d'eau sur la tête pour le repousser. Wattie est exhibitionniste, voyeur, frôleur, passant son temps à regarder par les trous de serrure. Envoyé à Londres faire ses études, il fréquente les prostituées

---

1. A l'inverse, *The Horn Book* (1899), manuel d'érotologie pratique, fut l'adaptation anglaise d'*Instruction libertine* (1860), cinq dialogues entre Charles et Justine attribués à un magistrat en retraite nommé Benoît.

du quartier de Waterloo Bridge; il séduit aussi les femmes des ouvriers d'une fabrique d'armes, comme Mrs. Smith qui s'enivre au gin et que son mari bat.

Le deuxième volume montre Wattie à vingt et un ans, héritier de la fortune de son père, démissionnant de l'armée et du War Office pour se livrer au plaisir. Il se lie avec une prostituée française de Londres, Camille, qui lui fournit des femmes et lui dit: «Je suis née putain. J'aime tout ce qui est cochon et j'aime que les hommes fassent des cochonneries avec moi.» Il dépense avec elle quatre mille livres en un an. Mais Wattie a des répugnances et, s'il lui fait l'amour entre les seins ou sous l'aisselle, n'accepte qu'à son corps défendant la fellation. Ce sujet de la reine Victoria est à la fois infatigablement porté au coït et puritain. Il contracte une chaude-pisse et va se soigner chez sa tante dans le Hamptonshire. A peine guéri, il fornique avec des faneuses, avec la fermière, Mrs. Pender, tandis qu'elle trait une vache, etc. Il y a peut-être un fond réel dans ces confessions, mais aussi un parti pris de décrire systématiquement l'amour avec les servantes, les prostituées, les paysannes, et les autres catégories sociales, en essayant diverses positions, contre un arbre, contre une fenêtre, contre un buffet de cuisine, etc. On dirait que l'auteur effectue un reportage sur le sexe.

Cette autobiographie est aussi monotone que l'histoire des saillies d'un bouc, sans fin répétées. La traduction française de *Ma Vie secrète* en 1923 se borna à ces deux volumes, car les lecteurs se lassèrent de ces actions purement mécaniques; l'éditeur renonça à publier la suite. Selon le catalogue d'un libraire possédant l'original anglais *not for publication*, «11 forts volumes d'environ 375 pages chacun», l'auteur poursuivait son enquête non seulement à travers les classes, mais à travers les races: «Il donne aussi la description des mœurs et des coutumes de 2500 femmes de tous les pays du monde (sauf les Laponnes) qu'il a connues et avec lesquelles il a eu des relations.» Ce programme est d'une extravagance incomparable: faire de toute une vie amoureuse une étude comparative d'ethnologie sexuelle!

Parmi les autres romans érotiques anglais «fin de siècle», *Gynecocracy* (1893), en trois volumes, doit être mentionné en raison de son auteur présumé: «Ce livre a été attribué à Havelock Ellis, et certains épisodes correspondent à ce que nous savons des goûts sexuels d'Ellis [1]», dit Peter Fryer. En effet l'illustre médecin sexologue a révélé dans son autobiographie qu'il découvrit «l'étrange mystère de la femme» un jour que sa nurse, lors d'une promenade, s'arrêta pour uriner à l'écart. A neuf ans, il fut surpris par sa mère Susannah Ellis en train de flairer un linge intime, imprégné d'urine, d'une fillette. Elle remarqua qu'il se faufilait à sa suite, dans les *lavatories* des dames, afin d'écouter le bruit de la miction et d'en respirer l'odeur. Havelock Ellis catalogua plus tard ce genre de manie sous le terme d'urolagnie (du grec *ouros*, urine, et *lagneia*, acte sexuel).

---

1. Peter Fryer, *Private case, public scandal* (Londres, Secker et Warburg, 1966).

Or il y a beaucoup d'urolagnie dans *Gynecocracy*, ayant pour sous-titre: «Relation des aventures et exprériences psychologiques de Julian Robinson (plus tard vicomte Ladyhood) sous la loi de la jupe (*petticoat rule*), écrite par lui-même». Julian Robinson est élevé en fille par une équipe de gouvernantes qui le battent avec des verges ou des orties, urinent sur lui, l'enferment dans une cage d'osier suspendue en l'air, etc. Devenu Miss Julia, portant robe et boucles d'oreilles, il doit coucher avec un homme, lord Alfred Ridlington, qui est en réalité une femme. Quand parut *Gynecocracy*, Havelock Ellis venait de se marier en décembre 1891 avec une robuste lesbienne, Edith Lees, qui exigeait de lui qu'il fût «sensible comme une femme» et lui imposait ses relations homo-sexuelles avec son amie Claire. En 1894, un an après ce roman, il publiait le premier volume de ses *Studies in Psychology of Sex*, ce monument de la sexologie moderne.

Child Love (1898) est à citer comme roman représentatif d'une autre spécialité de l'érotisme anglais, les livres ayant pour héroïnes des fillettes perverses. *Lolita* de Vladimir Nabokov, qui fit scandale à sa publication, en 1955, était une chaste bluette à côté de *Child Love* où une jeune fille, Phyllis Norroy, raconte sa vie sexuelle entre douze et quinze ans, dans une série de lettres à son amie Mary. Elle se flatte d'avoir été avec les adultes «une fillette très complaisante et très polissonne». En vacances à douze ans sur la côte sud de l'Angleterre, elle se prêta aux attouche-ments d'un baronnet, sir Harry Norton, de lady Norton, se fit dépuceler par leur cousin Algy, enseigne de vaisseau, et initia une petite fille d'un an sa cadette, Helen Filtzgerald [1]. La reine Victoria, qui mourut en 1901, nc sc doutait pas quc sous son règne les Anglais étaient devenus en cachette les premiers pornographes du monde.

Sacher-Masoch et la littérature masochiste

Un livre érotique allemand qui eut beaucoup de succès fut, en 1856, *Leuchen im Zuchthause* de Wilhelm Reinhard, décrivant les punitions corporelles dans les prisons du sud de l'Allemagne. La tendance traitant des sévices sexuels, en prétendant que les patients comme les agents y éprouvaient des jouissances particulières, prit un sens entièrement nouveau avec Léopold de Sacher-Masoch, cet homme énigmatique qui ne parvenait à accomplir l'acte sexuel qu'à la condition d'être battu et humilié par la femme qu'il désirait. Né le 29 janvier 1836 en Galicie, province de l'Empire autrichien, il était le fils du chef de la police de Lemberg (maintenant Lvov en Pologne) et d'une aristocrate polonaise. C'est Krafft-Ebbing qui, dans *Psychopathia sexualis* (1886), d'après ce

---

1. Un roman du même genre, *Flossie* (1897), évoquant «une Vénus de quinze ans», a été attribué à Swinburne. *Child Love* fut traduit en français sous le titre d'*Amours précoces* (1921).

qu'il savait de Sacher-Masoch, donna le nom de *masochisme* à la perversion amenant certains êtres à ressentir une véritable délectation dans la douleur et l'humiliation. La psychanalyse a précisé ce phénomène, et a fait la distinction entre le *masochisme érogène*, intégralement sexuel, et le *masochisme moral*, relatif au comportement général. L'attitude de Sacher-Masoch lui-même a été uniquement érogène; en son métier de professeur d'histoire de l'Université de Graz, en son activité d'écrivain, il ne rechercha pas les rebuffades et tendit plutôt à la réussite qu'à l'échec.

La vie amoureuse de Sacher-Masoch, volontairement dramatique, comprit plusieurs liaisons successives présentant des traits distinctifs permanents: son goût pour les fourrures, dont il voulait voir ses maîtresses couvertes au moment où elles se donnaient à lui (il possédait d'ailleurs une collection de fourrures et de jarretières féminines); son attirance exclusive pour les femmes impérieuses et cruelles; les conditions qu'il imposait à celles qu'il aimait de le molester à toute occasion et de se livrer à d'autres hommes afin qu'il fût déchiré par le sentiment de la frustration.

Sacher-Masoch était un écrivain assez médiocre; on n'en parlerait plus aujourd'hui s'il n'avait pas servi d'exemple psychopathologique. Ses premiers romans historiques passèrent inaperçus. On ne s'intéressa à lui qu'à partir de *Falscher Hermelin* (*La Fausse Hermine*, que l'on traduisit en français sous le titre de *La Femme séparée*), histoire de ses amours avec Anna von Kottovitz. C'était la femme d'un médecin de Graz, qui en divorça pour vivre avec Sacher-Masoch. Ce dernier l'incitait à être capricieuse et à le gifler; il la poussa dans les bras d'un autre homme qu'il croyait un comte et qui n'était qu'un aventurier syphilitique. Sacher-Masoch se fâcha alors contre Anna et la congédia. Un masochiste est pour une femme un tyran aussi redoutable qu'un sadique.

La liaison de Sacher-Masoch avec Fanny Pistor, à qui il se constitua esclave sous le nom de Gregor, fut établie sur un contrat rédigé de sa main, signé par eux le 8 décembre 1869, disant: «M. Léopold de Sacher-Masoch s'engage à devenir le serviteur de Mme Fanny Pistor et à répondre sans restriction, pendant six mois, à ses désirs et à ses ordres... Pour toute faute commise et pour toute négligence, la maîtresse a le droit de punir son serviteur comme bon lui semblera.» Ils partirent ensemble en Italie où ce programme s'exécuta; de plus, Sacher-Masoch exhorta Fanny Pistor à prendre pour amant l'acteur Salvini, et il servit lui-même avec zèle d'entremetteur et de domestique à leur union.

Son roman, *Die Damen im Pelz* (que les traductions anglaise et française de 1902 rebaptisèrent *La Vénus à la fourrure*), est la transposition de cette aventure. Le héros Severin von Kusiemski, qui se dit *übersinnlich*, suprasensuel ou suprasensible, rencontre dans une station thermale des Carpates la belle Wanda von Dunajew, qu'il convertit à sa conception de l'amour cruel. La femme doit se conduire comme un fauve envers l'homme, lui explique-t-il, le dominer, le maltraiter pour lui prouver sa supériorité. Wanda accepte de tenter l'expérience avec lui et ils signent l'un et l'autre l'engagement écrit de leurs rapports de maîtresse et d'esclave. Ils voyagent en Italie et Severin la verra à Florence lui préférer ostensiblement un bel inconnu, qu'ils nomment le Grec. Wanda, après avoir fait souffrir Severin de ce jeu trouble, l'accueille dans sa chambre pour lui dire qu'elle l'aime. Au moment où il la croit, elle appelle le Grec caché dans un coin et lui commande de cravacher de toutes ses forces son amant. Plus tard, racontant cette aventure à un ami, Severin dit de Wanda: «Si seulement je l'avais fouettée!» Il conclut en affirmant que la femme est l'ennemie de l'homme, et ne peut être pour lui qu'une esclave ou un tyran.

La Vénus à la fourrure ne causa aucun scandale, car Sacher-Masoch y semblait exprimer une bizarrerie de caractère plutôt qu'une volupté illicite. La Revue des Deux Mondes en octobre 1872 le présenta au public français comme un auteur germanique pessimiste, disciple de Schopenhauer, ayant entrepris un cycle de nouvelles, Le Legs de Caïn, d'après cette idée: «Nous sommes les héritiers de Caïn qui nous a légué ces six choses: l'amour, la propriété, l'Etat, la guerre, le travail, la mort.» Mais il se limitait en fait à étudier «le legs de Caïn» en amour: «Son thème est simple et net: l'amour, c'est la guerre des sexes. Aimer, c'est être enclume ou marteau.» La revue publiait en ce même numéro Le Don Juan de Kolomea, histoire d'un homme que l'infidélité de sa femme avait rendu lui-même volage: «Aucune ne m'a plus trompé depuis que je les trompe toutes», disait-il. Le traducteur précisait: «Nous avons dû abréger et atténuer quelques crudités.» Sacher-Masoch, moyennant quelques coupures, ne faisait donc pas en France le même effet révolutionnaire que Baudelaire.

En novembre 1872, devenu chevalier et possesseur d'une grande fortune par la mort de son père, Sacher-Masoch épousa Aurore Rümelin, qui tenta d'incarner son idéal. Celle-ci, dans Confession de ma vie, raconta leurs soirées d'hiver se passant à jouer «aux brigands»: Sacher-Masoch mimant le voyageur égaré, sa femme et sa bonne, couvertes de somptueuses fourrures, faisant les brigands et devant, en dernier ressort, le dépouiller de ses vêtements et le fouetter jusqu'au sang. Elle le trompa un peu plus qu'il ne le souhaitait et il la quitta pour s'unir avec la secrétaire de sa revue, Auf der Höhe (Sur le sommet), Hulda Meister. Après un séjour en 1886 à Paris où il reçut un accueil triomphal, Sacher-Masoch se retira avec sa seconde femme Hulda au château de Lindheim, dans la Hesse.

Le 9 mars 1895, à cause de ses crises de démence — il se croyait transformé en chat et il se précipitait sur Hulda pour la griffer et la mordre —, Sacher-Masoch fut transféré à l'asile d'aliénés de Mannheim, dont il ne ressortit plus avant sa mort. Ses nouvelles posthumes, réunies en des recueils comme Venus imperatrix, Les Batteuses d'hommes, firent de lui un auteur semi-clandestin. Toutefois ces nouvelles sont moins audacieuses que les œuvres des masochistes qui le suivirent. Sacher-Masoch ressassait toujours le même sujet avec une psychologie primaire, des détails historiques ou folkloriques douteux. Il n'avait pas l'imagination luxurieuse de Sade, et se bornait à décrire un cérémonial stéréotypé de châtiment, en évitant de parler de la chair. On se demande même si l'acte sexuel ne le dégoûtait pas et s'il ne se faisait pas punir par avance d'avoir à l'accomplir.

La littérature masochiste allemande se déploya dès 1900 avec le roman de Richard Brohmek, *Unter der Fuchtel des Weibes* (dont la version française s'intitula *Sous la cravache féminine*, histoire d'un homme dominé dans son enfance par sa sœur et dans son âge adulte par sa femme). D'autres romans paraissant à Berlin ou à Leipzig, *Geheime Wonnen* (*Bonheur secret*) du même Richard Brohmek, contant les amours du baron Theodor von S., *Mamsell Haustyrann* d'Angelo Bulo, et tous ceux de Fedor Essée (pseudonyme d'Ernest Klein), exploitèrent ce genre. C'est une littérature sadique inversée, donnant le rôle méchant et destructeur à la femme plutôt qu'à l'homme, en faisant ressortir la passivité masculine.

Les Français, n'ayant pas la flagellomanie des Anglais et des Allemands, et cherchant toujours à raffiner la sexualité, créèrent des romans masochistes sans coups de fouet, fondés sur la cruauté mentale, la caresse négative provoquant et contrariant le désir à la fois. Pierre Louÿs inaugura cette forme de masochisme dans *La Femme et le Pantin* (1898), mais l'auteur anonyme de *Josiane et son esclave* (1911) — un «écrivain connu», disait-on — alla beaucoup plus loin.

Josiane de Kern, veuve d'un mari brutal qu'elle détestait, se venge du sexe mâle en prenant pour souffre-douleur le jeune Hubert Soliès, orphelin qui l'aime depuis l'enfance. Elle l'oblige à lui lécher les pieds, à boire l'eau de ses ablutions intimes. Elle le fait coucher à terre, pour qu'il lise à voix haute Sacher-Masoch, pendant qu'elle est assise au-dessus de son visage; et quand il ne s'y attend pas, elle urine dans sa bouche entrouverte. Une autre fois elle exige qu'il apporte dans sa chambre un plat d'asperges cuites et lui montre son sexe: «Tu vas tremper dedans chaque asperge, tu l'agiteras comme ça, tu vois! Quand je te dirai: mange! tu la sortiras, mais en même temps tu en remettras une autre, tu as deux mains, n'est-ce pas?»

Hubert se résigne à tout avec ferveur, si bien que Josiane constate: «C'est un plaisir de te dresser.» Mais un couple d'inverties, la baronne d'Orghel et Léa Mortall, viennent voir son «chien» et s'amusent à lui infliger des tortures sexuelles. Josiane proteste: «Il est à moi, vous n'avez pas le droit de me l'abîmer.» Sa jalousie lui découvre qu'elle aime Hubert et le chapitre final exprime sa régénération par l'amour.

Naissance de la pornographie américaine

John Cleland fut l'initiateur des Américains en pornographie (au sens étymologique), comme il l'avait été des Anglais. L'Amérique ne connut d'abord en fait de romans érotiques que ceux qui étaient importés d'Angleterre, et le sien plut particulièrement aux amateurs; mais on le diffusait difficilement. Dans l'hiver 1819-1820, deux colporteurs furent arrêtés pour avoir essayé de vendre les *Mémoires de Fanny Hill* à des fermiers du Massachusetts; l'un des coupables fut mis à l'amende, l'autre condamné à six mois de prison. En 1821, le Vermont édicta une loi contre l'obscénité; des Etats voisins l'imitèrent. Pour repousser l'invasion des œuvres érotiques en provenance d'Angleterre, un décret fédéral prohiba en 1842 l'importation «des imprimés, des peintures, des lithographies, des gravures et des cartes transparentes de caractère indécent et obscène».

Comme les Américains ne pouvaient plus s'adresser à l'étranger pour se procurer des romans érotiques, ils commencèrent à en fabriquer eux-mêmes sur place. En 1846, un chirurgien irlandais émigré, William Haynes, réédita les *Mémoires de Fanny Hill* que l'on ne trouvait plus; le succès fut tel qu'il fit fortune rien qu'avec ce livre et décida de continuer ce genre de publications. William Haynes devint ainsi à New York le premier éditeur pornographique américain, dont le catalogue d'ouvrages clandestins allait comporter peu à peu plus de trois cents titres. Les auteurs anonymes qui travaillaient pour lui s'inspiraient de Cleland; leurs héroïnes étaient des descendantes de Fanny Hill dans le Nouveau Monde. Elle y devenait ouvrière des usines Lowell (dans *Flora Montgomerie, the Factory Girl*), barmaid (dans *The Bar Maid of Old Point House*), aventurière, veuve galante, mais c'était toujours la même fille dont «le tempérament amoureux et les voluptueux exploits sur la couche de Cupidon» (comme le disait un sous-titre) assuraient le bonheur des hommes et le sien propre. Tous ces romans pornographiques américains étaient imprimés sur du mauvais papier et illustrés de gravures obscènes sans aucun rapport avec le texte.

Le premier romancier érotique américain connu fut George Thompson, dit Greenhorn; il rédigea aussi beaucoup de romans criminels concernant des bandits réels ou mythiques — Dick Turpin, Gentleman George, Tom King, etc. — ou décrivant les bas-fonds des «cités du crime» (New York et Boston). En 1849 il publia *Venus in Boston*, où l'on voit un vieux libertin bostonien, l'Honorable Timothy Tickels, essayer de débaucher l'orpheline Fanny Aubry.

Le meilleur roman érotique de George Thompson fut *The Delights of Love or the Lady Libertine*, paru à New York chez J.H. Farrell. Sur la couverture il se dit «l'auteur de *The Bridal Chamber, Venus in Boston, The Gay Deceiver, Jack Harold* et de cent autres récits populaires». Julia Hamilton, veuve toujours vierge d'un vieux gentleman impuissant, invite dans sa maison de la Cinquième Avenue l'acteur Eugene Levison pour apprendre de lui «les délices de l'amour». Elle s'habille en homme afin de sortir avec lui, et ils se font racoler par deux femmes, dont l'une, «la grosse Anna», épouse du capitaine de marine John Savage, tombe amoureuse de Julia sous son travesti masculin. Celle-ci est ainsi entraînée dans des péripéties scabreuses lui apportant autant d'embarras que de plaisirs.

Un autre roman érotique curieux de George Thompson est *Fanny Greeley*. La jolie étudiante portant ce nom, amoureuse de son professeur, Diamond Dunstable, entre dans la Société de l'Amour libre qu'il a fondée avec sa femme Emma. Lors de la séance de réception, où elle incarne la déesse Isis, Fanny subit les assiduités de deux adeptes, Nabal et le danseur Fulvio. La librairie du Congrès de Washington possède des romans moins licencieux de George Thompson, comme *The Gay Girls of New York* (1856), chronique de la vie à Broadway.

La guerre de Sécession n'interrompit pas en Amérique l'essor de la littérature érotique. En 1864, une collection intitulée Cupid's Own Library offrait des publications obscènes à vingt-cinq *cents*, cinquante *cents* ou un dollar le volume. Le premier roman de la série, *Amours of a Modest Man* par A. Bachelor (nom-calembour: un Célibataire), était l'histoire d'un homme habitant une pension à New York et couchant avec une pensionnaire, Mrs. Jane Sweet, jolie veuve venue de Richmond; surpris par la servante Mary, ils l'amenaient à une partie de triolisme où tribadisme, sodomie et autres actes analogues étaient pratiqués.

Le commerce de la pornographie devint si prospère à New York qu'un épicier, Anthony Comstock, commença en 1868 une croisade pour l'interdire et fonda le Committee for the Suppression of Vice dont le slogan était: «De la Morale, non de l'Art ou de la Littérature» («Morals, not Art or Literature»). En 1873 le Congrès renforça son statut contre l'obscénité et Comstock devint agent spécial du Post Office. Avant sa mort en 1915, il s'attaqua à une pièce de Bernard Shaw qu'il jugeait immorale; celui-ci inventa aussitôt le mot de *comstockery* pour désigner la pudibonderie des moralistes imbéciles. Le mot entra dans le vocabulaire courant. Un demi-siècle plus tard, quand le U.S. Post Office fit détruire une traduction anglaise du *Décaméron*, des intellectuels américains dénoncèrent la vague de *comstockery* menaçant leur pays.

La répression de l'obscénité n'empêcha pas certains auteurs d'écrire ce qu'ils avaient envie d'écrire. Ainsi l'humoriste Mark Twain publia en 1882 le livre clandestin le plus obscène et le plus scatologique des Etats-Unis au XIXe siècle. On l'appelle simplement *1601* ou *A Fireside Conversation* (*Une conversation au coin du feu*), mais son titre exact était: *1601. Conversation as it was by the Social Fireside in the Time of the Tudors*. Mark Twain voulut s'y moquer grassement des élisabéthains et de la Cour d'Angleterre. Elisabeth Ire, auprès d'une cheminée de Buckingham Palace, bavarde avec Shakespeare (orthographié Shaxpur), Bacon, Ben Johnson, l'imaginaire lady Bridgewater, etc., quand quelqu'un laisse échapper une flatuosité tonitruante. Qui a osé faire cela devant la reine? La discussion roule sur ce sujet puis, après que sir Walter Raleigh s'est accusé de cette incongruité, tourne à des potins graveleux sur des cocuages contemporains.

Ce ne serait là que des plaisanteries grossières si Mark Twain, comme dans *Le Moyen de parvenir*, n'avait associé l'érudition à la scatologie. Il a employé scrupuleusement tous les termes obscènes en usage à l'époque élisabéthaine; son écrit est d'un philologue autant que d'un blagueur. Il l'a dédié à un pasteur de ses amis, le révérend Josuah Twichell, spécialiste de Shakespeare. *1601* fut imprimé en secret sur les presses de l'Académie militaire de Westpoint, dont s'occupait un autre ami de Mark Twain, le lieutenant C.E.S. Wood. Depuis lors *1601* a eu de nombreuses rééditions confidentielles, recensées par Irvin Haas dans une liste bibliographique [1].

Réalisme et exotisme dans le roman érotique

La littérature clandestine française du XIXᵉ siècle eut des auteurs féconds comme E.D. (identifié soit à un professeur de Montpellier nommé Desjardins, soit à un fonctionnaire de la Gironde, Edmond Dumoulin), qui publia à partir de 1888 *Mes Amours avec Victoire, Mes Etapes amoureuses, Le Marbre animé, La Comtesse de Lesbos, Lèvres de velours, Les Exploits d'un galant précoce* et d'autres œuvres appréciées. *L'Odyssée d'un pantalon* (1889), que Louis Perceau considérait comme «l'un de ses meilleurs ouvrages», est un amusant roman rococo, racontant l'histoire d'un homme qu'un sortilège a transformé en pantalon de femme.

Le narrateur débute en disant: «Je fus mis dans la corbeille de noces d'une ravissante vierge blonde... J'étais bien le plus coquet pantalon qu'on pût rêver, d'une fine batiste avec entre-deux brodé, orné de dentelles dans le bas, autour du genou.» Quand Agnès, sa maîtresse, l'enfile, il exulte: «J'éprouvai en ce moment une sensation ineffable. Etroitement appliqué sur les charmes arrondis, je sens partout à la fois un contact qui me remplit d'aise.» Il décrit les frottements divers qu'il subit quand Agnès salue en s'inclinant, monte en voiture, descend un escalier: «Entre les cuisses, mes deux ourlets caressent les frisons dorés qui ombragent l'entrée de la grotte de la volupté.» Son émotion est à son comble dès qu'Agnès s'assoit: «Toute la mappemonde se repose sur moi, m'écrasant de son doux poids.» Le pantalon assiste à la nuit de noces d'Agnès avec le marquis de G., à ses libertinages avec son amie Thérèse ou son cousin Arthur. Lorsque sa maîtresse le donne à sa soubrette, le pantalon se réjouit d'emprisonner les rondeurs opulentes et la toison noire de celle-ci: «De bouffant je devins collant.» Enfin, le sortilège ayant cessé, le pantalon se change en homme qui prouve à Agnès et à sa soubrette la vigueur de ses désirs humains recouvrés. Un autre roman d'E.D., *Odor di femina* (1891), dont le héros est un châtelain culbutant les plus accortes paysannes de son domaine, est un bon exemple de son naturalisme inventif et sans brutalité.

Le principal rival d'E.D. fut Le Nismois, pseudonyme d'Alphonse Momas, fonctionnaire de la préfecture de la Seine (qui usa aussi d'autres

---

1. Mark Twain, *1601, with Notes on Mark Twain «1601» and a Check-List of Various Editions and Reprints compiled by Irvin Haas* (Chicago, The Blackcat Press, 1936).

noms, l'Erotin, Zéphyr, Caïn d'Abel, Tap-Tap, etc.). Cette sorte de Balzac de la pornographie, auteur entre 1891 et 1924 de quatre-vingt-quatorze romans d'une verve étonnante, d'un style parsemé de fautes de syntaxe, avec des titres sensationnels comme *La Mangeuse d'hommes, Mère et sultane, La Puissance des jupes, Les Folies de la chair, Fleurs de luxure*, etc., a eu un véritable tempérament d'écrivain populaire, au talent évidemment spécial.

Il débuta par «l'épopée des Gérando», un cycle de vingt-trois romans consacrés aux actions des membres d'une association libertine. On la voit se constituer dans *Le Pacte d'amour* (1894), où les femmes et les hommes réunis autour de Berthe Gérando en fondent «l'acte de société». Les livres suivants de la série (*La Louve, Le Panier renversé, Le Village des voluptés*, etc.) nous feront assister aux «initiations» des jeunes filles qui y sont admises, aux multiples aventures que ses affiliés ont ensemble ou séparément, et à la «kermesse Gérando», avec attractions sexuelles, que toute l'association organise dans un «village de rêve».

Un autre cycle romanesque de Le Nismois raconte comment une petite-bourgeoise mariée, Irène Breffer, devient la courtisane Léna de Mauregard et mérite par ses agissements le titre de «reine de volupté». Dans *La Tunique de Nessus* (1900), décidant de se retirer de la galanterie, Léna s'installe en province avec son mari Stani, mais elle y découvre que le vice est une «tunique de Nessus» qui colle à la peau et qu'on ne peut ôter. Elle reprend bientôt ses habitudes de débauche et enseigne aux provinciales de la ville de S. l'art de subjuguer les hommes par la fellation, en expliquant: «Le jeu a peu de variantes dans l'action, il en a d'innombrables dans les nuances.»

Le Nismois est-il le même Alphonse Momas qui publia, dès 1915, des brochures théosophiques, *L'Ame de la Terre, Les Mondes dans les espaces*, etc., «chez l'auteur, 3, rue du Château, Neuilly-sur-Seine»? C'est fort possible, mais cela n'interrompit pas sa carrière de romancier clandestin; un de ses derniers romans, *La Femme aux chiens* (1921), est d'une bestialité hallucinante. Une jeune veuve, Régine Moutiers, dans une villa près de Paris, dresse ses chiens à lui servir d'amants. Elle devient «pareille à une chienne, pire qu'une chienne», se mettant à quatre pattes parmi eux pour se faire couvrir: «Il soufflait un vent de vertige sur cette femme et sur ces bêtes. Combien la grimpèrent là, cinq, six... elle ne comptait pas. Elle appelait, elle provoquait, elle s'offrait et on la prenait...» L'histoire se termine par la mort de Régine et de sa bonne Coralie, victimes de «la folie sexuelle des chiens».

Un auteur d'une qualité littéraire plus relevée, Adolphe Belot, remporta en 1870 un succès prodigieux avec *Mademoiselle Giraud ma femme* (trente rééditions en dix ans). L'ingénieur Adrien de C. épouse Paule Giraud, qui se refuse à lui lors de leur nuit de noces et exige de faire toujours chambre à part en disant: «Je serai pour vous la meilleure des sœurs.» N'arrivant pas à posséder sa femme, la soupçonnant d'avoir un amant, il la suit... et la surprend dans une garçonnière en relation amoureuse avec la comtesse de Blengy. Finalement il tuera la séductrice de sa femme et le comte de Blengy lui écrira: «Je vous remercie de nous avoir débarrassés de ce reptile.» Dès lors Adolphe Belot se spécialisa dans ce genre scabreux mélodramatique. Olympe Audouard disait: «Il écrit des œuvres passionnelles, des œuvres à la cantharide, mais il les écrit en homme du monde écrivant pour des femmes du monde.» D'un autre de ses succès, *La Bouche de madame X.* (1873) — histoire de la fascination névrotique d'un célibataire pour la bouche d'une femme mariée —, le même critique affirmait: «Il contient une étude sur le baiser qui est d'un épicé à vous forcer à boire cinq verres d'eau [1].»

Aimant voyager, jouer au trente-et-quarante à Monte-Carlo, Adolphe Belot avait des besoins d'argent qui en firent un romancier surabondant. Il n'hésita pas à écrire pour des éditeurs clandestins des romans érotiques signés A.B. dont le premier fut *L'Education d'une demi-vierge* (1883), où une femme divorcée, Lucienne d'Avenel, se lance dans la galanterie avec sa fille adolescente. Le divorce d'Adolphe Belot lui-même en 1885 fut un événement parisien, car il accepta de se laisser prendre en flagrant délit d'adultère par le commissaire, afin que sa femme pût divorcer à son avantage et avoir la garde de leurs deux filles. Ses autres romans sous le manteau furent *La Maison à plaisirs ou la passion de Gilberte* (1899), ayant pour cadre une maison de rendez-vous à Paris abritant des rencontres libertines; et *La Canonisation de Jeanne d'Arc* (1890), «histoire d'une soirée fin de siècle», c'est-à-dire d'une orgie machinée par des mondaines, Mmes de Liancourt, de Lure, et leur complice, M. de Rolle.

Adolphe Belot mourut en 1890 et pourtant jusqu'en 1912 on continua de publier des romans érotiques signés A.B. qu'on lui attribua. Ou bien il avait laissé de nombreux manuscrits, ou bien l'on fabriqua des livres que l'on mit sous son nom qui attirait les amateurs. Ainsi, *Les Stations de l'amour* (1896) sont de son style élégant et laissent croire que ce piquant roman épistolaire a été retrouvé dans ses papiers. Il s'agit des lettres qu'échangent un mari et une femme forcés de se séparer parce que le premier doit se rendre en Inde pour affaires; ils se permettent mutuellement des infidélités à condition de se les raconter «avec détails et sans réserve». Lui, l'ingénieur Léo Fonteney, fait la connaissance à Calcutta de trois Anglaises, la rousse Miss Dora Simpson et ses amies, Flora et Maud; il les entraîne à des ébats collectifs, auxquels participe la servante bengali Amalla, où toutes les pratiques de la luxure sont expérimentées. Elle, Cécile, cède à Paris au saphisme enragé de sa femme de chambre Thérèse, une clitoridienne ayant «non pas un simple bouton, se gonflant plus ou moins, mais un véritable appendice»; puis elle séduit l'étudiant en droit Adrien de Cerney, fort doué pour «le baiser profond et lent qui fait passer sur la peau un frisson de volupté».

La fin du XIXᵉ siècle vit apparaître un genre nouveau: le roman érotico-exotique, avec une intrigue se déroulant hors de l'Occident et des scènes pornographiques pleines de couleur locale. Dans *Une nuit*

---

1. Olympe Audouard, *Silhouettes parisiennes* (Paris, Flammarion, 1883).

d'orgies à Saint-Pierre-Martinique (1892) de F.G.H. (écrivain non identifié), à l'exotisme du cadre s'ajoute celui du parler créole, dont l'auteur indique le glossaire en bas de page. Il nous apprend ce qu'est une *patate* (un con), une *patate lombrage* (un con très velu), un *cal* ou *lolo* (un vit), un *quiou* (un anus). «Ta femme a une jolie patate, c'est vraiment une patate lombrage», dit Philippe à Jules quand sa femme Laurence a fait une chute devant lui, les jambes en l'air. Ailleurs on lit: «Laurence s'agitait et, étendue sur les flancs, elle laissait entrevoir une *quiouquioute* couverte de poils noirs.» La quiouquioute est en effet le synonyme de la patate.

Dada Bourette, tenancière d'une *halle aux bondas* (un bordel puisque les *bondas* sont les fesses), est une des héroïnes de ce pittoresque roman où l'on ne cesse de *coquer* (forniquer), de *faire la polissonnerie*, de s'adonner aux *bombes* et à la *trempe* (fornication). Philippe confesse qu'il aime *foutre à la bœuf* (par-derrière) ou *faire un papalame* (cunnilingus): «A ce moment-là papalamer les femmes était mon plaisir favori», dit-il. Jules raconte ainsi ses amours avec Ferdine: «Mon *cal*, entrant jusqu'aux graines dans sa *patate*, ne laissait pas vide le plus petit espace. Quand elle déchargeait, des crispations de nerfs la saisissaient; elle entrelaçait ses jambes autour de mon cou et *mouvait* sous moi avec les replis lestes d'une couleuvre.» Explication de l'auteur: «Verbe créole *mouver* qui correspond à celui français se mouvoir et surtout branler.»

La Russie servit de cadre à des romans sadiques comme *Nadia, amours russes* (1894) de Nemo, «un journaliste et un chroniqueur distingué», contant les mauvais traitements que le général Stenoff infligeait à ses maîtresses; ou les *Mémoires d'une danseuse russe* (1894) d'E.D., exposant les faits et gestes de la danseuse Mariska, des théâtres impériaux, de façon à montrer, selon un catalogue, «la perversion slave dans toute sa beauté, sa rigueur, sa froideur, son ignominie». D'autres romans se passèrent en Algérie, ou sur une île déserte où abordaient deux hommes et une femme rescapés d'un naufrage.

Charles Devereux, dans *Venus in India* (1898), poussa l'exotisme jusqu'à rivaliser avec Kipling dans la description de la vie des garnisons britanniques en Hindoustan. L'auteur était vraiment, paraît-il, un ex-officier de l'armée des Indes; il décrit le pays et les mœurs, en tout cas, en homme qui a vu lui-même ce dont il parle. Le capitaine Devereux, du premier régiment d'infanterie d'Eastfolk, est envoyé à Bombay, d'où il parcourt les routes en chariot à bœufs ou en *ekkah* (véhicule à deux roues traîné par un poney) pour rejoindre son détachement à Cherat dans les montagnes. Après des amours avec l'aventurière Lizzie Wilson, au bungalow public de Nowshera, il arrive à ce poste perdu où les militaires trompent l'ennui en caressant des Anglaises mariées, des Afghanes ou des prostituées venues de Peshawar. Devereux y jouira successivement des trois filles du colonel Selwyn, tandis que sa propre domestique indigène, Soubrati, se prêtera aux désirs de tous les officiers, y compris Selwyn. Toutes ces actions — parmi lesquelles le viol de la jeune Amy Selwyn par un Afghan qui la sodomise, lui laissant intacte sa virginité qu'elle offrira à Devereux — sont entrecoupées de considérations sur les paysages de l'Inde, sa littérature, son art d'aimer.

Naturalisme, anarchie et sexualité

L'école naturaliste eut une réputation d'immoralité dont Zola commença à faire les frais en 1868 avec *Thérèse Raquin*. La scène où le peintre Laurent possède Thérèse sur le sol de son arrière-boutique de mercerie était pourtant brève : « Il lui renversa la tête, lui écrasa les lèvres sous les siennes... Tout d'un coup, elle s'abandonna, glissant par terre, sur le carreau. Ils n'échangèrent pas une seule parole. L'acte fut silencieux et brutal. » Zola se justifia en disant : « Dans *Thérèse Raquin*, j'ai voulu étudier des tempéraments et non des caractères... Thérèse et Laurent sont des brutes humaines, rien de plus. » Les disciples de Zola voulurent comme lui montrer des personnages « dominés par leurs nerfs et leur sang, dépourvus de libre arbitre ».

Le plus pervers des naturalistes fut Guy de Maupassant, que ses excès sexuels conduisirent d'ailleurs à la paralysie générale. A vingt-sept ans, Maupassant interpréta lui-même dans l'atelier du peintre d'histoire Georges Becker, rue de Fleurus, le 31 mai 1877, *A la Feuille de rose, maison turque*, sa « comédie de mœurs (mauvaises) » en un acte et en prose. L'action se passe dans un bordel de Paris où Beauflanquet, maire de Conville, s'installe avec son épouse, croyant qu'il s'agit d'un hôtel. Le patron leur dit que les prostituées du lieu, toutes habillées en Orientales, sont les femmes de l'ambassadeur de Turquie. Le défilé des clients — un bossu, un capitaine, un Marseillais, un Anglais, etc. — est prétexte à des simulacres de coït en diverses positions. Mme Beauflanquet sera amenée à tromper son mari, qui lui-même s'abandonnera aux caresses des hétaïres. Les états d'âme de Crête-de-Coq, le garçon chargé de laver les capotes anglaises pour les faire resservir, les intrusions d'un vidangeur bègue disant : « Je viens pour vider les ca... les ca... les cabinets » (ce rôle fut tenu par le bibliothécaire de Rouen), rendaient ces obscénités encore plus lourdes. Edmond de Goncourt avoua son dégoût devant « cette salauderie » représentée devant le père de Maupassant et des spectatrices comme Valtesse de La Bigne (la courtisane qui inspira *Nana* à Zola), « riant du bout des lèvres par contenance, mais gênées par la trop grande ordure de la chose [1] ». Suzanne Lagier, la chanteuse de l'Alcazar, partit avant la fin.

Certains auteurs naturalistes eurent maille à partir avec la justice à cause de leurs œuvres. Un jeune homme infirme et tuberculeux, Louis Desprez, fils d'un inspecteur d'Académie de Chaumont, écrivit en 1883 avec son ami d'enfance Henri Fèvre un roman, *Autour d'un clocher*, dont le héros, l'abbé Chalindre, curé de Vicq-les-Deux-Eglises, sans cesse

---

1. Edmond de Goncourt, *Journal*, t. II, *op. cit.*

persécuté par ses grossiers paroissiens, se rapproche de l'institutrice laïque Irma Delafosse, vieille fille qui souffre «de se flétrir sur la Terre comme une poire sèche.» Ils finissent par tomber dans les bras l'un de l'autre, et leurs amours éperdues, pleines d'ardeurs sensuelles et de remords, leur susciteront la haine accrue du village; Irma sera révoquée, l'abbé Chalindre couvert d'opprobre.

Le sujet, l'action, les traits de mœurs étaient de Louis Desprez; la forme seule était d'Henri Fèvre, qui avait pastiché le style du XVIe siècle pour donner au roman un tour rabelaisien. Ce style gâte les scènes dramatiques imaginées par Desprez. Voici comment Irma, «une belle charnue, en somme, à corsage crânement gonflé et à gigues plantureuses», s'abandonne à sa passion: «Elle craquait depuis si longtemps de désirs, qu'elle était ravie d'éclater une bonne fois, de s'empaler sur son amant en robe qui l'injectait à tire-la-rigole.» Ces expressions faussement pittoresques desservent certains moments pathétiques de cette histoire.

Autour d'un clocher parut en mai 1884, et dès juillet Louis Desprez fut cité par le juge d'instruction à Paris. A la prière du père d'Henri Fèvre, il prit sur lui toute la responsabilité du livre. Louis Desprez comparut le 20 décembre 1884 devant la cour d'assises de la Seine, et fut condamné à un mois de prison et à mille francs d'amende pour «pornographie». Spectacle poignant que celui de ce jeune écrivain toussant continuellement, marchant avec des béquilles, enfermé à Sainte-Pélagie dans le pavillon des voleurs, alors qu'il était l'auteur des poèmes de *La Locomotive*, de l'essai *L'Evolution naturaliste*. Daudet, Zola vinrent visiter leur malheureux disciple, et Goncourt s'indigna: «Lui, un condamné littéraire! On ne rencontre pas le fait d'un assassinat comme celui-ci sous l'Ancien Régime, ni sous les deux Napoléon [1].» Louis Desprez écrivit durant son incarcération *Mes prisons, par un pornographe* [2], d'une ironie douloureuse. Il se consacra à un nouveau livre, *L'Amour phtisique ou le Lit de famille*, mais il mourut le 6 décembre 1885, à vingt-quatre ans, sans l'avoir achevé.

A son tour Paul Bonnetain fut jugé à la cour d'assises de Paris, le 27 décembre 1885, pour son roman *Charlot s'amuse* (1884), monographie de la masturbation; «triomphalement acquitté», car il venait de se distinguer comme correspondant de guerre du *Figaro* en Indochine, Paul Bonnetain se flatta d'avoir traité «scientifiquement» une névrose. Mais son roman est plutôt grotesque. Charlot, né dans le milieu ouvrier parisien, fils de la veuve Duclos, prend l'habitude de se masturber à partir d'une nuit où, couchant dans la chambre de sa mère, il la surprend avec un homme «prise d'une bestiale et lubrique folie... inventant d'érotiques caresses pour'éveiller les sens de son amant». Sa rage de masturbation se développera au cours de son éducation chez les Jésuites. Au service militaire, soldat en faction, se déboutonnant dans sa guérite, «dans une hébétude heureuse, il consommait son immonde sacrifice». Il croit se

1. Edmond de Goncourt, *Journal*, t. III, p. 512, *op. cit.*
2. *L'Evénement*, 17 mars 1885.

sauver en se mariant, mais dès que sa femme est enceinte, il recommence à se masturber. Abandonné par celle-ci, Charlot va se noyer dans la Seine; il se masturbe une dernière fois avant de se jeter à l'eau.

Hugues Rebell (de son vrai nom Georges Grassal de Choffat), d'une famille de banquiers et d'armateurs de Nantes, ne se soucia d'abord que de jouir de son immense fortune, commandant à Londres ses costumes (toujours noirs ou bleu marine), allant vivre en des palaces à Venise ou à Valence, en exigeant d'avance par télégramme qu'une belle prostituée l'y attendrait dans sa chambre. Se constituant un musée secret, il eut une réputation de grand vicieux dont Paul Léautaud, le définissant comme une «sorte de sadique, de corrompu à l'excès», a témoigné: «Ainsi, il avait une chatte. Il s'était mis à la masturber. Si bien qu'à la fin cette chatte ne le quittait plus.» Pour s'en débarrasser, Rebell ordonnait à son valet de chambre Jean de la masturber à sa place: «Et le domestique remplissait son office, avec un crayon taillé soigneusement à cet effet [1].»

Rebell prétendait: «Quand je n'aurai plus d'argent, j'en gagnerai.» Bientôt ruiné, il se lança dans la littérature en se comparant à «un empereur romain qui serait obligé de gagner sa vie en écrivant des romans [2]». Un seul eut du succès, *La Nichina* (1896), histoire d'une courtisane vénitienne. Hugues Rebell s'aboucha alors avec un éditeur de livres érotiques, Charles Carrington, et lui fournit des romans et des contes sur la flagellation signés Jean de Villiot, des *Mémoires de Dolly Morton* (1899) à *Volées de bois vert* (1905).

Chez lui, 35, boulevard des Batignolles, Hugues Rebell s'habillait d'une soutane violette et parlait à ses visiteurs avec une lenteur solennelle. Il rédigeait ses livres érotiques le soir, à la lueur de deux bougies placées l'une à sa droite, l'autre à sa gauche, en des chandeliers précieux. Poursuivi par ses créanciers, malade, il dut se cacher dans une chambre du Marais où il couchait sur le plancher, tandis que sa femme de ménage et son amant occupaient le lit. Quand Rebell mourut en mars 1905, Paul Léautaud se rappela l'avoir vu l'année précédente mettre cinq minutes pour traverser la rue Corneille, maigre et voûté, en s'aidant d'une canne, et se dit impressionné par «cette mort dans le mystère, le vice et la pauvreté».

La tradition européenne des livres clandestins du XIXᵉ siècle resta vivace jusqu'à la guerre de 1914. C'est à elle que se rattachent le roman érotique autrichien le plus célèbre, *Joséphine Mutzenbacher* (1905), tableau de la sexualité à Vienne au temps de la Sécession dû à Félix Salten, l'auteur de *Bambi* dont Walt Disney tira un dessin animé; et les *Memoirs of Nemesis Hunt* (1902-1907), en trois volumes, un érotique anglais non moins fameux, attribué à John S. Farmer, le linguiste spécialiste de l'argot (ou *slang*). Derrière toute cette littérature se cachent non des besogneux du sexe, mais des personnalités curieuses et parfois très cultivées: on peut donc la lire et l'étudier sans déchoir.

---

1. Paul Léautaud, *Journal littéraire*, t. I (Paris, Mercure de France, 1956).
2. Gustave Le Rouge, *Verlainiens et décadents* (Paris, Seheur, 1928).

Le mouvement anarchiste, qui venait de se former, revendiquant l'amour libre et la contraception, eut aussi ses écrivains pornographes. Le plus original fut Alphonse Gallais, qui sous son véritable nom publia *Mémoires d'une fille de joie* (1902), «roman maboulo-érotique», *Les Enfers lubriques* (1906), enquête sur le sadisme et le masochisme, des «chansons sociales» dédiées «aux camarades de l'Internationale ouvrière» (*Ma Faubourienne, Gloire à Ferrer*, etc.). Sous le pseudonyme de Doctor A.S. Lagail, il se déchaîna complètement dans des romans comme *Jouissance* (1903), qu'il qualifia de «débauche priapique», et les *Mémoires du baron Jacques* (1904), «lubricités infernales de la noblesse décadente», d'après l'affaire Jacques d'Adelsward-Fersen, inculpé par la justice pour ses orgies homosexuelles. Il dit en préface: «Ce livre, assurément le plus horrible qui soit sorti d'une plume humaine, n'en déplaise à la mémoire du marquis de Sade, a été vécu de la première à la dernière ligne.» Louis Perceau ajoute ce commentaire: «L'auteur ne se vante pas beaucoup en disant que cet ouvrage est le plus horrible du genre... Il me suffira de signaler qu'il montre le baron Jacques d'A. déflorant de jeunes garçons sur le squelette de sa mère! Des scènes de bestialité vraiment effarantes sont accumulées dans ce livre[1].»

Alphonse Gallais était vulgaire, mais avec des accents de titi parisien rendant amusant son traité d'érotologie, *Les Paradis charnels* (1903), où il affiche les titres de «professeur de philosophie horizontale, docteur ès sciences carambolatoires». Du premier chapitre, *Les Folles Caresses*, au dixième, *Les Clowneries charnelles*, il décrit cent trente-six postures amoureuses auxquelles il donne des noms pittoresques: «le pileur de Cythère», «la danse des joyeuses faveurs», «le tire-bouchon américain», «l'adoremus», etc. Destinant ce livre à «mes bons amis les libertaires, animés de sage et latente révolte», il conseille aux femmes après chaque étreinte une injection d'eau vinaigrée, «car il sied avant tout, en volupté, d'éviter les enfants, étant donné que ce serait de la graine à canon, de la volaille de bocard, et qu'il y a infiniment trop déjà de dupes et de torturés sur la terre[2]». Il nous révèle que la devise amoureuse des anarchistes de son temps était: «A l'égout la descendance et vive la volupté perpétuelle.»

Un autre pornographe libertaire d'une puissante vulgarité fut Grimaudin d'Echara, qui prétendit dénoncer la décomposition sexuelle de la société. Dans sa fresque en trois volumes, *Passions de femmes* (1911), il voulut montrer «des vices effrayants, insoupçonnés», correspondant aux «aberrations génitales chez la femme». Son héroïne Lucie Bordure, une «pansexuelle» se flattant d'avoir «le sens de la dépravation variée», est «un monstre curieux de sensations inédites». Elle racole des partenaires par petites annonces et fait partie de l'association du Fer à Cheval «pour le perfectionnement du vice», où des mondaines, «créa-

---

1. Louis Perceau, *Bibliographie du roman érotique au XIXᵉ siècle*, t. II (Paris, Georges Fourdrinier, 1930).
2. Doctor A.S. Lagail, *Les Paradis charnels ou le Divin Bréviaire des amants* (Priapeville, Imprimerie galante, An III du XIXᵉ siècle foutatif).

tures cérébrales chez lesquelles le sexe semble être remonté dans les méninges», organisent des réunions horrifiantes.

Grimaudin d'Echara fit ensuite une «série d'études passionnelles et documentaires», dont le titre général fut le *Roman-nouvelles*, et qui comporta en 1911 et en 1912 dix volumes aux sous-titres grossièrement provocateurs: *Plaisirs fangeux*, «roman ultra-réaliste sur les détraquées, stercoraires et blasphématrices», *Cochons d'hommes, Cécile Coquerel tailleuse de plumes, Orgies à bord d'un yacht, Un bordel modern style, Scènes lubriques, Les Messalines modernes, Sadisme sanglant, Ces dames s'amusent, Blasées en rut*. Dans la postface de ce dernier ouvrage, il se justifie ainsi:

> Et maintenant, je rentre dans mon étable pour y déposer ce document: *Etudes commencées, rédigées et achevées par moi,* GRIMAUDIN D'ECHARA, *gendelettre des ruissels et bordeaux, historiographe de belle et gente pute* **Euphémie-Cécile Coquerel** *dame du Saint-Sérail, fondatrice de la Maison des* DEUX COLOMBES, *de la* BOTTE A L'ECUYERE *et autres refuges, etc. etc., en mon humble chaumine d'Auge-en-Porcherie, l'année de la béatification de sainte Orberose, patronne des génisses nationales,* **Anatole France** *étant* PAPE DES FOUS, **Pataud** MAIRE DE PARIS, *et* **Clemenceau** ROI DE PINGOUINIE, *lesquels je prie de me tenir loin de tous recors, gens d'armes et autres hominiens malfaisants.*

Il est probable que Grimaudin d'Echara fut un des pseudonymes d'Alphonse Gallais, qui sous ce masque voulut aller encore plus loin que sous celui du Doctor A.S. Lagail; les similitudes de style sont frappantes. L'héroïne principale de ces «romans-nouvelles», Cécile Coquerel, jeune femme laide et vicieuse, professeur d'anglais au lycée Maintenon, est révoquée à cause d'une photo où on la voit nue au cours d'un pique-nique de femmes dans les bois de Meudon. Elle entreprend de séduire l'inspecteur d'Académie responsable de son renvoi, Léon Berneval, et «de le tuer d'épuisement, en le suçant à mort». Elle ira ensuite d'excès en excès avec d'autres enragées de sa trempe: Mme d'Odessa, une Roumaine qui sur son yacht le *Carmen Sylva*, «véritable tour de Nesles flottante», organise des croisières orgiaques de trois semaines; Amélie de Belmesnil, alias Dona Juana, qui dirige l'Agence Getall et Cie de proxénétisme international, etc.

Le bagou obscène de Grimaudin d'Echara (qu'il s'agisse ou non d'un avatar de Gallais) l'entraîne à des descriptions souvent insoutenables. L'intérêt de ses élucubrations est de nous renseigner sur la mentalité d'un anarchiste qui, au lieu de lancer des bombes sur les bourgeois, leur jeta à la figure des images démoralisantes de l'amour physique. On ne le lit pas par plaisir, mais par souci d'information complète sur les désirs humains. Pour avoir une juste idée de la sexualité, il faut examiner objectivement les pires outrances des auteurs qui en parlent.

7

LA LITTÉRATURE ÉROTIQUE FÉMININE

La littérature érotique féminine a eu des origines imprécises et un développement tardif. Jusqu'ici elle a produit des œuvres intéressantes, certaines même captivantes, mais non des chefs-d'œuvre. Aucune romancière n'a encore su créer l'équivalent des *Dialogues de Luisa Sigea* de Nicolas Chorier, de la *Juliette* de Sade ou du *Diable au corps* de Nerciat. La cause en est la nature même de l'érotisme des femmes, beaucoup moins cérébral que celui des hommes. Elles peuvent éprouver des sensations sexuelles plus vives ou plus profondes que les leurs, mais elles sont moins aptes qu'eux à les convertir en idées ou en images.

Sapho (dont le nom grec est Sappho et même Psapphô sur les médailles à son effigie), née vers 640 avant J.-C. à Mitylène, la principale cité de l'île de Lesbos, fut la première poétesse érotique de l'Antiquité. Il ne faut pas toutefois s'exagérer la teneur de ce qu'elle a pu écrire, qui a toujours dû être de bon ton. De ses neuf livres de chants lyriques, il ne nous reste que deux odes mutilées (l'une étant son *Invocation à Aphrodite*) et environ cent soixante-quinze fragments; mais le peu qu'on a retrouvé d'Archiloque contient des éclats obscènes. Rien de tel chez Sapho. Elle fut homosexuelle et on lui connut trois compagnes ou amies: Athis, Telesipa et Megara. Le papyrus d'Oxyrhynchus dit: «Elle a été critiquée par certains comme déréglée et éprise des femmes; elle était dit-on d'un physique vilain et fort laide, car elle avait le teint sombre et était de taille très petite [1].» Mais ses passions se sont exprimées harmonieusement, avec tant d'art que l'on baptisa «strophe saphique» le type de strophe dont elle usa et que d'autres poètes imitèrent.

Sapho dirigeait une école de poésie et de musique, et les jeunes filles à qui elle adressa des poèmes plus ou moins amoureux, comme Gurina ou Anactoria, étaient ses élèves. Cela pouvait être aussi bien des exercices de style ayant pour thème l'amour. Quand elle reprocha à Athis

---

1. *Œuvres de Sapho*, texte établi et traduit par Théodore Reinach avec la collaboration d'Aimé Puech (Paris, Les Belles Lettres, 1936).

Bandeau de Chéripoulos (pseudonyme d'Edelmann)
pour *Le Roman de Violette,* réédition de 1920.
(B.N./Cl. B.N.)

de lui préférer Andromeda, cette jalousie fut d'un professeur que l'on dédaigne pour un autre: car Andromeda dirigeait une école rivale de celle de Sapho. On sait que Sapho fait un aveu quand elle dit: «Voici bien longtemps que je t'aimais, ô Athis...» Et ceci en est peut-être un autre: «Envers vous, ô mes belles, ma pensée ne changera jamais.» Son ode sur les fureurs de l'amour semble indiquer qu'elle était très passionnée: «La sueur ruisselle de mon corps, un frisson me saisit toute; je deviens plus verte que l'herbe, et peu s'en faut, je me sens mourir[1].» Mais nul ne saurait affirmer que cette réflexion la concerne: «Je ne sais ce que je dois faire: je sens deux âmes en moi.» Elle a fait des poèmes sur les noces d'Hector et d'Andromaque, sur une fille qui confesse à sa mère qu'elle languit d'amour pour un garçon. Des fragments de Sapho que l'on interprète parfois comme des témoignages de ses liaisons homosexuelles peuvent très bien se rapporter à des œuvres qui n'ont rien à voir avec elles.

Les libertins du XVIIIe siècle se sont figurés d'après Ovide que Sapho était une très grande vicieuse pervertissant tout un sérail de jeunes filles. Les lesbiennes de la Belle Epoque en ont fait leur sainte patronne; Renée Vivien dans *Les Kitharèdes* a traduit ses fragments et ceux de ses contemporaines en accentuant leurs termes, comme s'il s'agissait de déclarations éperdues. En réalité l'homosexualité de Sapho fut modérée et même bien-pensante; ses poèmes les plus réputés étaient des *Epithalames* pour de nouveaux époux, éloges du mariage et chants d'hyménée. On possède d'elle une remontrance qu'elle fit à son frère Charaxos parce qu'il s'était épris à Naucratis en Egypte de la courtisane Dôricha: une austère douairière ne s'offusquerait pas plus vertueusement de l'inconduite de l'un des siens. On a contesté que Sapho fût mariée à un citoyen de l'île d'Andros, nommé Kerkôlas, dont elle aurait eu une fille, Cléis. Mais Maxime de Tyr, qui lut les livres de Sapho avant leur destruction, a authentifié que ses poèmes exprimant sa tendresse à Cléis parlaient tout simplement de sa fille.

Les Grecs attribuèrent des manuels d'érotologie à des femmes, comme l'indique Suidas dans son *Lexicon* au mot *Astyanassa:* «Astyanassa, servante d'Hélène, femme de Ménélas, la première qui imagina diverses manières de faire l'amour; elle a composé un traité des figures et poses érotiques. Après elle et à son imitation vinrent Philaenis et Elephantis, que des impuretés de ce genre ont fait connaître.» Mais d'autres ont révélé que ce fut le sophiste athénien Polycratès qui rédigea le manuel d'érotologie mis sous le nom d'une respectable matrone, Philaenis de Samos. Quant à Elephantis, certains la citèrent comme un peintre, et Nicolas Chorier en dit: «Elephantis, jeune fille grecque, avait retracé sur des panneaux de bois peints tout ce qu'elle savait être pratiqué par des libertins.» Il s'agit d'une convention de rhétorique pour rendre plus piquant un écrit scabreux, en le faisant passer pour l'œuvre de quelqu'un auquel on s'attendrait le moins (la suivante d'une princesse,

---

1. *Ibid.*

une mère de famille, une jeune fille de la bonne société). C'est aussi un fantasme masculin typique, l'homme rêvant d'avoir affaire à une telle doctoresse de l'érotisme, avec qui toutes ses envies seraient satisfaites sans problèmes.

Le temps des demi-aveux
et des supercheries

A la Renaissance, il y eut des courtisanes qui écrivirent des livres, mais paradoxalement elles y célébrèrent l'amour platonique, comme Tullia d'Aragona à Venise dans son *Dialogo della infinita di amore* (1547). Des dames de condition aimèrent écouter ou dire des «gaietés», telle Marguerite de Navarre, sœur de François Ier; celle-ci fit d'ailleurs faire par son secrétaire Antoine Le Maçon la première traduction française complète du *Décaméron* de Boccace, en 1545. Elle voulut même imiter Boccace en composant *L'Heptaméron* (qui parut en 1559, après sa mort); elle écrivit d'un jet la plupart de ces nouvelles dans sa litière, au cours de ses déplacements, pendant que sa dame d'honneur assise auprès d'elle tenait l'écritoire. C'étaient là des histoires du royaume dont elle avait entendu parler, les unes tragiques, les autres grivoises. Parmi ces dernières, la 8e nouvelle de la première Journée raconte comment Bornet, en voulant copuler avec sa chambrière, «se fit cocu lui-même sans que sa femme en sût rien»; la 20e nouvelle (IIe Journée) comment le sieur de Riant, amoureux d'une veuve, fut guéri de son amour en la trouvant un jour «couchée entre les bras d'un palefrenier de sa maison, aussi laid, ord et infâme que de Riant estoit beau, fort, honneste et aimable». Ces nouvelles grivoises ne dépassent jamais le ton de la chronique malicieuse: Marguerite de Navarre démontre de quelle manière bienséante il faut exprimer les gauloiseries devant une princesse du sang.

Parmi les femmes de ce temps, si Jeanne Flore dans ses *Contes amoureux* (1543), Pernette du Guillet dans ses *Rymes* (1545) surent magnifier l'amour comme sentiment, Louise Labé fut la seule à le célébrer comme sensation physique. Vivant à Lyon, femme du cordier Ennemond Perrin, ce qui lui valut le surnom de «la belle Cordière», Louise Labé publia en 1555 chez Jean de Tournes, le maître de la typographie lyonnaise, un recueil contenant le *Débat de Folie et d'Amour*, trois élégies et vingt-quatre sonnets. Ses poèmes étaient des œuvres de jeunesse, racontant l'évolution d'un amour passionné qu'elle avait eu avant son mariage, pour un militaire qui s'en alla résider à Rome. Louise Labé fut la première femme à oser, dans ses sonnets, avouer franchement sa sensualité:

Baise m'encor, rebaise moy et baise,
Donne m'en un de tes plus savoureus,

Donne m'en un de tes plus amoureus,
Je t'en rendray quatre plus chaus que braise.

Las, te plains-tu? Ça que ce mal j'apaise,
En t'en donnant dix autres doucereus.
Ainsi meslant nos baisers tant heureus
Jouissons-nous l'un de l'autre à notre aise [1] ...

Pour la première fois aussi, une femme faisait publiquement le vœu de mourir d'extase sous l'étreinte de son bien-aimé :

... Si de mes bras le tenant acollé
Comme du lierre est l'arbre encercelé,
La mort venoit, de mon aise envieuse,

Lors que souef plus il me baiseroit,
Et mon esprit sur ses lèvres fuiroit,
Bien je mourrois, plus que vivante, heureuse.

Louise Labé a été une femme admirable, que sa liberté d'esprit a exposée à des médisances ineptes. On a fait croire qu'elle avait participé au siège de Perpignan en 1542, déguisée en homme sous le nom de capitaine Loys. C'était seulement parce qu'elle montait fort bien à cheval que les gentilshommes l'appelaient capitaine Loys par plaisanterie. Restant veuve et sans enfant, recevant dans sa maison de la rue Confort une société de poètes et d'artistes (de Maurice Scève à Baïf) qui venait goûter ses «exquises confitures» et l'écouter jouer du luth, Louise Labé se fit à cause de cela traiter de «courtisane publique». Alors que cette femme charmante, fidèle en amour et terminant sa vie avec un Florentin fixé à Lyon, disait qu'elle mettait au-dessus de tout «le plaisir de l'étude des lettres».

Le *Débat de Folie et d'Amour*, œuvre de sa maturité, ébauche une théorie de l'érotisme considéré comme un accord entre la Folie et l'Amour. Ces dialogues d'une prose si étincelante que Sainte-Beuve les préférait aux vers de Louise Labé partent d'une dispute entre la déesse Folie et Cupidon. Celle-là lui dit : «Je suis celle qui te fay grand et abaisse à mon plaisir. Tu n'as rien que le cœur : le demeurant est gouverné par moy.» Comme Cupidon la conteste, elle lui arrache les yeux et couvre ses orbites d'un bandeau qu'il ne pourra jamais ôter. Vénus va se plaindre à Jupiter du préjudice porté à son fils; Apollon défendra la cause d'Amour, Mercure sera l'avocat de la Folie. Leurs discours sont splendides. A la fin Jupiter décide que désormais la Folie guidera partout l'Amour qu'elle a rendu aveugle.

Dans les deux siècles suivants, même les femmes de lettres les plus dissolues gardèrent une prudente réserve. Sous le règne de Louis XIV, Hortense de Villedieu fit scandale par sa vie privée, mais en ses livres aux titres provocants — *Les Désordres de l'amour*, le *Journal amoureux*, les

---

1. *Œuvres de Louise Labé* publiées par Charles Boy, 2 vol. (Paris, Alphonse Lemerre, 1887).

Annales galantes, etc. — elle n'osa jamais s'exprimer librement sur des affaires d'alcôve. Au xviiie siècle, nombre de libertines furent en femmes ce que Casanova et Sade furent en hommes. Aucune d'elles n'éprouva le besoin de rédiger des récits reflétant ses aventures réelles ou ses fantasmes sexuels.

L'une des plus perverses, Claudine de Tencin, s'avisa d'écrire des romans (en collaboration avec Pont de Veyle). Il n'y fut pas le moins du monde question de libertinage. Elle en savait pourtant long là-dessus, cette ex-chanoinesse qui, après avoir rompu ses vœux, devint la maîtresse du Régent, du cardinal Dubois, du chevalier Destouches-Canon dont elle eut un enfant qu'elle abandonna en bas âge, du conseiller Lafresnay que l'on trouva mort chez elle d'un coup de pistolet. Or dans *Les Malheurs de l'amour* (1747) son héroïne est une chaste jeune fille, Lucie de Valrose, qu'elle prétendit avoir peinte d'après elle-même.

Un faux livre érotique de femme, *Journal d'une enfant vicieuse,* fut mis sous le nom de Suzanne Giroux, dite Mme de Morency, qui lors de la Révolution française fut la maîtresse de plusieurs révolutionnaires (Quinette, Hérault de Séchelles, le général Biron, Fabre d'Eglantine, etc.); elle transposa ensuite les épisodes de sa vie galante en de fades romans comme *Illyrine ou les écueils de l'inexpérience* (1799). Charles Monselet s'est moqué de son style inepte qui contenait beaucoup de phrases comme celles-ci: «La lune était dans son plein et mon cœur était dans son vide.» Ce *Journal* est censé être un manuscrit de 1796 découvert à Soissons — elle avait alors vingt-six ans —, révélé en 1903, mais il fut en réalité composé par Hugues Rebell qui y fourra ses obsessions scatologiques et son attrait pour les «plaisirs sauvages et piquants» de la flagellation (qu'il avait déjà exprimés en 1899 dans ses *Mémoires de Dolly Morton*). Il dit en préface que Suzanne se comporte comme «un joli petit animal», ayant pour idéal de «vivre et même penser par son derrière».

La prétendue Suzanne raconte son enfance à Moulin-Galant chez sa tante, ses jeux sales dans les latrines avec son amie Valentine, où elles se livrent au vice «à la fois ignoble et délicieux» de déféquer l'une sur l'autre. Elle entre ensuite au couvent des Ursulines de Corbeil, et y connaît d'autres aventures aussi dégoûtantes. Les filles se masturbent et font des concerts de pets, les nonnes les châtient sadiquement. La sœur Sainte-Ursule met Suzanne au cachot et la force à nettoyer avec sa langue le mur souillé d'excréments. La mère Sainte-Eugénie la fait monter sur une estrade pour la fouetter avec un martinet à dix lanières ou un balai d'épines et d'orties. Ce livre est l'élucubration d'un gâteux qui s'excite en imaginant des adolescentes faisant leurs besoins. Il voudrait bien que l'une d'elles tienne un journal aussi immonde, et comme il n'en existe pas, il l'invente lui-même.

Félicité de Choiseul-Meuse se vanta d'être l'auteur de *Julie ou j'ai sauvé ma rose* (1807) et d'*Amélie de Saint-Far ou la fatale erreur* (1808), qui eurent beaucoup de succès sous le Premier Empire. Mais cette comtesse, comme bien des femmes du monde jouant les bas-bleus (Mme de Souza, par exemple), faisait écrire ses livres par des «nègres». Son amant, le chansonnier Armand Gouffé, révéla que ces deux érotiques étaient dus à Mme Guyot et au vaudevilliste Rougemont (qui confirma d'ailleurs son dire). La dédicace «à mon cher Armand» de *Julie ou j'ai sauvé ma rose* dénote que Gouffé en a approuvé le sujet. C'est la confession d'une femme de trente ans qui raconte qu'elle a su conserver sa virginité — le «talisman précieux» de sa réputation — tout en connaissant depuis l'âge de quatorze ans les plaisirs sexuels les plus intenses.

Coquette, elle n'a cessé d'allumer les hommes, de leur permettre des baisers, des attouchements, des enlacements, mais jamais l'acte de pénétration. Avec le quadragénaire Saint-Albin dans un fiacre, avec Camille, «le plus beau jeune homme de Paris», dans sa garçonnière, avec bien d'autres, elle s'est prêtée à tout sauf à l'essentiel. Elle s'est laissé dénuder la poitrine, manier les seins, n'hésitant pas à vérifier elle-même de la main si une «heureuse éminence» dans le pantalon de son partenaire témoignait qu'il la désirait. Elle a même couché avec Alberti, qui était eunuque, en se serrant d'autant plus lascivement contre lui qu'il ne pouvait rien lui faire. Plutôt que de subir la défloration, elle préférait rêver en regardant un album de gravures érotiques: «Dans les bras d'un amant je n'aurais joui qu'une fois, avec mon livre je jouissais mille; je m'identifiais à chaque personnage, je goûtais tous leurs plaisirs.»

A la fin, Julie se lie à Marseille avec une riche veuve, Caroline, qui la convertit au saphisme. Caroline l'invite en son luxueux salon où des feuilles de roses jonchent le parquet, et Julie se laisse bientôt embrasser, dévêtir à moitié, entraîner vers une ottomane:

> Caroline, hors d'elle-même, m'attire sur elle, sa gorge est sur la mienne, et par un mouvement circulaire semble la caresser. Les jolies fraises qui couronnent son sein, jalouses d'en rencontrer d'aussi belles, cherchent à leur livrer combat; elles se touchent, elles se pressent; ce léger frottement les durcit et me cause le frémissement le plus voluptueux.
> Caroline s'aperçoit de mon trouble et cherche à l'augmenter par les titillations les plus délicieuses. Elle passe une de mes cuisses entre les siennes; je la sens s'agiter avec plus de violence; sa main officieuse redouble de vivacité; l'éclair du plaisir brille en même temps à nos yeux, et nous perdons, dans l'ivresse qui le suit, jusqu'au souvenir de notre existence [1].

Une seconde entrevue se passera dans le boudoir de Caroline et elles s'y mettront entièrement nues. Couchée les jambes entrouvertes, Julie laisse Caroline examiner «l'objet de ses plus chers désirs», et celle-ci, après une étude approfondie, s'écrie avec une joie délirante: «Elle est vierge! Grand Dieu, quelle source de plaisirs!» Aussitôt elle veut démontrer à sa compagne qu'elle connaît plus d'une façon de la satisfaire:

> Caroline se lève avec transport, me serre dans ses bras, me donne mille

---

1. *Julie ou j'ai sauvé ma rose* (à Hambourg, chez les marchands de nouveautés, 1807).

baisers, puis reprenant sa première attitude, contemple de nouveau le plus joli des bijoux. «Oui, s'écrie-t-elle encore, cette fleur est intacte; quel coloris! quelle fraîcheur! Semblable à l'abeille, je veux en extraire l'ambroisie! Je veux m'enivrer de son suc délicieux, je veux la dessécher à force de plaisirs!» Aussitôt, par mille moyens que je n'ose décrire, mais qui me causaient des sensations aussi vives que délicieuses, Caroline me fit atteindre la dernière période du plaisir; son but n'était pas seulement de me faire jouir, l'adroite abeille, privée de l'aiguillon nécessaire pour pomper le suc de la rose, se servait de cet heureux moyen pour en tirer l'amoureuse substance.

Désormais Julie se partagera entre Caroline, qui préside une société de lesbiennes, et le séducteur Versac à qui elle refuse naturellement sa virginité, mais non ce qui l'entoure. Le bibliophile Jacob (Pierre Lacroix), ne doutant pas que ce roman fût de Mme de Choiseul-Meuse, en a fait un éloge dithyrambique.

Dans *Amélie de Saint-Far* (que précède l'épigraphe: «Pour me lire, cachez-vous bien»), la blonde Amélie, fille d'un veuf galant ayant pour maîtresse Mme Durancy, qui le trompe avec le colonel Charles, a pour amoureux le jeune Ernest. Or le colonel Charles veut aussi séduire Amélie, et Mme Durancy prétend prouver à Ernest «que l'on peut *jouir sans aimer*». Ce chassé-croisé scabreux est exprimé dans le style troubadour du Premier Empire. Le colonel Charles, succédant à Saint-Far chez Mme Durancy, lui dit pompeusement: «Le lit est encore humide de la rosée du plaisir, qu'il soit témoin de nouveaux hommages.» Ernest, pour troubler l'innocente Amélie, a un geste hardi: «Il saisit la main d'Amélie et lui fait sentir pour la première fois une colonne enflammée qui bondit sous ses jolis doigts; Amélie, surprise à l'excès, mais trop émue pour réfléchir, presse doucement ce bijou précieux dont elle ignore encore l'usage.»

Décrites avec des métaphores emphatiques, les scènes deviennent de plus en plus osées. Mme Durancy invite le duc de Nemours à se cacher dans sa salle de bains pour y contempler Amélie nue. Enflammé de désir, il emmène Amélie se promener en barque, mais ils tombent à l'eau et, pour ranimer le duc évanoui, Amélie procède au premier bouche-à-bouche de secouriste accompli dans un roman. Le duc se ranime si bien qu'il en profite pour déflorer Amélie éperdue:

Il l'entraîna doucement sous lui, et, par ses efforts redoublés, il essaya de se frayer un passage dans l'étroit sentier du plaisir: les vives douleurs que ses cruelles tentatives occasionnèrent à Amélie suspendirent sa douce ivresse (...) Il déchirait sans pitié sa victime, dont les pleurs et les cris semblaient l'exciter encore. Enfin, le succès couronna ses efforts, il entra victorieux dans la place à travers les flots de sang qu'il avait fait couler. Rendu plus humble par ses propres triomphes, le duc tomba sans force dans les bras d'Amélie.

De son côté le colonel Charles, dans le salon de Mme Durancy, lutine sa soubrette Elise qui lui objecte qu'il n'y a pas de lit. Il répond: «Tout sert de trône à la volupté; et l'on a souvent, sur une chaise, goûté des plaisirs plus vifs que sur l'édredon.» Il entreprend de le lui prouver, mais leurs soubresauts brisent la chaise, et le bruit de leur chute attire Mme Durancy. Cette «femme orgueilleuse et libertine» sera alors entraînée dans une séance d'amour à trois peu commune.

Ces deux romans ne devinrent clandestins qu'à partir de leur interdiction par la justice de Charles X (*Julie* fut même condamnée à la destruction en 1827). Il paraît que Napoléon interdit aux soldats de la Grande Armée, sous peine de mort, de lire le marquis de Sade; mais il leur permit la lecture de Mme de Choiseul-Meuse.

Les femmes du romantisme n'ont rapporté aucune contribution à la littérature érotique, bien que ce mouvement ait revendiqué «le droit à la passion» en des romans frénétiques. Pierre Dufay a supposé que George Sand avait écrit *Gamiani* en collaboration avec Musset (alors que ce livre a paru avant même leur rencontre). C'est se fier trop naïvement à la légende de sensualité que l'on forma autour de cette grande frigide qui pleura lorsque Musset lui reprocha une nuit de n'être pas douée pour les plaisirs sexuels. Elle s'en justifie le 15 avril 1834, au moment de leur séparation: «Je suis bien aise que ces plaisirs aient été plus austères, plus voilés que ceux que tu retrouveras ailleurs. Au moins tu ne te souviendras pas de moi dans les bras d'autres femmes [1].» La facilité de George Sand à céder au premier Pagello venu était le fait d'un tempérament non révélé, non d'une ardeur insatiable. Ses héroïnes sont toujours de chastes et vertueuses créatures, comme Edmée dans *Mauprat* qui parvient à apprivoiser par son naturel angélique un homme pareil à une bête fauve. Ses romans, *Indiana, Lélia, Valentine, Jacques,* parurent audacieux à son époque parce qu'ils étaient des thèses en faveur du divorce. Mais on ne peut citer d'elle aucune page comparable à un sonnet de Louise Labé, frémissant d'amour voluptueux.

Les Mémoires de Céleste Mogador, *Adieux au monde* (1854), auraient pu être la confession féminine audacieuse qui manquait jusqu'alors, en raison de la vie de celle-ci. Fille d'un chapelier mort lorsqu'elle était enfant, elle entra à seize ans dans un bordel chic de Paris, en sortit à vingt ans pour être danseuse au bal Mabille, lieu de plaisir situé au rond-point des Champs-Elysées, puis deux ans après écuyère au Nouvel Hippodrome. Elle fut ensuite une *lorette* célèbre (ce mot désignait la femme entretenue qui, au lieu d'avoir un seul entreteneur très riche, en avait plusieurs de fortune moyenne). A trente ans elle devint comtesse en épousant un joueur décavé, Lionel de Chabrillan, que l'on nomma consul honoraire à Melbourne pour le tirer de ses dettes. Les *Adieux au monde* parurent quand elle résidait avec lui en Australie, et comme la presse les dénigra, Céleste elle-même en fit saisir les exemplaires chez l'éditeur, afin de ne pas nuire à la carrière de son mari. Ils reparurent sous le titre de *Mémoires de Céleste Mogador* en 1858, année où ce dernier mourut et où elle tentait de reconquérir Paris.

---

1. George Sand et Alfred de Musset, *Correspondance*, suivie de *Journal intime de George Sand* (Monaco, Editions du Rocher, 1956).

Mais ses Mémoires, écrits d'après ses confidences par un de ses amants l'avocat Desmarets, taisent tout ce qui aurait pu être intéressant. On ne sait rien des expériences précoces l'amenant à se prostituer volontairement à seize ans, rien de ses rapports intimes avec ses nombreux partenaires, rien de ses sentiments et de ses sensations. Les seules pages assez curieuses sont sa description d'Alfred de Musset au bordel — car il fut un de ses clients —, toujours ivre, maltraitant les filles, ayant l'air d'un spectre. Et quand plus tard Céleste Mogador fera une carrière de romancière, aidée par des «copistes bacheliers» et par les deux Dumas (père et fils), elle ne publiera que des niaiseries sentimentales prêchant la vertu, alors qu'elle fréquentait les courtisanes les plus impudentes du Second Empire. Encore une femme galante qui, pour être considérée, se posa comme le contraire de ce qu'elle était.

Le manque de témoignages sur la sexualité féminine incita les hommes à en fabriquer. La supercherie la plus réussie fut la rédaction des *Aus den Memoiren einer Sengerin* (*Mémoires d'une chanteuse allemande*), dont la première partie parut en 1868, huit ans après la mort de la cantatrice Wilhelmine Schroeder-Devrient, qui avait défrayé la chronique scandaleuse par ses liaisons avec des hommes et des femmes, et la seconde partie en 1875. L'auteur de ces Mémoires, parus aux éditions d'Altona pour lesquels travaillaient divers fournisseurs attitrés, fut, dit-on, l'éditeur lui-même, August Linz, déjà connu par ailleurs comme pamphlétaire; il avait épousé une femme de lettres qui collabora certainement à ce livre pour y mettre quelques accents typiquement féminins. La traduction française non édulcorée de 1911, due à Blaise Cendrars, était illustrée d'un portrait de Wilhelmine Schroeder-Devrient, fraude que l'on ne se permit pas dans l'original allemand. Apollinaire se persuada qu'une femme avait écrit ce livre, tout en reconnaissant que ce ne pouvait être la fameuse cantatrice.

La narratrice commence par évoquer son initiation sexuelle à quatorze ans quand, cachée dans la garde-robe de la chambre de ses parents, elle observe leur accouplement passionné. Sa gouvernante suisse lui donne ses premières leçons d'amour, avant qu'elle n'aille à Vienne faire ses études musicales et ses débuts. Là, ses jeux libertins avec son accompagnateur, le pianiste Franz, ses rapports saphiques avec la femme d'un banquier, Roudolphine, qui la poussera bientôt dans les bras de son propre amant, un prince italien, achèveront son éducation.

A Francfort, où elle se rend ensuite, et surtout à Budapest, elle se livrera à tous les plaisirs pervers, en compagnie d'Anna («un Sade femelle»), du dilettante Ferry, de la voleuse Rose qu'elle tire de prison pour en faire sa chose; elle participe même à une orgie costumée. Son problème est de jouir sans se faire engrosser, et comme elle a horreur des préservatifs masculins, elle s'introduit dans le vagin une boule d'argent ou une éponge. Elle croit qu'elle ne risque pas d'être enceinte si un homme la prend par-derrière et debout, ou s'il urine en elle après l'éjaculation. De tels détails de mœurs, ainsi que les réflexions très fines qu'elle fait sur ses sensations amoureuses, justifient la réputation de ce livre.

Les éclaireuses de la sexualité féminine

La première romancière originale de la littérature érotique fut la marquise de Mannoury d'Ectot, née H. Le Blanc (et petite-fille de l'inventeur Nicolas Le Blanc). Lors du Second Empire, elle vécut dans un manoir près d'Argentan où elle reçut des poètes et des artistes; sous la IIIe République, veuve et ruinée par plusieurs gigolos successifs, elle ouvrit une agence matrimoniale et écrivit trois romans exposant la dépravation des grandes dames du règne de Napoléon III. Ses *Mémoires secrets d'un tailleur pour dames* (1880) ont été faits, de son propre aveu, d'après des «racontars de salons et de brasseries». Le tailleur Victor Burt y raconte vingt-six anecdotes lestes sur «ses chères belles petites» (c'est-à-dire ses meilleures clientes). Il révèle ainsi pourquoi une marquise mérita le surnom de Cochonnette et comment une baronne ayant sept amants maria ses filles à trois d'entre eux.

Les Cousines de la colonelle, qu'elle signa la vicomtesse de Cœur-Brûlant, sont un «roman galant naturaliste» qu'on voulut attribuer à Guy de Maupassant, qui en nia la paternité. Ce faux bruit venait peut-être de ce qu'il fréquentait Mme de Mannoury; c'était probablement aussi une ruse des éditeurs Gay et Doucé pour mieux assurer la vente du livre. On reconnaît indubitablement l'inspiration d'une femme à la façon dont le sentimentalisme s'entortille au libertinage, dans cette histoire du mariage des deux sœurs Florentine et Julia, arrangé par leur cousine, la colonelle Briquart. Florentine épouse Georges Vaudrez, un homme de cinquante-cinq ans qui a besoin, avant leur nuit de noces, de verser une douche froide «sur le membre destiné au combat», de se frictionner le bas-ventre avec une éponge imbibée d'eau de Hongrie, et d'avaler les gouttes aphrodisiaques du Dr Albert. Mais il sait si bien se servir de sa main qu'elle devient l'instrument principal de leurs rapports conjugaux: «Sous la caresse du doigt expert de Georges, elle éprouvait des joies ineffables, de beaucoup supérieures à celles que lui procurait l'union avec son conjoint.» De son côté, Julia se donne à un vicomte polonais, Gaston Saski, et parcourt toute la gamme des voluptés; mais il est contraint pas sa famille d'épouser une autre jeune fille, et Julia se verra finalement mariée à un général espagnol en âge d'être son grand-père.

Dans la seconde partie du roman, publiée en 1885, Florentine et Julia devenues veuves décident de mener à Paris une vie de plaisirs secrets. Se faisant appeler Grenade et Pervenche, elles invitent par lettres des hommes dans un hôtel particulier où ils sont introduits mystérieusement; elles les reçoivent masquées, et après le jeu d'amour, ils se retirent sans rien savoir d'elles. C'est ainsi qu'elles favorisent des mondains du Cercle des Topinambours, puis le peintre Michel Lompret dont Julia s'éprend. Le récit est parsemé de recommandations sur la façon de déshabiller et de caresser une femme, sur la science des préliminaires, sur les points sensibles à toucher quand on se veut «fidèle observateur du précepte qui dit aux maris, aux amants, que toujours avant de rentrer un homme poli sonne». Si Mme de Mannoury conseillait ainsi les clients de son agence matrimoniale, elle a dû faire des heureuses.

Le Roman de Violette (faussement daté de 1870) est signé «Une Célébrité masquée», car l'éditeur Brancart de Bruxelles qui le publia clandestinement voulut le faire passer pour une œuvre posthume d'Alexandre Dumas père. C'est un récit d'amours lesbiennes, avec une héroïne perverse et agressive comme dans Gamiani; mais elle est campée d'un point de vue féminin que Musset ne pouvait avoir. On sent que Le Roman de Violette a été écrit par une femme très expérimentée (Mme de Mannoury avait passé la quarantaine quand il parut), s'identifiant au personnage de la comtesse de Mainfroy, une veuve blonde aux yeux noirs qui déclare: «Très malheureuse avec mon mari, j'ai juré à sa mort haine éternelle aux hommes et j'ai tenu mon serment!» Odette de Mainfroy dispute au peintre Christian sa maîtresse, la jeune lingère Violette, à qui il a appris «cet alphabet charmant de l'amour dont chaque lettre est une caresse et chaque caresse un bonheur». Christian, par curiosité, pousse Violette à céder à la comtesse, et assiste d'une cachette à la scène où cette dernière, se dépouillant de sa longue blouse de velours noir fermée au col par un diamant et de ses bas de soie rose, dit à sa partenaire: «Oh! regarde, que je sente tes yeux me brûler comme des miroirs», et l'étreint ensuite «comme une panthère qui se jette sur sa proie». Il convient: «Pour un peintre, le spectacle était charmant.» Il se montre, et un traité est conclu entre lui et la comtesse de Mainfroy, selon lequel ils se partageront désormais Violette.

Mais voici que Violette, voulant faire du théâtre, doit prendre des leçons avec l'actrice Florence, une homosexuelle notoire, «magnifique brune avec de grands yeux bleus, toujours entourés d'une couche de bistre». La comtesse de Mainfroy décide de conquérir Florence, afin de l'empêcher elle-même de séduire Violette. L'épisode est original, car c'est un duel entre deux inverties aussi actives et énergiques l'une que l'autre. Florence, qui est vierge, professe: «Je n'admets les femmes que parce que je les domine, que parce que je suis l'homme, l'époux, le maître... A quelques exceptions près la femme est un être inférieur et faite pour être soumise.» Au moment décisif, elle hésite à se déshabiller: «Vous allez me trouver hideuse, j'en suis sûre.» C'est que Florence a une abondance de poils sur le devant du corps: «Cet ornement bizarre montait jusqu'à la gorge où il se glissait comme un fer de lance entre les deux tétons. Puis, il en descendait en s'amincissant pour rejoindre la masse qui couvrait tout le bas du ventre, s'enfonçait entre les cuisses et reparaissait un instant au bas du dos.» Ravie de cette anomalie, la comtesse de Mainfroy s'écrie: «Oh! la belle! Oh! la curieuse chose! Du poil! non, de la soie!» et enlace frénétiquement «ce corps étrange qui avait la virilité de l'homme et la grâce de la femme». Pour finir, Odette de Mainfroy mène deux liaisons parallèles, avec Florence et Violette, laquelle reste néanmoins la maîtresse de Christian; puis Violette meurt des suites d'un refroidissement et chaque année ils iront fleurir sa tombe de violettes.

Durant la IIIᵉ République, une femme de lettres, Marie-Amélie Chartroule, voulut se faire remarquer par toutes sortes de provocations: s'habillant en homme (ce qui à cette époque était interdit aux femmes), prenant le nom de Marc de Montifaud, elle attaqua les dévotes en 1877 dans *Les Vestales de l'Eglise* et fut inculpée d'outrage aux mœurs. Puis son roman, *Madame Ducroisy*, après un procès en décembre 1878, fut condamné comme immoral; il n'avait pourtant rien de fracassant. *Madame Ducroisy*, ainsi que son livre suivant, *Entre messe et vêpres ou les Matinées de carême du faubourg Saint-Germain* (1880-1881), furent d'abord placés dans l'Enfer de la Bibliothèque nationale, comme si c'étaient des érotiques explosifs. Ils en sortirent bientôt, ne méritant pas cet honneur.

Celle qui fit la transition entre le xixᵉ et le xxᵉ siècle, devançant Colette et les autres romancières à scandale, fut Rachilde (pseudonyme de Marguerite Aimery, née en 1860), qui grandit en sauvageonne dans le château de sa famille au Périgord; à l'âge de quatre ans, elle montait déjà à cheval. Elle découvrit à quinze ans l'œuvre du marquis de Sade, et à sa majorité elle partit à la conquête de Paris. Non contente de s'habiller en homme, elle se fit imprimer des cartes de visite au nom de «Rachilde, homme de lettres» (parce qu'elle considérait les femmes comme des êtres inférieurs). En 1889, son roman *Monsieur Vénus*, publié en Belgique, histoire d'une jeune fille épousant un inverti qui se travestit en femme et qui la trompe avec un homme, lui valut du tribunal correctionnel de Bruxelles un an de prison et deux mille francs d'amende. Parmi les dix-neuf chefs d'accusation, le ministère public lui reprochait d'avoir inventé «un vice nouveau», ce qui fit dire à Verlaine: «L'inventeur d'un vice nouveau serait le bienfaiteur d'une nouvelle humanité. Rassurez-vous, petite, vous n'avez rien inventé du tout.»

Nommée «reine des Décadents», passant pour une satanique (descendant par sa mère de l'inquisiteur d'Espagne dom Faytos, elle se flattait d'avoir rencontré le Diable dans les rues de Périgueux et de l'avoir interviewé), ne buvant que de l'eau, «escortée d'amis, mais sans un seul amant» (selon Jean Lorrain), Rachilde fit alors une série de romans sur «l'amour compliqué» comme *L'Animale* (1893), portrait de la nymphomane Laure Lordès qui, dès son enfance, est «pourrie, d'une jolie pourriture de champignon blanc et brodé» et rêve de trouver «un esclave, un homme qui l'aimerait pour l'attrait du plaisir». Elle va d'amant en amant, du paysan Marcou à l'abbé de Bréville, jusqu'à ce que, mordue par un chat enragé, elle ne soit plus qu'une «femme métamorphosée en bête». *Les Hors-nature* (1897) furent le récit de l'amour homosexuel et incestueux de l'aristocratique Reutler pour son frère, le dandy Fertzen, qui n'aime que «les parfums, les fleurs et les miroirs» et qu'il finit par étrangler. Dans *L'Heure sexuelle* (1898), le narrateur, ayant «la passion de l'aventure», cherche une femme capable d'un «geste de beauté», et trouve son idéal chez une petite prostituée plutôt qu'en ses deux maîtresses mondaines. De tels romans firent écrire à Louis Dumur dans *La Plume*: «La perversité de Mme Rachilde est un exemple unique en littérature.»

Rachilde se maria en 1899 avec Alfred Valette qui fonda l'année suivante le nouveau *Mercure de France* où elle devint toute-puissante. Elle composa moins de romans scandaleux, mais resta ouverte à toutes les audaces, fut l'amie d'Alfred Jarry, se passionna pour le futurisme et le dadaïsme. A la fin de sa carrière, se plaisant à élever treize souris blanches, elle terrorisait les femmes dans leurs réunions par ses «interpellations foudroyantes» (son livre, *Pourquoi je ne suis pas féministe*, en 1926, fit d'ailleurs sensation).

Paris-Lesbos 1900

Au début du xxᵉ siècle à Paris, il y eut un groupe notoire de lesbiennes à prétentions littéraires. On pourrait croire que l'une d'elles avec ses passions a fait un roman d'une audace inégalable ou une confession d'une impudeur à couper le souffle. Il n'en est rien. Elles cherchèrent toutes à se faire prendre pour des «lis», des amantes éprises de pureté, n'échangeant entre elles que des *caresses chastes* (alors que les indiscrétions de leurs contemporains montrent combien elles étaient exemptes de chasteté).

La demi-mondaine Liane de Pougy, dans *Une idylle saphique* (1900) — roman écrit par son «nègre» habituel, Henri Albert, collaborateur au *Mercure de France*, ce qui en explique le style «décadent» —, a transformé l'histoire de ses amours avec Natalie Clifford-Barney en une bluette assez ridicule. Son héroïne Annhine de Lis, «reine de joie, reine de beauté, reine de féerie, reine d'amour», est courtisée par la jeune Américaine Florence Temple-Bradford, qui lui apporte une profusion de fleurs en disant: «C'est Sapho qui m'envoie vers toi..., me veux-tu? M'acceptes-tu pour te servir? Nhine, mon adorée, fais-moi effleurer la réalité de mes espoirs rêvés, ne me repousse pas!» Troublée de la ferveur de cette blonde adoratrice qu'elle surnomme Moon-Beam (Rayon de Lune), Annhine constate: «Moon-Beam, tu as une bouche vicieuse..., c'est visible... Les lèvres sont sensuelles, un peu épaisses, la mâchoire forte, un peu bestiale! Oh! Mademoiselle, ça promet!»

Annhine accepte les déclarations et les cadeaux de Florence, en se persuadant que leurs rapports restent «une union d'âmes, c'est tout». Elle laisse en souriant celle-ci «lui baiser dévotement les chevilles, les genoux, les jambes, les cuisses». Quand elle sent qu'elle n'éprouve plus pour Florence «un amour platonique de vierge», elle cherche à l'oublier en voyageant et en se débauchant avec des hommes. A son retour, brisée, elle revoit Florence qu'elle n'a pu chasser de sa pensée et lui demande: «Fais-moi mourir d'extase sous tes caresses.» Mais celle-ci, qui la poursuit depuis le début comme une hyène en rut, s'écrie soudain: «La tuer!... tuer cet ange qui trop faible pour résister se livre à moi... Oh! non... jamais!» Et elle s'enfuit. Rien n'est plus exaspérant que ces relations de femmes qui veulent et qui ne veulent pas, s'attirent et se repoussent sans cesse. A la fin Annhine meurt de consomption et Florence, inconsolable, refuse de se marier avec un riche Américain (le comble du sacrifice d'amour!).

Dans un autre roman à clef, *Les Sensations de Mlle La Bringue* (1904), Liane de Pougy raconte ses débuts d'actrice en s'effarouchant pudiquement de ce qui se passe dans les coulisses des théâtres parisiens. Elle attend d'être reçue par la direction d'un établissement des plus corrects: «J'ouvris la porte... Sur les coussins épars, deux femmes, déshabillées, étaient là qui... horreur!» Une autre fois, chez Lebreton (Jean Lorrain), elle examine sa collection de grenouilles et de serpents en émail: «Là une vitrine, et sans trop comprendre à ce drôle de petit machin, je lis sur l'étiquette: *Phallus de Ramsès III*.» Il est plaisant de voir cette courtisane célèbre, dans le lit duquel tant d'hommes ont défilé, faire celle qui ne savait pas quel était ce «petit machin». A partir de 1919, devenue la princesse Ghika, Liane de Pougy rédigea des *Cahiers bleus* pour rivaliser avec le *Journal* de Marie Bashkirtseff.

Natalie Clifford-Barney, richissime Américaine de l'Ohio, dont le père était à Washington le président de la Barney Railroad Car Foundry, avait peu de talent littéraire. Ses *Lettres à une connue*, racontant sa liaison avec Liane de Pougy, étaient impubliables, non à cause du passage où elle décrivait les sensations d'une femme couchant avec une autre (c'était le seul qui eût intéressé un éditeur), mais comme le lui écrivit Pierre Louÿs, à cause de leur faiblesse de style et de leurs poncifs sentimentaux. Ce fut d'ailleurs Pierre Louÿs qui corrigea son premier livre édité, *Cinq Petits Dialogues grecs*. Les amours de Natalie Clifford-Barney avec Renée Vivien, commencées en 1901, lui inspirèrent *Je me souviens* (1910), qu'elle qualifia de «roman», bien qu'il ne s'y passât rien. C'étaient de vagues réminiscences égrenées sur un ton de litanie: «Je me rappelle les soirs violets, où notre désir ne désirait que l'anéantissement, où nous avions la faim et la soif de la mort.» Elle se rappelle ensuite les soirs rouges, les soirs jaunes, les soirs bleus, les soirs mystiques, etc.

Ne pouvant être ni romancière, ni poétesse, elle voulut être immoraliste dans des recueils de maximes comme *Eparpillements* (1910); là elle resta inégalée, car son esprit était spontanément sarcastique. Ses aphorismes semblaient des défis à la société: «Moi seule puis me faire rougir», «On aime d'amour ceux qu'on ne peut aimer autrement», «La vie la plus belle est celle que l'on passe à se créer soi-même, non à procréer», etc. Elle avait des mots révélateurs de la mentalité saphique: «Toutes les nuits, je rêve que tu me trompes, mais la nuit dernière j'eus enfin un rêve heureux: tu te tuais pour moi[1].» Cherchant à être Oscar Wilde en femme (elle copia même sa tenue dès 1926 et séduisit sa nièce

---

1. *Eparpillements* (Paris, E. Sansot, 1910).

Dolly Wilde), Natalie Clifford-Barney a eu la chance de bénéficier de «la fabuleuse fortune des Barney [1]»; cela lui permit de jouer le rôle d'une anarchiste milliardaire, dont on endurait patiemment les impertinences. Dans ses vendredis de la rue Jacob, elle lançait à brûle-pourpoint à ses invités: «Le genre humain, ce genre que je déplore» ou: «Cette catastrophe, être femme.» Lucie Delarue-Mardrus conseillait: «Méfiez-vous de son terrible sourcil gauche quand il se relève pendant les secondes où passe l'ironie.»

Ce qu'il y a de plus intéressant en Natalie Clifford-Barney ce ne sont pas ses maximes faites exprès («les fruits mûrs et peu mûrs tombés de l'arbre de l'oisiveté», en disait-elle), réunies dans ses *Pensées d'une amazone*, ce sont ses portraits d'*Aventures de l'esprit* (1929). Elle avait un don de portraitiste à la plume et ne ménageait pas ses modèles féminins. On croit que les lesbiennes aiment les femmes, mais en réalité tout se passe comme si elles les détestaient secrètement et souhaitaient les détruire. Elles se jouent entre elles des tours pendables, se font des compliments empoisonnés d'allusions perfides. Ainsi Natalie nous montre Colette rougeaude comme Dumas père, «trapue... campée sur des jambes d'athlète», avec «un air de chouette traquée par le grand jour». Elle nous dit que Djuna Barnès, la lesbienne américaine, a «un nez aiguisé comme un crayon *ever sharp*» et compare Gertrude Stein, avec sa toque de tigre, ses sandales, sa longue jupe kaki, à une «pagode vivante déambulant dans les rues du Quartier latin». Mais elle relève aussi ses portraits de réflexions piquantes, comme lorsqu'elle dit: «Les Américaines ont toutes avalé une Bible en venant au monde.» Racontant la fin de Renée Vivien, qui sur son lit de mort se convertit au catholicisme et communia, l'agnostique Natalie remarque: «Jésus-Christ a séduit plus de femmes que Don Juan.» Et elle explique les intermittences du cœur par cette phrase très profonde: «Le duo d'amour est une invention d'opéra; en amour, on ne chante que seul ou l'un après l'autre [2].»

Renée Vivien, grave militante du saphisme, eut le mérite d'avouer franchement ses goûts, comme s'il s'agissait d'amours entre fleurs (naturellement des lis: «Ton âme, c'est le lis, le lis divin et blanc», dira-t-elle à «une amie solitaire et triste»). C'était une jeune femme frêle, en robe grise, au grand chapeau à plumes noires, pleurant devant un coucher de soleil, et mangeant des petits oiseaux rôtis en prétextant: «Je ne peux pas souffrir la viande.» Ses poèmes des recueils *Etudes et préludes*, *Cendres et poussières*, *A l'heure des mains jointes*, furent des élégies plaintives, au ton toujours dolent et éploré.

On trouve au moins chez Renée Vivien un *Cri* (adressé à Natalie Clifford-Barney) qui nous renseigne sur l'ambivalence du sentiment d'une lesbienne pour sa partenaire, mêlant inextricablement l'amour et la haine. Cet aveu s'exprime malheureusement dans une langue molle, avec des métaphores banales:

---

1. Cf. Jean Chalon, *Portrait d'une séductrice* (Paris, Stock, 1976).
2. *Aventures de l'esprit* (Paris, Emile-Paul, 1931).

Tes yeux bleus à travers leurs paupières mi-closes,
Recèlent la lueur des vagues trahisons.
Le souffle violent et fourbe de ces roses
M'enivre comme un vin où dorment des poisons...

Vers l'heure où follement dansent les lucioles,
L'heure où brille à nos yeux le désir du moment,
Tu me redis en vain les flatteuses paroles...
Je te hais et je t'aime abominablement [1].

Son roman, *Une femme m'apparut* (1904), dont chaque chapitre a pour épigraphe un fragment de partition de Chopin ou de Schumann, transpose sa liaison avec Natalie Clifford-Barney. Cette liaison fut très agitée, l'une et l'autre se trompant: Renée Vivien se mit même en ménage, avenue du Bois, avec une riche baronne que le Tout-Paris surnommait la Brioche tant elle était obèse (ce n'était plus un lis, cette fois, mais une citrouille). Reconquise par Natalie, Renée Vivien fit avec elle un pèlerinage à Mytilène, puis retourna à la Brioche, et mourut prématurément en novembre 1909. *Une femme m'apparut*, évidemment, idéalise cette histoire qui n'a rien d'admirable. La narratrice évoque son amour pour Vally, «Madone perverse des chapelles profanes», en précisant d'emblée que leurs relations baignent dans «une chasteté nuptiale, une volupté blanche». Dans son salon, Vally s'habille tantôt en page vénitien, tantôt en pâtre grec; un androgyne y fait de l'esthétisme. On y entend des propos de ce genre: «Tout ce qui est laid, injuste, féroce et lâche, émane du Principe mâle. Tout ce qui est douloureusement beau et désirable émane du Principe femelle. Les deux Principes sont également puissants, et se haïssent d'une haine inextinguible. L'un finira par exterminer l'autre, mais lequel des deux remportera la victoire? Cette énigme est la perpétuelle angoisse des âmes.» Au moins les Chinois, plus subtils, parlaient du *yin* et du *yang* en affirmant qu'il n'y a jamais de *yin* sans *yang* ni de *yang* sans *yin*.

La narratrice d'*Une femme m'apparut* n'est pas jalouse quand Vally lui préfère d'autres femmes, mais enrage dès qu'elle fréquente un homme, M. de Vaulxdame, dit le Prostitué, pour se marier. Elle songe à la tuer. Puis elle voyage afin de l'oublier, a de nouvelles amantes comme Dagmar, «la vierge aux boucles légères», en longue robe Kate Greenaway aux larges plis, proférant: «Le crépuscule est pareil à une femme qui pleure.» Elle la remplace par Eva, mais au moment où elle croit avoir la paix, Vally lui revient et lui écrit: «Je t'attends dans le jardin.» Elle y va, rencontre Vally, «les cheveux plus fluidement verts et les yeux plus bleus que la lune», et sommée de choisir entre elle et Eva, nous laisse ignorer le choix qu'elle fait.

---

1. Renée Vivien, *Etudes et préludes* (Paris, A. Lemerre, 1904).

Un brelan de reines

Colette a eu la libido et le talent nécessaires pour écrire des romans érotiques comme Nerciat. Elle n'en a rien fait, mais elle a été à l'extrême limite permise par l'édition de son temps. Quand elle se maria à vingt ans avec Willy, en 1893, elle ne songeait qu'à la danse et au théâtre. Ce fut lui qui en fit un auteur, en l'incitant à écrire la série des *Claudine*, sur des cahiers d'écolière à couverture de toile cirée noire; il en barra les trois quarts des phrases, qu'il corrigea par-dessus à l'encre violette ou qu'il annota comme un professeur: «Pas clair», «Amphibologie», «A développer», etc. Willy, critique musical à *L'Echo de Paris*, fils du fondateur des éditions Gauthiers-Villars publiant les ouvrages de l'Ecole polytechnique, ne manquait pas de culture malgré sa manie des calembours et son entreprise de littérature galante. Colette lui doit sa carrière d'écrivain. Lorsqu'elle écrivait dans un manuscrit, à propos de bonbons: «Ils avaient une odeur de pomme rotée», Willy biffait cette comparaison vulgaire et lui demandait d'en trouver une meilleure. Ainsi se forma le goût littéraire de sa femme.

Il lança Colette comme on lance un produit industriel, payant des échos sur leur couple dans la presse, la popularisant dans la tenue de Claudine — grand col blanc, cravate lavallière rouge, petit veston sur une jupe plate —, la rendant titulaire d'une chronique musicale, au *Gil Blas*, «Claudine au concert», dont elle n'écrivit pas un seul mot. La plongeant dans le milieu des courtisanes et des lesbiennes du Paris 1900, Willy poussa Colette dans les bras de l'actrice Polaire, dont il avait été l'amant. Il exhibait glorieusement les deux femmes lors de ses sorties en ville. Mais Polaire, dans son pavillon rue Lord-Byron, entretenait un gigolo de dix-neuf ans; Colette ayant couché avec lui, elles se battirent si férocement que l'auteur des *Claudine* eut un œil poché.

On retrouve ce climat trouble dans *Claudine en ménage* (s'intitulant d'abord *Claudine amoureuse*), qui parut en 1904. Rien de plus pervers que les rapports de Claudine et de son amie Riezi (leurs caresses sur un fauteuil ne prétendaient plus à la chasteté des lis), de Riezi avec Renaud, le mari donjuanesque de Claudine. Mais la vie privée de l'auteur se ressentait de tout ce romanesque libertin. Willy demanda le divorce parce que Colette le ridiculisait en s'affichant avec Mme de Belbeuf, dite Missi, qui se vêtait d'une salopette de mécano dans le privé. Elles provoquèrent un scandale en jouant ensemble la pantomime *Rêve d'Egypte*, le 3 janvier 1907, au Moulin-Rouge.

Sylvain Bonmariage, ayant connu très intimement Colette à ses débuts, la décrit comme «un monstre lascif», essentiellement *amphibie*: «Elle aimait les femmes, autant que les hommes. Jeune, il lui fallait les unes et les autres [1].» Bonmariage avait pour maîtresse l'actrice Thérèse Robert, à qui Colette envoyait des lettres «passionnées et d'une rare

---

1. Sylvain Bonmariage, *Colette, Willy et moi* (Paris, C. Fremanger, 1954).

indécence», si bien qu'ils finirent par former un ménage à trois. Bonmariage nous donne des détails peu ragoûtants sur la nudité de Colette, son sans-gêne dans une chambre avec un homme, sa méchanceté la transformant tantôt en «une sorte de mégère de village», tantôt en «perverse rosse». Mais il en cite aussi des propos caractérisant son art littéraire, comme lorsqu'elle lui dit: «Peu de gens savent ce qu'est le plaisir. Ils ne connaissent que la rigolade... Qui nous créera un vrai érotisme? Il manque à la poésie et aux lettres.»

Après avoir divorcé de Willy, Colette reprit deux romans qu'elle avait écrits pour lui, *Minne* et *Les Egarements de Minne*, et les fondant en fit *L'Ingénue libertine* (1908). Le sujet en était le même: le cas d'une jeune femme frigide, ratée par son mari, et cherchant vainement le plaisir à travers des amants successifs. Les scènes, les descriptions ne différaient pas; les corrections portaient sur le style. J'ai fait l'étude comparée des deux versions, et j'y ai constaté un effort remarquable de concision. Dans *Les Egarements de Minne*, quand Minne vient de coucher avec le baron Couderc, elle se dit en sortant de la garçonnière: «Encore un... Le troisième et sans succès.» Dans *L'Ingénue libertine* elle pense: «Voilà, c'est fait... Encore un, et sans succès.» Admirez comme la réflexion, ainsi formulée, a un tour plus désenchanté. La première version fait ce commentaire: «Elle en voulait davantage à son mari, après chaque adultère infructueux.» Colette, sentant la lourdeur de cette note psychologique, la supprime dans la seconde version. Lorsque Minne est nue devant le gros Maugis, qui prend pitié de sa détresse, elle lui avoue qu'elle a déjà eu trois amants: «Et pas un, pas un, vous entendez bien, ne m'a donné un peu de ce plaisir qui les jetait à moitié morts, à côté de moi.» Commentaire de la première version: «Elle est théâtrale et touchante comme une enfant qui jouerait *Phèdre*.» Commentaire de la seconde: «Elle est théâtrale et touchante.» Plus de verbiage. La romancière possède maintenant cet art de couper court qui met les mots au service de l'action, et non l'inverse.

Minne, après des expériences décevantes, est touchée de l'amour de son mari Antoine qui, se sachant trompé, réagit noblement. Par reconnaissance elle lui dit: «Viens dans mon lit» et veut lui donner du plaisir. Elle décide en elle-même: «Je ferai *"Ah! Ah!"*, en tâchant de penser à autre chose.» Mais c'est là que le miracle s'accomplit, car comme elle cherche à donner le plaisir et non à le prendre, elle atteint à l'orgasme, qui la fuyait quand elle en faisait un but égoïste. Cette étreinte décisive, finement décrite, se terminait ainsi dans *Les Egarements de Minne*: «Enfin, elle tourna vers lui des yeux inconnus et chantonna: "Ta Minne, ta Minne, ta Minne...", mélopée démente extasiée tandis qu'enfin il la sentait défaillir, froissée contre lui, moirée de frissons.» Cela devient dans *L'Ingénue libertine*: «Enfin, elle tourna vers lui des yeux inconnus et chantonna: "Ta Minne... Ta Minne... à toi...", tandis qu'il sentait enfin, contre lui, la houle d'un corps heureux.» On voit que Colette écrit désormais comme Mme de La Fayette, qui disait qu'une période inutile retranchée d'une phrase valait un louis d'or.

La Vagabonde (1910) et sa suite *L'Entrave* (1913), exprimant les problèmes de la femme divorcée, voulant sauvegarder son indépendance et se faire respecter, déconcertèrent le public prenant Colette pour une romancière du sexe. Elle s'en expliqua en 1913 à Sylvain Bonmariage: «Je ne suis qu'un écrivain vrai. La vérité n'est jamais érotique. Pour être érotique, au sens occidental et péjoratif du mot, il faut forcer la réalité afin de lui donner un sens qu'elle n'a point.» Mais elle revint à l'approfondissement de la sexualité dans *Chéri* (1920), décrivant si bien les déboires d'une femme mûre avec son gigolo, et dans *Le Blé en herbe* (1923), roman de l'initiation sexuelle, celle du jeune Phil par la Dame blanche, se poursuivant parallèlement aux amours adolescentes de Phil et de Vinca.

En 1931, Marcel Arland fit un article sur «la vieillesse de Colette», qui atteignait la cinquantaine, comme si l'esprit d'une femme de lettres ne valait plus rien après la ménopause. Colette prouva le contraire en publiant *Ces Plaisirs* (1932), son livre le plus hardi, étudiant les rapports du vice et de l'amour d'après divers cas qu'elle avait observés. Elle évoqua d'abord Charlotte, «savante en tromperie, en délicatesse» (car elle persuadait par des plaintes modulées à son amant qu'il la faisait jouir, alors qu'en réalité elle «tenait en échec les sens»). Elle révèle les confidences d'un vieux don Juan qu'elle appelle «mon ami X...», d'un autre plus jeune, Damien. Dans un entretien avec Marguerite Moreno, elle examine le désavantage des femmes qui ont une «virilité spirituelle». Colette disserte longuement de l'homosexualité féminine, critiquant longuement Proust qui imagina «une Gomorrhe d'insondables et vicieuses jeunes filles». Elle nie que les lesbiennes forment une corporation de débauchées aussi bien organisée que celle des pédérastes: «Il n'y a pas de Gomorrhe... Intacte, énorme, éternelle, Sodome contemple de haut sa chétive contrefaçon.»

Les homosexuelles ne doivent pas se sentir fières en se contemplant dans le terrible miroir de *Ces Plaisirs*. Colette burine cruellement les portraits de celles qu'elle a fréquentées: «Quelques-unes portaient monocle, œillet blanc à la boutonnière, juraient le nom de Dieu et parlaient chevaux avec compétence.» Mais Colette les démasque brutalement, montre leur jobardise, leur misère sexuelle; l'une d'elles, hommasse, surnommée la Chevalière[1], exploitée par des petites grues inverties, se fit escroquer par un beau gigolo dont elle s'éprit parce qu'il l'appelait «mon père»; une autre, Lucienne, se rendait grotesque en voulant faire l'homme. Colette n'épargne pas la «puérilité» de Renée Vivien, et se moque d'elle-même quand elle s'exhibait avec «plastron à plis, col dur, parfois gilet, toujours pochette de soie». Seule une femme, et une femme d'expérience, pouvait écrire ce livre sur les plaisirs sexuels (et plus particulièrement homosexuels); un homme publiant ces pages se serait fait traiter par les féministes de misogyne ou de bourgeois

---

1. La Chevalière est en réalité Missi, dite la Marquise, avec qui Colette eut une liaison de 1906 à 1911.

rétrograde. Colette leur cloue le bec: elle a tout vu, elle sait tout et elle dit tout sans complaisance.

Lucie Delarue-Mardrus, surnommée la princesse Amande par ses amies «à cause de la blancheur de son corps entièrement épilé[1]», a confessé dans ses Mémoires ses passions lesbiennes. Son père, Me Georges Delarue, avocat des Compagnies d'assurances maritimes du Havre, avait six filles dont elle était la dernière (elle racontera leur enfance dans le *Roman de six petites filles*). Sa mère, toujours habillée de noir, était très froide: «Elle ne pouvait souffrir qu'on l'embrassât.» Adolescente, Lucie aimait se promener seule dans la campagne normande, nue sous une blouse bleu marine à parements rouges, avec un collier de baies de sorbier: «Née douce comme un agneau, j'étais en même temps irrévocablement indomptée», dit-elle. Son premier émoi lui vint d'une dame protestante, qui colla subitement ses lèvres sur les siennes. Puis une belle châtelaine de Normandie, mère de famille, qu'elle appelait Imperia, lui donna sur la bouche un baiser d'amour encore plus dévorateur: «Elle tenait ma tête dans ses mains, d'une emprise de bête de proie que jamais plus je n'ai surprise chez aucun être humain[2].» Cette scène, qui lui inspira son roman, *Le Beau Baiser*, lui révéla sa sexualité: «Je me sentais marquée, perdue; et cependant je venais seulement de naître.»

Jeune fille, s'installant à Paris, elle posa nue dans l'atelier d'une maîtresse de dessin pour des «photographies d'art» que les amateurs recherchaient, en 1897. D'une beauté ravissante, le teint mat, les yeux noirs, le corps élancé de Diane (sa grand-mère lui disait qu'on l'épouse-rait pour ses jambes), Lucie séduisit immédiatement le Tout-Paris. Elle rencontra à un dîner le Dr J.-C. Mardrus (son prénom était Jésus-Christ), né au Caire et élevé par les Jésuites, ancien médecin de marine devenu célèbre par sa traduction des *Mille et Une Nuits*. Bouleversé, il alla le lendemain chez ses parents la demander en mariage. Lucie se maria dix jours après, à vingt ans, le 6 juin 1900, en tenue de cycliste (robe à carreaux aux revers bleu de roi, canotier sur la tête), ce qui fit scandale. Ne voulant pas d'enfant, elle conclut un arrangement privé avec son mari et continua d'avoir des conquêtes féminines.

Lucie Delarue-Mardrus débuta par des poèmes et par un drame, *Sapho désespérée*, qu'elle interpréta elle-même le 10 mars 1906, les pieds nus, au Théâtre Fémina des Champs-Elysées, dans une mise en scène de Catulle Mendès; la presse parla surtout de ses pieds nus, dit-elle. Pour son premier roman, *Marthe, fille-mère* (1908), histoire de sa bonne, elle se documenta en assistant à des accouchements au service du professeur Pozzi à la Maternité. Parmi ses nombreux romans, certains sont d'un érotisme subtil, à la fois intellectuel et passionnel, comme *L'Acharnée* (1910) où les rapports sexuels sont étudiés non dans le lit, mais autour du lit, avec des notations fulgurantes: «Il se remémora des visages de

---

1. Natalie Clifford-Barney, *Souvenirs indiscrets* (Paris, Flammarion, 1951).
2. Lucie Delarue-Mardrus, *Mes Mémoires* (Paris, Gallimard, 1935).

femmes pâmées. Il les revit à cet instant où le plaisir les blesse à mort, quand leur tête se renverse comme celle d'une victime et qu'une beauté funèbre passe sur leurs traits altérés. Alors la plus insignifiante devient, à son insu, majesteuse et tragique...»

L'Acharnée, d'après une baronne du Tout-Paris qui la fascinait, est l'histoire de Sheridan Saint-Ange dont les femmes disent: «Pas de cœur, mais quel amant!» Il revoit vieillie, enlaidie, la belle comtesse de Clairvilliers à cause de qui il a tenté de se suicider à quatorze ans, parce qu'il l'a surprise dans les bras d'un homme vulgaire. Il n'est plus amoureux d'elle, mais de son portrait par Hébert, la représentant telle qu'elle était autrefois. Il lui dit: «Quand vous avez été ceci, vous vous laissez devenir cela! Je vous en avertis, madame, vous me faites honte.» Il l'oblige à se farder, à s'habiller de façon à redevenir une beauté. Il a pour elle un désir transcendant et devient fou de colère en apprenant que la comtesse, ayant des sens exigeants, couche avec son beau-frère, un rustre. Le conflit sexuel entre eux a une âpreté terrible et ne s'apaise que devant le cadavre de Mme de Clairvilliers, assassinée par sa sœur; Sheridan se penche pour baiser ses lèvres froides en une scène de nécrophilie désespérée. Ce magnifique roman est d'autant plus troublant que Sheridan, l'Adonis blond élevé en fille par sa mère, est évidemment Lucie, la Diane brune élevée en garçon par son père.

Lucie Delarue-Mardrus fut la rivale littéraire de Colette qui, par moquerie, lui avait donné le sobriquet de Ferveur (d'après le titre d'un de ses recueils de poèmes). Un jour lors d'une réception, la voyant réservée en face de certains invités, Colette lui cria à tue-tête: «Qu'est-ce qu'il y a, Ferveur? Vous avez envie de faire pipi [1]?» Embarras de Ferveur, qui ne savait plus où se mettre, ayant reçu une excellente éducation dont elle disait: «Jamais un mot malsonnant n'avait pénétré chez nous. Dire "je m'embête" y était considéré comme une grossièreté.» Voilà un trait de la jalousie de Colette envers la princesse Amande.

Après la guerre de 1914-1918, où elle s'engagea comme infirmière, Lucie Delarue-Mardrus, divorcée du Dr Mardrus, fit d'autres livres curieux. *L'Ange et les pervers* (1930) dépeint Natalie Clifford-Barney sous les traits de Laurette Welles à qui Marion dit: «Vous êtes perverse, dissolvante, égoïste, injuste, têtue, parfois avare, souvent comédienne, la plupart du temps irritante... un monstre.» Lucie s'éprit de la chanteuse Germaine de Castro, au point de lui servir d'accompagnatrice au piano dans ses récitals; elle en fit l'héroïne d'*Une femme mûre et l'amour* (1935). Depuis sa mort en 1945 à Château-Landon, on ne parle plus de Lucie Delarue-Mardrus: c'est scandaleux, car elle a autant de valeur que Colette.

Enfin Renée Dunan apporta dans la république des Lettres une témérité d'expression que l'on croyait jusqu'alors réservée aux hommes. Née en 1892 à Avignon où son père était un important industriel, élevée au couvent de sept à seize ans, elle commença par être journaliste et fit

---

1. Lucie Delarue-Mardrus, *Mes Mémoires, op. cit.*

de la critique littéraire dans des journaux socialistes et anarchistes (*Les Humbles, Le Populaire, Le Journal du peuple*, etc.). Elle débuta dans la littérature galante en 1922 avec *La Triple Caresse*, que suivit *La Culotte en jersey de soie, confidences de femmes* (chacune racontant comment elle avait défendu sa culotte contre les entreprises d'un mâle). Dès lors elle ne cessa plus de publier, chaque année, des courts romans de plus en plus libertins, *Baal ou la magicienne passionnée* (1924), *La Flèche d'amour* (1925), *Mimi Joconde ou la Belle sans chemise* (1926), *Je l'ai échappé belle* (1927), *Frissons voluptueux* (1927), *Entre deux caresses* (1928), *Cantharide* (1928), etc. Ses chroniques gauchistes lui firent des ennemis qui l'attaquèrent: aussi lettrée qu'anticonformiste, elle ne se laissa intimider par personne.

Renée Dunan fut la première femme qui osa publier sous le manteau un roman pornographique d'une puissance et d'une crudité encore jamais atteintes par aucune de ses consœurs. Ce roman, *Les Caprices du sexe* (1928), qu'elle signa Louise Dormienne, conte les «audaces érotiques» de son héroïne en trois parties: *S'offrir — Se vendre — Aimer.* Louise de Bescé, fille d'un marquis, habitant un château au bord de la Loire, est troublée de surprendre un couple de paysans se possédant furieusement, et de recevoir les confidences de la vicieuse Julia Spligarsi, la maîtresse de son frère Zani de Bescé. Elle se donne au Dr Jacques de Laize, mais celui-ci ne la satisfait qu'à moitié; elle se fait alors déflorer par un ouvrier maçon et, honteuse de son acte, s'enfuit de la demeure paternelle. A Paris, elle veut travailler pour assurer son indépendance et constate que partout ses employeurs ne songent qu'à jouir d'elle. Par révolte, elle se lance dans la prostitution en décidant d'être souverainement perverse et, tout en se faisant entretenir par l'aviateur Léon de Silhaque et le banquier Blottberg, traverse les situations les plus obscènes que Renée Dunan décrit dans un style fort, mais non vulgaire, avec des aperçus très justes de psychologie sexuelle.

Au sortir d'une débauche Louise retrouve Jacques de Laize, devenu un gynécologue réputé dont les «méditations d'érotisme transcendant» nous sont rapportées. Toujours amoureux d'elle, il lui propose de l'épouser. Elle se récrie: «J'ai été aimée par tous les bouts, ou plutôt par tous les orifices, et devant et derrière, et en haut et en bas.» Il répond: «Que m'importe. C'est l'âme que je veux en vous et le corps offert comme une âme de chair. Alors je vous aurai toute neuve... Les mains d'une femme ne sont pas déshonorées parce qu'elle aurait récuré des casseroles, ni sa bouche parce qu'elle aurait eu la nausée.» Si bien que Louise se marie et que son histoire se termine par deux entrefilets de journaux annonçant qu'elle a eu un enfant et qu'elle est nommée présidente de la *Ligue pour la chasteté avant le mariage.*

Le roman suivant de Renée Dunan, *Une heure de désir* (1929), fut mis à l'Enfer de la Bibliothèque nationale à cause de sa hardiesse. Elle y fait l'étude fouillée de ce qui se passe, pendant une heure et demie, entre un homme et une femme à leur premier rendez-vous dans une chambre. Les sections ont des titres indiquant l'horaire de leur action.

4 h 10 : Jacques, bourgeois de vingt-neuf ans, accueille Isabelle, vingt ans, jeune fille qui se veut moderne et qui lui déclare : « Mon ventre me semble aussi noble que ma figure. » *4 h 40* : Jacques se donne beaucoup de mal pour inciter Isabelle à se déshabiller, car malgré toute sa crânerie elle a peur du mâle. *5 h 2* : commencent les « gentillesses », les baisers de toutes sortes, mais Isabelle résiste toujours. *5 h 33* : enfin elle est complètement nue et elle en pleure d'énervement ; il la console et l'acte sexuel a lieu. Renée Dunan analyse finement les réactions, les incompréhensions mutuelles, les sensations de ce couple tout au long de ce récit, dont elle dit en préface : « J'ai voulu y *mettre au net* les ressorts divers de la sexualité, du désir, et de l'intelligence appliqués aux pulsions sans lesquelles la vie renoncerait à durer. »

Elle continua à produire abondamment des nouveautés de ce genre, de *La Confession cynique* (1929) aux *Marchands de voluptés* (1934). Renée Dunan a cette qualité rare chez une femme et que l'on ne trouve avant elle chez nulle autre romancière : l'humour érotique. Elle parle joyeusement du sexe, avec des inventions saugrenues, des réflexions malicieuses. Dans *Les Pâmoisons de Margot* (1929), la dactylo Margot, que son amant, le poète Flavien Térébinthe, a abandonnée pour une femme-canon s'exhibant dans les foires, se réveille un matin tourmentée par les ardeurs de son tempérament : « Elle avait étreint, durant cette nuit agitée, tout ce qui se présentait : matelas, oreiller, traversin, et même la chimère de l'air. » Il lui sera facile de trouver des hommes dans la journée, car « elle savait les secrets qui sont propres à herculiser un amant », mais chaque fois qu'elle cédera à un galant, non sans protester, « juste assez pour sembler victime, chose à laquelle les femmes tiennent toujours, on se demande pourquoi », un contretemps empêche sa jouissance. Margot est renvoyée par son patron, l'industriel Papyracé, dont elle a voulu séduire le secrétaire « timide comme une bobine de Ruhmkorf », et après diverses tribulations comiques connaît avec son nouveau patron les pâmoisons désirées.

Agacette Duflan, dans *Les Jeux libertins* (1929), épouse un jeune homme lui disant qu'il aspire à la faire crier de volupté (« On crie donc ? » dit-elle, stupéfaite). Mais comme elle n'éprouve aucun besoin de crier durant les ébats conjugaux, elle s'étiole : « Bientôt elle fut hantée par le désir. Non qu'elle désirait en fait. Elle *désirait seulement désirer*. Et c'était dans ses nerfs une attente dont elle souffrit. » Elle a des amants qui la déçoivent, tandis que son mari prend pour maîtresse « Eustate Proustière, le fameux écrivain, prix littéraire des penseurs navarrais et welches... Elle faisait tout ce qu'elle voulait de ses dix doigts, même le pire ». A la fin Agacette se réconcilie avec son mari, qui la fait enfin vibrer.

Bien qu'elle ait publié près de cinquante livres (parmi lesquels une étude, *La Philosophie de René Boylesve*), on ne trouve aucun renseignement sur Renée Dunan, morte en 1936, dans de gros dictionnaires de littérature contemporaine où figurent des auteurs mineurs moins dignes d'être imposés à la postérité. C'est là une preuve de l'ostracisme regrettable frappant les femmes écrivant franchement sur le sexe : on dirait qu'elles dérangent les partis pris masculins.

L'étoile Anaïs Nin

De toutes les romancières modernes qui ont pratiqué ensuite l'érotisme littéraire, la meilleure fut Anaïs Nin, née en 1903 à Neuilly, fille du pianiste Joaquin Nin et de la chanteuse Rosa Cumel. Son père abandonna sa mère, qui émigra en 1914 aux Etats-Unis avec ses trois enfants. Sur le bateau, à onze ans, Anaïs commença son fameux *Journal*, qu'elle portait dans son petit panier. Toute sa jeunesse fut tourmentée par l'absence de son père, dont elle parlait en le nommant « l'ombre » (*the shadow*). Après un mariage raté, elle vint en France résider avec son frère aîné à Louveciennes, et publia en 1931 un essai sur D.H. Lawrence (ce qui était fort courageux, puisque ce dernier venait de mourir insulté par presque toute la presse anglaise). Cette année-là sa rencontre avec Henry Miller et sa femme June fut le stimulant décisif de sa carrière.

En février 1932, Anaïs Nin note dans son *Journal* : « J'ai rédigé les deux premières pages de mon nouveau livre, *La Maison de l'inceste*, dans un style surréaliste. Je suis influencée par *Transition*, Breton et Rimbaud [1]. » En effet, Anaïs Nin, passionnée pour les rêves et la prospection de l'inconscient, liée avec Antonin Artaud et le Dr René Allendy, est un écrivain surréaliste : seule la timidité l'empêcha de participer à l'activité du groupe de Paris. Au printemps 1937, elle avoue : « Présentée à André Breton, ai failli m'enfuir prise de panique. Il m'inspire de la terreur parce que j'ai tout à fait conscience que ses idées nous ont tous profondément marqués. Et il est lui-même un grand poète [2]. »

The House of Incest parut en 1936 ; c'est un long poème en prose, commençant par l'éloge de l'océan primordial, puis par un chant d'adoration à une femme, Sabina, qui n'est pas une amie, mais un être abstrait, le *Surmoi* d'Anaïs, la femme idéale qu'elle veut être. La seconde partie évoque une femme infirme, Jeanne, mal mariée, qui prétend être amoureuse de son frère et être obsédée par le souvenir de son père lui caressant les seins. Ce texte, sorti de l'inconscient comme un cauchemar, exprime symboliquement le narcissisme d'Anaïs Nin et son problème œdipien. Jeanne, qui est son *Ça* comme Sabina son *Surmoi*, la conduit dans « la maison de l'inceste » où gît un vieux peintre paralytique devant qui une danseuse espagnole exécute « la danse de la femme sans bras ». Cette scène angoissante terminant le récit incite la narratrice à penser qu'il faut s'échapper de « la maison de l'inceste » où chacun ne fait que s'aimer soi-même dans un autre.

En décembre 1940 Anaïs Nin, revenue à New York, apprend d'Henry

---

1. Anaïs Nin, *Journal*, t. I, traduction de Marie-Claire Van der Elst (Paris, Stock, 1969).
2. Anaïs Nin, *Journal*, t. II, *op. cit.*

Miller qu'un collectionneur lui demande d'écrire des histoires érotiques pour lui tout seul, et les paierait un dollar la page. Miller n'étant pas disposé à s'y mettre, Anaïs Nin décide de le faire à sa place. Chaque matin, après le petit déjeuner, elle écrit un morceau de littérature érotique en s'inspirant des *Kāma sūtra* et de *Psychopathia sexualis* de Krafft-Ebbing. Se prenant au jeu, elle en vient à vouloir décrire «les rapports sexuels comme les vit une femme». Pour tirer le plus d'argent possible du collectionneur, elle réunit des poètes de Greenwich Village, Harvey Breitt, Robert Duncan, George Barker, Caresse Crosby, qui tous rédigent avec elle des histoires érotiques. Elle se considère comme «la patronne d'une maison de prostitution littéraire snob». A dire vrai, cette prostitution littéraire n'est guère lucrative. Le collectionneur, qu'ils ne verront et ne connaîtront jamais, refuse le plus souvent leurs histoires parce qu'il les trouve «trop surréalistes». Il faut que le conte soit d'une indécence brutale, sans fioriture. Anaïs Nin est la seule à recevoir cent dollars à ses débuts. Puis, se lassant de cette entreprise, elle la conclut en adressant une lettre de rupture au collectionneur, au nom de tous ses amis. Mais en septembre 1976, quelques mois avant sa mort, Anaïs Nin résolut de publier en deux recueils, *Delta of Venus erotica* et *The Little Birds*, ses textes de cette période, en disant qu'ils représentaient «les efforts premiers d'une femme pour parler d'un domaine qui avait été jusqu'alors réservé aux hommes [1]».

Sa version de la genèse de *Venus erotica* a abusé les critiques. Ils y ont vu des exercices de littérature commerciale. Ce n'est pas du tout le cas. Je suis persuadé que *le collectionneur n'existait pas.* C'était un mythe forgé par Anaïs Nin elle-même d'après un racontar d'Henry Miller, un mythe qui lui servit d'alibi pour assumer sans culpabilité ses fantasmes sexuels. Elle était privée d'analyste, après avoir été psychanalysée par Otto Rank. Elle se sentit le besoin d'une auto-analyse extériorisant sa sexualité latente. Ce jeu avec un collectionneur fictif, où elle impliquait ses amis, lui permettait à la fois d'assouvir sa curiosité des névroses d'autrui et ses pulsions libidinales. Elisabeth Hardwick, dans *Partisan Review* (juin 1948), signalait chez Anaïs Nin «un appétit pathologique de mystification» (*pathological appetite of mystification*). Les petites sommes d'argent qu'elle disait toucher pour ces textes commandés par un inconnu, qui n'était même pas un éditeur, avaient probablement d'autres origines. Frances Steloff, la libraire de The Gotham Book Mart à New York, lui donna à cette époque une centaine de dollars pour acheter une presse et imprimer elle-même *Under a Glass Bell.* Faire croire à son entourage, puis au public (car elle le soutint aussi dans son *Journal* et dans la préface de *Venus erotica*), que ses nouvelles érotiques étaient faites non par goût, mais à contrecœur, pour payer la note du téléphone, cela supprimait la honte de les écrire, la honte de les montrer.

Les séances de travail avaient tout d'une psychanalyse de groupe.

---

1. Anaïs Nin ignorait que des Françaises comme Renée Dunan avaient eu avant elle cette audace. Elle est seulement la première Américaine à avoir publié des récits érotiques.

Elle dit: «Les homosexuels écrivaient comme s'ils étaient des femmes, satisfaisant leurs désirs d'être des femmes. Les timides décrivaient des orgies. Les frigides des ivresses effrénées. Les plus poétiques tombaient dans la bestialité, et les plus purs dans la perversion[1].» Comme cette remarque nous éclaire sur la psychologie des auteurs érotiques! Et Anaïs ajoute qu'ils se sentaient meilleurs d'avoir évacué dans l'imaginaire leurs obsessions sexuelles: «Ecrire de l'érotisme devenait un chemin vers la sainteté plutôt que vers la débauche.»

Venus erotica est certainement le livre le plus authentique et le plus curieux de l'érotisme féminin. Ses quinze nouvelles sont inégales, certaines semblant d'une perversité forcée; mais quelques-unes sont des réussites parfaites. La qualité dominante de l'ensemble est l'onirisme. Ces récits nous entraînent dans l'univers des rêves les plus fous d'une femme concernant l'amour physique. Anaïs Nin souffrait de frigidité, mais assumait sa condition avec plus de lucidité que George Sand. Une femme frigide (cet adjectif n'a évidemment rien de péjoratif) se fait des idées extraordinaires sur le plaisir sexuel, qu'elle voit toujours trop grand ou trop petit, jamais comme il est exactement. C'est d'ailleurs pour cela qu'elle est frigide (et qu'elle cesse de l'être le jour où la réalité l'aspire). Anaïs Nin le voyait immense, infini, et le lyrisme intense de son érotisme se nourrit de cette exagération constante. Elle décrit en termes de paroxysme l'orgasme idéal, comme un paradis où elle souhaite entrer, où elle se voit déjà en pensée.

Les allusions autobiographiques sont évidentes. *L'Aventurier hongrois* est une transposition vengeresse de son père, le don Juan qui a abandonné sa famille; elle en fait un séducteur beau, cosmopolite, si distingué qu'on le surnomme le Baron, et doué de besoins sexuels insatiables. La seule femme capable de le retenir quelque temps est la danseuse brésilienne Anita, qu'il va voir dans sa loge: «Elle était, à ce moment précis, occupée à passer du rouge à lèvres sur son sexe.» Bien qu'il apprécie son art de la fellation, le Baron la quittera pour satisfaire ailleurs son satyriasis si forcené qu'il en viendra à violer ses deux filles et même son fils. Dans *Artistes et modèles*, la narratrice pose nue chez un sculpteur, Millard (visiblement Miller), qui lui raconte comment la nymphomane Louise a connu le super-orgasme avec le Cubain Antonio; comment il a couché lui-même avec l'hermaphrodite Mafouka. Les rapports sexuels de la narratrice et de Millard sont contrariés par la femme de celui-ci, souvenir manifeste du triangle Anaïs-Henry-June Miller.

La plupart des nouvelles ont pour titres des prénoms: *Mathilde, Lilith, Manuel, Marianne, Linda, Marcel*, etc. Ce sont des portraits rêvés à partir de confidences entendues ou de fascinations personnelles. Lilith est une femme frigide à qui son mari dit un matin qu'il vient de lui donner de la poudre de cantharide; elle passe toute la journée dans un délire

---

1. Anaïs Nin, *Venus erotica*, traduit de l'américain par Béatrice Commengé (Paris, Stock, 1978).

sexuel qu'elle n'ose réaliser; et le soir il lui révèle qu'elle n'a jamais absorbé de cantharide, c'était une blague. Manuel est un exhibitionniste qui fait fuir les femmes en leur montrant ses organes génitaux; mais un jour, dans un compartiment de chemin de fer, quand il exhibe son sexe à une voyageuse assise en face de lui, celle-ci écarte les cuisses et lui dévoile le sien. Il en est si bouleversé qu'il l'épousera. Certains personnages secondaires sont des drogués qui ont des hallucinations érotiques. Martinez sous l'effet de l'opium voit une femme nue sans tête, avançant vers lui sa vulve «telle une tulipe que l'on aurait ouverte complètement de force». Une femme ayant fumé de la marijuana, lors d'une *party* où se trouve Millard, se prend pour une chienne: «Elle s'est mise à quatre pattes et a marché comme un chien. Nous l'avons déshabillée. Elle voulait nous donner du lait. Elle désirait que nous soyons ses chiots étalés par terre, tétant ses mamelles. Elle resta à quatre pattes et offrit ses seins à chacun de nous.» *Venus erotica* fait ainsi l'inventaire de toutes les bizarreries du désir. C'est Anaïs au pays des merveilles du sexe.

La nouvelle la plus caractéristique est *Elena*, avec son héroïne qui *attend quelqu'un*: «Si on lui avait demandé brusquement ce qu'elle espérait, elle aurait répondu: le *merveilleux*.» (En français dans le texte anglais: tant Anaïs Nin a été marquée par le *Manifeste du surréalisme*.) Dans une station de montagne en France, Elena rencontre Pierre qui lui fait connaître pendant dix jours des extases sexuelles qu'elle cherchait jusqu'alors en vain: «Quand elle fermait les yeux, elle avait l'impression qu'il avait plusieurs mains qui la caressaient partout, plusieurs bouches.» Elle revient seule à Paris, et tente de retrouver avec d'autres les mêmes sensations. Elle essaie de séduire l'homosexuel Miguel, mais celui-ci préfère sodomiser devant elle son giton Donald. Puis elle se donne à la belle lesbienne Leïla, dont elle reçoit la révélation du plaisir saphique. Leïla et Elena convoitent toutes deux Bijou, une jeune femme excitée-excitante «qui n'était qu'un sexe ambulant», et la possèdent en une séance extraordinaire de trio. Chez Leïla, elles se mettent nues et se laissent choir sur une fourrure blanche:

> Elles avaient cessé d'être trois corps. Elles devenaient bouches, doigts, langues et sens. Leurs bouches cherchaient une autre bouche, un sein, un clitoris. Corps enchevêtrés, bougeant très lentement. Elles embrassaient jusqu'à ce que le baiser devienne une torture, que le corps s'agite... La fourrure sur laquelle elles étaient allongées dégageait une odeur animale, qui se mélangeait à celle de leurs sexes.

L'arrivée à Paris de Pierre détourne Elena de ses liaisons féminines, car elle a besoin du contact physique de l'homme. «Je ne veux pas d'érotisme sans amour», dit-elle à Pierre. Mais, tout en l'aimant, elle se donne avec autant d'exaltation à un autre homme, car l'amour est pour elle une drogue aphrodisiaque l'incitant à jouir indéfiniment.

Ce qu'il y a de troublant en ces nouvelles érotiques, c'est qu'Anaïs Nin y garde toujours le sens de la beauté charnelle, et même de l'élégance morale dans les perversions. La vulve d'une femme y est toujours comparée à une fleur, son lubrifiant naturel à du miel. Mathilde écarte les jambes devant un miroir, pour se contempler le sexe et vérifier si elle offre quelque chose de précieux à son amant :

> Le spectacle était un enchantement. La peau était sans défaut, et les lèvres roses et pleines. Cela lui fit penser à la feuille d'un caoutchouc dont il sort un lait secret lorsqu'on la presse avec les doigts, une sécrétion à l'odeur particulière, comme celle des coquillages. Ainsi, de la mer, était née Vénus, portant en elle ce petit noyau de miel salé, que seules les caresses pouvaient extraire des profondeurs cachées du corps [1].

Ce n'est pas là l'auto-adoration d'une homosexuelle, car Elena éprouve devant le pénis de Pierre la même admiration idolâtre. Comme D.H. Lawrence, dont elle voulait être l'équivalent féminin, Anaïs Nin pensait que «les hommes et les femmes ont besoin les uns des autres», et aurait trouvé criminel de dégoûter les femmes des hommes ou les hommes des femmes.

Venus erotica est la clé de l'œuvre romanesque d'Anaïs Nin, car dans les cinq romans qu'elle publia de 1946 à 1961, formant son «quintette», *Les Cités intérieures*, ainsi que dans son grand roman surréaliste *Collages* (1964), on retrouve le même genre de personnages, le même climat passionnel. Mais l'auteur, délivré de la tentation d'expérimenter un érotisme direct, se contente maintenant de faire deviner ce que ses nouvelles racontaient crûment. Le roman initial de son «quintette», *Ladders to Fire* (en français : *Les Miroirs dans le jardin*), semble même l'agrandissement d'une nouvelle de *Venus erotica*, avec ses héroïnes en quête d'orgasme, Lillian, la pianiste frigide, la danseuse Djuna, et la flamboyante mythomane Sabina, en robe rouge et argent : «La première fois qu'on voyait Sabina, on avait l'impression qu'on allait assister à un incendie [2].» Jean Fanchette, ami d'Anaïs Nin, confirmant que Sabina la représente dans son «quintette» de romans, insinue que c'est l'anagramme d'*Anaïs B* (Anaïs *bis*).

La gloire internationale d'Anaïs Nin est née de la publication à New York, à partir de 1966, des neuf volumes de son *Journal*, ce monument de toute une vie de femme intelligente et passionnée. Mais il faut savoir que cet incomparable *Journal* a été amputé de ses parties érotiques, à la demande des partenaires dont elle révélait le comportement intime [3]. C'est précisément en attendant que parût un jour l'édition non expurgée de son *Journal* qu'elle publia *Venus erotica*, afin que l'on sût comment une femme concevait «la description poétique des rapports sexuels». A son exemple d'autres Américaines voulurent écrire des romans éroti-

---

1. Anaïs Nin, *Venus erotica, op. cit.*
2. Anaïs Nin, *Les Cités intérieures*, romans traduits de l'anglais par Anne Metzger et Elisabeth Janvier (Paris, Stock, 1978).
3. Ces pages retranchées furent révélées en 1986 dans *June and Me* (cf. *Cahiers secrets* d'Anaïs Nin, Paris, Stock, 1987).

ques, telle Erica Jong dans *Fanny* (1980), mais nulle n'a encore réussi à l'égaler.

Sous les masques d'O et d'Emmanuelle

Après la Seconde Guerre mondiale, Jean Paulhan prétendit avoir découvert une grande romancière érotique, Pauline Réage: «Enfin, une femme qui avoue!» écrivit-il en préface à son roman *Histoire d'O* paru en juin 1954 à Paris. Qu'avouait-elle? Que la femme ne désire pas être libre, mais esclave, et qu'elle éprouve une jouissance profonde à être séquestrée, humiliée et torturée par son amant. Il serait vraiment effarant qu'une femme soutienne une thèse aussi autodestructrice, mettant en péril tout son sexe. Mais l'*Histoire d'O* a été imaginée par Paulhan lui-même (le prénom de Pauline, rappelant Paulhan, est un demi-aveu) et c'est une prouesse d'esthète. L'ayant fréquenté à cette époque, je sais ce que l'on disait alors de la genèse de l'œuvre: Paulhan en a eu l'idée en 1951 lorsqu'il a publié *Le Marquis de Sade et sa complice* et qu'il a donné un commentaire de *Justine*. Alors que la Justine de Sade subit avec horreur les pires sévices de ses tortionnaires, Paulhan a pensé qu'il serait plus original de faire le contraire, de présenter une Justine se délectant de ces sévices.

Afin de démontrer que le roman avait été écrit par une femme — il savait bien qu'on en douterait —, Paulhan déclarait: «O, le jour où René l'abandonne à de nouveaux supplices, garde assez de présence d'esprit pour observer que les pantoufles de son amant sont râpées, il faudra en acheter d'autres. Voilà ce qui me semble à moi inimaginable. Voilà ce qu'un homme n'aurait jamais trouvé.» Mais si, c'est l'opinion classique de certains quinquagénaires sur les femmes. Sacha Guitry, dans *N'écoutez pas mesdames*, en 1942, avait eu toute une tirade là-dessus: «Souvenons-nous de notre première rencontre avec elle... Nous avions tout de suite vu si elle était blonde ou brune — et nous l'avions instantanément oubliée. Elle, et elle ne l'oubliera jamais... elle avait tout remarqué de nous, la cravate, le gilet, le bracelet-montre, le ressemelage des souliers, la petite cicatrice que nous avons à la joue droite», etc. Si Sacha Guitry avait voulu faire croire qu'un roman érotique était d'une femme, lui aussi il l'y aurait mise en situation de remarquer les pantoufles râpées de son amant. Cette observation d'O ne prouve donc pas que son histoire est de «Pauline Réage», mais que Paulhan et Guitry partageaient la même conception peu flatteuse de l'esprit féminin.

Pourtant, Paulhan ne fut pas le seul auteur de ce roman dont il établit le sujet et le plan. La particularité d'*Histoire d'O* est qu'elle a été écrite en collaboration par un homme et une femme, comme *Amélie de Saint-Far*. Car le pseudonyme de Pauline Réage couvrait également une femme, qui a participé à la rédaction de ce roman, et dont la qualité de

Une des douze illustrations de l'édition originale de *Gamiani*, 1833.
(B.N./cl. B.N.)

chille Devéria : lithographie de *Voluptueux ouvenirs,* ouvrage apocryphe de Roger de cauvoir, 1926. *(B.N./cl. B.N.)*

Les Douze journées érotiques de Mayeux, 1835. Une des lithographies attribuées à Traviès. *(B.N./cl. B.N.)*

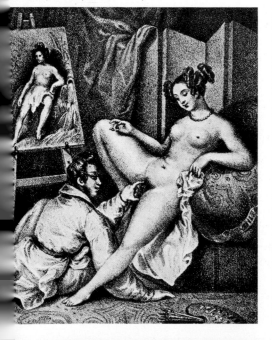

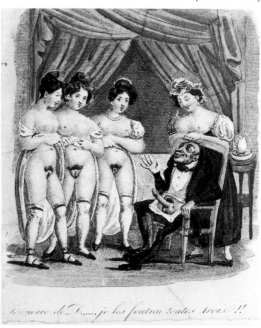

Ci-dessus : Léopold de Sacher-Masoch *(cl. Roger-Viollet.)*

En haut à droite et ci-dessous : Deux dessins de Lobel-Riche pour illustrer *Femmes* de Paul Verlaine, 1918. *(B.N./cl. B.N. © SPADEM 1989)*

Ci-dessus et page de gauche :
Franz Von Bayros - Scènes sado-masochistes (*circa*** 1907)**
(B.N./cl. B.N.)

Pascin : *Erotikon,* **suite de neuf planches gravées, 1933. Les planches 1 et 7.**
(B.N./cl. B.N. © SPADEM 1989)

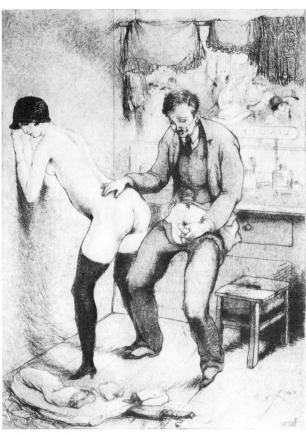

Deux illustrations de Viset
(Luc Lafnet) pour
Les Caprices du sexe
de Louise Dormienne (Renée
Dunan), 1928. *(B.N./cl. B.N.)*

Colette
(cl. Roger-Viollet.)

JE n'aime pas à voir l'époux à la mairie
  Qui, dès que son désir reçoit le sceau légal
Flanque sa pine au con de sa femme chérie
Pour remplir en public le devoir conjugal.

Une page de Pybrac de Pierre Louÿs illustrée par Marcel Vertès.
(B.N./cl. B.N. © ADAGP 1989)

Quatre illustrations de Louis Malteste pour
Baby douce fille **de Sadie Blackeyes**
(Pierre Mac Orlan). *(D.R.)*

Page de droite : Oscar Wilde dan
rôle de l'héroïne de son drame, *Salo*
(cl. Roger-Vio

André Masson : une illustration d'*Histoire de l'Œil* de Georges Bataille, 1928.
(B.N./cl. B.N. © SPADEM 1989.)

Marcel Jouhande
(cl. Roger-Violle

Gaston-Louis Roux : lithographie pour *Les Exploits d'un jeune don Juan* d'Apollinaire, 1926.
(B.N./cl. B.N. © ADAGP 1989)

temps me parle à l'oreille, quand il n'est plus là.

Si je dis : sa forme est en moi, ce n'est pas une métaphore. Comme au souvenir du soc l'humus fraîchement labouré, long-

Une page de *Tiré*
de Marcel Jouhandeau avec
dessin de Jean Cocteau, 19
(B.N./cl. B.N. © SPADEM 19

critique littéraire n'a pas peu contribué à lui donner son caractère artificiel. On dirait un pastiche de Sade fait par Proust.

O, photographe de mode, a pour amant René qui veut en faire une esclave sexuelle parfaite, et l'enferme dans une maison à Roissy où elle est à la disposition de tous les invités. Elle n'a pas le droit ni d'en regarder un au visage, ni de parler. On lui met un collier de cuir autour du cou, des bracelets avec lesquels on lui attache les poignets derrière le dos; cravache de bambou gainée de cuir, fouet à six lanières, fouet de corde à nœuds, crochets, chaînes d'acier, poteau, phare d'auto dont on l'éblouit servent à tourmenter la jeune femme. Le matin, à son réveil, un valet la fouette pendant cinq minutes pour «lui marquer les cuisses à la cravache, qui fait de belles zébrures, longues et profondes». René veille lui-même à ce qu'on la batte bien, et, lorsqu'elle a les yeux bandés, incite les autres à la violer:

> On la fit remettre à genoux, mais cette fois le buste reposant sur un pouf, toujours les mains au dos, et les reins plus hauts que le torse, et l'un des hommes la maintenant aux hanches s'enfonça dans son ventre. Il céda la place à un second. Le troisième voulut se frayer un chemin au plus étroit, et forçant brusquement la fit hurler. Quand il la lâcha, gémissante et salie de larmes sous son bandeau, elle glissa à terre: ce fut pour sentir des genoux contre son visage et que sa bouche ne serait pas épargnée.

Après de telles séances, René embrasse O doucereusement, en lui disant qu'il est content d'elle: «O écoutait et tremblait de bonheur, puisqu'il l'aimait.»

Ensuite, de retour à Paris, René offre O à sir Stephen afin qu'elle trouve en lui «le maître rigoureux que lui-même ne savait pas être». Sir Stephen moleste O dans son appartement, en y ajoutant la cruauté mentale. C'est pourquoi elle le préfère à René. Il lui demande cérémonieusement pardon quand il la cravache, mais il frappe dur: «Les balafres, sur le corps d'O, mirent plus d'un mois à s'effacer.» Voulant la voir «caresser une femme» devant lui, sir Stephen l'emmène dans une villa à Samois où une vieille lesbienne impitoyable, Anne-Marie, et ses assistantes fouettent O à tour de bras. O sera marquée au fer rouge sur les fesses des initiales de sir Stephen; on lui percera les lèvres du sexe de deux anneaux de fer, pour y pendre un disque de métal avec son nom gravé, «et au-dessous, un fouet et une cravache entrecroisés». Elle sera exposée nue sur un chevalet, les cuisses ouvertes, durant des heures. On la traînera par une laisse de chien vers des invités qui abuseront d'elle. O devient de plus en plus heureuse, et dénonce même un jeune homme qui veut la délivrer de son enfer. Pour remercier O de cette dénonciation et lui prouver qu'il tient à elle, sir Stephen la fait «maltraiter sauvagement» pendant trois jours et la livre ensuite, le corps couvert de lacérations sanglantes, au Commandant, «une sorte de géant au crâne nu» qui va la broyer sous lui.

Histoire d'O n'eut d'abord aucun succès, bien qu'on voulût en faire un événement mondain à la brasserie Lipp, où on lui décerna le prix

Cazes en janvier 1955. Il s'en vendit très peu d'exemplaires. Le public français refusa de s'intéresser à ces héros qui ressemblaient à des personnages de la Gestapo accablant de tortures une victime qui en redemandait. Puis la justice songea à le faire interdire, et Jean Paulhan fut interrogé comme auteur présumé [1]; dans sa déposition du 5 août 1955, il protesta qu'il n'avait ni écrit ni corrigé le manuscrit, qui d'ailleurs «n'était pas de son style». En réalité, on y reconnaît le ton (plutôt que le style) de *La Guérison sévère* et des *Causes célèbres*; Paulhan a été le concepteur, non le rédacteur d'*Histoire d'O*; il l'a écrite pour ainsi dire par procuration. Son ancien secrétaire affirme aujourd'hui qu'il n'a rédigé que quelques lignes de ce roman. Ce n'est évidemment pas lui qui a supprimé les alinéas pour conférer au texte un aspect compact et proustien; mais on peut lui attribuer tous les jeux de rhétorique glacée destinés à rendre cette histoire «décente». Cette décence affectée conduisit les deux auteurs à dire toujours «les reins» à propos des fesses, si bien qu'ils nommaient bizarrement l'anus et la raie «l'anneau des reins», «la fente des reins». La fausse décence aboutit à la fausseté du style.

Ce fut dans les années 1970 qu'*Histoire d'O* eut brusquement du succès, par un phénomène sociologique. Les Américains en firent un *best-seller*, parce qu'ils étaient tellement excédés de leurs militantes féministes vociférantes qu'un livre où une femme aimait se faire battre leur parut salutaire. Ils auraient bien voulu voir Kate Millett à la place d'O. En France on suivit le mouvement, au point qu'*Histoire d'O* fut mise en bande dessinée par Guido Crépax, et que l'hebdomadaire féminin *Elle*, quand en septembre 1975 sortit le film de Just Jaekin tiré du roman, lui consacra une page publicitaire disant: «Toute femme s'identifiera à O, l'image même de l'amoureuse qui offre tout.» Les rédactrices ne précisaient pas si elles aimaient se faire fouetter, violer et marquer au fer rouge. Une centaine de militantes de la Ligue du droit des femmes voulurent protester contre ce film et l'éloge de la torture qu'il impliquait, mais elles s'y prirent si maladroitement que les Parisiens ricanèrent de leur revendication fort compréhensible.

La collaboratrice de Jean Paulhan, acceptant d'être Pauline Réage afin de ne pas empêcher la promotion de celui-ci dans l'Ordre de la Légion d'honneur (dont avait jadis été radié Victor Margueritte pour *La Garçonne* d'une audace bien moindre) et son élection en 1963 à l'Académie française (qui avait repoussé avec horreur les candidatures de Théophile Gautier, de Zola, de Pierre Louÿs, jugés «beaucoup trop libres»), s'était affirmée le seul auteur d'*Histoire d'O* dans *Une fille amoureuse* (1969), prétendant avoir pris le prénom de Pauline en rappel

---

1. François Mauriac avait dévoilé, dans un article de *L'Express* (novembre 1954), qu'*Histoire d'O* était de Jean Paulhan lui-même.

de «deux célèbres dévergondées», Pauline Borghèse et Pauline Roland [1]. Après la mort de Paulhan, à l'occasion du film, elle donna une interview à *Elle* où Jacqueline Demornex la décrivait ainsi: «Pauline Réage a l'air d'une religieuse. Tailleur marine, talons plats, pas maquillée du tout.» Elle se prêta aussi à des entretiens avec Régine Deforges en vue de confirmer qu'elle était bien l'unique responsable de ce roman: «Il fut écrit la nuit, il y a plus de vingt ans. Je l'ai écrit pour quelqu'un qui aujourd'hui est mort.» Elle trahit toutefois le secret de leur collaboration en avouant: «Une femme ne pourrait pas jouer ce jeu sans un complice masculin [2].» Aujourd'hui on doit juger *Histoire d'O* à sa juste valeur: ouvrage d'un couple, et non ouvrage d'une femme; brillant exercice de style plutôt que révélation authentique de la sexualité féminine.

En 1960, un autre roman scandaleux, *Emmanuelle*, parut sans nom d'auteur; son éditeur clandestin, Eric Losfeld, le présenta à sa clientèle comme l'œuvre d'une jeune Thaïlandaise «de la pure race thaïe», épouse d'un diplomate en poste à Bangkok. Il était vraiment remarquable de voir une Extrême-Orientale citer si aisément Rémi Belleau, Paul Valéry, Yves Bonnefoy, etc., et surtout rédiger tout son livre dans le style de Losfeld lui-même, dont le roman du même genre, *Cerise ou le Moment bien employé* (1955), venait d'être condamné par le tribunal correctionnel de la Seine. Certains doutèrent de l'existence d'une telle romancière, mais Losfeld, lorsqu'il publia en novembre 1962 le tome II de ses aventures galantes, montra la photo qu'il avait reçue d'elle, assise toute nue sur sa terrasse, le dos tourné, ses cheveux noirs épandus jusqu'aux reins, avec cette dédicace: «L'auteur d'*Emmanuelle* écrivant le dernier chapitre de *L'Anti-vierge* à Pattaya». En 1968, dès que cette inconnue signa Emmanuelle Arsan la réédition d'*Emmanuelle*, quelques initiés chuchotèrent que l'«auteur» était son mari, Louis, devenu entre-temps fonctionnaire de l'Unesco à Rome où il s'occupait des villes sinistrées.

Au moins *Emmanuelle*, livre amusant, construit selon les recettes du roman érotico-exotique, ne parlait pas de torturer une fille enchaînée. D'emblée l'héroïne, jeune femme mariée de dix-neuf ans, dans l'avion la conduisant de Paris à Bangkok, se laissait masturber par le passager assis à côté d'elle et lui rendait ensuite la politesse avec art. Après l'escale unique, toujours à bord de cet avion, le même passager lui faisait l'amour d'une manière inoubliable; puis, se rendant nue au salon de toilettes, elle s'y trouvait seule avec un autre passager lui exhibant son membre gigantesque. «Des larmes coulèrent sur ses joues» tandis qu'elle «aidait de son mieux le serpent fabuleux à ramper au fond de son corps». Arrivée à Bangkok, Emmanuelle y recevait de son mari, qu'elle n'avait pas vu depuis six mois, des puissants témoignages de son désir. Elle fréquentait au Royal Bangkok Sports Club des libertines: Ariane, épouse

---

1. Pauline Roland ne fut pas une «dévergondée», mais une féministe noble et généreuse dont j'ai raconté l'apostolat tragique dans *Le Socialisme romantique* (Paris, Editions du Seuil, 1979).

2. Régine Deforges, *O m'a dit*, p. 83 (Paris, Jean-Jacques Pauvert, 1975).

du comte de Saynes, conseiller de l'ambassade de France, lui apprenait le squash et le saphisme; l'Américaine Bee l'engageait à des corps à corps passionnés; Marie-Anne se masturbait gentiment devant elle tout en discutant: «Son doigt tressaillait sur le clitoris comme une libellule.» Tout cela se passait dans un décor de bungalows et de forêts tropicales, ou «à travers les cyclo-pousse et moto-taxis qui enfumaient les rues bordées d'enseignes chinoises».

Marie-Anne, agacée de voir Emmanuelle céder au lesbianisme, la jetait dans les bras d'un Italien, Mario: «Il a l'âge qui convient pour toi: exactement le double du tien, trente-huit ans.» Mario est le raisonneur du livre, comme le Dolmancé de *La Philosophie dans le boudoir*. Il demande à Emmanuelle ce qui l'intéresse dans la vie: «Beaucoup jouir.» Il veut alors savoir sa conception de l'érotisme: «Le culte du plaisir des sens, affranchi de toute morale.» Il hausse les épaules, et réplique, péremptoire: «C'est tout le contraire... Ce n'est pas un culte, mais une victoire de la raison sur le mythe. Ce n'est pas un mouvement des sens, c'est un exercice de l'esprit. Ce n'est pas l'excès du plaisir, mais le plaisir de l'excès. Ce n'est pas la licence, mais une règle. Et c'est une morale.» Ce professeur de jouissance déroulera sans trêve des préceptes raffinés, et ne possédera pas Emmanuelle, prétendant: «Faire l'amour, ce n'est pas nécessairement faire acte d'érotisme. Il n'y a pas d'érotisme là où il y a plaisir sexuel d'impulsion, d'habitude, de devoir.» Il préférera la faire posséder par d'autres devant lui pour contempler en esthète ses orgasmes. Dans la scène finale, Mario ne caresse Emmanuelle sur la banquette d'un *sam-lo* (ou tricycle) que pour l'exciter à se donner au triporteur jaune qu'il sodomisera en même temps, afin qu'elle ait l'impression que son amant la prend par personne interposée.

La suite d'*Emmanuelle*, ayant pour sous-titre *L'Anti-Vierge*, montrera l'héroïne de plus en plus endoctrinée par Mario, qui lui inculquera la philosophie de l'érotisme en tirades interminables. Puis Emmanuelle Arsan (pseudonyme de Maryat et Louis Rollet-Andrianne) publia *Nouvelles de l'érosphère* (1969), récits de science-fiction érotique très décevants, des articles réunis dans *L'Hypothèse d'Eros* (1974), et deux romans, *Néa* (1976), *Laure* (1977), qui n'eurent pas le succès d'*Emmanuelle* et pour cause. L'intérêt du premier roman était d'être le contrepoison d'*Histoire d'O*, en présentant un portrait de jouisseuse délurée.

La révolte des femmes surréalistes

Le surréalisme ayant beaucoup exalté la femme et la liberté, il était normal qu'il suscitât des poétesses exprimant librement leur sexualité. La plus audacieuse de toutes est Joyce Mansour qui, en 1954, se révéla par *Cris*, une plaquette contenant des poèmes d'un ton entièrement nouveau. Le sexe et la mort, Eros et Thanatos, en étaient les deux thèmes mêlés en une seule obsession hurlante, grondante; les vers de Joyce Mansour semblaient des feulements de panthère noire, dont elle avait elle-même l'allure et la fougue sauvage. La violence de ses aveux lesbiens rendait insipide la littérature à la guimauve de Renée Vivien:

> *J'aime tes bas qui raffermissent tes jambes*
> *J'aime ton corset qui soutient ton corps tremblant*
> *Tes rides tes seins ballants ton air affamé*
> *Ta vieillesse contre mon corps tendu*
> *Ta honte devant mes yeux qui savent tout*
> *Tes robes qui sentent ton corps pourri*
> *Tout ceci me venge enfin*
> *Des hommes qui n'ont pas voulu de moi*[1].

On était loin de l'hypocrisie des invertis de la Belle Epoque, invoquant toujours «la pureté» à propos de leurs tripotages les plus impurs. On avait au contraire, en notations brutales, des vues sur les rapports d'une vieille vicieuse et d'une jeune femme insatisfaite:

> *Elle m'aime égoïstement*
> *Elle aime que je boive ses salives nocturnes*
> *Elle aime que je promène mes lèvres de sel*
> *Sur ses jambes obscènes sur son corps effondré.*
> *Elle aime que je pleure mes nuits de jeunesse*
> *Pendant qu'elle épuise mes muscles qui s'indignent*
> *De ses volontés abusives*[2].

Mais Joyce Mansour ne se contentait pas d'évoquer d'une manière inouïe l'amour entre femmes, elle parlait avec la même crudité du désir de l'homme:

> *Que mes seins te provoquent*
> *Je veux ta rage*
> *Je veux voir tes yeux s'épaissir*
> *Tes joues blanchir en se creusant.*
> *Je veux tes frissons.*
> *Que tu éclates entre mes cuisses*
> *Que mes désirs soient exaucés sur le sol fertile*
> *De ton corps sans pudeur.*

Dans son recueil suivant, *Déchirures* (1955), son style se compliqua d'une imagerie baroque, macabre, exprimant l'auto-érotisme, le sentiment de métamorphoses inquiétantes («La nuit je suis grenouille... Le jour je suis serpent»), et même d'étonnantes sensations prénatales:

> *Je me souviens de la matrice de ma mère*
> *Elle était tendrement rosée*

---

1. *Cris*, Paris, Seghers, 1954.
2. *Ibid.*

Et ses parois sentaient la peur [1].

Une férocité allègre soulèvera les poèmes de *Rapaces* (1960) où Joyce Mansour, tout en harcelant les hommes de ses traits, s'insurge contre les femmes de Lesbos dans une envolée superbe:

> *Je veux partir sans malle pour le ciel*
> *Mon dégoût m'étouffe car ma langue est pure*
> *Je veux partir loin des femmes aux mains grasses*
> *Qui caressent mes seins nus*
> *Et qui crachent leur urine*
> *Dans ma soupe*
> *Je veux partir sans bruit dans la nuit*
> *Je vais hiverner dans les brumes de l'oubli*
> *Coiffée par un rat*
> *Giflée par le vent*
> *Essayant de croire aux mensonges de mon amant* [2].

Créature de luxe, à qui son origine égyptienne donnait l'air d'une Cléopâtre moderne, mais se flattant plutôt d'être une championne de course à pied que de vivre dans un cadre somptueux, Joyce Mansour ne cessa plus d'exalter la révolte féminine intégrale. A partir de *Carré blanc* (1966), ses poèmes, autrefois courts et mordants, s'étirèrent, devinrent longs monologues incantatoires au rythme haletant. Toujours ils paraissaient produits par une éruption de sa sexualité volcanique.

> *J'aime faire l'amour accoudée à une bête*
> *Admirer les mouvements des funestes augures*
> *Qui s'agitent au plafond dans leurs pantoufles dorées*
> *J'aime extraire les organes du génie le plus solide*
> *Pour l'étaler en plein jour*
> *Sur les folles dentelles de Bruges*
> *J'aime engloutir les furieux du Caucase*
> *Leurs sexes ont un goût de famine.*

Dans *Les Damnations* (1966), qu'elle dédie à «André Breton demain» (le poète venait de mourir), où Joyce Mansour se dit possédée par «le désir du désir sans fin» et annonce: «Je suis le tourbillon de Gomorrhe», dans *Faire signe au machiniste* (1976), sa poésie souffle en tempête, répand comme des rafales de vent brûlant ses pensées luxurieuses et ses angoisses:

> *Quel phallus sonnera le glas*
> *Le jour où je dormirai sous un couvercle de plomb*
> *Fondue dans ma peur*
> *Comme l'olive dans son bocal*
> *Il fera froid métallique et laid*

---

1. Joyce Mansour, *Déchirures* (Paris, Editions de Minuit, 1955).
2. Joyce Mansour, *Rapaces* (Paris, Seghers, 1960).

Je ne ferai plus l'amour dans une baignoire émaillée
Je ne ferai plus l'amour entre parenthèses
Ni entre les lèvres javanaises d'un gazon de printemps
J'exsuderai la mort comme une moiteur amoureuse
Cernée assaillie par des visions d'octobre
Je me blottirai dans la boue [1].

La prose de Joyce Mansour n'a pas la qualité de sa poésie, car l'écriture automatique amène au jour le meilleur et le pire. Ses récits *Jules César, Les Gisants satisfaits* (réunis en 1973 dans *Histoires nocives*) ont des outrances assez pénibles. Mais dans les sept textes de *Ça*, on trouve un dialogue extraordinaire, *L'Ivresse religieuse des grandes villes*. Un homme est allongé sur une femme qui dit à voix très basse: «Je suis la gardienne de ton coffre-fort. La gloutonne. L'ogresse qui fait jaillir ton désir, flcur ailée, comme un sanglot. Ne bouge plus. Je t'écrase de mon poids parfumé. Je communie.» Il répond sur le même ton, et à leurs propos de plus en plus fous, on comprend que ce sont les deux inconscients d'un couple qui se disent l'indicible durant l'acte sexuel. Avant sa mort le 27 août 1986 à Paris, Joyce Mansour eut d'autres coups d'éclat, comme *Le Bleu des fonds*, sa pièce en un acte où Maud, son père le Flotteur et son mari Jérôme illustraient le drame de sa libido tourmentée.

Monique Watteau, d'abord actrice du Conservatoire royal de Liège (sa ville natale), fit ses débuts de romancière à Paris avec *La Colère végétale* (1953), où le critique de *Combat* discerna «la voix d'un *érotisme tendre*». Son héroïne Jennifer, «née de l'amour et pour l'amour», s'éprend dans la jungle de Bali d'un chasseur de fauves, Piet Huizinga; mais «les dieux verts» — les arbres dont elle sait parler le langage — essaient d'empêcher leur union. Le couple s'enfuit dans une île de la Méditerranée; là les arbres, les algues et même les roses autour d'eux, se gonflant et devenant énormes, finissent par tuer Jennifer. D'autres romans de Monique Watteau, *La Nuit aux yeux de bêtes* (1956), *L'Ange à fourrure* (1957), *Je suis le ténébreux* (1962), furent de belles allégories de la sexualité féminine; plus tard, devenue Alika Lindbergh, elle s'adonna à l'élevage des singes sud-américains, auxquels elle consacra des livres comme *Nous sommes deux dans l'Arche* (1975).

Nelly Kaplan, après avoir réalisé avec Abel Gance le film *Magirama*, qui lui valut d'être accueillie dans le surréalisme par André Breton lui-même, commença d'écrire sous le nom de Belen des livres d'un érotisme insolent et goguenard, assaisonnés d'une pointe de fantastique. Le premier fut *La Géométrie dans les spasmes* (1959), recueil de contes brefs aux titres jouant sur les mots. L'un d'eux, *Le Plaisir solidaire*, est le monologue d'une morte que l'on vient d'enterrer et que déterre un détrousseur de cadavres qui, la voyant encore belle, la viole. Bientôt, elle ressuscite sous ses caresses ardentes: «Nous quittons, bras dessus, bras

---

1. Joyce Mansour, *Faire signe au machiniste* (Paris, Le Soleil Noir, 1976).

dessous, le cimetière... Je *sais* que nous vivrons très heureux et que nous n'aurons pas d'enfants.»

Nelly Kaplan, alias Belen, on le voit, introduit un élément nouveau dans l'érotisme : l'humour noir. Renée Dunan s'en tenait uniquement à l'humour rose. Le deuxième recueil de Belen, *La Reine des sabbats* (1962), entre des aventures de vampires et de sorcières, contient les lamentations d'une meurtrière qui a étranglé son amant avec ses bas de soie noire, et qui dit finalement au cadavre : «Je t'avais prévenu mille fois que tu m'exaspérais avec ton habitude de ne pas enlever tes chaussettes pour faire l'amour!» Dans *Le Réservoir des sens* (1966), illustré par André Masson, le conte donnant le titre au livre est l'histoire du robot Cornelius qu'une femme ingénieur a créé pour qu'il la fasse jouir mieux qu'un homme. Il avoue : «Chacune de nos étreintes provoque en moi des court-circuits différents, quoique toujours exquis.» Mais le robot manifeste des tendances homosexuelles envers le mécanicien chargé de le réparer. Sa maîtresse, furieuse, s'oppose à cette passion imprévue. Le robot se délivre de sa gêneuse en lui donnant tant d'orgasmes qu'elle se désintègre : «Elle est morte rassasiée, celle qui fut ma parfaite, splendide maîtresse inassouvie.»

Au temps de son film *La Fiancée du pirate*, Nelly Kaplan reprit le masque de Belen pour écrire les *Mémoires d'une liseuse de draps* (1974), roman accumulant les outrances. Mais l'humour noir est difficile à manier tout au long d'un roman : ce qui faisait le piment de ses contes l'entraîne ici à des vulgarités intempestives. La narratrice, abandonnée par sa mère, est élevée sur le *Sperma*, bateau dont son père est le capitaine : «Mon premier souvenir : les barbes salées de l'équipage au complet du *Sperma* penché sur mon berceau, essayant de me nourrir avec des bâtonnets de lait condensé solidifié.» Ces bâtonnets, dits sucettes Suzy, et la cargaison de mille neuf cent dix-sept bananes que le *Sperma* amène aux mille neuf cent dix-sept habitants d'une île des Galapagos, permettent des plaisanteries phalliques faciles. La fillette passe son enfance à nager parmi les requins, à se faire lécher par son lionceau Gruffy, et à regarder les hommes d'équipage violer l'un après l'autre Dolly Lastex, femme en matière plastique «grandeur nature, avec des yeux de cristal vert et une bouche à pile». Quand elle est nubile, son père l'installe dans une maison à Amsterdam, où il la déflore lui-même avant d'être tué par les bandits de José Acero.

Elle embarque sur un bateau pour la mer de Chine, et arrive à Shanghai où elle est nommée surveillante en chef des soixante-neuf chambres du Palais Obsexuel. Elle connaît l'amour des femmes, des hommes, «la caresse amoureuse du serpent». Elle devient «pâle et rayonnante», ce qui l'amène à poser cette question : «Est-ce le phosphore du sperme qui donne aux jeunes femmes nues cette sorte de halo à la limite du visible, qui semble les habiller comme un préservatif mysti-que[1]?» C'est alors qu'elle découvre son «étonnant pouvoir supranor-

---

1. Belen, *Mémoires d'une liseuse de draps* (Paris, Jean-Jacques Pauvert, 1974).

mal»: elle est capable de lire l'avenir dans les taches séminales laissées sur les draps par les clients du Palais Obsexuel après leurs jouissances. On vient la consulter de toutes parts. Puis l'héroïne va à Ispahan et y devient la maîtresse du prince Abli Aba, de la dynastie Kadjar; elle se rend ensuite à Buenos Aires, fait l'amour avec José Acero, le meurtrier de son père, et l'égorge au moment où il éjacule. Enfin, elle est à Paris, admise dans la secte des Vampires, dont les chefs sont Angec (Gance), «étonnant vampire solaire», et Norteb (Breton), «le chasseur de feu». Ces *Mémoires d'une liseuse de draps*, d'un érotisme assez corrosif, se terminent sur deux récits de rêves.

D'autres femmes du surréalisme ont écrit des beaux livres révélateurs de la sexualité féminine, de Valentine Penrose dans *La Comtesse sanglante* (1962) à Unica Zürn dont *L'Homme-Jasmin* (1971) est un témoignage particulièrement bouleversant du rapport entre schizophrénie et érotomanie; tombée amoureuse d'Henri Michaux (pour elle «l'homme-jasmin») en lisant ses livres, elle inventa une série de «jeux à deux» pour se donner à lui en rêve. Régine Deforges, qui en ses éditions l'Or du Temps (qu'elle nomma ainsi à cause de la phrase d'André Breton: «Je cherche l'or du temps») publia clandestinement, dans les années de censure, maints classiques de l'érotisme (Nicolas Chorier, Nerciat, etc.), fut elle-même l'auteur de *Contes pervers* (1980) d'un style humoristique.

L'aînée de toutes, Lise Deharme, évolua curieusement en ses dernières années. Lise Deharme fut une Egérie du surréalisme dès 1931, au temps où elle fonda la revue *Le Phare de Neuilly*, à laquelle collabora Jacques Lacan. Bien qu'elle eût publié en 1933 un recueil de poèmes, *Cahier de curieuse personne*, Lise Deharme ne commença vraiment son œuvre qu'en 1945 avec *Cette Année-là*, à un âge où certains critiques croient qu'une femme n'a plus rien à dire, alors que c'est celui de son renouveau spirituel et sexuel. Ses romans, d'abord pudiques, devinrent plus osés à partir de *L'Amant blessé* (1966).

En 1969, à soixante-douze ans, Lise Deharme donna ainsi un roman érotique, *Oh! Violette ou la politesse des végétaux*, qui fut interdit. Elle eut beau multiplier les démarches pour faire casser le jugement du tribunal correctionnel, elle n'y parvint pas. Eric Losfeld dit: «La raison est que j'en étais l'éditeur; publié ailleurs, le livre n'aurait jamais eu d'ennuis [1].» Il n'en est pas moins vrai que ce roman est empreint d'un érotisme des plus vifs, quoique gracieux. Violette, comtesse de Lazagnon, est une jeune femme se promenant volontiers nue et s'abandonnant sans contrainte aux désirs qu'elle suscite chez ses proches, son père le marquis, son frère Nicolas, Mme de Mélignon, «la dame aux beaux seins», le sculpteur Marco, Odet, Lord Straightame, etc. Au cours d'une orgie au château de Mille-Secousses, Violette préfère s'isoler dans une serre et faire l'amour avec les fleurs. C'est le premier exemple d'un roman érotique écrit par une septuagénaire, et il a une fraîcheur d'imagination constante, avec des réflexions délicates de ce genre:

---

1. Eric Losfeld, *Endetté comme une mule ou la passion d'éditer* (Paris, Belfond, 1977).

«Nous avons tous dans le passé un jour de bonheur qui nous désenchante de l'avenir.» Lise Deharme publia à soixante-dix-neuf ans son dernier roman, *La Marquise d'enfer* (1976), non moins hardi. La sensibilité amoureuse des femmes ne vieillit jamais.

L'Enfer du féminisme

La littérature féministe moderne s'est aussi attaquée à la question sexuelle, mais en faisant souvent preuve d'un obscurantisme désolant. Le paradoxe du féminisme d'après-guerre est qu'il partit d'un livre, *Le Deuxième Sexe*, dont Simone de Beauvoir publia le premier tome en 1949 *pour liquider le féminisme*. Elle le déclare dès les premières lignes: «La querelle du féminisme a fait couler beaucoup d'encre, à présent elle est à peu près close: n'en parlons plus.» Elle dénonce «les volumineuses sottises» que les femmes écrivirent sur ce sujet, sans se douter qu'elle allait être responsable d'autres erreurs de la part d'imitatrices s'emparant de ses idées les plus contestables. Simone de Beauvoir soutenait que la féminité n'existait pas, ce n'était qu'une invention des hommes, qui s'obstinaient à voir en la femme l'Autre, alors qu'elle était la Même. Pour étayer ce principe faux — car ce ne sont pas les hommes qui ont inventé la matrice, la grossesse, le système endocrinien donnant aux femmes une autre sensibilité que la leur — , elle s'en prit à toutes sortes d'écrivains coupables d'avoir cru à la féminité, de Stendhal à André Breton.

A sa suite, quelques femmes de lettres entreprirent la critique systématique du «discours masculin». Il s'agissait de démontrer que de tout temps l'homme avait été un tyran épouvantable ne comprenant rien à ce diamant sans défaut qu'était la femme. Mais elles ne combattaient pas exclusivement les goujats — ce qui était souhaitable —, elles s'acharnaient aussi contre les hommes les plus attentionnés. La galanterie leur semblait une offense grave: c'était reconnaître que la femme avait une féminité méritant des égards particuliers. Simone de Beauvoir s'indigne dans *Le Deuxième Sexe* (tome II, 1952) des amants qui veulent faire jouir leurs maîtresses et proteste aigrement qu'ils devraient comprendre que la plupart n'ont pas besoin d'orgasme. Dans *Les Mandarins* (1954), son héroïne s'offusque parce que le révolutionnaire Scriassine lui baise respectueusement la main dans le hall du Ritz: il la traite comme si elle était l'Autre et non la Même, quel horrible salaud!

La première disciple de ces théories fut Christiane Rochefort, qui débuta par un roman fort intéressant, *Le Repos du guerrier* (1958), où l'homme apparaissait sous un jour affreux, mais où la femme n'était nullement présentée comme une révoltée, bien au contraire. Une étudiante de bonne famille, Geneviève du Theil, lectrice de *L'Etre et le Néant*, sauve par hasard du suicide un inconnu, Renaud Sarti, et s'attache à lui. Dès qu'il couche avec elle, il lui révèle l'amour physique: «Ses yeux me dénudent plus que ses mains, débusquent la vérité: je ne connais pas le plaisir. Je revois mes quelques pauvres aventures, où je me croyais heureuse, où personne n'en dissipait l'illusion[1].» Mais Renaud est un asocial, sans profession, ivrogne, passant son temps à lire des romans policiers et à faire des discours nihilistes, caressant devant elle son amie Marie-Agnès; elle accepte tout, parce qu'il l'a fait jouir. Elle loge, nourrit, entoure de son humble tendresse ce triste individu qui lui dit: «Je n'ai pas besoin qu'on m'aime. Je m'en fous.» Elle se raccroche à lui comme une naufragée à une planche pourrie. En vérité, *Le Repos du guerrier* dément involontairement la thèse de Simone de Beauvoir, puisqu'on y voit une femme considérant l'homme comme l'Autre (et non l'inverse). A la fin, après avoir failli mourir, Geneviève enceinte de lui l'entend lui dire: «Epouse-moi. S'il te plaît.» Elle l'épouse pour «l'obliger à se soigner» et pendant qu'il entre se faire désintoxiquer dans une clinique elle se justifie: «Je ne suis qu'un instrument, je joue le rôle qu'il m'a donné. C'est lui qui fait tout, pas moi.» Livre poignant, montrant bien le désarroi de la femme n'osant pas se délivrer d'un mufle qui lui a procuré l'orgasme (autre démenti à Simone de Beauvoir), *Le Repos du guerrier* eut une qualité d'écriture que Christiane Rochefort ne retrouva plus dans ses fictions ultérieures, lourdement existentialistes, comme *Une rose pour Morrisson* (1966).

Violette Leduc publia à trente-neuf ans son premier livre, *L'Asphyxiée* (1946), fait sur mesure pour plaire à Simone de Beauvoir, qui la prit sous sa protection. Atteinte du délire de la persécution, ressassant interminablement ses malheurs — celui de n'avoir pas connu son père, étant née d'une fille-mère, et celui d'avoir un gros nez rond (elle se comparait à «un spectre laid comme un pou») —, Violette Leduc avait tout d'une psychopathe, mais avec des aspects littéraires intéressants. *La Bâtarde* (1964), le livre qui l'a lancée, commence par cette phrase: «Mon cas n'est pas unique: j'ai peur de mourir et je suis navrée d'être au monde.» Elle y raconte ses amours avec Hermine, pianiste et institutrice, en termes expressifs: «J'ai trouvé de la chaleur dans la bouche d'Hermine, elle a trouvé de la chaleur dans ma bouche.» Et aussi ses amours avec Gabriel, car elle était ambisexuelle, allant irrésistiblement d'un sexe à l'autre.

Le succès de *La Bâtarde* permit la publication de *Thérèse et Isabelle* (1966), partie retranchée de *Ravages* à cause de la censure. A la première page, Thérèse attend Isabelle dans les cabinets du collège et se penche sur la cuvette où «l'eau triste» reflète son visage. Isabelle vient s'enfermer avec elle en ce lieu, mais il ne s'y passera rien de sordide. Violette Leduc, dont Simone de Beauvoir corrigeait d'ailleurs les manuscrits, n'a aucune grossièreté. Durant la récréation, les deux collégiennes en transe échangent là les mots et les gestes du désir fou. Leur liaison se poursuivra en étreintes furieuses au dortoir, dans la salle de solfège déserte; puis elles décident de se rendre ensemble dans un hôtel de passe. Thérèse, en caressant Isabelle, a l'impression qu'un œil l'épie, ce qui ajoute l'angoisse

---

1. Christiane Rochefort, *Le Repos du guerrier* (Paris, Grasset, 1956).

au plaisir. Les fillettes s'exaltent, se jurent: «Nous ne nous quitterons jamais.» Mais la narratrice conclut: «Le mois suivant, ma mère me reprit. Je ne revis jamais Isabelle [1].»

Après sa mort en 1972 parut *La Chasse à l'amour*, le complément de ses autobiographies précédentes. On y apprend qu'à la fin de sa vie elle eut pour amant un ouvrier maçon, René. Les descriptions de ses rapports sexuels avec lui sont hallucinantes. Il a un sexe énorme, dont elle s'empare avec terreur et avidité: «C'est baroque, un sexe d'homme dans une main de femme. Pourtant, c'est la racine du monde!» L'acte s'accomplit brutalement: «Nous besognâmes un long moment. Piocher dans les ténèbres d'un ventre, labeur considérable. Aucune phrase ne résisterait aux coups de reins... Jouir n'est pas mon projet. Jouir. Plus tard... Je suis contente, je ressemble aux autres femmes.» Accouplement sauvage dont elle ressort ambigument triomphante: «Je me lève, j'ai vingt ans de moins. Je suis insatisfaite et désaltérée. J'essuie l'intérieur de ma cuisse avec la dentelle de ma combinaison. J'ai eu ce que je voulais, j'en crèverais d'aise.»

Elle s'agrippe dès lors à cet homme avec une exaltation de plus en plus grande. La scène où elle le rejoint dans sa modeste chambre tourne à la frénésie: «A genoux, tout près de la hanche de René, les poings serrés pour ne pas hurler au rut comme le chien hurle à la mort, j'embrassai son testicule. Je ne voyais pas sa verge; je la laissais seule exprès. Pour mieux adorer la répudiée [2].» Elle exprime dans une métaphore étonnante qu'elle lui caresse les jambes: «Je lui mettais des dizaines de bas en toiles d'araignée.» Ses baisers sont si dévorants que l'ouvrier tente de s'y dérober: «Je léchais son pied sur le dessus, sur le dessous. Oh, oh, René frappait mon visage avec son talon... Bâillonne-moi avec ton talon ailé. Guéris-moi de mes grimaces. Enfonce ton pied dans mes yeux.» Elle n'est plus qu'une cannibale affamée: «Je suçais son orteil. L'orteil entrait, sortait de ma bouche. Un rythme pour un sexe. Par amour, par amour. Ma langue plus charnue choyait les ténèbres sous l'ongle, au coin de l'ongle.» Elle juge ainsi sa conduite de femme soûle, mais soûle d'une ivresse sexuelle: «J'étais nue et j'étais débraillée.»

Excédé de cette goule insatiable collée à lui comme une sangsue, le maçon cherche à s'en débarrasser. Pour se venger, Violette Leduc couche avec son jeune frère Roger, bien qu'il lui répugne. Elle viole littéralement ce garçon malingre qui s'épouvante de ses manipulations, la traite de «vicieuse», refuse d'enlever ses vêtements: «Il condescend à ôter ses chaussures. Je garderai mon jupon de nylon. Je le sentirai moins sur ma peau, ce zoulou au sang de navet.» Au terme de cette folle action elle constate: «J'avais la tête pleine de cendre.» *La Chasse à l'amour* est un document incomparable sur la sexualité féminine, qui confirme la remarque faite par Paul Léautaud et vérifiée par tous les connaisseurs: que les femmes les plus lascives ne sont pas du tout des jeunes pin-up

---

1. Violette Leduc, *Thérèse et Isabelle* (Paris, Gallimard, 1966).
2. *La Chasse à l'amour, op. cit.*

aguichantes, mais des bourgeoises mûres à peine fardées, n'ayant l'air de rien.

Le Mouvement de libération des femmes (ou M.L.F.), né en 1970 de la fusion de groupuscules d'étudiantes, fonda en mai 1971 un journal «menstruel» (et non mensuel), *Le Torchon brûle*, qui eut six numéros et s'interrompit après le procès que lui valut son article, *Le Pouvoir du con*, dû à deux militantes de «Psych et Po» (Psychanalyse et Politique). En effet, le premier droit féminin revendiqué par le M.L.F fut le droit à la grossièreté. Les féministes du XVIIᵉ siècle, à l'instar de Mme de Rambouillet, décidèrent de s'opposer au parler grossier des hommes; elles pensaient qu'il appartenait aux femmes, créatures plus fines qu'eux, de maintenir dans la société un idéal de beau langage et de bonnes manières. La reine Christine souriait des obscénités du *Moyen de parvenir*, mais s'exprimait toujours avec distinction. Au contraire, les militantes du M.L.F., menant une campagne antisexiste contre tous ceux qui commettaient le crime de croire que les femmes sont différentes des hommes, se voulant les Mêmes et non les Autres, trouvèrent tout naturel d'employer le langage des soldats en chambrée.

Les épigones de Simone de Beauvoir se sentirent mal à l'aise de la suppression de la notion de féminité. Pour la remplacer elles inventèrent le terme de *féminitude*, dont les homosexuelles firent leur mot de ralliement. Monique Wittig, chantre de la féminitude, l'exprima dans *Le Corps lesbien* (1973), qui est un livre d'amour haineux pour une femme que la narratrice veut dès les premières pages écorcher vive, qu'elle imagine à l'état de cadavre se décomposant et qu'elle rêve de séduire par des moyens fétides: «La puanteur de m/es intestins nous entoure à chacun de m/es mouvements... L'odeur qui sort de m/oi est infecte. Tu ne te bouches pas le nez[1].»

La même féministe rédigea avec une amie un *Brouillon pour un dictionnaire des amantes* (1976), d'une inspiration analogue. On y apprend tout sur les mœurs et les particularités physiques des amazones modernes: «Certaines amantes ont une chimie savante... L'hiver elles opèrent une modification dans leurs sécrétions qui change complètement leurs odeurs. C'est ce qu'on appelle "prendre son parfum d'hiver". Le changement le plus sensible s'effectue dans la région des aisselles[2].» Leur idéal, c'est de ressembler à des animaux femelles; la définition du mot *cochonne* indique comment une lesbienne peut s'identifier à une truie, si son amante veut une truie comme «animale de lit». Ce livre sado-masochiste recommande fort sérieusement aux femmes de se faire des cicatrices par coupures, brûlages et piqûres, et de se greffer des implants de fourrure sur la peau. Le *mâchement* est conseillé aux lesbiennes actives: «Mâcher sa nourriture pour elle et la lui donner du bout des doigts.»

---

1. Monique Wittig, *Le Corps lesbien* (Paris, Editions de Minuit, 1973).
2. Monique Wittig et Sande Szweig, *Brouillon pour un dictionnaire des amantes* (Paris, Grasset, 1976).

Le mot féminitude parut encore trop beau à certaines féministes, qui lui substituèrent celui de *femellitude*. Les adeptes de la femellitude se reconnurent dans l'*Histoire d'I* (1974) de Gaëtane, réfutation brutale de l'*Histoire d'O* et de son héroïne réactionnaire. I, jeune homme suivant chez elle une femme rousse vêtue de cuir qui l'a racolé, se retrouve séquestré dans sa cave. «Tu subiras de moi tous les supplices que tu as rêvés sans le savoir [1]», lui dit-elle. Il sera fouetté, torturé sans arrêt; elle lui brodera son nom sur la peau de la poitrine avec des aiguilles et des fils de diverses couleurs. Six mégères énormes, crasseuses, nauséabondes, rotant et pétant continuellement, s'acharneront sur lui et sur d'autres jeunes gens prisonniers. Gaëtane admire tellement ces persécutrices qu'elle parle de «l'entrée grandiose des six super-femelles» à propos du banquet final où elles massacrent leurs victimes.

Gaëtane était le pseudonyme de Xavière Gauthier qui publia ensuite aux Editions des Femmes un livre sur ses menstrues, *Rose saignée* (1975), où elle constatait: «La pine n'a pas d'intérieur», et qui fonda en janvier 1976 la revue *Sorcières* avec une équipe de provocatrices proclamant: «Nous sommes un danger pour le pouvoir mâle.» Dans *Sorcières*, une femme racontera de cette façon comment elle a perdu sa virginité: «Il me mit sa bite dans la main, je l'entourai de mes doigts. Je ne savais pas très bien quoi en faire. Il continuait d'explorer tous les recoins de mon con. Il se coucha sur moi et tout se passa si vite que je n'eus pas le temps d'avoir peur. Mais je passai toute la nuit à péter à grand bruit [2].» Chaque numéro de cette revue illustrait un thème: les numéros «Odeurs» et «la Saleté» furent particulièrement agressifs. «Certaines puanteurs me ravissent, notamment la pisse des chats», disait l'une de ces «sorcières». Mais la directrice les surpassa toutes en son article *A l'intérieur*, où elle célébrait longuement l'odeur de son entrecuisse.

De tels excès amenèrent Annie Le Brun, dans son pamphlet *Lâchez tout* (1977), à combattre avec fureur «le débraillé de l'écriture féminine» et «le typhon de stupidité qui nous menace» en provenance des «porte-parole débiles du néo-féminisme». Elle y critiqua durement Simone de Beauvoir, «la pionnière d'une longue marche vers la mutilation sensible», et ses émules agissant par mode plutôt que par révolte.

C'est une conquête précieuse de la femme que le droit qu'elle a acquis d'exprimer en littérature les exigences internes et les troubles sensuels de son corps. Il faut qu'elle en use à bon escient, sans hypocrisie, mais aussi sans ostentation et sans revendication déplacée. Si elle ne se sent pas capable d'égaler le lyrisme voluptueux de Louise Labé, le libertinage aimable de la marquise de Mannoury, la perversité lucide de Rachilde et de Colette, l'humour de Renée Dunan, l'imagination féerique d'Anaïs Nin ou la violence surréaliste de Joyce Mansour, il vaut mieux qu'une femme de lettres se limite au genre sentimental où le génie féminin excelle.

1. Gaëtane, *Histoire d'I* (Paris, Filipacchi, 1974).
2. *Sorcières*, «Se prostituer», n° 3 (juin 1976).

8

LES ROMANCIERS DE L'INAVOUABLE

Au xxᵉ siècle apparut un genre particulier que l'on ne pratiquait pas aux époques précédentes: le roman de l'inavouable. Auparavant on justifiait la littérature du sexe en invoquant des intentions satiriques, ou en prétendant décrire des mœurs amoureuses plus libres, conformes au vœu de la Nature; désormais on voulut rivaliser avec cette nouvelle science, la psychanalyse, qui révélait les désirs intimes les plus salaces refoulés dans l'inconscient et qui étudiait toutes les perversions comme des choses inévitables. Tout ce qu'un individu faisait ou rêvait sans oser l'avouer, de peur d'être déconsidéré, devint la matière romanesque prédominante de ces écrits. Les premiers représentants de cette sorte de pornographie transcendante furent les écrivains de génie que je vais analyser ici.

Les fantasmes de Pierre Louÿs

Pierre Louÿs est le cas le plus étrange de la littérature érotique du xxᵉ siècle. Ce grand maniaque littéraire (cela étant plutôt un compliment), passant les dernières années de sa vie claustré, à demi aveugle, dans sa maison d'Auteuil aux rideaux fermés jour et nuit, y vivant perpétuellement à la lueur d'une lampe à pétrole (car il ne voulait pas avoir l'électricité), se consuma lui-même comme l'une des cigarettes qu'il fumait sans interruption. Après sa mort le 4 juin 1925, âgé de cinquante-cinq ans, on découvrit chez lui de nombreux manuscrits d'un érotisme délirant, que sa veuve vendit au libraire Edmond Bernard, qui les revendit à divers éditeurs clandestins.

En 1926 parurent d'abord son *Manuel de civilité pour les petites filles à l'usage des maisons d'éducation*, et son roman d'une obscénité flamboyante, *Trois Filles de leur mère*, dont on publia entièrement en fac-similé la copie écrite à l'encre violette par Louÿs, afin que cette reproduction autographiée garantît qu'il en était bien l'auteur. Une suite

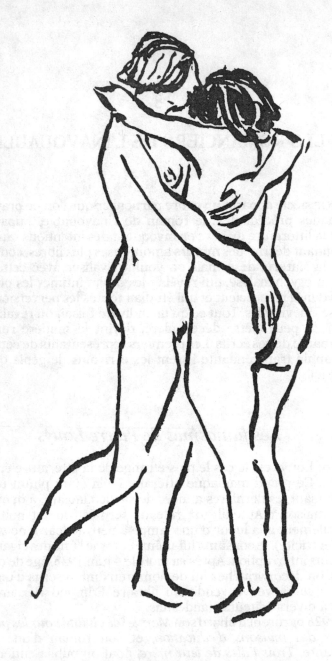

Albert Marquet. Un dessin de son recueil de «vingt attitudes»,
L'Académie des Dames. (B.N./Arch. E.R.L.)

de gravures de Marcel Vertès pour ce roman fut aussi publiée avec trente-trois pages de l'écriture de Pierre Louÿs, contenant les additions et les variantes qu'il prévoyait d'y faire. Ses *Petites Scènes amoureuses*, en 1927, furent précédées de l'autographe d'un de ses dialogues, *La Coiffeuse de cons*. Une de ses œuvres manuscrites sera encore reproduite telle quelle en 1938, *La Femme*, recueil de quarante sonnets érotiques écrits de sa main et datés. Louis Perceau, présentant cette édition, y adjoignit seize dessins de nus retrouvés dans les papiers de Louÿs, qui dessinait aussi.

La consternation fut grande parmi les lettrés. Pour tous, Pierre Louÿs était l'esthète raffiné qui disait à ses débuts: «Mon âme tend avec liberté vers un but inflexible: l'idéal du Beau.» On savait qu'André Gide en sa jeunesse l'avait pris pour modèle, qu'Oscar Wilde l'admirait au point de lui dédier son drame, *Salomé*, en 1893. Claude Debussy, que Pierre Louÿs poussa à composer *Pelléas et Mélisande*, sollicita comme un honneur en 1898 de posséder l'encrier avec lequel il avait écrit ses premiers livres. Paul Valéry, en 1916, soumit humblement à ses corrections *La Jeune Parque*, et précisa dans l'édition originale de ce poème qu'il ne l'aurait jamais fait «sans l'ami qui l'exhortait, l'excitait et le réconfortait». Des savants consultèrent Pierre Louÿs comme un érudit prodigieux connaissant à fond les poètes du Moyen Age et de la Renaissance. Et un tel humaniste avait conçu les textes les plus orduriers de la langue française! Comment l'expliquer?

Malgré les preuves d'authenticité, certains forgèrent une légende invraisemblable selon laquelle Thierry Sandre, un des secrétaires de Louÿs, sachant imiter son écriture, aurait fabriqué lui-même ces manuscrits érotiques. Mais un faux en écriture est un délit grave, tombant sous le coup de la loi; c'est diffamer Thierry Sandre, prix Goncourt 1923, que de l'en accuser. Une lettre peut tromper un graphologue, mais non des cahiers entiers (on l'a vu avec les pseudo-*Carnets* d'Hitler); l'écriture de Pierre Louÿs, qui tenait toujours sa plume entre l'index et le médius, est d'ailleurs particulièrement identifiable. Enfin il faut être un piètre critique littéraire pour supposer Thierry Sandre, auteur de pâles romans, subitement capable d'écrits aussi hauts en couleur luxurieuse. D'autres soutinrent donc, avec Louis Cardinne-Petit, que les écrits érotiques de Pierre Louÿs furent des aberrations de ses dernières années, quand dans sa solitude claustrale il pouvait encore lire et écrire en s'aidant d'une loupe.

La vérité est bien différente. Pierre Louÿs a commencé de rédiger des obscénités dans sa prime jeunesse et a continué tout au long de sa carrière. Son premier poème érotique daté est du 21 mars 1890; il avait alors vingt ans et il s'était donné pour devise: «Les femmes et le génie». Dans un portefeuille en toile grise où il avait serré le «projet d'un ouvrage d'anatomie et de physiologie sexuelles» et le « plan d'un *Calendrier des douze Vertus*», on trouva le sommaire fait le 26 octobre 1890 de son recueil secret, *La Femme*, célébrant le corps féminin, «ses ambroisies, ses senteurs et ses jouissances». Les pièces de ce livre comprenaient deux sonnets sur les poils du pubis, un sonnet sur le mont de Vénus («sa pulpe a la douceur des paupières baissées»), un sonnet sur le clitoris («comme un pistil de chair dans un lys douloureux»), des sonnets sur la senteur des bras, le croisement des jambes, le baiser sous l'aisselle, etc.

En août 1891, séjournant à Bayreuth, il écrivit «au pied du Venusberg» *Le Trophée des vulves légendaires*, neuf sonnets des plus obscènes en hommage aux héroïnes de Richard Wagner, les Vénérides (accomplissant «le geste creux des masturbées»), Elisabeth (qu'il qualifie de «grande enculée» offrant à Tannhäuser «le trou noir de son anus»), Fricka («Germaine au con rouge, aux tresses rousses»), Ortrude, Freia («rose dont les poils sont les épines»). Pierre Louÿs a fait des vers aussi brutaux cinq mois après avoir fondé *La Conque*, avec Gide, Valéry et Léon Blum, revue tirée à cent exemplaires destinés non à être vendus, mais à être donnés à des amis qui en seraient dignes. Toute sa vie, en marge de son œuvre délicate et pure, il a éprouvé ainsi le besoin d'évacuer ses obsessions sexuelles dans des fantaisies cyniques.

Venant de traduire du grec les *Dialogues des courtisanes* de Lucien, il se complut à écrire ses *Petites Scènes amoureuses* les surpassant en crudité, s'échelonnant du 14 avril 1894 au 21 décembre 1899. Ce devaient être «douze douzains de dialogues», mais seule une série, *Dialogues des mères*, en contient douze. Les autres séries sont de onze, neuf ou sept dialogues; il n'y a que cinq *Dialogues des filles nues*. En ces tableautins il a classé les femmes suivant leurs goûts sexuels: les masturbées, les masturbeuses, les phallophores (celles qui se servent d'un godemiché), les pisseuses, les chieuses, les goules (ou suceuses), etc. *Sur l'oreiller*, un de ses *Dialogues des chieuses*, date du 11 juin 1895, alors qu'il se trouvait avec Jean de Tinan à l'abbaye de Jumièges, et qu'ils composaient ensemble l'*Album de la farouche Aminte*, suite de pastiches obscènes de poètes parnassiens. Cela montre bien que l'esprit de facétie anime aussi ces dialogues où des prostituées, des domestiques, des dames du monde se font des confidences lubriques. Une étudiante en médecine dit à une amie: «Laissez-moi vous donner une ordonnance dont vous me remercierez demain. Mélangez vaseline 30 g, farine de moutarde 5 g, poivre de Cayenne 2 g, acide borique 3 g. Plongez l'extrémité du médius dans ce mélange et faites une onction régulière sur le clitoris et les petites lèvres avant de commencer à vous masturber... J'en use tous les jours pour moi-même et j'obtiens des spasmes d'une intensité admirable [1].» Ailleurs deux lesbiennes, au téléphone, échangent des propos qui les mènent séparément à l'orgasme. Tous ces bouts de conversation semblent surpris par un voyeur rôdant autour de couples en folie.

A vingt-six ans, Pierre Louÿs devint célèbre du jour au lendemain avec *Aphrodite*, «roman de mœurs antiques», paru en 1896. Le grand

---

1. Pierre Louÿs, *Petites Scènes amoureuses* (Paris, Robert Télin, 1927). Les rééditions de ce livre dans des collections de poche ont été faites d'après une contrefaçon intitulée *Dialogues des péripatéticiennes* (titre que Louÿs n'eût pas accepté, car il ne correspond pas à son sujet).

public ne se douta pas qu'il en avait retranché des passages violemment érotiques, restitués pour la première fois dans l'édition clandestine de 1928. Un chapitre inédit (à la fin du livre IV) était une lettre de la courtisane Chrysis à son amant Démétrios où elle lui avouait: «J'ai réfléchi aux choses d'Erôs, j'ai cherché comment je pourrais jouir plus encore.» Chrysis lui décrit là tous les actes extrêmes qu'elle souhaite commettre avec lui, comme de lui faire boire son urine: «Une seule gorgée te soûlera comme si tu avais bu trois vases de vin[1].» Dans un cahier à part, *Chrysis*, Pierre Louÿs traça aussi le plan complet d'une «théorie de la caresse» (définissant quarante et une sortes de caresses) qu'il voulait ajouter à *Aphrodite*.

Sa réaction devant le succès fut typique de sa nature indépendante. Fuyant le Tout-Paris qui le fêtait, il voyagea en Espagne et en Algérie, et revint en mai 1897 avec une maîtresse arabe, Zorah, dont l'indécence fit scandale; dans l'appartement de Pierre Louÿs, 147, boulevard Malesherbes, elle ouvrait toute nue la porte à ses invités. La chanteuse Yvette Guilbert venant voir l'auteur d'*Aphrodite* s'effara devant les «énormes fessiers de femmes», moulés en plâtre, décorant ses murs. Comme elle critiqua ces moulages de «gros derrières orientaux», il s'écria: «Mais c'est magnifique, voyons[2]!» Il combattait alors, dans son *Plaidoyer pour la liberté morale*, les moralistes étriqués proscrivant l'érotisme et leur affirmait: «La morale moderne se trompe. La nudité et l'amour sont des objets de contemplation.» Il soutenait qu'il fallait organiser des exhibitions publiques de belles femmes nues: «Le nu au théâtre, dévoilé en toute gravité par des créatures d'exception, devrait être un spectacle non seulement admis, mais subventionné par l'Etat.»

Il commença probablement à cette époque son *Manuel de civilité pour les petites filles*, parodie des *Conseils et instructions aux demoiselles pour se conduire dans le monde* de Mme de Maintenon (femme que Pierre Louÿs exécrait, voyant en elle l'incarnation de la bigote hypocrite). Il y indique burlesquement aux fillettes comment se comporter à la chambre, à la maison («Ne pissez pas sur la plus haute marche de l'escalier pour faire des cascades»), à l'office («Quand vous vous êtes servie d'une banane pour vous amuser toute seule ou pour faire jouir la femme de chambre, ne remettez pas la banane dans la jatte sans l'avoir soigneusement essuyée»), à table («Ne faites pas aller et venir une asperge dans votre bouche en regardant languissamment le jeune homme que vous voulez séduire»), en classe («Si l'addition qu'on vous donne à faire produit 69, ne vous roulez pas de rire comme une petite folle»), au théâtre, à la mer, à la campagne, en visite («Quand la maîtresse de maison se penche pour vous embrasser, ne lui fourrez pas la langue dans la bouche. Cela ne se fait pas devant témoin»), en voyage, au musée

---

1. Pierre Louÿs, *Aphrodite*, t. II, édition intégrale (Tiflis, Bagration Davidoff éditeur, 1928). Indication fantaisiste, cette édition ayant été établie à Paris par Pascal Pia pour René Bonnel.

2. Yvette Guilbert, *Mes Lettres d'amour* (Paris, Denoël, 1933).

(«Ne grimpez pas sur les socles des statues antiques pour vous servir de leurs organes virils»), dans les boutiques, etc.

Les devoirs des petites filles envers le prochain, envers leurs parents, leurs devoirs religieux, sont particulièrement tournés en dérision. Pierre Louÿs prend le contrepied des conseils de Mme de Maintenon aux demoiselles de Saint-Cyr. Il enseigne à ses élèves le vice comme l'autre aux siennes la vertu: d'où ses chapitres *Avec l'amant de sa mère, Au lit avec un ami, Au lit avec un vieux monsieur.* Ce Manuel se termine sur un catalogue de locutions («Ne dites pas... dites...») dont l'emploi fera de la polissonne une vicieuse des plus distinguées.

En janvier 1898, Pierre Louÿs réédita les *Chansons de Bilitis* (dont la première édition fut de 1895), poèmes en prose qu'il prétendait avoir traduits d'une poétesse grecque lesbienne. Deux professeurs, croyant que Bilitis avait vraiment existé, affirmèrent qu'ils la connaissaient avant lui. Mais il laissa inédites dix-neuf «chansons secrètes» qu'il se réservait de publier «dès que nous aurons obtenu du législateur français la liberté morale pour laquelle je fais campagne» (disait-il dans une lettre du 14 mai 1898 les concernant). Dans ces «chansons secrètes», Bilitis s'exprimait librement sur ses jeux saphiques avec Mnasidika, ou lui rapportait ce que lui avait déclaré le vieillard aveugle qui se souvenait d'avoir vu autrefois deux jeunes filles se baigner nues dans l'étang de Physos: «Leurs vulves! Te dirai-je leurs vulves? Oh! replis de chair grasse et fine, lèvres longues de peau arrondie, bouche vivante, ailée, mobile... Et leur reflet dans l'eau bleuâtre! Qui a vu cela étant jeune n'a plus le désir de voir le monde. Enfant, je suis un aveugle heureux[1]!»

L'*Histoire du roi Gonzalve et des douze princesses*, récit où un roi incestueux assiste aux débordements de ses filles, toutes plus dépravées les unes que les autres, a été vraisemblablement écrite avant les fiançailles de Pierre Louÿs avec Louise de Hérédia, le 15 mai 1899. Il ne termina pas cette histoire, qui s'arrête à l'apparition de Tertia, la troisième princesse, mais il la remplaça par *Les Aventures du roi Pausole,* sa version avouable, qui parut en feuilleton dans *Le Journal* dès le 20 mars 1900. Ce dernier roman contient aussi un chapitre érotique inédit (dont le manuscrit fut vendu en 1937 par la librairie Blaizot), où son héroïne Mirabela faisait une incursion nocturne dans un bordel. L'œuvre privée et l'œuvre publique de Pierre Louÿs partaient donc de la même inspiration, tantôt surexcitée, tantôt calmée.

Pybrac a été écrit après les démêlés de Pierre Louÿs avec le sénateur Bérenger, président de la Ligue contre la licence des rues, qui fit interdire au théâtre Antoine en décembre 1910 une scène de *La Femme et le Pantin* (adaptation de son roman), parce que la danseuse Régina Badet y montrait ses seins nus. Ce Père la Pudeur voulut même poursuivre en justice le grand acteur Gémier, directeur de ce théâtre. Pierre Louÿs se

---

1. Pierre Louÿs, *Les Chansons secrètes de Bilitis* (Paris, Marcel Lubineau, 1938). Cette édition a été établie et préfacée par Georges Serrière, qui avait épousé la veuve de Pierre Louÿs le 14 décembre 1927.

moqua du sénateur Bérenger dans son *Pybrac*, série de blâmes qu'un puritain adresse à l'encontre des égarements sexuels. Ici le lettré se réfère aux *Quatrains du seigneur de Pybrac*, cent trente-sept quatrains moralisateurs d'un magistrat de Toulouse, Raoul du Faur, que l'on faisait apprendre aux écoliers de jadis. Chaque quatrain de Louÿs commence par «Je n'aime pas à voir» et décrit une abomination, le tout formant un catalogue d'impuretés:

Je n'aime pas à voir la souple Marceline
Qui dit à son cousin: «Mon chéri, bandes-tu?
Viens m'enculer au parc, j'ai pris ma vaseline.»
Ce langage est lascif et blesse la vertu.

Je n'aime pas à voir qu'un poète s'amuse
A déconsidérer les mœurs de l'Hélicon
Et relève toujours la robe de la Muse
Pour montrer au lecteur les mystères du con.

Je n'aime pas à voir, tout près d'une ingénue
Qui d'un doigt leste et dur se branle devant eux,
Un fils tout nu piner sa mère toute nue.
Ce n'est pas seulement immoral. C'est honteux.

Les deux cent soixante et un quatrains de ce genre du *Pybrac* sont donc une suite de plaisanteries sarcastiques contre la censure. Si un censeur s'indigne de ces vers où Louÿs va le plus loin possible dans l'obscénité, le poète lui répondra: «De quoi vous plaignez-vous? Je précise bien que *je n'aime pas à voir* tout cela. Je donne des leçons de morale comme vous.» Et le censeur est pris au piège de sa vertu trop souvent malavisée.

La sexualité de Pierre Louÿs était portée vers les lesbiennes et les petites filles, c'est-à-dire vers des créatures intouchables qu'il ne pouvait caresser qu'en rêve. Sa passion des lesbiennes trouvait à se satisfaire chez les actrices et les femmes de lettres cherchant à se faire patronner par lui: Liane de Pougy, Natalie Clifford-Barney, Renée Vivien, Polaire le prirent pour «conseiller». Mais, ses lettres le prouvent, il fut surtout le confident de leurs «idylles saphiques». Quant aux petites filles, il n'y accédait qu'en imagination, évidemment, et à tant faire que de les imaginer il les modelait telles qu'elles ne sont pas, ayant à dix ans la dépravation d'une catin de trente ans. Il y a des petites filles vicieuses, certes, mais elles ont des vices de petites filles, et non de femmes expérimentées. Il est impossible qu'elles désirent, qu'elles conçoivent même, des actes incompatibles avec leur anatomie fragile. Or Pierre Louÿs se délectait à rêver de cet impossible.

Il rédigea en état de crise, lorsqu'il fut en instance de divorce avec sa première femme, un roman dont il avoua le 15 mai 1913 à Claude Farrère: «Moi qui n'avais pas fait de littérature depuis six ans, je me suis mis à table, j'ai pris du papier, une plume et je me suis mis à écrire... A écrire n'importe quoi [1].» Toutes les nuits, pendant deux mois, il s'adonna à cette création mystérieuse, qu'il définit à son correspondant: «Un livre qui ne continue pas ce que je faisais il y a six ans, mais qui reprend mon œuvre *au point où elle était il y a quatorze ans*, avant mon mariage.» On n'en saura rien de plus. Il est évident que ce livre est *Trois Filles de leur mère*. Quatorze ans plus tôt, en effet, il écrivait ses «petites scènes amoureuses» les plus obscènes, datées du 7 janvier, du 29 août et du 31 décembre 1899.

Dès les premières pages de *Trois Filles de leur mère*, on sent un écrivain de race. L'histoire est emportée jusqu'à son épilogue par un souffle mêlant deux sortes de fureurs que les païens mettaient sous l'invocation de Vénus et d'Apollon, la fureur érotique et la fureur poétique. Le narrateur est un jeune homme de vingt ans qui voit s'installer, dans l'appartement voisin du sien, une belle Italienne, Teresa, et ses trois filles, Charlotte, dix-huit ans, Mauricette, quatorze ans et demi, et Lili, dix ans. Le jour même, Mauricette lui propose: «Voulez-vous coucher avec moi?» Il le fait, naturellement, mais elle n'accepte que la sodomie, voulant garder son pucelage. Une demi-heure après, la mère vient lui dire: «Je vous arracherais les yeux si vous l'aviez dépucelée; mais vous ne lui avez fait que ce qui lui est permis.» Il possède la mère (toujours par la voie arrière, qu'elle préfère à tout), et ensuite arrive Lili, s'annonçant gaiement comme «une enfant de putain» et lui déclarant: «Je suis la plus petite des trois, mais c'est moi qui en fais le plus. Je fais tout, sauf l'amour entre les tétons, parce que je n'en ai pas.» Elle lui prouve aussitôt son savoir-faire.

A onze heures du soir on frappe à sa porte: c'est Charlotte, «une très belle fille brune, molle et chaude, sans pudeur et sans vice, une concubine idéale qui accepte tout». Celle-là est une masochiste, qui réclame avec insistance d'être maltraitée, souillée, injuriée, et lui fait une longue confession, selon laquelle depuis l'âge de huit ans elle a commis les plus effroyables saletés avec des hommes, des femmes et des animaux. L'auteur trouve donc sa jouissance d'érotomane à développer une situation impossible, comme s'il l'avait réellement vécue dans sa jeunesse. Une mère qui lui dit: «Mes trois filles sont mon bordel» et qui les met toutes trois gratuitement à sa disposition! Et qui s'offre à lui par-dessus le marché! Le rêve! Et toutes les quatre l'enivrant de perversions rares, d'actes contre nature, si bien que «faire l'amour par-devant» avec son amie Margot lui devient «le délicieux verre d'eau fraîche qui désaltère de l'alcool».

Mais Pierre Louÿs soutient ce paradoxe en homme hanté par la poésie autant que par le sexe. Mauricette lui apparaît «svelte et brune et frémissante comme un cabri lancé par Leconte de Lisle»; ailleurs en pleine action voluptueuse il dit: «Je pensai à un vers de Clément Marot.» Les pages supprimées de son brouillon et classées dans un dossier sous la mention: «À brûler si je ne m'en sers pas», prouvent qu'il contrôlait

---

1. Cf. Claude Farrère, *Mon Ami Pierre Louÿs* (Paris, Domat, 1954).

avec soin ses outrances. Il a renoncé au personnage de la mulâtresse Massaouada, amie de Charlotte. Il a coupé une description des fesses de Teresa qui se terminait par: «Le dirai-je? Oui. L'anus de cette Italienne était aussi beau que ses yeux.» Mais il a retranché également la «confession de deux minutes» du narrateur au premier chapitre, où celui-ci précisait: «Trois voluptés sont déesses de mes sens: la musique, le baiser de la bouche à la bouche, et la communion amoureuse toute simple.» On est donc en présence d'un roman parfaitement châtié, sous son apparence débridée.

Sans cesse il interpelle le lecteur ou la lectrice: il s'adresse à un public, bien qu'il ait écrit ce roman sans l'intention de le publier de son vivant. Cela dément la supposition de Claude Farrère prétendant que Louÿs aurait détruit un jour ses «griffonnages» érotiques, s'il avait vécu plus longtemps. Au contraire il les calligraphiait avec soin en espérant qu'un temps viendrait où l'évolution des mœurs les rendrait accessibles «aux jeunes filles de la société future» (à qui il avait déjà dédié ses *Chansons de Bilitis*).

A cette époque Pierre Louÿs eut des liaisons avec Jane Moriane, actrice du théâtre de la Renaissance, avec Jeanne Roques, figurante des Folies-Bergère pour qui il inventa le pseudonyme de Musidora qu'elle utilisa dans le cinéma muet, avec Claudine Rolland dont la sœur Alice deviendra sa seconde femme en septembre 1923. Ses écrits érotiques ne sont pas autobiographiques, mais ce ne sont pas non plus des compensations à un manque d'aventures sexuelles. Ce sont des fantasmes qu'il cultivait jusqu'au paroxysme pour contenter son culte de la chair.

Ses *Poèmes érotiques inédits* (recueillis et publiés par Georges Hugnet en 1945) datent probablement de sa dernière période [1]. Le style s'est simplifié, a pris un tour épigrammatique. En des piécettes comme *La Petite livreuse de linge, Hôtel-Restaurant, Evénements nocturnes, Visite à la putain*, les pires ordures sont dites sur un ton gouailleur qui les rend comiques. Ces vers salaces participent de son goût de la mystification intellectuelle, au même titre que ses dissertations démontrant que la Vénus de Milo était gauchère et que les comédies de Molière furent écrites par Corneille.

L'exemple de ce grand païen moderne dissipe tous les lieux communs que la critique réactionnaire oppose à la littérature du sexe. On dit qu'elle est produite pour faire scandale et gagner facilement de l'argent: or Pierre Louÿs n'a pas cherché à publier ses manuscrits érotiques, qu'il rangeait dans une commode. On dit aussi que ses auteurs sont des gens grossiers: et celui-ci a été un aristocrate de la pensée, un fervent de la

---

1. *Cydalise* (1949), *Pastiches et parodies* (1981), *La Soliste* (1984), *Petites Miettes amoureuses* (1987) furent d'autres recueils de poèmes érotiques de Pierre Louÿs publiés confidentiellement. Des livres encore inédits de celui-ci, très obscènes, comme son roman *L'Ile* (conservé à l'Université de Syracuse) ont été analysés par Jean-Pierre Goujon dans *Pierre Louÿs, une vie secrète* (Paris, Seghers-Pauvert, 1988).

Beauté. Il faut donc admettre qu'un créateur s'adonne à de telles outrances par sensualité réfléchie et anticonformisme littéraire.

L'œuvre secrète de Pierre Mac Orlan

Pierre Mac Orlan est l'homme qui prouve le mieux, après Pierre Louÿs, qu'un romancier pornographique n'est pas un écrivain inférieur, comme certains le prétendent, mais souvent un fin lettré jouant avec des images du plaisir. Parallèlement à sa carrière officielle de romancier d'aventures, jalonnée par des succès comme *Le Quai des brumes, La Bandera*, et le portant à l'Académie Goncourt en 1950, il a publié nombre de contes et de romans érotiques clandestins sous les noms de Sadie Blackeyes, chevalier de X, Pierre du Bourdel et Sadinet. Cette œuvre secrète n'a encore fait l'objet d'aucune étude critique. Seul son ami Pascal Pia a dévoilé en 1975, dans quelques notices de sa bibliographie des *Livres de l'Enfer*, qu'il fut l'auteur de telle ou telle production scandaleuse.

A ses débuts Pierre Dumarchey (véritable nom de Mac Orlan) voulait être peintre et faisait partie à Montmartre de ce que Roland Dorgelès appelait «la magnifique bohème de 1910». Toujours habillé en coureur cycliste, surnommé par ses amis «le captain», lorsqu'il n'avait pas les moyens de payer sa chambre de l'hôtel Bouscarat, place du Tertre, il couchait par terre dans le square Saint-Pierre. Son premier roman à vingt-six ans, en 1908, fut un érotique vendu sous le manteau, *Georges* (par le chevalier de X), histoire d'un adolescent qu'une dame de la noblesse bretonne pervertit pour en faire le complice de sa luxure insatiable. En 1909, reprenant son patronyme de Dumarchey, il donna *La Comtesse au fouet*, dont l'héroïne «belle et terrible» asservit le héros jusqu'à en faire un «homme-chien»; *Le Masochisme en Amérique*, recueil d'histoires de garçons punis par des femmes dans des maisons de correction; et *Les Grandes Flagellées de l'histoire*, qu'il illustra lui-même de vingt dessins hors texte.

Entre 1910 et 1914, pour le libraire Jean Fort, il fit une série de romans sur la flagellation qu'il présenta comme ceux d'une romancière américaine, Sadie Blackeyes, «une jeune femme joignant au plus gracieux visage les charmes de l'esprit». Dans l'un des meilleurs, *Petite Dactylo*, Dolly, «une pudique petite oie blanche», devient à Londres la secrétaire de la richissime Américaine Fanny Dover, une perverse qui aime «le vice délicat, compliqué, les à-côtés de l'amour, si l'on peut dire». Dolly ayant fait une faute d'orthographe, sa patronne lui annonce qu'elle va la fouetter: «Relevez vos jupes, découlissez votre *inexpressible* et mettez à l'air votre petite lune dodue.» N'osant protester de peur de perdre sa place, Dolly devra chaque jour baisser sa culotte et recevoir de Fanny, au moindre prétexte, des coups de verges, de martinet, de brosse à cheveux, ou «la fessée à l'ancienne mode, c'est-à-dire une succession de gifles sur les deux fesses révoltées sous l'injure». Elle y prend goût autant que Fanny, jusqu'au jour où Teddy, le frère de celle-ci, survient lors d'une correction et reste ébloui du «clair de lune» qu'il aperçoit. Le jeune milliardaire épousera Dolly qui promettra à Fanny, désormais sa belle-sœur, de lui rendre toutes les fessées qu'elle en a subies.

Les romans sado-masochistes de «Miss Sadie Blackeyes», illustrés par «un maître du dessin» (Louis Malteste), se terminent toujours bien. On y trouve beaucoup plus de fantaisie que de cruauté. Ses scènes de punitions corporelles sont des prétextes à d'affriolants déculottages, à d'ineffables visions de «ce pur joyau de chair rose qu'est une croupe de jeune fille». Dans *Baby douce fille*, May, dite Baby, habitant Galveston chez son tuteur Dan et sa maîtresse Hannah Smith, tous deux dépravés, est placée au collège de Saint-Paul où, la première nuit, ses compagnes au dortoir lui administrent une fessée collective. En ce collège sévit une enseignante «fouetteuse par instinct», Clara Kolb, qui met à rude épreuve le postérieur de ses élèves. Baby se console en pratiquant le *French game* (nom du saphisme en Amérique, d'après l'auteur) avec sa condisciple Helen. Elle quittera le collège dans une diligence que les Indiens attaquent et se retrouvera attachée nue à leur poteau de torture. Sauvée, elle regagne Galveston, mais son tuteur ayant abusé d'elle, Baby s'enfuit à jamais de sa maison pour rejoindre Helen.

Lise fessée de Sadie Blackeyes a déjà les caractéristiques d'un roman d'aventures de Mac Orlan. Lise, fille d'un magnat de Louisiane, voit d'abord ses institutrices menacer de leurs verges «l'admirable fruit joufflu» de son derrière. Elle se fiance avec Bernard des Epointes sans savoir qu'il a la passion de la flagellation active et passive; bientôt son fiancé l'abandonne pour devenir cow-boy dans l'Ouest. Elle-même, son père étant ruiné, tombe entre les mains d'un souteneur qui l'expédie à San Francisco, et elle s'habitue à être fessée par tout le monde. Finalement elle épouse à Boston l'écrivain Nathanaël Plum, parce qu'il la fesse d'une manière si caressante qu'elle en devient amoureuse.

Dans *Miss*, Mlle de La Hêtraie raconte ses souvenirs sur la maison de correction où elle fut enfermée par sa belle-mère qu'elle avait giflée; la directrice Evangéline de Quironodo, qui fait fouetter toutes nues ses pensionnaires et participe à des messes noires, l'éduque si bien qu'à son retour au manoir familial Mlle de La Hêtraie a des rapports saphiques avec sa belle-mère. *Quinze Ans* («roman sur la discipline familiale»), *Les Belles Clientes de Monsieur Brozen* sont d'autres exemples de la verve de Mac Orlan pour exprimer «les cuisantes délices de la flagellation».

Sous le pseudonyme de Pierre du Bourdel, il publia *Aventures amoureuses de mademoiselle de Sommerange* (1910), un étonnant roman de pornographie historique se passant sous la Terreur. Marie-Thérèse, une demoiselle de qualité, se fait déflorer par Raoul de Saint-Marcel, «un des jeunes gens les plus débauchés qui se pût voir»; la trouvant trop pudibonde, il la conduit dans la maison de rendez-vous de la proxénète Lucy Morgan à Auteuil, à qui il demande de «la soumettre à des spectacles licencieux et bizarres». Marie-Thérèse verra ainsi le vieux M. d'Augusson se livrer à la coprophilie avec la danseuse Rose Luret. Après quelques préliminaires, celui-ci se couche sur le tapis : «Elle se troussa largement en s'asseyant presque sur le nez de M. d'Augusson et donna à Mlle de Sommerange, révulsée de dégoût, le spectacle, cependant suggestif, d'une jeune femme qui va satisfaire aux lois de la digestion.» Lucy se mêle à cette scène scatologique et explique ensuite à la jeune fille : «Il y a beaucoup de messieurs qui ne demandent pas mieux que de nous adorer dans nos fonctions les plus répugnantes ; ce n'est qu'un caprice.»

Quand la Révolution éclate, Marie-Thérèse doit se cacher ; elle s'emploie chez une blanchisseuse, la citoyenne Laflaupe, dont le mari, un sans-culotte brutal, entre dans sa chambre en lui ordonnant : «Allons, ouvre les cuisses et fais voir ton barbu.» Et il lui exhibe son propre sexe «gros comme un bras d'enfant». Quittant la blanchisserie, la jeune aristocrate est poursuivie par une foule malveillante ; des poissardes l'empoignent et la fessent au coin d'une rue, puis elles empruntent à un maréchal-ferrant «une énorme seringue pour clystériser les chevaux». Deux hommes apportent un baquet d'eau de vaisselle et Marie-Thérèse est «débouchée», selon l'expression de la mégère qui lui inflige ce lavement vexatoire.

Mise en prison, elle accepte d'avoir des complaisances pour le geôlier Simon afin qu'il la fasse évader, et elle éprouve de furieuses jouissances avec cet homme du commun au tempérament de faune. Elle s'échappe au matin en compagnie de deux autres prisonnières, sœur Suzanne et la marquise de Pontaulnay, mais en allant à Orléans dans une carriole conduite par la paysanne Mariette, elles rencontrent douze hussards qui s'écrient : «Quatre poules pour douze hussards ! Ça fait trois hussards par poule.» Ils les violent de toutes les façons possibles. Enfin le lieutenant Georges de Lancenay les délivre et s'éprend de Marie-Thérèse ; le suivant en Italie, elle l'épouse à Milan où elle lui offre, durant leur nuit de noces, «une mignonne vulvette de jeune fille que le viol des hussards n'avait pas élargie».

Pierre de Bourdel publia l'année suivante *Mademoiselle de Mustelle et ses amies* (1911), parodie obscène des *Petites Filles modèles* de la comtesse de Ségur. Lucette de Mustelle, quatorze ans, et sa sœur Marcelle, onze ans, sont deux diablesses, filles d'une riche veuve parisienne dans l'hôtel particulier duquel règne «le vice, grand maître du monde, le vice aimable, élégant et discret». Lucette fait son éducation sexuelle en épiant les actes nocturnes de sa mère avec ses amants successifs, et en écoutant les propos égrillards des domestiques de l'office : «Quelquefois elle était obligée de s'enfuir dans sa chambre pour se livrer à la caresse débilitante d'une bonne petite branlette.»

Au château de sa famille en Anjou, durant l'été, Lucette se déchaîne, s'initie au saphisme avec sa gouvernante Ketty, allume les invités de sa mère, surtout sir Archibald, «un homme dont les passions ne reculaient devant rien». Frustré, ce lord perce un trou dans le mur des cabinets de la cour, et se dissimule derrière pour observer à l'intérieur toutes les femmes qui s'y enferment: «Son fétichisme s'adressait à cette partie de l'anatomie féminine où la nature fut si prodigue et que le vulgaire dénomme brièvement: le cul.» A la fin des vacances, Lucette a envie de perdre sa virginité. Elle se donne à sir Archibald, ravi, puis au nouvel amant de sa mère, le compositeur Maurice Liane, «maquillé comme une fille», que sir Archibald n'aura aucun scrupule à sodomiser, car sa philosophie est celle-ci: «Il faut vivre librement ses vices, avait-il coutume de dire; un vice n'est réellement dangereux et ignoble que le jour où il met en échec les autres facultés de l'individu qui le pratique.»

Après la guerre, Mac Orlan connut son premier succès, *Le Chant de l'équipage* (1918), ce qui ne l'empêcha pas d'écrire sous le non de Sadinet *Petites Cousines* (1919), «le livre secret de l'érotisme dans les familles». Le héros a treize ans, il habite une ville de l'Artois, et il est débauché par sa cousine Alice, quatorze ans, un après-midi où, jouant ensemble à la dame et au docteur, elle lui dit: «Lèche mon mimi.» Ensuite, ayant vu par un trou de serrure sa sœur Marcelle prendre un lavement, il couche avec elle pour contempler de près «les quatre lèvres de sa rose sexuelle et les plis de son petit œillet». A leurs jeux libertins participent bientôt leur cousine Andrée, dite Bébé, et leur bonne Marie-Louise. Plus tard sa sœur, à vingt ans, sera violée par les ouvriers de l'usine de son oncle, ce qui lui permettra de faire un beau mariage: «Elle épousa un maniaque friand d'érotisme que l'aventure de sa femme excitait prodigieusement.»

Dès 1924, Mac Orlan ne signa même plus ses écrits érotiques. Son *Abécédaire des filles et de l'enfant chéri* est une suite de poèmes sans nom d'auteur avec des dessins de Pascin sans nom d'illustrateur. Dans *La Semaine secrète de Vénus*, comprenant sept nouvelles dont chacune se passe un jour différent de la semaine, il déclara: «J'aime tous les jeux de la chair. J'aime décrire dans mes romans la beauté des femmes et la petite lumière de l'amour qui l'anime... Au besoin je pourrais me dispenser de signer mes livres car ma signature n'aide en rien à leur vente.» Ccs nouvelles évoquant, entre autres, les rapports sensuels d'un patron avec sa dactylo, les hallucinations érotiques de l'agent de police Emile en service de nuit, les orgies d'un adepte de «la sainte Partouze» qui avoue: «Satan habite dans mon caleçon», contiennent des aperçus profonds de psychologie perverse.

Ainsi l'univers ignoré de Pierre Mac Orlan, peuplé d'obsédés sexuels, n'est pas moins important que son univers connu d'aventuriers et de sorcières évoluant dans un climat de «fantastique social». Ses romans pornographiques ne furent pas des élucubrations indignes de lui, mais des démonstrations audacieuses de ce qu'André Billy nomma le macorlanisme, mélange de rêverie dramatique, d'humour clownesque et de pittoresque intégral. Son exemple est à méditer par les moralistes qui croient que ce genre de littérature est un symptôme de décadence.

L'Évangile du Sexe selon D.H. Lawrence

A la différence des précédents romanciers, sachant pertinemment qu'ils exprimaient l'inavouable et dissimulant cette partie de leur œuvre, D.H. Lawrence fut un écrivain à qui ses contemporains signifièrent que ce qu'il disait ouvertement de l'amour n'était pas à dire. On en fit un romancier de l'inavouable malgré lui. Le 12 septembre 1919, dans la préface de *Femmes amoureuses*, Lawrence écrivait en faisant allusion aux réactions suscitées par son roman *L'Arc-en-ciel*: «Je suis accusé en Angleterre de saleté et de pornographie. Je repousse l'accusation et passe outre.»

David Herbert Lawrence, né en 1885, fils d'un mineur du village d'Eastwood dans le Nottinghamshire, subit fortement l'influence de sa mère Lydia Lawrence, ancienne institutrice, cultivée, puritaine de la secte des Congrégationnistes, descendant des Indépendants de Cromwell; il haïssait son père brutal, ivrogne et inculte, qu'elle avait épousé parce qu'il était bel homme et chantait bien les cantiques. La jeunesse de Bert — comme ses proches l'appelaient — fut d'un puritain à la santé fragile, troublé par les femmes et n'osant les conquérir, hésitant sans fin entre deux jeune filles, Jessie Chambers et Louisa Burroughs. Ce fut seulement à vingt-trois ans, au printemps 1908, qu'il perdit sa virginité avec la femme d'un pharmacien d'Eastwood, Alice Dax, féministe et socialiste très émancipée, qui confia à son amie Sallie Hopkin: «Sallie, j'ai déniaisé Bert. Il le fallait. Il était chez nous à se battre avec un poème qu'il n'arrivait pas à achever, aussi l'ai-je fait monter avec moi et je lui ai révélé le sexe. Il est redescendu et a fini son poème [1].»

Son premier roman, *The White Peacock* (*Le Paon blanc*), en 1911, fut si sentimental que des critiques le prirent pour le livre d'une romancière débutante. On y trouve déjà un personnage de garde-chasse violent et malheureux, Annable, au service de la châtelaine dont est amoureux le héros. Quand ce garde-chasse raconte dans un cimetière au narrateur comment lady Crystabel après l'avoir voulu pour mari l'a rejeté, un paon blanc perché sur la tête d'un ange de pierre fait la roue et fiente en même temps. «C'est l'âme de la femme», dit Annable en désignant l'oiseau, «vanité, cri et souillure». Dès ses débuts, D.H. Lawrence opposa donc à la femme artificielle de la société, faisant le paon blanc, la vraie femme; et il chercha à concilier l'angélisme et l'animalité au sein de la nature humaine.

Il qualifia lui-même d'«érotique» son deuxième roman, *The Trespasser* (1912), terminé à Croydon où il était instituteur à l'école primaire de Davidson Road. Il s'inspirait de l'aventure arrivée à une collègue, Helen Corkes, ayant été la maîtresse d'un professeur de musique qui s'était suicidé. Le violoniste Siegmund abandonne femme et enfants pour faire

---

1. Cité par Emile Delavenay dans *D.H. Lawrence, l'homme et la genèse de son œuvre* (Paris, Klincksieck, 1969).

une fugue d'une semaine sur l'île de Wight avec son élève Helena. Leurs rapports sexuels sont décevants, en raison de la frigidité d'Helena, qui n'éprouve de plaisir que lorsqu'il l'embrasse en la chatouillant de ses moustaches: «Elle appartenait à cette race de femmes rêveuses, chez laquelle la passion s'épuise par la bouche. Son désir s'était accompli dans un baiser [1].» A son retour parmi les siens, ne pouvant supporter cet échec, Siegmund se pend.

Inconsolable de la mort de Lydia Lawrence en décembre 1910, renonçant à se marier avec Jessie Chambers en disant que «personne ne peut posséder [son] âme, donnée à jamais à [sa] mère», Bert fit la connaissance en mars 1912 de la femme du professeur Ernest Weekley de Nottingham, Frieda, une aristocrate prussienne, fille du baron de Richthofen. Il s'éprit aussitôt de cette plantureuse blonde aux yeux verts, qui abandonna pour lui son mari et ses trois enfants, non sans déchirement. Ils partirent ensemble en mai 1912 pour Metz, où résidait la famille de Frieda, voyagèrent en Europe, s'installèrent à Gargagno sur le lac de Garde, et se marièrent en juillet 1914. Dans son *Chant d'un homme qui est aimé*, Lawrence disait qu'il voulait vivre le visage éternellement enfoui dans ses seins: «*Between her breasts is my home, between her breasts*» («Entre ses seins est ma demeure, entre ses seins»). Ils se querellèrent souvent, aucun d'eux ne concédant rien de son individualité à l'autre, mais leur entente se maintint toujours.

The Rainbow (*L'Arc-en-ciel*) fut le roman où Lawrence commença à exprimer sa conception de la «sexualité rouge», émanation de la *Blood-consciousness* (conscience du sang), force vitale ayant son siège dans le plexus solaire. Le premier compte rendu, celui du libéral *Daily News*, le 15 octobre 1915, qualifia ce livre de «nauséabond». En novembre, les exemplaires de *The Rainbow* furent saisis à la demande de Scotland Yard; le tribunal de Bow Street en interdit la vente sous prétexte qu'il contenait, sans un mot obscène, «une masse d'obscénité de pensée, d'idée et d'action». L'éditeur Methuen se désolidarisa de l'auteur et s'excusa à l'audience d'avoir publié un tel livre.

D.H. Lawrence l'avait conçu dans l'esprit de sa déclaration de Noël 1912 à Sallie Hopkin: «Je ferai l'œuvre de ma vie, je défendrai l'amour de l'homme et de la femme. Je serai toujours le prêtre de l'amour et désormais un prêtre joyeux.» *The Rainbow* raconte la destinée de trois couples de la Ferme du Marais près d'Ilkeston, appartenant à trois générations successives. D'abord Tom Brangwen épouse une jeune veuve polonaise, Lydia, qui l'a choisi elle-même; elle lui reste une étrangère dont il a peur jusqu'au jour où il se fâche contre son air de supériorité et affirme son individualité. Leur réconciliation après ce coup de colère est la «transfiguration» leur permettant d'accéder à la sexualité vraie, car cette fois Tom choisit à son tour Lydia.

Leur fille Anna, épousant son cousin, le sculpteur Will, n'a d'autre

---

1. D.H. Lawrence, *La Mort de Siegmund*, traduction de Hervé Southwell (Paris, Gallimard, 1935).

passion que la maternité. Enceinte, chaque jour elle danse nue devant Dieu avec son gros ventre, et un jour que Will la surprend ainsi dans la chambre, elle le chasse: «Va-t'en. Laisse-moi danser seule [1].» A vingt-six ans, père de quatre enfants, malheureux d'être «au service du matriarcat», Will a une aventure amoureuse avec une jeune fille. Anna, le voyant comme un étranger qu'il lui faut conquérir, se conduit enfin en amante. Ils pratiquent ensemble «tous les actes honteux, naturels ou anti-naturels, de la volupté sensuelle», et leur union conjugale, n'ayant plus pour seul but la procréation, assumant sans honte les «plaisirs les moins avouables», s'épanouit durablement.

Enfin leur fille Ursula, étudiante de seize ans, s'éprend du beau sous-lieutenant Anton Skrebenski, mais le trouvant nul, a une liaison homosexuelle avec une enseignante de son collège, Winifred Inger, débutant une nuit où elles se baignent nues dans la piscine. Puis, ressentant «une sorte de nausée», Ursula repousse Winifred, se donne à Anton dont le peu de virilité la dégoûte définitivement de lui. La jeune fille, désespérant de posséder le bonheur dans la société industrielle, voit poindre un arc-en-ciel lui annonçant que cette société peut être régénérée.

Lawrence était un mystique de la vie, ayant une religion de la santé physique et morale, dont sa phtisie lui faisait comprendre mieux qu'un homme bien portant la valeur. Il affirmait: «Nous avons dans notre sexe notre être fondamental élémentaire [2].» Il voulut instaurer un culte moderne du phallus, n'impliquant aucune suprématie de l'homme sur la femme. Lawrence distinguait entre le pénis, organe personnel d'un homme, et le phallus, symbole universel de la fécondité créatrice. Le mâle humain a un pénis en naissant, mais il n'acquiert un phallus que par l'intermédiaire d'une femme. Et la femme ne réalise pleinement sa personnalité qu'en éveillant et en exploitant la puissance phallique de l'homme. Cette puissance les dépasse tous deux, elle est divine, l'homme en est le porteur malgré lui, la femme la stimulatrice malgré elle. Dans sa théorie du couple, l'homme et la femme sont foncièrement différents et doivent garder leurs différences; la «pureté des sexes», ce n'est pas la virginité, c'est «un pur caractère mâle chez l'homme, une pure féminité chez la femme [3]». L'idéal de l'humanité n'est pas la fusion du masculin et du féminin, mais leur parfait équilibre.

Pour démontrer que «la sexualité est une polarisation du sang individuel de l'homme vers le sang individuel de la femme [4]», Lawrence tendait à écrire un grand roman érotique. Il y vint graduellement, en passant par Women in Love (Femmes amoureuses), où il confronta les destins de deux couples, Gerald et Gudrun, Birkin et Ursula. Le plus

---

1. D.H. Lawrence, *L'Arc-en-ciel*, traduit de l'anglais par Albine Loisy (Paris, Gallimard, 1939).
2. D.H. Lawrence, *Fantaisie de l'inconscient*, traduction de Charles Mauron (Paris, Stock, 1932).
3. *Ibid.*
4. *Ibid.*

brillant de ces couples échoue parce qu'il omet d'appuyer la passion sexuelle sur un but en commun. *The Plumed Serpent (Le Serpent à plumes)*, rédigé durant son séjour au Mexique en 1925, indiqua que la puissance phallique était «une sorte de force souterraine» n'ayant rien à voir avec le pouvoir attribué à Don Juan. L'Irlandaise Kate Leslie, quarante ans, veuve d'un second mari qui la comblait sexuellement («toujours et toujours il pouvait lui faire goûter cette "jouissance" orgiaque en spasmes dont l'intensité la faisait crier [1]»), éprouve à Mexico quelque chose de plus mystérieux avec Don Cipriano lui refusant systématiquement l'orgasme durant l'acte sexuel. Elle ressent la puissance phallique comme un flux dynamique lui permettant de retrouver en elle-même «la source primitive de l'instinct».

En octobre 1926, alors que Frieda et lui venaient de s'installer à la villa Mirenda en Toscane, à Scandicci près de Florence, D.H. Lawrence commença le roman d'amour physique auquel il pensait depuis toujours, *Lady Chatterley*. Il en fera trois versions successives, si différentes qu'aujourd'hui certains préfèrent la première ou la deuxième à celle qui fut d'abord publiée. Il composa la première d'un seul jet dans un bois de pins parasols, où il allait travailler chaque matin sous un arbre.

Constance Reid, brune aux yeux bleus, «calme et sérieuse», rêvant d'un «mariage en profondeur», épouse durant la guerre de 1914-1918 Clifford Chatterley, officier en permission; ils ont un mois d'intimité conjugale, puis il retourne au front d'où il revient infirme, sur une chaise roulante, paralysé de la moitié inférieure du corps. Ils vont vivre dans le manoir de Wragby, entouré d'un parc; sir Clifford, intellectuel très raffiné, peint ou commente Platon avec Constance. Sentant qu'elle est frustrée sexuellement, il lui dit généreusement: «S'il vous arrive de rencontrer un homme que vous désiriez de tout votre être, je ne veux pas que mon souvenir vous arrête.» Elle se résigne toutefois à sa vie de chasteté, bien qu'elle ait des rêves de chevaux et de juments en rut qui la rendent méchante toute la journée.

Elle s'intéresse par ennui à leur garde-chasse Oliver Parkin, abandonné par sa femme; de petite taille, avec de grandes moustaches hirsutes, il n'est pas beau et sa rudesse fait peur à tout le monde. Il a pour elle l'attrait d'un homme de la nature. En allant un matin à son cottage lui donner un ordre de la part de son mari, elle le surprend dans la cour à demi nu en train de se laver. Elle se retire bouleversée de la vision de son torse plein de vigueur et de santé. Elle retourne le voir les jours suivants à l'endroit où il élève des faisans, se met à pleurer d'émotion devant l'éclosion des petits si bien qu'il la prend dans ses bras. Elle s'abandonne à lui, ressent l'orgasme comme «une volée de cloches qui carillonnent en elle de plus en plus frénétiquement», et poursuit cette liaison où Parkin se montre rustaud, parfois agressif, mais lui communique le flux bienfaisant de sa vitalité sexuelle.

---

1. D.H. Lawrence, *Le Serpent à plumes*, traduit par Denise Clairouin (Paris, Stock, 1931).

Cherchant à être blessant, il lui dit qu'elle ne fait pas de lui son amant, mais son *fucker* (*fouteur*). Elle rougit du mot grossier, puis l'accepte et lui répond qu'il n'y a aucune honte à cela. Le plébéien, déconcerté du naturel de la patricienne, lui demande de passer une nuit entière avec lui dans une cabane. Il s'y conduira pudiquement, soufflant la bougie aussitôt après avoir ôté ses vêtements. Elle appréciera le sens profond de la puissance phallique en se réveillant, le dos tourné contre lui qui dort en l'enlaçant si étroitement qu'elle se sent abritée dans sa virilité «comme une colombe dans un nid».

Sa sœur Hilda, pour l'arracher à cette liaison, emmène lady Chatterley faire un voyage en France. A son retour à Wragby, Constance donne rendez-vous un soir à Parkin dans leur cabane au fond du bois, et se met nue pour avancer vers lui sous la lune. Elle lui fait presque peur. Voyant qu'il ne la désire pas, elle soulève ses seins à deux mains vers la lune en criant: «Embrasse-moi, lune, embrasse-moi.» Alors le désir saisit Parkin et il la prend avec une sensualité que magnifie la fantasmagorie lunaire.

La fin de l'histoire est indécise. Parkin quitte son emploi de garde-chasse, devient ouvrier à Sheffield où lady Chatterley, allant le voir, est déçue de le retrouver en citadin endimanché. Puis elle découvre qu'elle est enceinte et l'avoue à son mari. Sir Clifford, croyant qu'elle a eu cet enfant avec leur invité, le peintre Duncan Forbes, lui baise la main en l'assurant de sa compréhension. Elle prend aussitôt horreur de son mari, décide de s'en séparer pour se retirer dans sa famille, en espérant qu'un jour elle pourra avoir Parkin auprès d'elle.

Ayant ainsi terminé *Lady Chatterley*, D.H. Lawrence rangea le manuscrit dans un coffre. Il se mit à peindre, à écrire *L'Homme qui était mort*, avant de se lancer dans la deuxième version, la plus longue et la plus lyrique, de l'histoire de Constance et de Parkin; il voulait l'intituler *Tenderness* (*La Tendresse*) parce qu'il y exprimait «le tendre et mysté-rieux fluide de la sexualité» entre un homme et une femme. Cette fois, ses personnages sont de chair et de sang, et il les scrute avec toute sa connaissance de l'inconscient. Sir Clifford va à la chasse, dans sa voiture de paralytique, éprouvant à tuer du gibier une revanche sur son infirmité. Etonnante est sa conversation en pleine forêt avec Constance, où il lui permet d'avoir un amant en disant: «Le sexe est un incident. Exactement comme le dîner n'est qu'un incident, même si l'on ne peut vivre sans cela [1].» A la fin de cet entretien qui l'irrite contre son mari, survient Parkin, qu'elle trouve démodé dans son costume de velours vert côtelé et ses leggings. Quand il pousse la chaise roulante de Clifford, pour lui faire monter une côte, elle remarque: «Quel dos solide avait cet homme!»

Constance apparaît d'emblée intelligente, sensible, aimant la nature, méprisant «cette chose que l'on appelle la sexualité libre — "vivre sa vie"

---

1. D.H. Lawrence, *Lady Chatterley et l'homme des bois*, traduit de l'anglais par Jean Malignon (Paris, Gallimard, 1972).

— qui n'est rien d'autre que l'égoïsme déchaîné». Parkin est fruste, gauche, bourru, sauvage, avec une âme charmante. La gradation du trouble sensuel de Constance est admirablement étudiée. Lors de leur première étreinte, près de la cage à faisans, elle reste engourdie : «Elle le sentit fouiller doucement, lentement, délicatement mais avec une étrange maladresse parmi ses jupes ; puis frissonner d'un plaisir aussi vif que la flamme au moment où sa main venait toucher la tendre déclivité d'entre les cuisses... Elle gisait immobile dans une sorte d'assoupissement. L'action, et l'extase, étaient pour lui.» Quand elle le rejoint la fois suivante, il s'aperçoit en relevant son jupon qu'elle n'a pas mis de culotte et il palpe sa chair avec ferveur : «Pour la première fois de sa vie, elle venait de ressentir la vivante beauté de ses propres cuisses, de son ventre, de ses hanches. Sous les doigts de cet homme elle avait vu naître une sorte d'aurore dans sa chair, l'aurore de la désirabilité.» Elle ne connaîtra l'orgasme qu'un autre jour, renversée sur un tapis de brindilles de la forêt : «Merveille ! Quelle merveille ! Et alors elle s'agrippait à lui, poussant dans une totale inconscience des petits cris inarticulés... Mais c'était trop vite fini ! Trop vite !» Et le terrien Parkin éclate d'une mâle fierté : «On a joui ensemble cette fois !»

Leur nuit dans la cabane est de la plus grande sensualité poétique. Parkin se détourne avec pudeur pour se déshabiller et se dirige à reculons vers le lit où Constance l'attend nue, mais elle lui dit : «Retourne-toi, avant d'éteindre la bougie !» Et fixant le regard sur son sexe en érection, elle murmure : «Quelle chose étrange !» Elle agit comme une prêtresse devant une idole de chair : «De ses deux bras, elle lui entoura la taille, si bien que de sa poitrine légèrement vacillante elle venait caresser en guise d'hommage la tête du pénis érigé.» Après l'amour, Constance médite d'une façon extraordinaire sur la raison de l'attrait d'une femme pour un pénis gonflé de désir : «Oui, chez un homme véritable, le pénis a sa vie qui lui est propre ; et il est un deuxième homme à l'intérieur de l'homme.» Cette adoration du phallus a sa contrepartie chez Parkin qui, après avoir avoué qu'il avait rasé les poils du pubis de sa femme, tant elle le dégoûtait par son animalité, montre à Constance qu'il adore les siens : «Contre ce ventre il mit son visage et, tour à tour, se frottant le nez parmi les poils drus de la toison ou posant les lèvres tendrement sur le tendre mont de Vénus, tantôt les poils noirs venaient lui effleurer la bouche, et tantôt sa moustache venait lui effleurer le ventre et la faisait rire.»

Lawrence glorifie la joie pure d'être un corps, joie qui ne s'épanouit totalement que lorsque le corps masculin entre en contact avec le corps féminin, car ils se complètent, ils aspirent avidement l'un à l'autre par un décret éternel de la Nature. Ainsi Constance a envie de courir nue dans la lande, sous une abondante pluie de juin, entraînant Parkin après elle : «Et il courait pieds nus à perdre haleine, comme pour quelque jeu cruel, à la poursuite de cette femelle nue. Farouche, elle jetait les yeux à tout moment par-dessus son épaule, et perdait ainsi du terrain.» Parkin se mue en le dieu Pan pourchassant une nymphe et l'atteignant : «Et là, sur une piste de forêt, en pleine averse, il la pénétra; étreinte abrupte, aiguë comme une arme, et qui fut conclue en une minute.» Allégresse cosmique se prolongeant dans la cabane où, s'agenouillant, il lui garnit de myosotis les poils du pubis.

Tout ce livre est empreint du sens religieux de la chair. Au dernier chapitre Constance emmène Parkin dans l'église de Hucknall, contenant le cœur de Byron; elle est enceinte, et instinctivement Parkin, tandis qu'ils se recueillent devant l'autel, pose sa main sur le ventre de la femme qui en éprouve une paix délicieuse: «Il laissa ses doigts descendre un peu plus bas comme pour fermer les lèvres implorantes de son sexe.» A la sortie de l'église ils feront l'amour dans un bois, dérangés dérisoirement par un garde-chasse que Parkin enverra au diable. Les deux amants vivront séparés, mais Parkin se déclarera prêt à rejoindre Constance à son moindre appel. Cette deuxième version de *Lady Chatterley* — je n'hésite pas à l'affirmer — est le roman érotique le plus noble et le plus émouvant des temps modernes.

Dans la version définitive de *L'Amant de lady Chatterley*, D.H. Lawrence a rendu Constance plus complexe. Elle ne s'est pas mariée vierge, ayant eu un amant musicien lors de ses études à Dresde. Quand son mari devient impotent, elle a une liaison avec un de leurs invités, Michaëlis, à l'air de chien battu, qui la laisse insatisfaite: «Il appartenait à cette sorte d'amants tremblants et nerveux dont la jouissance vient vite et finit vite.» Sa recherche systématique du plaisir la pousse vers son garde-chasse, nommé ici Mellors et ne ressemblant en rien à Parkin. Dès qu'elle l'aperçoit elle pense: «Il aurait presque pu être un gentleman.» C'est un ex-officier de l'armée des Indes (alors que Parkin était un ancien maréchal-ferrant); s'il parle patois, c'est pour marquer à sa maîtresse leur différence de classe, car il sait parler un anglais châtié et même le français.

Ce Mellors, agissant en mâle infatué de lui-même, gâche tout. La scène de la nuit d'amour dans la cabane est entièrement à son avantage. Lorsque Constance est en extase devant son pénis dressé, il se penche sur cet organe pour lui adresser un discours: «John Thomas! Est-ce elle que tu veux? Est-ce que tu veux Lady Jane[1]?» John Thomas (comme autrefois Squire Pego) désignait le pénis en Angleterre de la même façon qu'on l'appelait en France «maître Jacques». Dans l'épisode où ils reviennent de courir nus sous la pluie, Mellors couronne lui-même de myosotis son phallus, dont il fait triomphalement l'éloge: «Il a sa racine dans mon âme.» Ce personnage prétentieux est à gifler. On comprend que les féministes le détestent, mais elles ont tort de l'identifier à Lawrence. Le romancier eut seulement la naïveté de vouloir donner à Constance un amant qu'elle pût épouser sans déchoir. Lady Chatterley, divorçant pour devenir une petite fermière avec Mellors, n'a pas la

---

1. D.H. Lawrence, *L'Amant de lady Chatterley*, traduit par F. Roger-Cornaz (Paris, Gallimard, 1932).

grandeur pathétique de celle qui, de ses deux mains, retenait la main de Parkin sur son sexe, dans l'église recelant le cœur de Byron.

Il reste que *L'Amant de lady Chatterley* est d'un romanesque plus subtil. Des personnages secondaires y ont un relief inoubliable, tels sir Malcolm Reid, le père de Constance, ou Ivy Bolton, l'infirmière perverse de Clifford, qui fait de lui son jouet sexuel. Les orgasmes de Constance sont plus longuement décrits, comme le voyage d'une femme à travers soi. Enfin, la lettre de Mellors terminant le livre est d'une dignité nous réconciliant avec lui: on a l'impression que Constance l'a régénéré par son contact, en a fait l'homme vrai qu'il n'était pas encore.

Publié à compte d'auteur, avec des bulletins de souscription, ce magnifique livre était un défi contre la mort. Quand il parut, en juillet 1928, D.H. Lawrence se soignait en Suisse et, se sentant perdu, dessinait dans le cimetière de Gstaad le croquis de son futur tombeau. Mais il eut la douleur, avant de mourir, de se voir injurier plus qu'un criminel. La presse anglaise fut unanime à comparer son roman à «une fosse d'aisances» ou à dire comme le *John Bull* que «les égouts de la pornographie française n'avaient rien produit de comparable». La vente en fut interdite en Angleterre et aux Etats-Unis. Malgré sa toux, ses hémorragies pulmonaires, Lawrence se battit avec un courage indomptable. Il écrivit *A Propos of Lady Chatterley's Lover*, où il affirmait: «Je veux qu'hommes et femmes soient capables de penser les choses sexuelles pleinement et complètement, honnêtement et proprement.» Il accusait les civilisés de se contenter de la «sexualité blanche», ne concernant que les nerfs, tandis qu'il enseignait la sexualité vitale, «cette communion de deux courants sanguins», l'époux et l'épouse étant «deux fleuves de sang» que l'acte sexuel faisait communiquer: «Le phallus sert de trait d'union entre ces deux fleuves: il conjugue leurs rythmes différents en un courant unique [1].»

L'opinion anglaise ne désarma pas. Le 14 juin 1929, à Londres, une exposition de ses tableaux à la galerie Warren fit l'objet d'une descente de police; le Home Secretary confisqua treize de ses toiles et son catalogue. Avant de mourir le 2 mars 1930 à Vence, D.H. Lawrence dit dans sa brochure *Pornography and Obscenity* que ses vertueux censeurs et les amateurs de plaisanteries obscènes lui paraissaient aussi méprisables: «Ils ont la grise maladie de la haine du sexe, en même temps que la maladie jaune du vil appétit [2].» Ils considèrent le sexe comme un «sale petit secret» (*dirty little secret*) que l'on doit cultiver en cachette. D.H. Lawrence se voulait le représentant de l'érotisme propre, sain, et ce fut une injustice criante de l'assimiler à un pervers.

---

1. D.H. Lawrence, *Défense de lady Chatterley*, traduction de J. Benoit-Méchin (Paris, Gallimard, 1931).
2. D.H. Lawrence, *Eros et les chiens*, essais traduits par Thérèse Auriol (Paris, Christian Bourgois, 1969).

Les petits maîtres de l'érotisme
entre les deux guerres

La tradition du roman érotique publié sous le manteau, à laquelle s'opposait si courageusement D.H. Lawrence, continua à être florissante entre les deux guerres. Ses auteurs ne sont pas négligeables, bien qu'ils aient œuvré dans l'anonymat pour ne pas s'exposer aux mêmes poursuites que lui; ils ont d'une façon plus restreinte, mais non moins intéressante, contribué à exalter la liberté sexuelle.

En France, le souci de la qualité littéraire amena les romanciers à aborder tous les genres. Il y eut ainsi des romans de guerre, depuis *Petites Alliées* (1919) de Miss Clara F., *La Carrière amoureuse de Gisèle B., infirmière* (1919) de la baronne d'As, *La Belle Libertine* (1919) du baron de Maschera jusqu'à *Rose de B.* (1938) du grand typographe François Bernouard. Il y eut également des romans historico-érotiques, comme *La Porte de l'Âne* (1920) de Louis Stévenard, se passant dans la Rome antique; ou comme *La Galante bergère* (1926) de Charles de Sertillanges, où celui-ci, ayant à se venger de Renée Dunan, la représenta sous les traits de la naine lesbienne Enée Tunan, gardeuse de vaches. Il y eut surtout des romans «psycho-physiologiques» sur l'insatisfaction sexuelle. André Ibels (frère du dessinateur de *L'Assiette au beurre*) étudia le cas d'une nymphomane dans *La Bourgeoise pervertie* (1930), qu'il édita à compte d'auteur en tirage limité.

Parmi ces *curiosa*, un petit chef-d'œuvre se détache, *Roger ou les à-côtés de l'ombrelle* (1926), roman de Jean Lurçat (qui le signa Jean Bruyère parce qu'il était né à Bruyères dans les Vosges). Lurçat l'illustra lui-même de cinq gravures et d'ornements dans le texte[1]; le dessin en frontispice, figurant le héros Roger, était de Modigliani. Ce récit d'un érotisme intense, avec des notes d'humour agressif, prouve que le rénovateur de la tapisserie française était un écrivain subtil.

Le narrateur Roger, jeune peintre profondément troublé par le corps féminin, prend encore plus de plaisir à le contempler, à le humer, qu'à le posséder. S'énamourant de Clotilde, il défaille rien qu'en respirant son *odor di femina*. Cette jeune femme exploite perversement ses émois en ne lui accordant que des demi-plaisirs. Elle s'offre et se refuse en même temps, se caressant devant lui sans lui permettre de la toucher, ou l'incitant à se manuéliser devant elle. Ils voyagent ensemble en Italie, se font à Naples les voyeurs de la prostituée Palomella, et se lient à Capri avec la comtesse P., qui entraîne Clotilde dans le saphisme. Roger sera admis une nuit à être le spectateur actif de leurs jeux. Puis, ultime frustration, Clotilde le quitte et lui envoie une lettre afin de lui raconter les plaisirs qu'elle prend avec l'Espagnol Carvalho: «Cet homme est mon maître; pour combien de temps?» Ce roman curieux exprime qu'on jouit

---

1. Jean Lurçat fit encore une série de huit gravures érotiques que Pierre-Albert Birot commenta par seize quatrains, *Les Soliloques napolitains* (1928).

autant d'une femme qui se dérobe que d'une femme qui se donne. Lurçat, dans sa postface définissant le «véritable érotisme», prétend qu'il est plus cérébral qu'épidermique.

Nous deux (1929), livre anonyme attribué à Marcel Valotaire, mérite aussi d'être distingué. Il est axé sur la comparaison des sensations amoureuses de la femme avec celles de l'homme. Le journal de Nelly et le journal de Jean alternent, si bien que les mêmes faits sont rapportés tels que les ressentent respectivement le héros et l'héroïne. Nelly est une étudiante vierge qui prend des leçons de latin avec un jeune professeur. Ils s'éprennent l'un de l'autre, et il l'initie à toutes sortes de caresses avant d'en venir à la défloration. Elle hésite à la vue de son organe turgescent: «Je suis effrayée de la taille et de l'allure imposante de Petit-Jean», note-t-elle dans son carnet. Et lui dans le sien: «Elle a trouvé tout de suite le nom qui convenait à ce que je ne voulais pas lui désigner par des mots de caserne... J'ai appris alors que tout, chez elle, était dénommé. Ses seins menus sont *Agathée* (à gauche) et *Dorothée*; son nombril s'appelle *Pétrouille* — pourquoi, mon Dieu? — et l'endroit le plus secret de sa personne *l'impasse Saint-Bernard*.»

Dès que Nelly est déflorée — la scène est racontée deux fois, selon les deux points de vue —, ils recherchent dans leurs étreintes tous les raffinements sensuels. Elle écrit: «De plus en plus fort! Je me demande jusqu'où nous conduira notre audace!» Et de son côté, il consigne: «J'ai expliqué à Nelly que les seins, quand ils s'y prêtent, sont aussi un domaine possible pour Petit-Jean. Elle a voulu essayer sans plus tarder; rien à faire! Les siens sont bien trop fermes et trop écartés...» Dans un style fin, avec des mignardises charmantes, l'auteur conta ainsi « l'histoire de ceux qui s'aiment sans calculs aucuns, pour la seule jouissance de s'abstraire divinement dans l'ivresse du cœur et des sens, voulue *pour l'autre* encore plus que *pour soi*».

Les meilleures publications de ce genre furent assurées par l'imprimeur-éditeur Maurice Duflou, un nom réputé de l'édition clandestine française. Ami intime de l'érudit Louis Perceau, alias le bibliophile Helpey, il édita avec sa collaboration des livres superbes, de *L'Anti-Justine* de Restif aux *Lettres à la Présidente* de Théophile Gautier (comprenant soixante-cinq lettres inédites), illustrées par le graveur belge Luc Lafnet (sous le pseudonyme de Viset). Il publia aussi l'*Ode au vagin* de Clovis Hughes, poète qui fut député radical-socialiste de Marseille, et dont la femme passa en cour d'assises pour avoir tué un journaliste mettant en doute sa vertu.

J'ai connu Maurice Duflou à Paris en 1947, quand j'étais un surréaliste de vingt ans, et je l'ai fréquenté jusqu'à sa mort. C'était alors un vieil anarchiste fort distingué, se rendant à son imprimerie habillé en grand bourgeois, avec un chapeau à bords roulés, un foulard de soie bleu marine à pois blancs, un pardessus bien coupé, tenant d'une main sa canne, de l'autre sa serviette bourrée de livres érotiques qu'il proposait aux libraires spécialisés. Il avait une femme et une fille qui se désintéressaient complètement de son activité; lui-même il l'accomplissait plutôt par conviction libertaire que par salacité. Il avait horreur des ouvrages mal écrits, des obscénités insupportables.

Maurice Duflou possédait, dans une traversière de la rue de la Goutte-d'Or, une petite imprimerie où il travaillait tout seul à sa presse, tel un artisan d'autrefois; en blouse grise, il bavardait avec moi devant sa fenêtre aux persiennes à demi fermées, tout en surveillant sa cour comme s'il s'attendait à subir un assaut. En effet, la police avait fait plusieurs fois des descentes chez lui, abîmant son outil de travail, raflant ses livres.

Parfois un des amis de Duflou, tous fort respectables — parmi lesquels un magistrat qui le protégeait, Jean Tixier, le rédacteur en chef de *Libé-Soir*, etc. —, apparaissait et potinait. Ils m'apprenaient des détails inédits, comme l'incident du paquet de livres érotiques destinés au général Eisenhower et saisis à la douane. Duflou racontait que Paul Valéry, lorsqu'on avait publié en 1926 *Trois Filles de leur mère*, disait à Louis Perceau: «J'ai moi aussi écrit un roman érotique, mais qui est bien autre chose que ceux de mon ami Pierre Louÿs.» Le rêve de Maurice Duflou était de publier un jour ce texte secret de Paul Valéry qui, jusqu'à présent, semble avoir disparu.

Connaissant tous les dessous de la littérature clandestine, Duflou me fit sur elle des révélations étonnantes. Ce fut lui qui commanda à deux romancières connues, Renée Dunan et Michèle Nicolaï, les deux premiers romans pornographiques féminins du xxᵉ siècle, *Les Caprices du sexe* et *Une jeune fille à la page*. Me confiant ses démêlés avec Renée Dunan, il me dit qu'il fut d'abord déçu des *Caprices du sexe*: «Il y avait des pages entières sur la syphilis: vous vous rendez compte, tout un cours médical là-dessus dans un roman érotique! Aucun amateur n'en aurait voulu. Je lui ai fait couper ce passage illico.» Michèle Nicolaï écrivit de nombreux romans galants, comme *Le Baiser du Sud*; un de ses romans policiers, *Pas même un slip pour l'assassin*, se passe dans un camp de nudistes. Elle prit le pseudonyme d'Héléna Varley pour publier en 1938 *Une jeune fille à la page*, que Duflou imprima avec des illustrations de Bécat.

Ce roman évoque avec verve le déchaînement sexuel d'une jeune bourgeoise chic, dans une France fredonnant à la veille de la guerre *Tout va très bien madame la marquise*. Florence, fille d'une romancière célèbre, vit au château de Valfosse en Touraine avec ses deux frères, les jumeaux Claude et Antal, toujours amoureux de la même femme et jouant au *poker dice* le droit de l'étreindre le premier. Déflorée par un ami de son père, le docteur Laurès, Florence manifeste son anticonformisme dès qu'on veut lui faire épouser un aristocrate: «Moi, les grands seigneurs ne m'imposent pas, je suis républicaine. C'est le type même du parfait crétin, du goitreux.» Elle préfère avoir les aventures les plus lubriques avec son amie Stasia, l'avocat Gérard, le danseur noir Kouka, le gigolo Vassili. A la fin, quand elle épouse l'Américain Roy Wright, sa mère lui donne les conseils d'usage: «Les hommes se livrent sur les femmes à des gestes terriblement bestiaux... Laisse faire et supporte.»

Florence, qui vient de se faire sodomiser par Wright avant la cérémonie, répond d'un air innocent: «Oui, maman... J'essaierai de supporter.»

Mais l'auteur moderne découvert par Maurice Duflou, celui qu'il a édité avec le plus d'enthousiasme, fut Johannès Gros. «C'était un journaliste très cultivé, m'expliqua-t-il, ayant une passion pour les lingeries féminines, qu'il détaillait toujours en des descriptions raffinées.» Après avoir publié des biographies de courtisanes romantiques, notamment *Marie Duplessis et Alexandre Dumas* (1923), Johannès Gros écrivit sous les pseudonymes de Spaddy ou de Jacqueline de Lansay des romans érotiques, *Les Délices libertines, Moi Poupée, Colette ou les Amusements de bon ton, Dévergondages*, dont la perversité exaspérée, le style à la fois précieux et cru sont peu communs.

Johannès Gros est l'héritier spirituel d'Andrea de Nerciat au XXᵉ siècle. Il a comme son modèle des recherches de vocabulaire, inventant par exemple le verbe *bêtiser*, signifiant prendre un plaisir fugitif. «Bêtise mon bijou», demande une de ses héroïnes, et une autre dit: «On bêtise par simple distraction... C'est un péché mignon qui rapproche un instant; on le commet quand il s'offre.» Alice, la narratrice des *Délices libertines* (1935), vient passer le mois d'août au château de sa cousine Clorinde, jeune veuve galante, et bêtise à outrance avec ses invités, Mme de Servannes et son fils efféminé Claude, Mme de Lignon et ses enfants Fred et May, sans parler de la voisine Elsa, d'un petit paysan et même du chien Rick. Toutes les perversions — saphisme, inceste, bestialité, etc. — sont pratiquées là dans un cadre rappelant Watteau, par des créatures élégantes dont on n'attend pas tant d'animalité. L'auteur se plaît justement au contraste du maniérisme et de l'obscénité dans les propos et les actions de ses personnages.

Le narrateur de *Colette ou les Amusements de bon ton* (1936) expose les agissements de sa maîtresse, une femme du monde qui avoue: «Je suis très libertine... J'aime la fantaisie et la diversité.» Colette, nymphomane et exhibitionniste, se livre aux pires égarements sexuels en public, et parfois en présence de son mari, témoin impassible et résigné: «A vingt ans, elle a toutes les expériences d'une longue vie de lupanar. Et pourtant, il n'y a pas visage plus séduisant et plus frais que le sien, corps plus exquis, plus jeune et plus virginal.» Colette entraîne son amant dans une quête frénétique du plaisir qui tantôt l'amène en des maisons de débauche, le Chabanais ou le Sphinx, tantôt lui fait racoler des partenaires comme le travesti Gaby. Associant toujours le vice au luxe, se plaisant à imaginer des mondaines ravissantes se conduisant salement, Johannès Gros est le chantre de la beauté polluée qui sort intacte de ses souillures.

Son dernier roman *Dévergondages* (1937) fut posthume, ainsi que le précisa Maurice Duflou en préface: «Disparu récemment, en emportant les lourds regrets de son entourage, l'auteur de tant d'œuvres galantes nous fait, dans cet ouvrage, le récit de quelques-unes de ses aventures personnelles.» Ce sont des prétendus «fragments d'une véritable autobiographie», commençant lorsqu'à douze ans une femme de chambre l'envoûta «du maléfice des jupes et de leurs parfums vénéneux». Son fétichisme ardent pour les dessous féminins se manifeste avec toutes sortes de fillettes; ainsi, il prend la robe, le jupon et la culotte de l'une d'elles, Louise, et se couche dessus pour mimer l'acte d'amour.

De sa première maîtresse, Françoise, à sa femme Marthe qui, devenant sa complice, lui facilite la conquête de ses propres amies, il ne cesse de s'émerveiller d'une «jolie croupe culottée de linon rose à volants de dentelles», d'un «pantalon béant enrubanné de satin framboise», de bas de soie azur ou saumon. Il ne fait l'amour qu'avec des femmes à demi habillées, auprès d'un miroir : il étreint Renée, la garçonne à crinière d'or clair, en y contemplant «l'aguiche de ses bas de soie mauve à jarretières noires et à petits Richelieu vernis». Le frétillement d'un pied chaussé d'un fin soulier lui cause autant d'extase qu'à Restif : «Pour jouir de la mimique érotique du pied où semble passer toute l'âme du plaisir, il faut renverser la femme sur le bord du lit et la prendre en restant debout. On lui soulève les jambes que l'on tient verticales et jointes.» Des femmes à première vue insignifiantes le séduisent sitôt qu'elles s'assoient devant lui comme la mère de Renée : «Le croisement audacieux de ses jambes me montrait, par-delà un bas de soie acajou, tout un haut de cuisse magnifique sous le retroussé d'une robe de mousseline noire à blancs ramages.»

Cet érotomane de grand style, venant après Pierre Louÿs et Mac Orlan, est le seul qu'on puisse leur comparer dans l'époque contemporaine. Mais ses pages, choquantes comme les leurs, ne peuvent être appréciées que par des lecteurs ne prenant pas au sérieux de telles licences et sachant les rattacher à la tradition libertine du XVIIIᵉ siècle, dont il était nourri.

9

LES COMPAGNONS DE SODOME

L'homosexualité masculine a été l'inavouable par excellence dans les pays adhérant aux croyances judéo-chrétiennes, car la Bible a dit : « Si un homme couche avec un homme comme on couche avec une femme, ils ont commis tous deux une abomination; ils seront mis à mort.» Tout au long des siècles, on a ainsi condamné à la décapitation, à la pendaison ou au bûcher des sodomites de toutes conditions. John Atherton, évêque de Waterford, fut exécuté à Dublin le 5 octobre 1640 pour délit de sodomie après un procès retentissant; son complice avait subi la peine capitale en mars. Le 6 juillet 1750 à Paris, place de Grève, on brûla un garçon menuisier et un charcutier que le guet avait surpris un soir pratiquant la sodomie dans la rue. Les deux coupables en chemise soufrée, attachés à deux poteaux, y furent d'abord étranglés par le bourreau. « Le feu était composé de sept voies de bois, de deux cents de fagots et de paille», précise Barbier dans son *Journal.* Il s'agissait pour la justice de Louis XV de faire un exemple, car les homosexuels parisiens étaient ordinairement emprisonnés à Bicêtre.

L'homosexuel, considéré comme un maudit, enveloppé de la réprobation populaire, n'avait nulle envie de révéler ses aventures au grand jour. L'Eglise estimait d'ailleurs que le péché de sodomie était moins grave s'il était tenu secret, puisqu'en ce cas il ne troublait pas la paix des familles. A la Renaissance, l'homosexualité ne fit donc l'objet que d'allusions mystérieuses, comme dans les sonnets de Michel-Ange, ou de satires acerbes contre ceux qui ne cachaient pas ce genre de penchant. En 1684, *Sodom,* la tragi-comédie obscène en cinq actes et en vers de John Wilmot, comte de Rochester, se moquait du roi Charles II dépeint dans le personnage de Bolloxinion, roi de Sodome. Sa cour était un pandémonium où, tandis qu'il caressait son favori Pocknello, la reine Cuntigratia s'abandonnait au général Buggeranthos, la princesse Swivia avait des rapports incestueux avec son frère, le prince Picket, et les dames d'honneur faisaient appel à Virtuoso, marchand de godemichés de la famille royale.

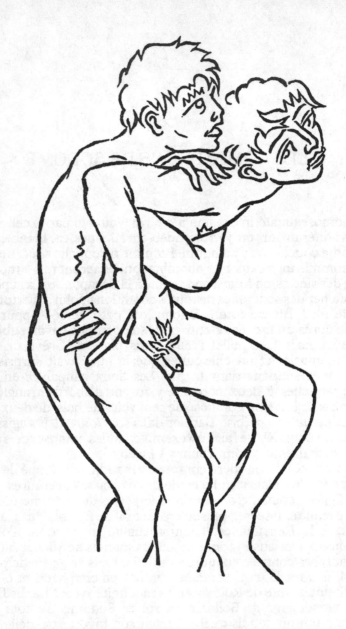

Jean Cocteau. Dessin pour illustrer *Tirésias*
de Marcel Jouhandeau, 1954.
(B.N./Cl. B.N. © SPADEM 1989.)

A la fin du XIXᵉ siècle, il y eut un tel grouillement d'homosexuels en Allemagne que les journaux français ne cessèrent d'ironiser à propos de «Berlin-Sodome» et du «vice allemand». Les savants berlinois justifièrent leurs compatriotes en présentant l'homosexualité comme «une maladie de la personnalité». Puis ils appelèrent uranisme, d'après le mot *urning* inventé par K.H. Ulrichs, la tendance homosexuelle non maladive correspondant à Eros Uranos, l'amour céleste. L'uranisme devint ainsi le synonyme d'homosexualité idéaliste et chaste. Marc-Antoine Raffalovich, traitant de cette question pour la «Bibliothèque de criminologie» du Dr Lacassagne, cita comme uranistes distingués Auguste von Platen, l'officier prussien qui dans son *Journal*, au moment de sa liaison avec Otto von Bülow, dit que son idéal amoureux est de «reposer sur la poitrine de l'ami intellectuel, beau et digne de confiance»; et le poète américain Walt Whitman qui trouvait un plaisir en soi à être dans un lit avec un homme. Raffalovich affirme: «On peut diviser les uranistes en ultra-virils, virils, efféminés, passifs.» Tous ils se refusent au coït anal, et se contentent de «baisers sur les vêtements extérieurs avec la même dévotion que sur les replis intimes du corps nu; nuits passées ensemble; coït périnéal, entre les cuisses, antérieur ou postérieur; onanisme de l'un par l'autre ou de l'un et de l'autre ¹».

Oscar Wilde, le dandy de Sodome

Oscar Wilde, se flattant de mettre *romance and cynism* dans l'expression de l'homosexualité, fut un esthète de l'amour pervers. Né à Dublin en 1855, fils d'un médecin débauché et d'une poétesse excentrique, Speranza Wilde, à laquelle il ressemblait et s'identifiait, il se fit d'abord connaître à Londres comme directeur d'un journal de modes, *The World's Woman*, et comme diseur de brillants paradoxes qu'il alla répandre dans une tournée de conférences aux Etats-Unis. Se mariant en 1884 avec Constance Llyod, il inscrivit sur le registre d'état civil, à l'endroit où il devait indiquer sa profession: *gentleman*. Chef de file d'un mouvement esthétique prônant le culte de l'artificiel, Wilde multiplia les actes de dandysme, feignant de s'évanouir en voyant un mobilier de mauvais goût, commandant une voiture pour traverser une rue ou se promenant dans Piccadilly Street un tournesol à la boutonnière et un jonc à pomme d'or à la main.

En 1889, Charles-Henri Hirsch commença de gérer à Londres la Librairie parisienne, un magasin à Coventry Street que fréquenta Oscar Wilde pour se procurer des livres qu'il qualifiait de «socratiques», au temps où il n'était pas encore l'auteur de comédies faisant courir la ville au Saint-James Theatre. Hirsch lui vendit *The Sins of the Cities of the Plain* (le premier roman anglais sur l'homosexualité, selon Peter Fryer,

---

1. Marc-Antoine Raffalovich, *Uranisme et unisexualité* (Paris, Masson, 1896).

paru en 1880 et exposant le cas d'un prostitué pour mâles), les *Lettres d'un frère à son élève*, «et enfin quelques brochures plus récentes, aux titres orduriers, imprimées à Amsterdam, dont la grossièreté lui déplut et qu'il me rendit [1]». Vers la fin de 1890, Wilde apporta à Hirsch un manuscrit que devait venir chercher un jeune gentleman: celui-ci le rapporta au libraire pour qu'il le donnât à un autre gentleman: «Pareil cérémonial se renouvela trois fois.» Quand ce manuscrit intitulé *Teleny* lui revint définitivement, Hirsch le lut avant de le rendre à Wilde: «Quel singulier mélange d'écritures diverses, de parties raturées, supprimées, corrigées ou ajoutées par des mains différentes! Il était évident pour moi que plusieurs écrivains, d'une valeur littéraire inégale, avaient collaboré à cette œuvre anonyme mais profondément intéressante [2].»

Oscar Wilde, à cette époque, fréquentait une maison close de Little College Street, dont le tenancier était Alfred Taylor, pour y rencontrer des garçons prostitués. Il trônait aussi au Café royal de Regent's Street, entouré d'une cour de jeunes admirateurs qu'il fascinait par ses «contes parlés». Le roman de *Teleny* fut un jeu intellectuel et passionnel qu'il joua avec quelques disciples. Il en a imposé le sujet et remanié certains épisodes. Sans doute y collaborèrent Robert Ross, alors âgé de dix-neuf ans, avec qui Wilde eut sa première liaison homosexuelle, le dessinateur Graham Robertson, le poète John Grey. *Teleny or the Reverse of the Medal* fut publié en 1893 à Londres par l'éditeur Leonard Smithers, en deux volumes tirés à deux cents exemplaires. Dans l'avant-propos, daté de juillet 1892, Wilde annonçait: «C'est une histoire vraie, la dramatique aventure de deux êtres jeunes et beaux, d'une nature raffinée, d'un nervosisme exacerbé.»

Camille des Grieux rencontre le pianiste René Teleny lors d'un concert qu'il donne au Queen's Hall. Il est fasciné par ce musicien aux cheveux blond cendré, un héliotrope blanc à la boutonnière, qui lui dit: «Mon destin! Quel horrible, horrible destin que le mien!» Ils deviennent grands amis, *bosoms friends*, et échangent un jour un baiser procurant à Des Grieux des songes lascifs: «Il me sembla, entre autres, que Teleny n'était pas un homme, mais une femme, ma propre sœur. Je n'ai pourtant jamais eu de sœur. Dans ce rêve, de même qu'Amon, fils de David, j'étais amoureux de ma sœur, et si honteux de mon amour que j'en tombai malade, car je reconnaissais toute la hideur de cette passion.» Le rêveur s'imagine qu'il déflore cette sœur, après lui avoir contemplé le sexe: «Plaisir céleste! Divine extase! Je flottais entre ciel et terre, je rugissais, je hurlais de joie.» Au réveil, il se sent tout confus devant sa mère, une comtesse veuve et galante, vivant en contradiction avec la morale.

Ne pouvant supporter la fatalité de devenir homosexuel, Des Grieux cherche à y échapper en allant dans un bordel de Londres, au fond de Tottenham Court Road. Il couche avec une chambrière de seize ans, Catherine, qu'il ne parvient pas à déflorer et qui meurt. Des Grieux suit

---

1. Préface à *Teleny ou le revers de la médaille* (Paris, Ganymède Club, 1932).
2. *Ibid.*

Teleny après chaque concert, sans qu'il s'en doute, par jalousie. Désespéré de n'en être pas aimé, il veut un soir se jeter dans la Tamise. Teleny le surprend et l'arrête, mais il lui dit: «Pourquoi traînerais-je une vie qui me dégoûte?» Teleny déroule alors son écharpe de soie: «Attachons-nous ensemble, dit-il, et sautons dans la rivière.» Des·Grieux renonce à son projet pour ne pas nuire à Teleny, qui le ramène chez lui où a lieu leur première nuit d'amour, si exaltée qu'il s'évanouit. Quelques jours après, il reçoit une lettre anonyme le menaçant d'une dénonciation.

Se résignant à être un *bugger*, mot venant de *bougre*, Des Grieux se rend à une fête masquée homosexuelle dans l'atelier du peintre Bryancourt, «un musée digne de Sodome ou de Babylone», où se trouvent beaucoup d'hommes déguisés en femmes. Cette fête se termine par un accident mortel, dont la victime est un spahi. Puis Des Grieux découvre que Teleny le trompe avec sa mère, la comtesse. Il les surprend enlacés, celle-ci gémissant: «Dieu, que c'est bon! Il y a longtemps que je n'ai ressenti une telle jouissance.» Teleny, honteux de sa trahison, se plante un poignard dans la poitrine. Un scandale s'ensuit: «La lettre même que Teleny m'avait écrite avant son suicide, m'informant que ses dettes avaient été payées par ma mère, était tombée dans le domaine public.» Des Grieux, déshonoré par la presse, conclut tristement son histoire en citant Job.

Paraissant après *Le Portrait de Dorian Gray* (1891), déjà symbolique de sa hantise d'être enlaidi par le vice, *Teleny* est un document capital sur Oscar Wilde, prouvant qu'il pressentait, trois ans avant son procès du 5 avril 1895, que ses mœurs allaient briser sa vie. Il se lia en 1892 avec le jeune lord Alfred Douglas, dit Bosie, et afficha sans pudeur leur liaison, quittant sa femme et ses deux enfants pour s'installer à l'hôtel avec lui, le tenant par le cou en public. Présenter Wilde comme une victime de l'intolérance britannique, alors qu'il n'a cessé de faire des provocations en vue de s'attirer un châtiment, est inepte.

Ce fut lui qui intenta un procès en diffamation au marquis de Queensberry parce que celui-ci l'avait traité de sodomite. Il vit se retourner contre lui ce défi, à cause des témoins cités par la défense qui révélèrent qu'il avait passé des nuits en divers hôtels avec des partenaires sordides, Alonzo, le chanteur comique Sydney, le bookmaker Fred Atkins, Schwabe, etc. Wilde nia les faits en jouant l'insolence, répondant, quand on l'accusa d'avoir couché au Savoy Hotel avec le jeune domestique Charlie Parker: «Je n'ai pas de préjugé de classe», ou quand on lui demanda s'il avait embrassé un petit valet d'Alfred Douglas: «Non, ce garçon était trop laid.»

Devant le tour que prenait l'affaire, Wilde se désista de sa plainte contre Queensberry; c'était trop tard, les preuves de ses délits entraînèrent son propre procès. Il eut beau soutenir en toute mauvaise foi qu'il n'avait jamais commis d'actes immoraux, que son sonnet sur «l'amour qui n'ose pas dire son nom» concernait l'amour intellectuel entre un homme mûr et un jeune homme, il fut condamné à deux ans de travaux forcés. Le Wilde humilié qui écrit dans sa geôle de Reading en 1897 *De profundis,* lettre pathétique à Bosie, celui qui meurt en 1900 à Paris dans un hôtel de la rue des Beaux-Arts, a comme Des Grieux à la fin de *Teleny* le sentiment que la souffrance a sauvé son âme compromise par ses péchés de chair.

Les uranistes

Oscar Wilde eut pour émule en France Jean Lorrain, écrivain exhibitionniste faisant le fanfaron du vice dans les salons et les cafés. Fardé, la moustache teinte au henné ou pailletée de poudre d'or, Jean Lorrain aimait dire très fort dans un restaurant chic qu'il venait de coucher avec deux débardeurs. Il se droguait en mangeant des morceaux de sucre imbibés d'éther et choisissait ses compagnons de plaisir parmi la pègre, mais sa littérature maniériste, où il imitait «l'écriture artiste» des Goncourt, n'eut pas les audaces de son comportement. Dans *Monsieur de Bougrelon* (1902), dont le titre annonce le portrait d'un bougre, le héros exilé à Amsterdam parle de son ami Mortimer sans oser rien suggérer de plus que leur amitié chevaleresque.

Proust fut le premier romancier qui décrivit un type d'homosexuel dans un roman autre que clandestin. Son Charlus fut en sodomite le pendant du baron Hulot de Balzac en hétérosexuel. Proust regretta plus tard auprès de Gide la vision dérisoire que *Sodome et Gomorrhe* donnait de l'homosexualité. Mais cette monomanie a des côtés tragi-comiques dont Proust lui-même offrait un exemple chez Albert, ancien valet de chambre royaliste dirigeant un bordel pour pédérastes rue de Madrid. Jouhandeau, qui fréquenta cet établissement, dit comment Proust s'y comportait: «Il y avait un carreau qui avait des raies. A travers ce carreau, il désignait la personne avec qui il voulait passer un moment. Cette personne était priée de monter, de se déshabiller (il y avait une chaise à côté de la porte), de poser ses vêtements sur cette chaise, et de se masturber devant le lit où Proust était étendu, avec le drap jusqu'au menton [1].»

André Gide, voulant rivaliser avec Wilde et Proust, afficha à son tour son uranisme (car il se considérait comme un uraniste, non comme un pédéraste). *Corydon,* qui parut d'abord en 1911 dans une édition limitée à douze exemplaires, était un éloge théorique de «l'uraniste supérieur» tel que le définissait Raffalovich. *Si le grain ne meurt* (1924) révéla ses expériences avec de petits Arabes. Gide apprit au public comment il masturbait Ali ou Mohammed, mais aussi combien il s'épouvanta lorsque son ami Daniel B. sodomisa en sa présence Mohammed: «Penché sur ce petit corps qu'il couvrait, on eût dit un vampire se repaître sur un cadavre. J'aurais crié d'horreur...»

Jean Cocteau, dans une confession anonyme, *Le Livre blanc* (1928),

---

1. Marcel Jouhandeau, *La Vie comme une fête* (Paris, J.-J. Pauvert, 1977).

avoua: «J'ai toujours aimé le sexe fort que je trouve légitime d'appeler le beau sexe. Mes malheurs sont venus d'une société qui condamne le rare comme un crime et nous oblige à réformer nos penchants.» Il y raconte les trois circonstances décisives qui firent de lui un homosexuel, puis ses aventures à seize ans avec Alfred, le souteneur de la prostituée Rose, avec le matelot Pas de Chance, et la crise spirituelle qui le poussa vers un monastère. *Le Livre blanc* fut réédité en 1930 et en 1953, toujours anonymement, mais avec dix-sept dessins de Cocteau qu'il signa.

François-Paul Alibert, fonctionnaire de la mairie de Carcassonne et ami d'André Gide (ils firent ensemble un voyage en Italie et entretinrent une longue correspondance), publia en 1931 *Le Supplice d'une queue*, roman que Gide lui-même se chargea de faire éditer sous le manteau, à quatre-vingt-dix exemplaires. Le narrateur Albert est un uraniste possédé par le «démon de l'ironie», qui se refuse à la sodomie active ou passive, mais qui fait allègrement tout le reste avec ses partenaires. Le malheur de l'un de ceux-ci, rencontré dans une station balnéaire, et se plaignant d'une hypertrophie du sexe, lui fait prendre conscience que l'homosexualité dépend d'une fatalité physiologique et ne peut être vécue joyeusement.

Marcel Jouhandeau, le don Juan de l'homosexualité

Marcel Jouhandeau, un des homosexuels les plus dépravés de la littérature française moderne, a assumé sa condition en bourgeois tranquille, à l'abri de sa respectabilité de professeur de sixième, de mari d'Elise, femme forte par qui il feignait d'être tyrannisé, et d'auteur de chroniques provinciales ayant pour cadre Guéret, rebaptisé Chamina-dour. Considérant son homosexualité comme «une anomalie excusa-ble», il se permettait tout et se moquait de Gide, de Cocteau qui, disait-il, «y allaient avec le dos de la cuiller». Montherlant pédéraste lui faisait pitié, car Jouhandeau affirmait: «J'ai horreur de la pédérastie et je ne peux que respecter les enfants. Je suis homosexuel et j'aime un garçon à partir de dix-huit ans. Je suis amoureux de l'Adam de Michel-Ange, c'est la majesté du corps de l'homme qui me trouble [1].» Il fut le type même de l'homosexuel religieux, invoquant Dieu et ses saints en allant chez Mme Made, tenancière qui fournissait des invertis aux sodomites de la IVe République et dont il disait: «Elle me choisissait toujours de très beaux garçons. Et rien jamais ne m'a plus ému que d'arriver devant la porte, et de savoir qu'il y avait quelqu'un d'inconnu derrière [2].»

1. *La Vie comme une fête, op. cit.*
2. *Ibid.*

Marcel Jouhandeau commença à parler de son homosexualité en 1939 dans *De l'Abjection*, livre sans nom d'auteur. Il y confesse qu'il se sent abject, affligé d'une perversion qui fait «trembler Dieu». Il raconte son cheminement depuis son enfance dans la boucherie de son père à Guéret, où un garçon boucher l'entraîna à l'écart pour lui montrer son «petit oiseau». Jouhandeau devint obsédé par les hommes, au point que dans sa jeunesse à Paris, locataire d'une mansarde rue Gay-Lussac, il y faisait venir «des ouvriers sans travail, plombiers, mécaniciens et sans doute souvent des malfaiteurs». Il leur disait qu'il était graveur de son métier: «Je les priais tout naturellement de se dévêtir et de s'étendre sur mon lit; ils y prenaient l'attitude avantageuse qui leur convenait.» Il contemplait avidement leur nudité, en faisant semblant de dessiner.

Jouhandeau essaie de comprendre pourquoi il est homosexuel, et pense que c'est parce qu'«un Démon est attaché à chaque partie du corps». Il y a des Démons de la Face, des Mains et des Pieds, un Démon phallique, un Démon vaginal, un Démon anal: «Ce sont ces Démons qui nous quittent pour aller tourmenter de nous les autres ou qui nous guettent eux-mêmes au passage, abandonnant les autres pour nous obséder tour à tour et nous assiéger ensemble à la fin [1].» C'est précisément parce qu'il est hanté par les Démons, déclare Jouhandeau, qu'un homosexuel garde une chance d'être sauvé par Dieu. S'il pense un instant que l'homosexualité est un état normal, il perd son âme. Jouhandeau dit avec insistance à l'homosexuel: «Avoue que tu as connu l'abjection et qu'il n'y a rien au-dessous... Devenu animal immonde et puis plante limoneuse, adaptée aux replis d'une honteuse anfractuosité de l'Enfer, un moment tu fus moins que cela, protoplasme [2].» L'homme damné qu'est l'homosexuel mérite le pardon s'il met «l'élégance de cœur» dans ses passions: «Il peut y avoir à être impur une grandeur égale à celle d'être pur. L'impureté réclame de nous parfois autant d'héroïsme et d'abandon que la pureté.»

Dans ses *Carnets de don Juan* (1946), Jouhandeau se présente comme le Don Juan de l'homosexualité, décrivant ses rapports avec Raoul, Jean-Pierre, Albert le malfaiteur, Raphaël, «beau garçon dodu», etc. Il se dit fasciné toujours et partout par les fesses des hommes, qu'il évoque en des pages délirantes: «Face géante de Polyphème à l'œil absent, à l'orbite unique et vide; physionomie sans profil, à la bouche édentée de poulpe, sans maxillaire ni lèvres, dont on cherche vainement le nez; visage élémentaire...» Ce n'est rien à côté de son invocation à l'anus: «Grotte saturnienne, dissimulée entre les monts, soupirail où passe un rayon sans gloire, noir, hallucinant, au fumet capiteux, opiacé, qui émane des profondeurs comme la respiration souterraine de nos membres ou le souffle même des enfers physiologiques...» Jouhandeau n'en finit plus de parler de l'anus, tel un possédé subissant des hallucinations de concupiscence: «Gouffre vivant, abîme qui halète sans cesse,

---

1. *De l'Abjection*, par *** (Paris, Gallimard, 1939).
2. *Ibid.*

crevasse balbutiante, suante, suintante, moite de convoitise; ventouse sournoise, curieuse de plaisirs qui ne sont pas faits pour elle [1]...»

Après la guerre, Jouhandeau publia *Chronique d'une passion* (1949) pour se laver d'avoir été antisémite et collaborateur sous l'Occupation allemande. En effet, c'est l'histoire de sa liaison de quelques mois en 1939 avec le peintre Jacques St., à demi juif: «Il appartient par son père à l'Ancien et par sa mère au Nouveau Testament.» Comment prétendre que Jouhandeau, malgré son livre *Le Péril juif*, fut antisémite, puisqu'il sodomisait Jacques St. qu'Elise définissait comme «un pauvre Israélite qui avait mal partout, même à son pantalon»? Et puisque Jacques St., reconnaissant d'avoir été entraîné par ce dévot catholique dans «cet état sublime qui participe à la fois de la Sainteté et de la Damnation [2]», fit le portrait de Jouhandeau en cardinal pour lui rendre hommage? (Ce tableau, *Le Prélat*, fut d'ailleurs criblé de coups de couteau par Elise, indignée.)

Jouhandeau publia en «édition confidentielle», non mise dans le commerce, *Tirésias* (1954), pour raconter «l'expérience fabuleuse» qui lui advint vers soixante ans: d'actif il devint passif, se faisant sodomiser par des prostitués masculins tous les jeudis. Cela commença avec Richard, «colosse noir au bassin nacré opulent», auquel succéda Philippe, «un Antonin Artaud jeune», mais ayant «une bêtise de palefrenier», dont il dit: «Il ne me prend qu'agenouillé, mes jambes passées autour de son cou.» Puis il se donne au Nain, «une espèce de petit animal velu, trapu, court sur pattes», qu'il délaisse bientôt pour Pierre, qui a «une gueule méchante» et qui l'anéantit: «Je sors de ses bras comme s'il avait répandu sur mes membres du vitriol.» Ces actes fous, qu'il décrit en détail, le plongent dans l'angoisse: «La nuit, quand je me réveille, j'ai peur de mon corps. Je ne me sens pas encore habitué à ce qui lui arrive... Me voici, après avoir toute une vie refusé de l'être et sans l'avoir jamais prévu, métamorphosé en femme!» Ce livre est d'un immoraliste de grand style, car Jouhandeau dégage une beauté littéraire du moindre geste obscène: «Quand ma main étreint le col de sa gourde gorgée de lait, il ferme les yeux, comme les pigeons qu'on étouffe.» Il subit les exigences de ses partenaires en ascète s'imposant des épreuves terribles: «La volupté me touche dans la mesure où elle ressemble à une tragédie religieuse qui met en mouvement toutes les puissances des abîmes et du Ciel [3].» Jean Cocteau, bien qu'il acceptât d'illustrer *Tirésias* de dessins érotiques, s'en effraya tout d'abord et écrivit à l'auteur: «Comment, tu prends ton plaisir ainsi, mais c'est monstrueux! Ah, jamais je n'aurais pu penser une chose pareille!» Jouhandeau s'enchanta de l'avoir scandalisé, entendant démontrer à ses émules en homosexualité: «Je suis toujours allé le plus loin possible. Il n'y avait pas de limite pour moi [4].»

1. *Carnets de Don Juan*, par l'auteur de *De l'Abjection* (Paris, Paul Morihien, 1946).
2. Marcel Jouhandeau, *Chronique d'une passion* (Paris, Gallimard, 1949).
3. Marcel Jouhandeau, *Tirésias* (Paris, 1954).
4. *La Vie comme une fête*, op. cit.

Pourtant, *Du pur amour* (1955) sera un gros livre racontant la passion «uraniste» de Jouhandeau pour Robert, un militaire joueur de clarinette qu'il rencontra en 1948 dans le train d'Avignon à Paris. Il a le plaisir de développer cette liaison sous le nez d'Elise sans qu'elle s'en doute. Mais Robert n'est pas aussi pervers qu'il le souhaite, il refuse même de se laisser embrasser sur la bouche. Jouhandeau se résigne au «pur amour» et soupire: «Ce qui est plus beau que tout, c'est quand nous nous trouvons l'un devant l'autre nus et qu'il me prend dans ses grands bras, sans savoir tout à fait que faire de moi et moi de lui [1].» Cette liaison «pure» tourne à l'aigre parce que Robert, qui est marié, lui fait l'éloge des seins de sa femme Brigitte: c'est plus que «Don Jouhan» ne peut en supporter.

Dans *La Possession*, quatorzième volume de ses *Journaliers* (il y en aura vingt-huit, où il est le héros d'un roman plus ténébreux que ses *Contes d'enfer*), Jouhandeau raconte comment en août 1963, à soixante-quinze ans, il s'éprit du truand Serge, «un garçon du "milieu", au visage et au corps divinement sculptés, dur, cruel». Serge lui avoue: «Repris de justice, j'ai fait deux ans de prison pour proxénétisme. Je ne suis pas un malhonnête homme.» Il explique: «J'ai vendu des femmes comme le boucher sa viande, parce que je les méprisais.» Ce maquereau se sent donc honnête pour des raisons aussi spécieuses que l'homosexuel Jouhandeau se croit «un saint». De temps en temps le truand ferme sa main puissante sur le cou du vieil homme, pour lui montrer qu'il pourrait l'étrangler facilement. Jouhandeau est tout excité de «vivre dans l'épouvante, le sourire aux lèvres». Son carnet de chèques «flanche» sous les exigences de ce partenaire, à qui il offre une grosse bague, une médaille en or à l'effigie de la Vierge, etc. Il est navrant de voir cet intellectuel septuagénaire s'humilier devant cette fripouille: «Il aime que je lui baise les poignets, en souvenir des menottes, que je lui baise les pieds comme à un saint (*sic*), que mon souffle erre autour de sa bouche, sans que j'ose en approcher mes lèvres, par respect, par pudeur [2].»

Dans ses entretiens de 1977, âgé de quatre-vingt-neuf ans, Jouhandeau se glorifia de son impénitence finale: «A quatre-vingts ans je faisais encore l'amour, sans me gêner... J'ai cessé tout d'un coup. J'ai encore des désirs.» Après sa mort on publia son *Bréviaire* où il remémore les derniers prostitués qu'il a *connus,* Igor dont il dit: «A ce moment, son cul se mit à bâiller, comme la bouche d'un homme qui a sommeil», Petit-Pierre, Jean-Paul, Francis, etc.

Extravagant testament qu'il a laissé là, fait de ses «lettres impudiques» à des garçons, disant à celui-ci: «Ouvre, dilate les anneaux de ton anus, humecte-le d'un suint doux, pour que passe la poire d'angoisse que tu recevras agenouillé, sans me voir.» Et à celui-là: «Si tu n'es pas vierge de ce côté, contrairement à ce que tu m'as juré, si quelqu'un a passé par le défilé que je me devais d'ouvrir le premier, je fais le serment de laisser

1. *Du pur amour* (Paris, Gallimard, 1955).
2. Marcel Jouhandeau, *Journaliers,* t. 14, *La Possession* (Paris, Gallimard, 1970).

couler en toi au lieu d'un baume aromatique une liqueur puante et sordide d'où naîtront des serpents.» Et à cet autre encore: «Mes dents broutent les cheveux blonds de ta nuque. Mon ventre pèse sur tes reins. Ma verge cherche l'embouchure du four, l'ouverture d'un tunnel, d'une bouche d'égout. On visite les égouts de Paris à la lanterne. Moi, je te taraude en tapinois dans les ténèbres de ton velours[1].» Quand il est ressorti de «l'égout» (on remarquera cette joie méchante de souiller et de se sentir souillé), Jouhandeau constate: «Tu me dis que j'ai quelque chose d'un saint. Oui, quand je te regarde.» Admirateur du surréalisme, Jouhandeau s'apparentait ici à Georges Bataille en sa quête d'une «sainteté» issue de la pire débauche.

La damnation de Jean Genet

Ce fut un livre de Jouhandeau, *Prudence Hautechaume*, qui éveilla la vocation littéraire de Jean Genet; mais *De l'Abjection* l'influença bien davantage. Jean Genet a été l'extrémiste de la littérature homosexuelle, le provocateur intégral, celui qui a voulu dire les choses les plus fortes et les plus scandaleuses. Débutant en même temps que Roger Peyrefitte, il surclassa immédiatement ce dernier, dont les romans remplis de papotages mondains parurent de l'uranisme académique en comparaison des rapsodies crapuleuses qu'étaient *Notre-Dame-des-Fleurs* et *Querelle de Brest*. Le but avoué de Jean Genet était «la réhabilitation de l'ignoble»: il a réussi en cette entreprise au-delà de toute espérance.

Né en 1910 à Paris, pupille de l'Assistance publique, Jean Genet avait été élevé par des paysans du Morvan, mais ses délits le firent placer à quinze ans dans la colonie correctionnelle de La Mettray, divisée en dix familles. L'année suivante, il eut sa première relation homosexuelle avec une brute de dix-huit ans, Villeroy, et conçut le projet de vivre plus tard en se prostituant: «J'ai moins rêvé à La Mettray de vols et de casses que de prostitution. Sans doute qu'avoir un amant qui fût cambrioleur m'eût enchanté[2].» Il s'évada de La Mettray, s'engagea dans l'armée, déserta au bout de quelques jours en emportant des valises d'officiers, se rendit en Espagne où il mena la vie qu'il raconte dans *Le Journal du voleur*, se prostituant aux hommes et volant ceux avec qui il passait la nuit. Il eut pour souteneur le manchot Stilitano qui l'emmena à Cadix. Puis il erra en Tchécoslovaquie, en Belgique, en Pologne dans un vagabondage qu'il qualifiera de «poursuite de l'Impossible Nullité».

Genet ne fut pas du tout un révolté que ses actes conduisaient en prison. Il commettait des délits exprès pour aller en prison. Il adorait

---

1. Marcel Jouhandeau, *Bréviaire, Portrait de Don Juan, Amours* (Paris, Gallimard, 1981).

2. Jean Genet, *Le Miracle de la rose* (à Bikini, aux dépens de quelques amateurs, 1946).

l'univers carcéral, les délinquants qu'il y rencontrait, comme il le confessa: «Les prisons me furent plutôt maternelles, plus que les rues chaudes d'Amsterdam, de Paris, de Berlin, de Barcelone. Je ne risquais ni de m'y faire tuer ni de mourir de faim, leurs couloirs étaient l'endroit le plus érotique et le plus reposant que j'aie connu»[1]. Au début de la guerre, il commença des cambriolages avec effraction à Auteuil; en été 1940, il fut arrêté et enfermé à la Santé, puis transféré à la centrale de Fontevrault. En cellule, il écrira son premier poème, *Le Condamné à mort* (1942), son premier roman, *Notre-Dame-des-Fleurs* (1943), dont les tournures de style prouvent qu'il avait lu Cocteau, Francis Carco et Jouhandeau.

Le chef-d'œuvre de Jean Genet est *Notre-Dame-des-Fleurs*. S'il n'avait écrit que ce livre, *La Dame aux camélias* de la littérature homosexuelle, sa gloire serait sans tache. L'histoire de Divine (surnom de Louis Culafroy), l'inverti phtisique se prostituant à Pigalle, de son mac Mignon-les-Petits-Pieds, de leur entourage, «les tantes-filles et tantes-gars, tapettes, pédales, tantouzes», est une peinture de mœurs comme on n'avait encore jamais osé en faire. L'obscénité y est baroque, c'est-à-dire stylisée à l'extrême, surchargée de métaphores. Le portrait de Divine révèle les mille souffrances et humiliations quotidiennes d'un inverti, son sentiment aigu d'être abject, son angoisse de vieillir, sa frivolité, ses humeurs fofolles, ses jalousies, ses terreurs en face de mâles qui lui interdisent de parler argot (langage réservé aux macs). Quand Mignon-les-Petits-Pieds amène dans leur mansarde à Montmartre Notre-Dame-des-Fleurs, le jeune assassin dont il s'est toqué, Divine s'incline devant la Fatalité, accepte de se prostituer désormais pour le couple. Ses tentatives de séduction de Notre-Dame-des-Fleurs, ses infidélités avec Gabriel, dit l'Archange, et le Noir Gorgui sont des épisodes où règnent «la Peur, le Désespoir, l'Amour triste». La mort de Divine qu'assiste avec indifférence sa mère Ernestine est poignante. Genet nous fait connaître là superbement un milieu, des caractères, que l'on aurait ignorés sans lui.

Genet envoya son manuscrit à Jean Cocteau, le rencontra après sa levée d'écrou, vit aussi Jouhandeau à qui il dit: «Je sais que j'ai du talent, alors je vais vivre de ma plume.» Jouhandeau lui répondit: «Cambriolez plutôt.» Genet comprit que, s'il voulait plaire à la coterie des homosexuels parisiens, il lui fallait surtout conserver sa réputation de voleur. Il cambriola de nouveau, se refit arrêter, et de sa prison avertit par lettre Jouhandeau qu'il avait suivi son conseil. *Le Miracle de la rose*, rédigé en 1943 à la Santé et à la prison des Tourelles, fut la description de son séjour à la centrale de Fontevrault, de ses amours avec un détenu, Bulkaen. L'intérêt documentaire en est grand, mais sa volonté «d'écrire avec des mots qui chantent» sur les pires actions de la pègre le fait déjà penser faux.

Une déviation sexuelle s'accompagne toujours d'une déviation mentale qui fait prendre l'anormal pour le normal et trouver dérisoire

---

1. Jean Genet, *Un captif amoureux* (Paris, Gallimard, 1986).

l'amour naturel. Sa déviation conduisit Genet à louer l'assassinat, le vol, la trahison, la pédérastie, l'abus de confiance, la lâcheté comme si c'étaient des vertus exemplaires. A Fontevrault, quand Harcamone sort de la cellule des condamnés à mort avec «la charge de sainteté qui pesait sur la chaîne serrant ses poignets», ses bouclettes de cheveux ressemblant à la «couronne d'épines» du Christ, Genet s'agenouille en adoration devant lui. En quoi consiste la «sainteté» d'Harcamone? Il a tué sauvagement une petite fille après l'avoir violée, et ensuite a tué un «gâfe». Si vous ne comprenez pas pourquoi cela l'identifie à Jésus-Christ, vous n'êtes qu'un sale bourgeois. Telle est la déviation mentale d'un pervers.

Si diverses religions ont jugé la sodomie comme un crime, c'est parce que le sodomite est trop souvent entraîné vers le pire. Il est hanté par des idées de meurtre et de suicide, de délation et de trahison. Jean Genet étale avec complaisance sur le papier tous ces mauvais sentiments que les autres homosexuels s'efforcent de réprimer ou de cacher. Son inconscient est un enfer à l'atmosphère empestée, d'où les démons jaillissent pour se pavaner orgueilleusement dans ses livres. Il a dédié *Le Condamné à mort* à la mémoire de Maurice Pilorge, exécuté le 17 mars 1939 à Saint-Brieuc «*parce qu'il avait tué son amant Escudero pour lui voler moins de mille francs*». Genet trouve cela admirable et ne cesse de rapporter des histoires d'homosexuels se trahissant et s'entre-tuant, comme si la mort de l'autre était pour eux le summum du plaisir.

Pompes funèbres (1947) est à cet égard son livre le plus contestable. Le narrateur, en suivant l'enterrement de Jean, l'adolescent mort sur une barricade à la Libération de Paris, évoque ses amours avec lui: «La grâce de son visage et l'élégance de son corps m'ont gagné comme une lèpre.» (On notera, encore une fois, à quel point l'inverti se sent souillé par son partenaire.) Mais la mère de Jean cache chez elle un nazi traqué, le tanker Erik Seiler, qui a été l'amant du bourreau de Berlin. Le narrateur en devient amoureux, rêve avec exaltation aux étreintes sodomiques que durent avoir le soldat et le bourreau, et avoue son admiration pour Hitler: «Le Führer envoyait à la mort ses hommes les plus beaux. C'était la seule façon qu'il eût de les posséder tous. Combien de fois n'ai-je pas désiré tuer tous ces beaux gosses qui me gênaient puisque je n'avais pas assez de bites pour les enfiler tous et ensemble, pas assez de sperme pour les gaver!»

Bien qu'il fût incroyant, Genet reprit à son compte la phraséologie mystique de Jouhandeau. Ce nihiliste prétendit lui aussi être «un saint». Il compara ses héros à des anges. Le matelot Querelle, par exemple, «était un personnage solitaire comparable à l'Ange de l'Apocalypse dont les pieds reposent sur la mer». Et que fait Querelle, «l'ange de la solitude»? Il assassine son ami Vic, puis il va au bordel de Mme Lysiane se faire sodomiser pour la première fois par le patron, Norbert, en lui disant: «Tu vas y aller mollo, hein? I' paraît que ça fait pas du bien.» Le tôlier le fait se déculotter dans une chambre tapissée de glaces et se mettre à genoux sur le lit:

Norbert l'écrasa. Il pénétra tranquillement, jusqu'à ce que son ventre touchât Querelle qu'il amenait contre soi de ses deux mains soudain effroyables et puissantes, passées sous le ventre du marin... Querelle s'étonnait de si peu souffrir. « I' n' fait pas mal. Y a pas à dire, i' sait y tâter.» Il sentait venir en lui et s'y établir une nouvelle *nature*, il savait exquisement que se produisait une altération qui faisait de lui un enculé [1].

Voilà son idée d'un ange.

Genet, capable d'un lyrisme éclatant dont le fond est malheureusement moins admirable que la forme, a écrit de belles phrases pour justifier la saloperie humaine. Son œuvre ne serait qu'une curiosité de la littérature moderne si Jean-Paul Sartre, reprenant le titre d'une tragédie de Rotrou, n'avait publié en 1952 *Saint Genet comédien et martyr*, en vue d'en faire un héros de l'existentialisme. Quelle injustice règne dans les lettres! D.H. Lawrence, homme noble et généreux, a été insulté toute sa vie; Jean Genet, voleur et prostitué inverti, exaltant des sentiments affreux avec emphase, fut honoré pendant trente-cinq ans sous la caution de Sartre proclamant: «Genet nous tend le miroir: il faut nous y regarder.» Aujourd'hui la critique, gênée d'avoir été entraînée trop loin dans l'encensement d'un tel apologiste du Mal, fait de Jean Genet un mythomane qui, pour éblouir l'intelligentsia parisienne, s'est vanté de méfaits qu'il n'a jamais commis [2]. Il suffit qu'il se soit fait gloire d'être un monstre, qu'on l'ait cru longtemps sur parole, pour que son cas reste celui d'un auteur dont on a révéré la monstruosité.

Le dernier ouvrage de Jean Genet, sorti en mai 1986 peu après sa mort, *Un captif amoureux*, avait été composé en 1984 pour raconter son séjour de deux ans chez les feddayin près du Jourdain. Des responsables palestiniens l'avaient invité fin 1970 pour qu'il écrivît l'histoire de leur révolution. C'était une naïveté, de la part de dirigeants politiques, d'appeler le panégyriste de la trahison et de la lâcheté à soutenir leur cause. Genet fait l'éloge de tout ce qui la rabaisse et la dessert. Il jubile en se promenant dans le bidonville de réfugiés palestiniens proche du palais d'Aman: «La trahison est partout. Tout gosse qui me surveillait cherchait à vendre son père ou sa mère, et le père sa fille de cinq ans. Il faisait bon. Le monde se défaisait.» Il déplore toutefois que l'érotisme n'y soit pas plus pervers: «Pas ici d'enculages, de pipes, mais des baisages parallèles, allongés ou debout, rapides, sans baisers ni dévorance du con, du zob, ni du cul; l'amour matrimonial, national, montagnard suisse.» Il trouve «quelque chose de grandiose» dans la fuite panique des feddayin attaqués en juillet 1971 par les troupes d'Hussein: «Les soldats palestiniens se sauvèrent devant la présence soudaine de l'Inattendu.» Le combattant qu'il préfère est le lieutenant Moubarak à Ajloun, «un mac — de caserne ou de quartier réservé — en même temps qu'une grande putain».

---

1. Jean Genet, *Œuvres complètes*, t. II (Paris, Gallimard, 1953).
2. Cf. Bernard Moraly, *Jean Genet, la Vie écrite* (Paris, La Différence, 1988).

Dans un hôpital près de Zarkat, l'unique médecin et l'unique infirmière sont couchés tout nus sur la terrasse à se caresser, au lieu de s'occuper des blessés. Qu'ils laissent agoniser sans soins une vingtaine d'hommes, voilà qui donne «envie de rire» à Genet. Mais l'épisode dont il parle avec le plus d'admiration est l'assassinat d'un représentant de l'O.L.P, Kamal Adnouan, et de ses deux gardes du corps à l'hôtel Strand de Beyrouth, par deux Israéliens déguisés en hippies blonds, feignant d'être deux pédés ivres, s'embrassant et titubant, pour en approcher sans éveiller la méfiance. Ils jouèrent à être homosexuels afin de tuer, aussi Genet leur crie son enthousiasme: «C'est pour cet acte que l'assassinat peut être considéré comme un des Beaux-Arts[1].» Genet trahit la confiance de ceux qui l'ont invité en glorifiant longuement les tueurs de l'un deux. C'était vraiment un imposteur-né, ou, comme il se définissait par euphémisme, un «spontané simulateur».

William Burroughs et la génération sauvage

Avec William Burroughs, autre écrivain qui a porté au paroxysme l'expression de l'homosexualité, nous entrons dans un domaine bien différent, celui de *l'underground*. Né en 1914 à Saint-Louis dans le Missouri, ayant fait ses études à Harvard, William Burroughs fut un drogué avant d'être un homosexuel, commençant dès 1940 à user de l'héroïne. Il rencontra en 1943 Jack Kerouac et Allen Ginsberg, dont il devint le maître à penser, comme celui d'autres membres de la beat generation (bien qu'il se défendît toujours d'être lui-même un beatnik). Il quitta New York, accompagné de sa seconde femme Joan Volmer, pour un ranch à New Waverly, Texas; puis ils allèrent vivre à Algiers, en face de La Nouvelle-Orléans, et ensuite à Mexico. En septembre 1951, voulant «imiter Guillaume Tell», il plaça un verre de gin sur la tête de sa femme et tira dessus avec un fusil, à une distance de deux yards; il la tua ainsi d'une balle dans la tête. Emprisonné deux semaines, il fit admettre la thèse de l'accident et fut libéré sous caution.

Son premier livre publié, *Junkie* (mot d'argot américain signifiant l'intoxiqué, le camé), en 1953, autobiographie construite comme un roman policier de Dashiell Hammett, est un authentique document de mœurs. Burroughs raconte sa propre histoire à travers celle du narrateur William Lee, qui sillonne les rues de New York en quête de drogue. Il décrit avec une cruelle précision la faune de pourvoyeurs et de camés qu'il fréquente. A La Nouvelle-Orléans, c'est à contrecœur qu'il va dans les boîtes d'homosexuels chercher des revendeurs: «Une salle pleine de pédés me fait horreur. Ils sautillent comme des marionnettes actionnées par des fils invisibles et leur agitation obscène est la négation de toute activité vivante et spontanée. Chez eux, la vie a depuis longtemps été

---

1. Jean Genet, *Un captif amoureux, op.cit.*

remplacée par quelque chose d'autre. Les pédés sont comme des marionnettes d'un ventriloque qui se seraient substituées au ventriloque lui-même [1].» A Mexico, au *Chinu bar*, il se laisse racoler par une «tante mexicaine» et mener dans un hôtel de passe; après une nuit banale, ils se séparent au coin d'une rue en se serrant la main. «La drogue court-circuite l'appétit sexuel», dit Burroughs. C'est pour redevenir sociable qu'il aspire à la désintoxication: «Lorsque je suis accroché à l'héroïne et à la morphine, les gens ne m'intéressent pas [2].»

Ce livre parut l'année où William Burroughs en Colombie et au Pérou cherchait du yage (ou *bannisteria caapi*), plante hallucinogène qui était censée procurer des pouvoirs télépathiques. Ses lettres à Allen Ginsberg relatent cette expédition au cours de laquelle, s'enivrant d'aguardiente, ayant des crises de malaria, Burroughs va de Panama à Bogota, de Pasto à Macao, se faisant rouler par des sorciers et des prostitués indigènes. A Puerto Assis, il passe la nuit avec une tapette qui lui a promis de le guider chez les Indiens du Putamayo et qui s'enfuit le matin après lui avoir volé jusqu'à son slip. Enfin, le 15 avril 1953, possédant une caisse de yage, il en absorbe sous forme d'un liquide huileux et phosphorescent qui le rend horriblement malade.

Ensuite le yage, qu'il prend en infusion légère, lui produit des effets aphrodisiaques. A Lima, le 12 mai, il a une aventure avec un garçon péruvien qu'il emmène au bal: «Au beau milieu de ce pince-fesses très illuminé et pas du tout genre bal-de-tantes, le garçon me toucha la bite. Alors je fis la même chose et personne ne fit attention [3].» Ils prennent un taxi, où l'inverti s'endort sur son épaule. Burroughs cache son argent dans la doublure de son chapeau, mais il est volé de ses lunettes, de son chapeau, d'objets ne servant à rien: «Dans toute mon expérience homosexuelle, je n'ai jamais été victime de vols aussi cons», dit-il. Après le point de vue du voleur que nous a donné Genet, nous avons celui du volé.

En janvier 1954, Burroughs partit pour Tanger et s'installa d'abord dans un bordel d'hommes tenu par Tony Dutch, n° 1, Calle de los Arcos; puis dans la villa Muniria appartenant à un gangster de Birmingham, Paul Lund, qui y habitait. Se bourrant de drogues diverses, comme s'il faisait de son corps un terrain d'expériences, Burroughs prit des notes pour *The Naked Lunch* (*Le Festin nu*) d'après les hallucinations que lui provoquait le cannabis. Il découvrit que les autres drogues étaient nulles pour l'activité littéraire; la morphine affaiblissait la capacité créatrice, la mescaline donnait des nausées et empêchait la coordination physique. La plupart des drogues étaient également antisexuelles, sauf la cocaïne et la benzédrine: «Un intoxiqué par l'héroïne ne s'intéresse pas plus à la

1. William Burroughs, *Junkie,* traduit de l'anglais par Catherine Cullaz et Jean-René Major (Paris, Belfond, 1972).
2. *Ibid.*
3. William Burroughs, *Lettres du yage,* traduction de Mary Beach, adaptation de Claude Pélieu (Paris, L'Herne, 1969).

sexualité qu'à un vieux navet [1].» Son aboulie devint telle qu'il resta un an sans se laver, sans changer de vêtements, passant ses journées prostré à regarder le bout de son soulier. Burroughs essaya des moyens de désintoxication lente ou rapide, des cures de sommeil, toujours avec des rechutes. En 1956, il alla à Londres suivre le traitement à l'apomorphine de John Y. Dent: «*The Naked Lunch* n'aurait jamais été écrit sans le traitement du Dr Dent», affirma-t-il.

The Naked Lunch, que publia en 1959 à Paris Maurice Girodias à l'Olympia Press, était une succession de cauchemars obscènes. Ce livre chaotique se divisait en vingt-trois sections dont l'ordre avait été distribué au hasard, sans souci de la progression de l'histoire. Le drogué William Lee se sauve jusqu'à l'Interzone et le Freeland, devant les agents de la Brigade des Stupéfiants, en des scènes oniriques qui sont une dénonciation de la drogue universelle. Tout homme assujetti à un besoin est un drogué, selon l'auteur; et la pire drogue est le pouvoir, car celui qui le perd est comme un camé en état de manque, avec de plus terribles conséquences. Le Dr Benway, le psychiatre dont l'assistant est le chimpanzé Violette, est drogué par la vanité scientifique; le mouchard Willy le Disque est drogué par le besoin de délation; les flics sont drogués par le besoin de puissance, etc. Le besoin homosexuel est aussi une drogue, ce que Burroughs démontre en analysant la relation du sodomite et du sodomisé; le plus drogué des deux est celui qui est contraint de «décharger dans le vide», comme le pendu quand sa carotide se brise. Burroughs commence ici à utiliser deux symboles qu'il reprendra fréquemment: l'homosexuel identifié à un pendu et l'homosexualité décrite comme un cirque fantastique, avec trapézistes masturbateurs et équilibristes fellateurs.

Dans sa trilogie *The Soft Machine* (*La Machine molle*), *The Ticket that exploded* (*Le Ticket qui explosa*) et *Nova Express*, constituant une «mythologie de l'ère spatiale», Burroughs usa de la science-fiction pour faire des allégories de l'homosexualité. On y voit que l'homosexuel est obsédé par le désir (et la peur) de perdre sa personnalité. Quand il se droguait, Burroughs sentait surgir en lui un être second qu'il nommait Opium Jones, qui s'emparait de tout son corps. De même il conçoit l'homosexualité comme une possession diabolique ou une mutation biologique. Dans le Mexique fantasmagorique de *La Machine molle*, Carl arrive à la ville de Puerto Joselito «d'où suinte un brouillard suffocant de vice rance» et se fait sodomiser par le chef militaire: «Le *Commandante* badigeonna le corps paralysé et nu de Carl avec de la gélatine. Il modela une femme. Carl a senti son corps s'écouler dans le moule d'une femme. Son appareil génital se dissolvait, des nichons pointaient [2]...» «Le viol sodomique a lieu lorsque l'homme s'est totalement fondu dans la femme sculptée sur lui. Ailleurs Joe Brundige, voulant s'assimiler la

1. Daniel Odier, *Entretiens avec William Burroughs* (Paris, Belfond, 1969).
2. William Burroughs, *La Machine molle*, traduction de Mary Beach, adaptation de Claude Pélieu (Paris, C. Bourgois, 1971).

pensée maya, demande à un médecin de faire «l'opération transfert» entre lui et le jeune Indien: «Nus côte à côte sur la table d'opération sous les projecteurs — Avec un crayon phosphorescent il trace la ligne médiane à partir de la base du nez jusqu'au rectum... — D'une distance Polaire je voyais le docteur séparer les deux moitiés de nos corps et les superposer pour obtenir un être composé.» Cet hybride fait de deux moitiés d'hommes différents est la créature en quoi l'homosexuel se sent transformé par l'acte sodomique.

En 1969 *The Wild Boys* (*Les Garçons sauvages*), description d'une Sodome future, montrèrent comment de jeunes homosexuels entreprennent de créer la société idéale sans femmes. Audrey Carsons quitte sa famille pour gagner leur camp et les trouve errant quasi nus, avec un cache-sexe multicolore et un poignard à la ceinture. Les garçons sauvages conquièrent le monde, ils tuent le colonel Arachnide Ben Idriss chargé de les combattre et jouent au football avec sa tête. Le mot *Mère* est effacé du tableau noir des écoles, car ces homosexuels de l'avenir possèdent la faculté d'être fécondés et d'accoucher par l'anus d'enfants qu'ils appellent des Zimbus. On assiste à des scènes d'accouchements d'hommes donnant naissance à plusieurs Zimbus.

Il recommença en 1973 l'histoire de «la prise du pouvoir par les garçons sauvages» dans *Port of Saints* (*Havre des saints*). Cette fois Audrey Carsons, l'adolescent de seize ans que ses proches comparent à «un cadavre ambulant», sera davantage présent. Après avoir été sodomisé par John Hamlin, il s'engagera parmi les homosexuels révolutionnaires: «Qui les rejoint doit oublier les femmes. Ce n'est pas un vœu, c'est un état d'esprit.» A leur camp d'entraînement, il subira les «rayons sexuels» qui le métamorphoseront en homme aux poils érectiles. Il participera à leurs «exercices sexuels de groupe», à leurs «orgies communautaires», il prononcera leur serment: «Un Garçon sauvage est dégoûtant, traître, rêveur, méchant et lascif.»

Avec *The Cities of the Night Red* (1981), William Burroughs donna un roman apocalyptique fait de trois histoires se combinant en alternance. L'une d'elles est l'étude archéologique, «par un érudit qui préfère garder l'anonymat», des cités de la nuit écarlate réparties il y a cent mille ans à l'endroit correspondant au désert de Gobi. Un cratère ouvert y rendait la nuit rouge et y soumettait les habitants à une influence infernale. La population se divisait en deux castes: les Transmigrants, homosexuels se réincarnant sitôt morts; les Réceptacles, couples hétérosexuels qui procréaient dans le seul but d'assurer la renaissance des Transmigrants. Une de ces cités, Yass-Waddah, était une Gomorrhe entièrement occupée par les femmes, qui y transplantaient des têtes de garçons sur des filles, et des têtes de filles sur des garçons. La destruction de Yass-Waddah par les hommes des cités environnantes, principal épisode de cette épopée, symbolise la haine des sodomites pour les femmes qu'ils voudraient balayer de la terre.

Le phénomène gay

Une tendance nouvelle, qui débuta aux Etats-Unis avec *One*, le magazine de l'*homophile mouvement*, fondé en 1951, s'opposa à la malédiction frappant l'homosexualité, qu'elle revendiqua comme une activité absolument normale. D'abord discrète, éparse en des petites villes de l'Iowa, cette tendance gagna New York en 1967 et y connut un développement intensif sous le nom de *liberation gay*. Le mot *gay* avait été choisi pour remplacer les mots *sick* (malade), *deviant* et *criminal* qui désignaient jusqu'alors l'homosexuel dans la littérature américaine. On parla désormais de *gay life*, de *gay power*, de *gay culture;* on créa des associations comme la Gay Activist Alliance; des professeurs consacrèrent des thèses et même des cours d'université à l'homosexualité, considérée comme «l'héritage caché» (*hidden heritage*) de la civilisation. Jonathan Katz écrivit la première histoire de ce mouvement, *Gay American History* (1976), et un professeur de City College à New York, Byrne R.S. Fone, édita une soixantaine de volumes dans une collection intitulée *The Gay Experience*. Autobiographies et fictions eurent pour but de démontrer que l'expériencce homosexuelle était jubilatoire, et que ceux qui s'y livraient ne devaient pas se sentir coupables.

Cette littérature *gay* eut bientôt des adeptes en Europe, et notamment en France où des auteurs prétendirent raconter «innocemment» ou «tranquillement» leurs amours sodomites. Tony Duvert, après avoir introduit l'homosexualité dans le «nouveau roman», publia ainsi *Journal d'un innocent* (1976), histoire de ses rapports intimes avec de jeunes garçons, en y déclarant d'emblée: «C'est un livre pornographique que j'écris, il n'y faut que des bites.» Renaud Camus, dans *Tricks* (1979), «essai de dire le sexe, en l'occurrence l'*homosexe*, comme si ce combat-là était déjà gagné», décrivit ses aventures homosexuelles avec des inconnus racolés au café *Manhattan* ou au *Continental*, le sauna près de l'Opéra. Roland Barthes expliquait en préface: « *Tricks*, c'est la rencontre qui n'a lieu qu'une fois: mieux qu'une drague, moins qu'un amour: une intensité qui passe, sans regret [1].» Renaud Camus choisit de nommer achriens, d'après sept lettres prises au hasard, «les individus sexuellement attirés par leur propre sexe, et tout ce qui se rapporte à eux». Dans ses *Notes achriennes* (1982), il s'avoue choqué par les annonceurs homosexuels se disant vicieux ou réclamant des partenaires vicieux: «Je n'arrive pas à considérer comme *vicieux*, et je m'y refuse, des actes mutuellement consentis et qui ne font de tort à personne. Ils me paraissent relever plutôt du théâtre et du jeu [2].» Mais l'apparition du sida, sa progression inquiétante, bouleversa l'euphorie *gay* et reposa le problème de la damnation, certains le ressentant comme un châtiment

1. Renaud Camus, *Tricks* (Paris, Mazarine, 1979).
2. Renaud Camus, *Notes achriennes* (Paris, Hachette P.O.L., 1982).

divin, d'autres niant cette idée avec une fureur prouvant combien elle les touchait au vif.

Aucun écrivain *gay* n'oserait aujourd'hui écrire, comme Marcel Jouhandeau dans *Tirésias*: «Je suis un monstre et qui sait ce qu'il risque.» C'est pourquoi aucun ne mérite l'admiration qui se porte spontanément sur les personnages torturés par leurs désirs, Oscar Wilde, Verlaine, Jouhandeau lui-même, Jean Genet dans ses meilleures pages, William Burroughs. La littérature homosexuelle devient banale et vulgaire dès qu'on la prive du romantisme superbe consistant à défier la damnation ou à s'y résigner avec un calme stoïque. C'est ce qu'a bien vu Dominique Fernandez qui, essayant dans ses livres de concilier les deux traditions, celle de «l'homme damné» et celle du *gay* insouciant, a fait du héros de son roman *La Gloire du paria* (1987) un homosexuel retrouvant, à travers le sida, la grandeur tragique de certains réprouvés d'antan. L'homosexualité n'est revendiquée d'une manière intéressante en littérature que par des dandys lucides, à la conscience malheureuse, cherchant tous les moyens de transcender leurs besoins.

10

L'ÉROTISME SURRÉALISTE

Les surréalistes, qui ont été plus loin que les romantiques dans le domaine du rêve, les ont aussi surpassés dans l'expression de l'érotisme. Cette activité commença avec le poète même qui inventa le mot *surréalisme*, et que tous les membres du mouvement surréaliste considérèrent comme leur précurseur le plus essentiel, Guillaume Apollinaire.

Apollinaire le grand enchanteur

Apollinaire aborda l'érotisme en érudit (de cette érudition spéciale des écrivains d'avant-garde, exploitant les richesses méconnues de l'histoire littéraire, alors que l'érudition universitaire se borne à servir la culture classique). En composant deux romans érotiques extraordinaires, qu'un catalogue clandestin de 1907 cita parmi les «dernières nouveautés», *Les Exploits d'un jeune don Juan* et *les Onze Mille Verges*, il montra qu'il connaissait bien la pornographie populaire de la fin du XIXᵉ siècle. Responsable dès 1908 chez les éditeurs Georges et Robert Briffaut de la collection «les Maîtres de l'Amour», l'année suivante de celle du «Coffret du bibliophile», il y révéla au public les libertins les plus hardis du passé, par des morceaux choisis qu'il présenta en des préfaces éblouissantes. Ainsi le poète et le critique s'allièrent en lui pour déployer un ensemble d'audaces concernant le sexe et en faire les éléments primordiaux de l'esprit moderne.

En 1907, Apollinaire avait vingt-sept ans et il était employé dans une banque de la rue de la Chaussée-d'Antin; précédemment, il gagnait sa vie comme rédacteur en chef d'un journal financier, *Le Guide du rentier*. Ce point est à préciser, car des critiques n'ont pas manqué de dire qu'il s'est adonné à la pornographie littéraire par besoin d'argent. Apollinaire l'a pratiquée pour explorer un domaine interdit, en raison de son immense curiosité intellectuelle. Déjà lié intimement avec Picasso, passionné à la

Van Dongen. Composition illustrant
un conte des *Mille et une nuits,* 1918.
(B.N./Arch. E.R.L.)

fois d'art nouveau et de littérature ancienne, il écrivait à cette époque à l'avocat Toussaint Luca: «Je ne cherche qu'un lyrisme neuf et humaniste en même temps.»

Il voulut donc prouver qu'un poète comme lui pouvait tirer un parti lyrique de l'obscénité la plus violente. Il avait aussi besoin de se défouler de ses désirs sexuels insatisfaits. Il venait de créer son immortelle *Chanson du mal-aimé*, après avoir été définitivement évincé en 1904 par Annie Playden, la gouvernante anglaise d'une fille de la vicomtesse de Milhau, dont il était alors lui-même le précepteur en Allemagne. Annie n'avait jamais accepté de se donner à lui, bien qu'il l'eût amenée un jour au bord d'un précipice en la menaçant de se jeter dedans si elle refusait de l'épouser. Toute l'exaspération de son tempérament amoureux contrarié se fait sentir dans ces deux livres qu'il signa G.A., et qu'édita un imprimeur de Malakoff, Elias Gaucher, spécialiste des publications pornographiques sous le manteau.

On ne sait pas lequel de ses romans érotiques Apollinaire a écrit le premier. A mon avis, ce fut *Les Exploits d'un jeune don Juan*, dans le dessein de se fabriquer une enfance imaginaire. Il avait eu une sexualité précoce, comme il le révéla par ailleurs: «J'étais un enfant de quinze ans à peine quand j'ai connu entièrement les joies de l'amour.» (A cet âge-là il était en 3e au collège Saint-Charles de Monaco.) Il se complut à rêver d'un cadre familial où cette sexualité aurait pu se déployer plus librement. Roger, le narrateur, raconte son initiation sexuelle à partir de treize ans dans la maison de campagne de ses parents, dite le Château; là sa mère, sa tante et ses sœurs l'élèvent avec tant de caresses qu'il devient un coq de combat d'amour. A l'affût de toutes les occasions d'apercevoir des nudités, il commence par se masturber en remarquant que «l'onanisme ressemblait à la boisson, car plus on boit plus on a soif». Sa première conquête est Diane, la femme du régisseur, en état de grossesse avancée, «dont les tétons étaient aussi fermes qu'une paire de fesses». L'adolescent lui promet d'être le parrain de l'enfant qu'elle attend et la possède aisément: «Je plaçai ma pine brûlante dans son con, comme un couteau dans une motte de beurre.»

Il déflore ensuite sa sœur Berthe, et lorsque la femme de chambre Kate les surprend et se moque de lui, il la met nue aussitôt: «J'empoignai son abricot. Elle voulait se retirer, mais je la tenais aux poils.» Ce double succès le transforme en conquérant insatiable: «J'avais décidé que toute personne féminine de mon entourage devait faire partie de mon harem.» Sa sœur aînée Elise, âgée de dix-neuf ans, succombe à son tour à ses attaques; enfin il réussit à suborner sa tante Marguerite, qui est encore vierge, mais qui se conduit en maîtresse éperdue dès qu'elle découvre avec lui le plaisir. Tout cela ne va pas sans conséquence: «Un jour, Elise et ma tante entrèrent dans ma chambre en pleurant. Elles étaient enceintes. Mais elles n'osaient pas l'une devant l'autre dire que j'étais le malfaiteur. Mon parti fut vite pris.» Il ordonne à sa sœur d'épouser vite son fiancé Frédéric, et à sa tante de se marier avec M. Franck qui la courtise. Quand le lendemain la servante Ursule lui annonce à son tour

qu'il l'a engrossée, il lui procure pour mari le cousin du régisseur.
L'histoire se termine ainsi par trois mariages et par la naissance d'un
garçon et de deux filles, «tous enfants du même père et qui ne le sauront
jamais».

On voit avec quelle ironique désinvolture Apollinaire se jouait des
interdits sexuels, ici du tabou de l'inceste. Il ira encore plus loin dans *Les
Onze Mille Verges*, roman d'un érotisme inhumain, mettant en action des
personnages n'ayant pas de sentiments, rien que des sensations qu'ils
veulent pousser à l'extrême. Son héros sadique, entraîné dans une
succession de scènes d'amour cruel, correspond au vertige libidineux
d'Apollinaire avant sa rencontre en mai 1907 de Marie Laurencin.

Le prince Mony Vibescu (titre qu'il s'est donné à lui-même, jugeant
ridicule d'être hospodar, sorte de sous-préfet), excédé de se faire
sodomiser à Bucarest par le vice-consul de Serbie, Bandi Fornoski,
liquide ses biens et part pour Paris. Sur un boulevard il racole une jolie
passante, Culculine d'Ancone, qui l'emmène chez son amie Alexine
Mangetout. La liaison de Mony avec ces deux femmes est une tempête
d'actions sado-masochistes: «Folle d'excitation et de volupté, elle mordit
Mony à l'oreille si fort que le morceau lui resta dans la bouche. Elle l'avala
en criant de toutes ses forces et remuant le cul magistralement.» Ces
partenaires acharnés «à se mordre comme des bêtes sauvages», s'adon-
nant à la coprophilie, à la flagellation réciproque, sont interrompus une
nuit dans l'hôtel particulier de Culculine par deux cambrioleurs, Cornabœuf et la Chaloupe, qui ligotent Mony et violent les deux femmes. Puis
Cornabœuf s'enfuit après avoir tué la Chaloupe, donné un coup de
couteau à Culculine et battu Alexine avec une badine.

Obligé de retourner à Bucarest, Mony retrouve à la gare Cornabœuf
et, au lieu de le dénoncer, l'engage comme garde du corps. Dans l'Orient-
Express, au cours d'une partie carrée avec l'actrice Estelle Ronange et
sa soubrette Mariette, celui-ci est repris d'un accès de délire féroce et les
assassine. Flanqué de ce valet criminel, Mony assistera aux orgies les plus
frénétiques (telle la messe noire chez Natacha Kolowitz et les conspira-
teurs serbes voulant renverser la dynastie des Obranovitch), commettra
les pires folies. Participant à la guerre entre la Russie et le Japon, en tant
que lieutenant de l'armée du général Kouropatkine, il fréquentera les
bordels de Port-Arthur durant le siège de la ville, s'envolera en ballon
vers la zone des troupes russes en campagne, où il s'éprendra d'une
ambulancière polonaise atteinte de vampirisme, et achevant les blessés
qu'elle est censée soigner. Mais quand cette goule fera périr sauvagement son ami, le capitaine Katache, il la tuera et, lui-même condamné
à mort par un conseil de guerre, il subira le châtiment de onze mille coups
de verges.

Ce roman plein d'atrocités inspirerait un horrible malaise si Apollinaire n'avait su le maintenir à un degré d'outrance poétique le sublimant,
au point d'en faire un jeu allègre de l'esprit. Sans cesse il glisse dans ses
épisodes les plus terrifiants une notation qui étonne ou amuse. Aragon
refusait de suivre Picasso proclamant que *Les Onze Mille Verges* étaient

le chef-d'œuvre d'Apollinaire, mais il admettait: «C'est peut-être le livre d'Apollinaire où l'humour apparaît le plus purement.» Rien de plus humoristique, en effet, que le corps à corps de Mony à Saint-Pétersbourg avec Hélène Verdier, l'institutrice française qui lui déclare: «J'ai un amant, Fédor. Il est officier. Il a trois couilles.» Et que la nature des compliments qu'il lui adresse: «Montre-moi ton cul...·comme il est gros, rond et joufflu... On dirait un ange en train de souffler.» Même les scènes de volupté sur le champ de bataille ont des accents pittoresques, comme celle où Mony jouit de l'infirmière vampire sous une tente remplie d'agonisants: «Il releva ses jupes et découvrit un cul merveilleux dont les fesses étaient tellement serrées qu'elles semblaient avoir juré de ne jamais se séparer.» Ou comme l'apparition d'une belle cantinière «lourde de croupe» auprès des hommes d'un peloton d'exécution: «Tous les soldats sentirent leurs membres virils se mettre d'eux·mêmes au port d'armes.» De pareils traits nous emportent loin, très loin de la gauloiserie rabelaisienne: l'humoir noir de la poésie moderne commence.

Apollinaire a rédigé également deux récits érotiques perdus, *Mirely ou le petit trou pas cher*, *La Négresse amoureuse*, et des petits poèmes licencieux qu'il publia en 1910 sous le nom de l'abbé de Thélème dans l'anthologie des poètes libertins de Germain Amplecas (un autre de ses pseudonymes). Cette activité est antérieure au catalogue de l'Enfer de la Bibliothèque nationale, paru en 1913, qu'il rédigea avec Fernand Fleuret et Louis Perceau. On recueillit en des plaquettes posthumes ses vers obscènes de *Cortège priapique*, dont il vendit le manuscrit en septembre 1914 à un amateur de Nice, évoquant par exemple ses rapports avec une boulangère aux «fesses bandatives» de la rue des Martyrs; et les menues pièces du même genre de *Julie ou la rose*. Enfin, Pascal Pia publia un «inédit» d'Apollinaire, *Le Verger des amours*, que l'on jurerait du poète d'*Alcools*, mais qui est de Pia lui-même, pasticheur très habile.

La contribution d'Apollinaire à l'érotisme universel ne s'est évidemment pas limitée à cette activité marginale. Toute son œuvre, depuis la prose symboliste de *L'Enchanteur pourrissant* jusqu'à son «drame surréaliste», *Les Mamelles de Tirésias*, contient une combinaison unique de métaphores somptueuses et de plaisanteries grivoises, de vocables précieux et de mots crus, pour magnifier l'amour charnel. Ses *Poèmes à Lou* (c'est-à-dire à la comtesse Louise de Coligny-Châtillon, qui fut sa maîtresse en 1915) sont d'une puissance érotique comparable à celle de ses écrits clandestins. Certaines de ses lettres de guerre à Lou, écrites sous une pluie d'obus qui «miaulent comme des chats amoureux», ont le style des *Onze Mille Verges*. Tantôt il lui promet à sa prochaine permission de lui faire «pimpam dans les miches», tantôt il s'exalte en des images ravissantes: «Je baise tes chers petits seins roses et insolents qui semblent des brebis broutant des lys et des violettes.»

En 1917, un an avant sa mort, à propos des pièces condamnées de Baudelaire venant d'être réhabilitées publiquement, Apollinaire disait: «Exprimer avec liberté ce qui est du domaine des mœurs, on ne connaît pas de courage plus grand chez un écrivain.» C'est parce qu'il eut lui-même ce courage qu'Apollinaire demeure le premier des émancipateurs de la morale poétique du XXᵉ siècle.

L'amour Dada

Deux amis ou plutôt deux filleuls d'Apollinaire (car il les parraina à leurs débuts), Marcel Duchamp et Francis Picabia, firent aussi de l'érotisme le plus puissant ressort de la modernité. Marcel Duchamp, le gentleman de l'anti-art, surnommé «le célibataire» parce qu'il refusait d'*exposer* en disant que cela ressemblait trop à *épouser*, décida dès 1911 de ridiculiser le mariage en montrant le caractère automatique de l'accouplement; il compara alors l'homme et la femme à deux machines biens réglées et lubrifiées, ayant pour carburant «l'essence d'amour», et fonctionnant l'une par rapport à l'autre selon un déterminisme imperturbable. Pendant quatre ans, tel un ingénieur du spasme sexuel, Duchamp traça les plans de *La Mariée mise à nu par ses célibataires, même*, examinant en détail comment une machine-mariée sollicite et subit les assauts d'une machine-célibataire; ensuite, pendant huit ans, il reportera les divers traits de ses épures sur un grand verre, dans un dessin d'ensemble. Jamais la défloration d'une vierge n'avait été plus violemment tournée en dérision que par l'homme qui écrit: «Le poids à trous doit parcourir la *même* hauteur AB que le jus descendant en ovale» ou «l'éclaboussement en A est un débouchement. L'ensemble doit être décrit dans le sens de débouchage-modèle [1]».

Francis Picabia, grand amateur de chair féminine, était auréolé d'une légende d'extravagance. On racontait l'histoire de sa liaison avec Isadora Duncan, de leur voyage aux Etats-Unis où celle-ci emportait partout un bidet de faïence, sachant qu'on ne trouvait pas cet accessoire dans les hôtels; les ligues de moralité s'alarmèrent, on ne voulut plus recevoir le couple qui dut louer une villa à Miami. En novembre 1917, pendant que sa femme Gabrielle et ses trois enfants étaient en Suisse, Picabia rencontra à Paris Germaine Everling dont il tomba immédiatement amoureux; elle vivait elle-même séparée de son mari, avec un fils de douze ans. Il lui fit porter des toilettes conçues par lui, comme une robe de serge bleu marine, doublée de taffetas bleu pâle, dont le revers gauche et les deux poches étaient brodés de ces formules: «sur mon cœur», «tous les jours se passent» et «l'amour platonique n'existe pas». Au moment où il s'associa au groupe de *Littérature* en 1920, Picabia était installé rue Emile-Augier chez Germaine Everling; elle accoucha d'un garçon pendant que Picabia et Breton discutaient dans sa chambre de Nietzsche; il fallut les en faire sortir.

---

1. J'ai analysé le symbolisme sexuel de la *Mariée* dans mon *Marcel Duchamp* (Paris, Flammarion, 1976).

L'anticonformisme de Picabia en amour se reflète dans les tableaux de sa période mécanique, qui ont des titres comme *Parade amoureuse, Vagin brillant, Délire sexuel*, dans certaines pièces de ses recueils *Poèmes et dessins de la fille née sans mère* (1918), *Rateliers platoniques* (1918), *Unique Eunuque* (1920), et dans les aphorismes de *Jésus-Christ rastaquouère*: «Les cloches des églises, le bruit des vagues, le calme plat de la mer, les clairs de lune, les couchers de soleil, l'orage sont autant de shampooings pour le pénis aveugle; notre phallus devrait avoir des yeux, grâce à eux nous pourrions croire un instant que nous avons vu l'amour de près [1].» Il a exprimé ses revendications sexuelles par des éclairs poétiques ou des boutades, jamais par un livre particulier; mais ce n'est là une nécessité ni pour un amant ni pour un poète.

Dada éclata à Paris le 23 janvier 1920 et y fit déferler une vague de mystification agressive jusqu'à la fin de 1921. Ce mouvement se proposait de tout détruire de fond en comble, aussi ne doit-on pas s'attendre à le voir respecter une seule valeur, pas plus l'amour que le reste. Georges Ribemont-Dessaignes, surnommé l'Ange Dada, décrivait «les plaisirs de Dada» sans y mentionner le plaisir sexuel: «Dada aime sonner aux portes, frotter les allumettes pour enflammer les cheveux et les barbes. Il met de la moutarde dans les ciboires, de l'urine dans les bénitiers, et de la margarine dans les tubes de couleur de peintres [2].»

Dans les séances publiques, les dadaïstes portèrent des coups bas à la morale bourgeoise; ainsi au Festival Dada, salle Gaveau, le 26 mai 1920, le programme promettait de «la musique sodomite», et le clou du spectacle fut l'apparition du Sexe de Dada, gigantesque phallus en carton blanc érigé sur des ballons.

Les écrits et les gestes Dada semblent avoir pris pour formule le titre d'un texte publié dans *Littérature* par Clément Pansaers: *Ici finit la sentimentalité*. Avec un tel état d'esprit les dadaïstes, qui se moquent des rapports amoureux «normaux», n'ont pas plus d'intérêt pour les rapports «anormaux». Les crimes passionnels leur paraissent des farces insipides. Un fait divers crapuleux inspire à Benjamin Péret son article *Assassiner*, tout en sarcasmes: «Il y a quelques mois, un Monsieur pris d'une louable ambition voulut se faire une réputation "à la Landru". Hélas, il n'a réussi qu'à violer une fillette d'une dizaine d'années, qu'il a ensuite coupée en 55 morceaux. (Que n'a-t-il fait l'inverse!) Après quoi, satisfait sans doute de la banalité de son action, il s'est laissé emprisonner comme un vulgaire et inhabile débutant. Nous aurions aimé voir ce Monsieur déployer quelque fantaisie dans cet acte... Si les morceaux de la fillette étaient parvenus avec l'étiquette "confiserie" à une personnalité marquante (Monsieur de Lamarzelle, par exemple), quelle n'eût pas été notre admiration pour l'auteur d'un tel geste [3]!!!»

Quand Dada mourut de ses excès, ses transfuges se livrèrent dans

---

1. Francis Picabia, *Jésus-Christ rastaquouère* (Paris, Collection Dada, 1920).
2. «Les Plaisirs de Dada», dans *Littérature*, n° 13, mai 1920.
3. *Littérature*, n° 15, juillet-août 1920.

la nouvelle série de *Littérature* à des spéculations préludant au surréalisme. Ainsi, *L'Enquête sur les préférences* demanda, entre autres, quels étaient « l'excitant » et « la manière de faire l'amour » que l'on préférait. A propos de l'excitant, Aragon répondit : *miroirs*; Jacques Baron : *décolleté*; André Breton : *jupes plissées*; Paul Eluard : *aisselles*; Benjamin Péret : *rien* : Ribemont-Dessaignes : *les parfums*; Jacques Rigaut : *monstres*; Philippe Soupault : *Odor di femina*; Roger Vitrac : *nudité à travers les cheveux*. Quant à « la manière de faire l'amour », c'était pour Aragon : *par-derrière*; pour Jacques Baron : *pompier*; pour André Breton : *soixante-neuf*; pour Paul Eluard : *assis, femme à cheval*; pour Ribemont-Dessaignes; *sodomie*; pour Jacques Rigaut : *sodomiser*; pour Roger Vitrac : *femme en jockey, les mains gantées de blanc sur les épaules de l'homme couché*[1].

Paul Eluard et Max Ernst tournèrent en dérision la sexualité dans *Et suivant votre cas*, début d'un traité d'érotologie figurant des positions amoureuses n'impliquant pas l'acte sexuel. Dans la première, la femme à une dizaine de mètres d'un homme assis s'élance à plusieurs reprises vers lui en faisant mine de sauter sur ses genoux. Lorsqu'elle s'y trouve à cheval, l'homme se contente d'agiter à son oreille « l'objet sonore ». Dans la seconde, « la femme couchée sur une surface plane, une table par exemple, recouverte d'une couverture pliée en deux » s'efforcera de saisir « l'objet sonore » que l'homme lui présentera en le mettant toujours hors de sa portée : « Ne le lui abandonner que pour la récompenser de ses efforts[2]. »

Enfin, Robert Desnos rédigea en 1923 pour le couturier Jacques Doucet un essai sur l'érotisme littéraire, qui resta inédit de son vivant, où il disait : « Les œuvres maudites, considérées d'un point de vue élevé, participent de l'esprit moderne et des tendances actuelles. » Desnos annonça la morale des futurs surréalistes en définissant l'érotique comme une « retraite spirituelle où l'amour est la fois pur et licencieux dans l'absolu », une « science individuelle » comprenant des « questions secondaires » que chacun résout à sa façon et des « questions éternelles » que la poésie seule détermine[3].

« *La beauté convulsive sera érotique-voilée* »

Dès sa naissance le surréalisme s'est opposé avec un souverain mépris à l'obscène, au scatologique, au grivois. Il leur a substitué l'érotique-voilé, composante de la « beauté convulsive », ayant pour symbole le nu rayé de Man Ray illustrant le premier numéro de *La*

1. *Littérature*, nouvelle série, n° 2, avril 1922.
2. *Littérature*, nouvelle série, n° 7, décembre 1922.
3. Robert Desnos, *De l'Erotisme considéré dans ses manifestations écrites et du point de vue de l'esprit moderne* (Paris, 1953).

Révolution surréaliste (p. 4), en décembre 1924. Ce nu de femme près d'une fenêtre dont les persiennes envoient sur son corps des zébrures définit l'érotique-voilé comme un jeu d'ombres et de lumières révélant à la fois la part diurne et la part nocturne de la vie charnelle.

André Breton en a donné pour exemple «l'adorable leurre qu'est, au musée Grévin, cette femme feignant de se dérober dans l'ombre pour attacher sa jarretelle». Ainsi, la métaphore qui laisse à deviner sert mieux l'amour/la poésie que l'expression qui dit tout. L'érotique-voilé est en même temps l'érotique-dévoilé: c'est la lueur dévoilant le côté troublant de la chair dans un contexte où on ne l'attend pas. L'érotique-voilé comporte donc un dosage subtil de choses mises à nu, de choses suggérées et de choses tues. Son pouvoir excitant dépend de ce que l'on cache, de la façon dont on le cache et de l'ouverture faite dans ce caché pour le rendre perceptible.

Les maîtres de l'érotique-voilé dans la poésie surréaliste sont André Breton, Paul Eluard, Robert Desnos et René Char, procédant tous par la méthode de la *fusée verbale*. La fusée peut être brève ou longue, au point que tantôt une simple phrase, tantôt un morceau entier constitue une fusée. Prenons bien garde que la fusée doit être d'érotisme pur pour conférer au tout, dont elle n'est qu'une partie, le caractère de l'érotique-voilé. Breton a lancé de telles fusées dans *Poisson soluble*, mais aussi dans ses articles, comme lorsqu'il dit brusquement, au cours de son étude sur Maïakovski: «Il y a des seins trop jolis.»

Paul Eluard, en ce domaine, les surpasse tous. Ses fusées d'érotisme sont souvent groupées en bouquets de feux d'artifice. Toute sa poésie roula des pensées voluptueuses exprimées en style indirect. Eluard ne s'est pas seulement interdit les mots crus, mais encore les mots précis de l'activité sexuelle; et pourtant il la rend totalement présente par son imagerie fastueuse. La seule indécence que se permit Eluard est un proverbe (qu'il laissa d'ailleurs inédit): «Branler la muse». Dans le manuscrit des *152 Proverbes mis au goût du jour* du musée de Saint-Denis, on en trouve cent vingt de lui, dont cinquante et un qu'il écarta du recueil publié avec Péret, comme: «Les yeux de la luxure ont des joies secrètes.» Son sens de la dignité poétique lui faisait même éliminer cette bénigne allusion à son voyeurisme.

Eluard était un grand amoureux pervers qui aurait pu mieux qu'un autre, s'il l'avait voulu, publier des écrits licencieux sous le manteau. Il possédait une collection de cartes postales érotiques. Pratiquant d'une manière peu commune le ménage à trois, il partagea sa première femme Gala avec son ami Max Ernst. Il fit l'éloge des films pornographiques qu'il allait voir en projections clandestines. Il avait le goût des partouses où il assistait en voyeur, et c'est d'ailleurs en lui reprochant d'être «un partousard» qu'André Breton rompit avec lui en 1938. On doit admirer qu'Eluard ait su toujours maintenir sa poésie au-dessus des impuretés qu'il connaissait bien, pour en faire une musique amoureuse si divine que je n'hésite pas à voir en lui le Mozart de la poésie française. Il a dit avec raison: «Mon imagination amoureuse a toujours été assez constante et assez haute pour que nul ne puisse tenter de me convaincre d'erreur.»

Il y aurait mille exemples d'érotique-voilé à citer d'Eluard. En voici un:

> Toute nue, toute nue, tes seins sont plus fragiles que le parfum de l'herbe gelée et ils supportent tes épaules. Toute nue. Tu enlèves ta robe avec la plus grande simplicité. Et tu fermes les yeux et c'est la chute d'une ombre sur un corps, la chute de l'ombre tout entière sur les dernières flammes [1].

Une femme se déshabille devant son amant, mais quand elle ferme ses paupières c'est comme si elle se rhabillait. Elle est dévoilée et voilée à la fois, nue et secrète. Voici ailleurs un poème qui n'a que deux vers:

> *D'une seule caresse*
> *Je te fais briller de tout ton éclat.*

La perfection d'un haikai. On n'a pas besoin d'en savoir davantage, on devine un moment d'intimité où une amoureuse se pâme aussitôt dans les bras de son aimé. Et cet autre distique dont Racine eût été jaloux:

> *Fragile douloureuse et marquée à l'épaule*
> *Des cinq doigts qui l'ont possédée.*

On trouve des gerbes de métaphores aussi saisissantes dans ses livres *L'Amour la poésie, La Rose publique, Facile,* etc. L'érotique-voilé est la qualité dominante de *L'Immaculée Conception,* qu'André Breton et Paul Eluard écrivirent en quinze jours dans un état de «folie simulée». Francis de Miomandre y admira d'emblée «des pages éblouissantes sur l'amour, une sorte de fureur érotique et intense si bouleversante qu'elle confine à l'extase [2]». Grâce à l'exemplaire d'Eluard du musée de Saint-Denis, on connaît la part respective des deux poètes en ces textes.

Dans la description des trente-deux positions amoureuses, c'est Breton qui dit: «Lorsque l'homme et sa maîtresse sont couchés sur le flanc et s'observent, c'est le *pare-brise.*» C'est Eluard qui ajoute: «Lorsque l'homme est assis sur une chaise et que sa maîtresse lui faisant face est assise à califourchon sur lui, c'est le *jardin public.*» Breton décrit des positions qu'il nomme la *Mare-au-Diable,* la *vigne vierge,* le *sifflet du train, l'oiseau-lyre,* le *sphinx,* la *machine à coudre,* la *bouée de sauvetage,* etc. Eluard invente la *cédille,* le *c, l'oasis,* la *spirale, l'enlèvement en barque, l'éventail,* la *boucle d'oreille,* le *baptême des cloches,* etc. Aucune de ces positions n'est impossible à réaliser, la bizarrerie réside dans les analogies qu'elles suggèrent.

Eluard a lancé dans ce livre une de ses plus belles fusées:

> La langue dessine les lèvres, joint les yeux, dresse les seins, creuse les

---

1. *Nuits partagées,* dans *La Vie immédiate* (Paris, Gallimard, 1932).
2. *L'Européen,* 14 janvier 1931.

aisselles, ouvre la fenêtre ; la bouche attire la chair de toutes ses forces, elle sombre dans un baiser errant, elle remplace la bouche qu'elle a prise, c'est le mélange du jour et de la nuit. Les bras et les cuisses de l'homme sont liés aux bras et aux cuisses de la femme, le vent se mêle à la fumée, les mains prennent l'empreinte des désirs [1].

Robert Desnos fut le premier à pousser au paroxysme l'érotique-voilé, dans *La Liberté ou l'amour* (1927) dont l'édition Kra dut être mutilée d'une trentaine de pages afin d'éviter les poursuites du Tribunal de la Seine ; la version intégrale n'en fut publiée qu'en 1962 chez Gallimard. Ce roman écrit en auto-hypnose et dédié «à la Révolution, à l'Amour, à celle qui les incarne», montre la dérive dans Paris du Corsaire Sanglot, qui suit une passante, Louise Lame, dont il ramasse d'abord la culotte, puis la robe de soie noire, enfin le manteau de léopard : «Louise Lame est nue désormais, toute nue dans le bois de Boulogne. Les autos s'enfuient en barrissant, leurs phares éclairent tantôt un bouleau, tantôt la cuisse de Louise Lame, sans atteindre cependant la toison sexuelle.» Le Corsaire Sanglot devient l'amant de Louise Lame : «Une chambre d'hôtel leur donna asile. C'était le lieu poétique où le pot à eau prend l'importance d'un récif au bord d'une côte échevelée...» En une suite d'épisodes oniriques l'on verra le Corsaire Sanglot naviguant en smoking sur son yacht, rencontrant Jeanne d'Arc-en-Ciel, assistant à une séance au Club des Buveurs de Sperme et à une scène d'amour nocturne dans le pensionnat d'Humming-Bird Garden ; Louise Lame mourra, mais ressuscitera au Palais des Mirages et ira participer avec son amant à une pêche aux sirènes en Méditerranée. Le but de ce livre est d'introduire le merveilleux dans l'érotisme. Desnos déclare : «Je crois encore au merveilleux en amour, je crois à la réalité des rêves, je crois aux héroïnes de la nuit, aux belles de nuit pénétrant dans les cœurs et dans les lits.»

Le drame sexuel d'Aragon

Plusieurs surréalistes ont aussi cultivé l'érotisme manifeste, c'est-à-dire l'expression directe, brutale des faits sexuels, en des publications clandestines qu'inaugura Aragon en 1928 avec *Le Con d'Irène*, dont le titre provocant ne laisse pas soupçonner le lyrisme étincelant du texte. Un poète de la classe d'Aragon, ayant horreur de la gaudriole, n'a pas mis le mot *con* sur une couverture de livre pour le réhabiliter. Il l'employait comme un des vilains mots de la langue française (qu'il préférait toutefois au mot *cul*), dans une intention iconoclaste, afin de briser à travers lui les images conventionnelles de l'amour.

Aragon avait un problème sexuel perturbant, qu'il a avoué franche-

---

1. André Breton et Paul Eluard, *L'Immaculée Conception* (Paris, Editions surréalistes, 1930).

ment à ses amis dans la soirée du 31 janvier 1928: «Je n'ai jamais que des érections incomplètes.» A Breton qui lui demandait s'il trouvait cela regrettable il répondait: «Comme tous les déboires physiques, mais pas davantage. Je ne le regrette pas plus que de ne pas pouvoir soulever des pianos à bout de bras [1].» Cette déficience, loin d'amoindrir son sentiment de l'amour physique, l'exalta. Elle ne lui fit pas non plus rechercher les complications perverses des impuissants psychiques: «Je fais presque toujours l'amour de la façon la plus simple», dit-il quand on l'interrogea sur les perversions. La difficulté de désirer et de jouir est à l'origine des plus belles œuvres amoureuses. Elle porte l'esprit à des rêveries sur la chair, à des analyses du plaisir sexuel que n'ont pas à faire les sensuels pléthoriques.

Le Con d'Irène a été écrit entre deux femmes: une qui vient de se détacher de lui, la «Dame des Buttes-Chaumont» (dont il fera la Bérénice d'Aurélien), et une qu'il va bientôt aimer, Nancy Cunard. Ce livre est une des parties restantes du grand antiroman d'environ quinze cents pages et cent personnages, La Défense de l'Infini, qu'Aragon écrivit pendant quatre ans, de 1923 à 1927, et qu'il brûla sous les yeux de Nancy Cunard dans une chambre d'hôtel à Madrid. Cet autodafé d'une œuvre à laquelle il ne croyait plus en épargna toutefois les meilleures pages, comme celles formant Le Con d'Irène. Rédigé à la fin de l'été 1926 à Vernon dans l'Eure, sur du papier à en-tête de l'Hôtel du Chemin de fer, au patron nommé Gentil-Daniel, cet épisode mêlait des réminiscences du séjour précédent d'Aragon à Commercy en Lorraine, chez son oncle, le sous-préfet Edmond Toucas, à l'histoire d'une femme rencontrée lors de ses vacances normandes.

D'abord on a les balbutiements d'un dormeur qui s'agite, proteste de tout son corps contre des incitations au réveil, en criant: «Si vous avez aimé rien qu'une fois au monde, ne me réveillez pas.» Puis le narrateur raconte qu'il vient d'arriver chez des parents à C..., en Lorraine, et qu'il s'y ennuie, hanté par le souvenir d'une femme qui ne l'aimait pas.

«Elle était si incroyablement pareille à une perle. La lueur d'une perle. Pour écarter cet orient j'essayai de penser à d'autres femmes.» Aucune ne lui plaît en cette province: «Vraiment, à C..., il aurait mieux valu se branler. Pour ce qu'on apercevait en matière de cuisse. Des maîtresses d'officiers, qui s'emmerdent quand leur porte-couilles fait l'exercice.»

Après avoir eu un rêve où six femmes nues tournaient autour de lui en faisant une ronde obscène, il se décide à aller au bordel: «Une vraie prison, si elle n'avait pas eu sa lanterne.» La sous-maîtresse lui donne le choix entre trois filles; il choisit une blonde oxygénée, ayant «une petite tête de chatte qui a forniqué avec un rat». Ce qu'elle fait le déçoit:

Sur le lit elle eut soudainement l'air d'un tas de macaronis... Sa langue n'eut pas plus tôt atteint le membre qu'elle tenait énergiquement que le foutre lui

---

1. «Recherches sur la sexualité», La Révolution surréaliste, n° 11, 15 mars 1928.

sauta aux yeux. J'avais à peine senti ce qui se passait là. Allons, ça ne valait pas mieux qu'un rêve.

Pour tenter de l'exciter, la blonde lui fait voir, par le trou de la serrure, dans la chambre à côté, la «nymphomane» avec trois soldats: «Quelle sacrée tristesse dans toutes les réalisations de l'érotisme! Je pense à la lourdeur des chiens dans la rue, s'attroupant, et tâchant de s'enfiler à qui mieux mieux. Les chiens d'à côté avaient des bottes, voilà tout.» La blonde lui montre ensuite, à travers un judas, ce qui se passe dans une autre chambre. Là, le maire de la ville entreprend une fille, «une pervenche brune, avec de tout petits seins dont les bouts étaient longs comme des cigares». Le narrateur s'enfuit, écœuré, sans vouloir en savoir davantage sur la «petite infirmité» du maire.

Le fragment suivant est une méditation dans sa chambre, où il rêvasse à l'amie perdue: «L'idée érotique est le pire miroir. Ce qu'on y surprend de soi-même est à frémir. Le premier maniaque venu, que j'aimerais être le premier maniaque venu.» Et brusquement il enchaîne: «Chez un roulier qui s'appelait Gentil-Daniel, je fis la connaissance d'Irène.» C'est la fille d'une lignée de propriétaires terriens, vivant dans une ferme en compagnie de sa mère veuve, et de son grand-père paralysé depuis quarante ans dans un fauteuil. Le narrateur se représente cette intimité: «L'aïeul paralytique fait signe qu'il veut parler... Voilà dix ans qu'il ne peut parler.» Les journaliers passent en se moquant de lui: «Qu'est-ce qu'il a encore ce vieux fou. Ce qu'il doit en penser des inepties.»

Et c'est alors le morceau de bravoure du livre, d'un sublime à donner le frisson: le monologue intérieur de l'aïeul paralytique, ruminant ses obsessions, voyeur malgré lui, assistant cloué sur son siège aux débordements de sa fille Victoire, lesbienne caressant les servantes, et de sa petite-fille Irène, mangeuse d'hommes. Les couples s'étreignent devant lui, sans se gêner. Le métayer le nargue, en lui donnant le spectacle de ses exploits sexuels avec des femmes différentes: «Il se mettait dans la fenêtre, comme s'il avait pris le frais. Parfois même il fumait sa pipe. La femme accroupie à terre le manœuvrait en me regardant.» Mais le paralytique, en son rôle de spectateur muet, se sent supérieur à tous ces jouisseurs du commun: «Mes sens réduits se sont affinés à l'extrême, et c'est dans sa pureté que je connais enfin le plaisir... J'éprouve dans mes pantalons que je souille une immense joie dominatrice.» Le pathétique de ces pages où l'Impuissance est incarnée par un vieillard impotent, auquel Aragon s'identifie soudain, atteint au chef-d'œuvre.

Quand le monologue se termine vient un passage sur la vie abyssale: «Poissons poissons, promptes images du plaisir, purs symboles des pollutions involontaires.» Le narrateur Albert de Routisie (pseudonyme sous lequel Aragon publia ce livre) imagine Irène faisant l'amour dans sa chambre avec un homme: «Elle pousse des reins, comme on pousse des cris.» Il prend les plus poétiques accents pour évoquer cette étreinte:

Déjà les caravanes du spasme apparaissent dans le lointain des sables... Le mirage est assis tout nu dans le vent pur. Beau mirage membré comme un marteau-pilon. Beau mirage de l'homme entrant dans la moniche. Voici les voyageurs fous à frotter leurs lèvres. Irène est comme une arche au-dessus de la mer...

Quand l'homme se retire un moment, le narrateur voit à distance le sexe béant de la femme, dont il s'émerveille: «O délicat con d'Irène!... O fente, fente humide et douce, cher abîme vertigineux.» Dans une hallucination provoquée, il se figure qu'il en écarte les lèvres «avec deux pouces caresseurs», pour contempler l'intérieur du vagin: «Et maintenant, salut à toi, palais rose, écrin pâle, alcôve un peu défaite par la joie grave de l'amour, vulve dans son ampleur à l'instant apparue.» On comprend ainsi qu'Aragon a pris le mot *con* tel qu'il sort des bouches les plus ignobles, comme on ramasse un diamant dans la boue pour le nettoyer et faire valoir sa splendeur. Il nous prouve que ce mot devenu une expression infâme, une injure de la populace, n'arrive pas à avilir la beauté de la vulve féminine, «ce lieu de délice et d'ombre, ce patio d'ardeur, dans ses limites nacrées la belle image du pessimisme».

Après nous avoir fait admirer ce qu'Irène a de plus intime il décrit sa vie à la ferme où elle mène durement les hommes, son conflit avec sa mère, sa sensualité sauvage. Etonnant portrait d'une fille de la nature, peint en touches comme celle-ci: «Il flotte autour d'elle un grand parfum de brune, de brune heureuse, où l'idée d'autrui se dissout.» *Le Con d'Irène*, dont le titre laisse croire qu'il s'agit d'un livre ordurier, est une merveille de poésie nostalgique. C'est de l'érotisme de rêve, car le narrateur ne couche pas avec Irène. Il peut conclure: «Je suis un animal des hauteurs», et affirmer que son désir trouve sa pâture «là où la nudité du roc répugne au pied timide, où le végétal découragé ne développe plus la séduction de sa semence».

Aragon offrit un exemplaire de luxe dédicacé du *Con d'Irène* à Nancy Cunard, la belle puritaine américaine. On dit qu'elle fut sa maîtresse, mais c'est plutôt Aragon qui fut la maîtresse de Nancy Cunard. La richissime et impérieuse petite-fille du fondateur de la Cunard Line traînait dans ses voyages à travers l'Europe, comme un lévrier tenu en laisse, le poète dandy enveloppé d'une cape noire:

Nous avons voyagé de ciel en ciel au-dessus du monde
Tu voulais me montrer un peu partout tes amants.

Il y avait un défi sexuel permanent entre eux. D'une froideur d'iceberg au lit, cherchant et refusant l'orgasme en même temps, Nancy gardait ses yeux ouverts durant l'acte sexuel, des yeux accusateurs, reflétant «la peur inégalable du plaisir». Aragon a révélé dans un poème toute son angoisse de faire l'amour avec elle:

... Parle-moi au moins Femme
Ferme ces yeux fous que je fasse
Mon travail d'homme sans le voir

En eux leur terrible
Miroir

Ecoute en moi gronder l'orage
Ecoute en moi monter la nuit
Tiens-moi par le cou comme un chien

Etouffe en tes bras mon cri noir
Ne bouge pas Ne bouge plus C'est
Mon affaire Et de te battre
De mon ventre Ecoute en moi
Ce cœur dément[1]...

En marge de sa liaison avec Nancy Cunard, Aragon écrivit les poèmes insolents de *La Grande Gaieté* (1929), d'un anticonformisme intégral, disant son dégoût de la famille, de la procréation, se moquant avec crânerie de ses fiascos. Tel *Cinéma* :

Il y a ceux qui bandent
Il y a ceux qui ne bandent pas
Généralement je me range
Dans la seconde catégorie[2].

Ou tel *Voyageur* qui, en vertu de l'ambiguïté du mot *con*, exprime à la fois le désespoir de Faust ne trouvant sur son chemin que des imbéciles incapables de le comprendre, et celui de Don Juan qu'aucune femme ne satisfait :

Comme il allait de con en con
Il devint terriblement triste
Comme il allait de con en con
Terriblement *triste*[3].

Aragon écrivit un autre roman érotique, *Le Mauvais Plaisant*, qu'il termina le 28 janvier 1930 pour le compte d'un libraire américain de Montparnasse, E.W. Titus, qui lui en donna trois mille francs. Ce manuscrit de cent quarante-deux pages, resté inédit, qu'Aragon croyait perdu, a été publié en 1986 sous le faux titre d'*Aventures de Jean-Foutre la Bite*, faux titre imposé par l'universitaire chargé de le présenter. De quel droit un critique se permet-il de changer le titre d'un livre de ce grand poète ? Et d'ajouter des titres, de sa propre autorité, à des chapitres que celui-ci a laissés sans titre ? C'est un abus à dénoncer avec énergie. *Le Mauvais Plaisant* se composait de trois chapitres, sans rapport entre eux, dont l'un est érotique manifeste, le deuxième obscène, le troisième érotique-voilé.

Le premier chapitre est le récit extraordinaire des expériences

---

1. Aragon, *Chant de la Puerta del Sol*, dans *L'Œuvre poétique*, t. IV (Bruxelles, Club Diderot, 1974).
2. Aragon, *La Grande Gaieté* (Paris, Gallimard, 1929).
3. *Ibid.*

d'Aragon dans le métro parisien, morceau digne du *Paysan de Paris*. Plongé dans la cohue des stations et des wagons, il y observe passionnément les femmes, toutes les femmes:

> Celles de midi, qui s'attendent à un bouleversement de leur sort. Celles de deux heures, qui veulent perdre un peu de leur journée. Celles de cinq heures, qui guettent les hommes très jeunes. Celles de six heures et demie, les kleptomanes des grands magasins. Celles du soir, qui veulent un dîner à huit heures, une robe à dix, une queue à onze, ne pas rentrer à minuit, et celles du dernier métro que n'importe qui aura pourvu que ses yeux brillent.

Il s'y livre à des joies ténébreuses de frôleur. Dans l'entassement d'un wagon, se serrant contre une femme désirable, il essaie des touchers furtifs. Ainsi dans le Nord-Sud, vers Saint-Lazare, dans une foule compacte de voyageurs, il se trouve collé à une fille par-derrière, la bouche près de sa nuque:

> Je sentais contre moi la douce pression de ses fesses à travers une étoffe très mince et très glissante, dont les plis occasionnels m'intéressaient. Je maintenais avec mes genoux un contact étroit. Je les fléchissais un peu, afin que ma queue bridée par le pantalon trouvât, tandis qu'elle grandissait encore, un lit entre ses fesses que la peur contractait, un lit vertical où les secousses du train suffisaient à me branler.

Peu à peu l'inconnue s'excite, lui répond par des mouvements de croupe. Il surprend le regard d'une voyageuse assise devinant ce qui se passe: «Je vis brusquement se dilater les prunelles qui me fixaient, comme si un gouffre se fût ouvert sous la banquette. Les yeux venaient de saisir sur la face de la femme que je serrais le premier spasme de la jouissance.» Il jouit lui-même, puis à la station suivante le remous des voyageurs descendant emporte au-dehors sa partenaire anonyme: «Je restai seul, sans connaître le vrai de cette histoire sans intrigue, où tout est pour moi dramatique comme la fuite inquiétante de l'été [1].»

Le chapitre deux se passe dans «la station la plus terrible de tout Paris», celle de la Cité. Sur le quai apparaît, en se dandinant avec suffisance, «une énorme bite, atteignant en hauteur la taille d'un homme moyen, je veux dire avec ses autres membres, marchant je ne sais comment, une sorte de foulard au-dessous du gland, et les couilles drapées dans un plaid écossais de teintes sombres». La Bite attend la comtesse de La Motte, qui descend du wagon des premières, coiffée d'une sorte de sombrero couronnant son fabuleux visage: «Sous les plus beaux yeux du monde, les plus beaux yeux verts, précisons, en guise de nez et de bouche ce visage arborait un adorable con, dont le clitoris était joliment développé et dont les lèvres sans cesse humides semblaient inviter les passants.» Le tableau de Magritte, *Le Viol*, sera exactement un portrait de ce genre. Après un dialogue sur le quai du métro, la Bite (Jean-Foutre de son prénom), clerc de notaire, regagne son étude place

---

1. Aragon, *La Défense de l'Infini* (Paris, Gallimard, 1986).

Dauphine, tandis que la comtesse de La Motte flâne dans les rues de Paris, suivie par «une gigantesque merde ambulante», l'inspecteur Etron, de la Brigade mondaine.

Ce chapitre pantagruélique a pour personnages des objets inanimés ou des tronçons d'anatomies, comme la Paire de Jambes («avec quelques mailles parties à ses bas») qui s'assoit sur la Bite dans un taxi, ou la Bottine qui est la petite amie de M. Pisse, receveur de l'Enregistrement. En des scènes d'une obscénité horrible se glissent des phrases d'une poésie exquise. La Bite, dans sa chambre d'hôtel à côté des water-closets, épie les clientes qui s'y rendent, et tout en écoutant «le froufrou d'une robe soulevée, puis la cascade d'un pipi trop longtemps gardé, un léger soupir, la chasse d'eau», fait sur les femmes et l'amour les réflexions les plus nobles. A la fin Aragon dit qu'il a écrit cette histoire pour contrer la Réalité telle qu'elle est: «L'humanité est une hypothèse qui a fait son temps.» Les êtres humains ne sont pas humains, ce sont «de vieux navets, des cruches, des lombrics, des pourceaux, des tartes, des microbes... de la poussière, de la poussière».

Le troisième chapitre est la version définitive du *Cahier noir* qu'il avait déjà publié dans la *Revue européenne*. Le narrateur Firmin Ledoux a noté en ce cahier l'évolution de son amour pour Blanche; il s'interroge douloureusement sur les raisons de la préférence que la jeune fille accorde à Gérard, un paysan de dix-neuf ans. Le thème de la dépossession, tourmentant Aragon, lui fait analyser la sensualité de Blanche, qui est vierge, curieuse de savoir comment on trouble un homme, s'attachant Gérard comme un «domestique des sens» pour expérimenter avec lui le baiser sur la bouche, l'effet d'une caresse de la main. Une fois, étendue sur la mousse, près d'un marécage, Blanche ferme les yeux et demande à Gérard: «Berce-moi avec cette histoire, comment fais-tu pour te branler?» Le paysan se masturbe en décrivant de son mieux ses sensations: «Il expliquait l'assaut des images dans la solitude, celles qu'on néglige d'abord, puis celles qu'on refuse, l'attention tout à coup par la chair éveillée... Soudain elle voudrait croire que les mots sont libres, purs, que ce n'est point un homme qui les tient entre ses dents. Que redoute-t-elle? Rien en elle n'est formulé. Elle n'ose plus bouger.» Gérard ne peut plus retarder le spasme: «Une sorte de nuage se forme non loin du soleil. Blanche a bondi sur ses pieds. Un coup d'œil lui révèle le grand désordre de Gérard, sa confusion et tout ce que parler ne peut dire. Il ne s'est pas encore ressaisi, elle court déjà la plaine. Elle l'évitera pendant trois jours. Une odeur la poursuit. Une image.» Impossible de traiter avec plus de délicatesse une telle situation scabreuse.

En ce mois de janvier 1930 où Aragon remit le manuscrit du *Mauvais Plaisant* à Titus, parut *1929*, une plaquette clandestine éditée par la revue *Variétés* de Bruxelles. Douze poèmes érotiques, de Benjamin Péret (pour le «premier semestre») et d'Aragon (pour le «deuxième semestre»), illustraient les mois de l'année écoulée; quatre photographies aussi libres de Man Ray les accompagnaient. Les poèmes d'Aragon étaient des priapées, comme ses litanies de la pine et du con: «La pine et le con dans un lit/ La pine et le con dans la rue.../ La pine et le con très riches en taxi/ La pine et le con le long d'une rivière.../ La pine et le con n'importe où mais ensemble.»

Ecrivains vulgaires, qui employez des mots grossiers parce que vous pensez bassement, sachez qu'à cette période où Aragon s'en servait il allait de crises de larmes en tentatives de suicide. Il les a purifiés avec son désespoir et son génie poétique. Ce qu'il fallait être malheureux en amour pour écrire *Le Mauvais Plaisant*! Ce livre vient d'ailleurs après le *Poème à crier dans les ruines* de sa rupture avec Nancy Cunard, où il lui dit en sanglotant: «Crachons veux-tu bien/ sur tout ce que nous avons aimé ensemble/ Crachons sur l'amour/ Sur nos lits défaits/ Sur nos silences et sur nos mots balbutiés.» Il bafoue dans *Le Mauvais Plaisant* ce qu'il orthographie «la sexualité», sujet des «péripéties» d'un roman. Non, écrivains vulgaires, vous ne sauriez vous prévaloir de l'exemple d'un tel poète qui passait — ce dont vous êtes incapables — d'une trivialité voulue à une phrase d'une pureté éblouissante.

Le Libertinage, Le Con d'Irène, La Grande Gaieté, 1929, Le Mauvais Plaisant, ce sont les éclats du drame sexuel d'Aragon, de son érotisme incandescent que sa rêverie attisait sans cesse. Ces livres expriment son art d'aimer comme *Le Paysan de Paris* son art de la flânerie et le *Traité du style* son art poétique. Le même génie circule en ces écrits, qui restent des classiques du surréalisme des temps héroïques. Ensuite apparaîtra celui que j'ai appelé Aragon II, le militant communiste éclipsant longtemps Aragon I, «le chevalier de l'ouragan», jusqu'à ce que dans sa vieillesse, après la mort d'Elsa, Aragon III rouvre les bras à sa jeunesse qu'il avait reniée, et la célèbre en quelques textes comparables au dernier chant d'un cygne noir.

Georges Bataille
et la part maudite de l'érotisme

L'année 1928 où Aragon publia *Le Con d'Irène*, chez le même éditeur (René Bonnel), avec des illustrations du même peintre (André Masson), parut *Histoire de l'œil* de Georges Bataille, exploration de l'univers de la folie érotique. Le narrateur, un adolescent de seize ans, «anxieux des choses sexuelles», rencontre une fille de son âge, Simone, avec qui il se livrera à «la joie d'excéder les limites». Simone est démoniaque, n'aime que les jeux pervers, cruels, souillants; elle l'invite à des masturbations réciproques, après avoir cassé entre ses fesses des œufs frais, dont le jaune et le blanc l'inondent; ou en se roulant avec lui dans la boue sous la pluie. Un jour qu'il veut l'étreindre normalement elle le repousse: «Tu es fou! cria-t-elle. Mais, mon petit, cela ne m'intéresse pas, dans un lit, comme une mère de famille!» Simone l'entraîne dans les «régions marécageuses du cul — auxquelles ne ressemblent que les jours de crue et d'orage ou les émanations suffocantes des volcans».

Ils prennent pour compagne de ces jeux Marcelle, «jeune fille blonde, timide et naïvement pieuse» qui, ne pouvant supporter tant d'outrances, sombre dans une crise de démence et doit être internée. Une nuit ils la font évader de la maison de santé, la reconduisent chez eux; mais là Marcelle, soudain terrorisée, se pend à l'intérieur d'une armoire: «Je coupai la corde, elle était bien morte. Nous l'installâmes sur le tapis. Simone me vit bander et me branla, nous nous étendîmes par terre et je la baisai à côté du cadavre. Simone était vierge et cela nous fit mal, mais nous étions contents justement d'avoir mal.»

Déséquilibré par la mort de Marcelle, se sentant absurde et pensant que «l'être absurde a tous les droits», le couple s'enfonce encore plus dans le délire. Simone se laisse enlever et entretenir par un richissime Anglais, sir Edmond, qui assiste en voyeur à ses perversités avec son amant. Ils voyagent ensemble en Espagne; à Madrid, lors d'une corrida, Simone exige qu'on lui apporte sur une assiette les testicules du premier taureau tué. Elle s'assoit dessus au moment précis où le torero Granero est renversé par un taureau qui l'éborgne. Elle en éprouve un fabuleux orgasme. A Séville Simone se déchaîne: «Simone allait nue, sous une robe légère, blanche, laissant voir à travers la soie la ceinture et même, en certaines positions, la fourrure. Les choses concouraient dans cette ville à faire d'elle un brûlant délice.» Elle visite l'église de la Caridad où est enterré Don Juan et urine sur sa tombe. Elle se confesse à un prêtre, don Aminado, l'amenant par ses propos et par ses actes «au comble de la rage des sens». La folie de Simone et de ses complices va alors jusqu'au sacrilège et au sacrifice humain. Elle étrangle le prêtre pendant qu'il jouit d'elle, et demande à sir Edmond de lui ôter un œil avec des ciseaux; elle s'introduit cet œil du cadavre dans le sexe, comme elle y mettait autrefois un œuf dur. Le narrateur, halluciné, dit: «Mes yeux, me semblait-il, étaient érectiles à force d'horreur; je vis, dans la vulve velue de *Simone*, l'œil bleu pâle de *Marcelle* me regarder en pleurant des larmes d'urine.» Le trio sinistre s'enfuit de Séville après cette abomination et disparaît.

Ce récit effroyable, avec ses personnages qui incarnent les divers types de folie — le narrateur est paranoïaque, Simone est hystérique, Marcelle est une démente précoce, sir Edmond un maniaque — , avec ses fièvres et ses bouffées délirantes, a la valeur d'un mythe de l'aliénation sexuelle. On ne peut en soutenir la démesure qu'en pensant que Bataille avait une sexualité morbide («s'ouvrant sur la conscience d'une déchirure», disait-il), soumise aux vicissitudes de sa tuberculose; et que sa philosophie était un mysticisme athée fondé sur la notion de *supplice* (l'équivalent du martyre chez les saints). Bataille cultivait volontairement des *fantasmes intolérables*, afin de trouver sa jouissance dans un excès d'angoisse. Il avoua: «Je cherchais l'angoisse, mais plutôt pour m'en libérer, je voyais dans l'excès d'angoisse la seule issue à l'angoisse.»

Il concevait l'amour sale («la lubricité puérile») comme une révolte métaphysique, une façon d'opposer l'animalité du corps humain à l'indifférence du ciel étoilé. Ses autres écrits érotiques auront le même sens tragique: *L'Anus solaire* (1931) sera une vision pansexualiste du Cosmos qu'il accuse de commettre éternellement toutes les obscénités possibles («Les animaux et les hommes font tourner la terre en coïtant... La mer se branle continuellement... Le globe terrestre est couvert de volcans qui lui servent d'anus», etc.); *Madame Edwarda* (1941), la rencontre d'une prostituée de maison close qui, en lui montrant ses «guenilles» entre ses cuisses et en lui disant: «Je suis Dieu», provoquera sa panique aboutissant à une double extase sexuelle et ontologique. *Le Petit* sera une étude de la fonction dramatique de l'organe génital, dit en argot *le petit frère*: «Un jour, une fille nue dans les bras, je lui caressai la fente du derrière. Je lui parlai doucement du "petit". Elle comprit. J'ignorais qu'on l'appelle ainsi, dans les bordels.»

Bataille eut une conception particulière de la femme, qu'influença sa liaison avec Laure Peignot (Dirty dans *Le Bleu du ciel*), qui fut sa maîtresse de 1935 jusqu'en novembre 1938 où elle mourut. Il disait dans son *Memorandum*: «L'homme véritable a deux désirs, le danger et le jeu: aussi veut-il la femme comme le jouet le plus dangereux.» Diverses héroïnes de Bataille sont ainsi des «jouets dangereux». Dans *Ma Mère*, Pierre est perverti par sa mère qui, dès qu'elle devient veuve, ôte le masque de respectabilité qu'elle portait et lui déclare: «Ta mère n'est à l'aise que dans la fange. Tu ne sauras jamais de quelle horreur je suis capable.» Elle trouble ses relations avec son amie Hansi qu'elle ne trouve pas assez dépravée, lui jette dans les bras une danseuse de profession, Réa, etc. Il ne s'agit pas d'inceste, mais d'une éducation maternelle d'un genre spécial.

Charlotte d'Ingerville, *Sainte* racontent aussi comment des femmes, avec qui le narrateur joue sexuellement, l'entraînent dans le pire. Charlotte, jeune fille à l'aspect sage que tout un village surnomme «panier pourri» parce qu'elle se donne à tous ceux qui la veulent, Sainte, tenant une officine de «Massages» rue Poissonnière avec une obèse, Mme Louise, le poussent à des excès qui lui donnent tremblements et nausées. Une des différences entre André Breton et Georges Bataille fut que le premier se voulut le théoricien de l'amour fou, le second celui de l'érotisme fou.

«L'expérience intérieure» de Bataille devait déboucher sur son essai capital, *L'Erotisme* (1957), publié cinq ans avant sa mort. Bataille est le premier philosophe à avoir consacré un livre à l'érotisme — ce mot étant jusqu'à lui banni des études philosophiques ou pris dans un sens péjoratif —, alors que les autres faisaient des théories sur l'amour, comme Senancour, ou sur la sexualité, comme Freud. Or l'érotisme est la valeur complète où l'amour et la sexualité s'affrontent, pour s'opposer ou se combiner. C'était une hardiesse décisive «d'envisager l'érotisme gravement, tragiquement», tel qu'il l'a fait, et de démontrer qu'il doit être mis au-dessus de l'amour et de la sexualité.

L'autre originalité de Bataille fut d'établir que l'éloge de l'érotisme ne consiste pas à prétendre que tout y est permis. Selon lui les interdits sexuels sont légitimes, inévitables, nécessaires. Dans son projet de préface à *L'Impossible* il affirme: «A mon sens, le désordre sexuel est maudit. A cet égard, en dépit de l'apparence, je m'oppose à la tendance qui semble aujourd'hui l'emporter. Je ne suis pas de ceux qui voient dans l'oubli des interdits sexuels une issue. Je pense même que la possibilité humaine dépend de ces interdits.» L'homme a besoin que certaines choses du sexe lui soient défendues par la morale, afin d'assumer son désir érotique comme une transcendance, et non comme une chute dans la bestialité. L'impudeur n'a de vertu excitante que si la pudeur reste la loi sexuelle primordiale. Telle est l'éthique de Bataille, rejoignant celle de Baudelaire, et refusant les facilités de la contestation simpliste des principes amoureux généralement admis.

Les curiosa surréalistes

Toujours en 1928, année féconde de l'érotisme surréaliste, Benjamin Péret était sur le point de publier *Les Couilles enragées* avec un frontispice dépliant d'Yves Tanguy, quand une descente de police chez son éditeur René Bonnel, à propos d'un autre ouvrage, fit saisir les feuilles déjà imprimées du sien. Il ne parut qu'en 1954, rebaptisé *Les Rouilles encagées* par Satyremont. C'est le premier roman érotique rédigé tout entier en écriture automatique. Au début le héros se caresse dans sa chambre avec une plume de perroquet: «Son vit qui bandait comme un peuplier se reflétait dans la glace et figurait une longue lignée d'arbres agités par un vent d'hiver.» Le récit est entrecoupé de poèmes qu'amène l'action — ce sont des prières, des inscriptions tatouées sur les fesses d'un poète, des cantiques chantés par la foule, etc. — et parodie les chroniques mondaines: «Le vicomte Branleur des Couilles-Molles contemplait fièrement, la queue traînant dans un verre de porto, son arbre généalogique.» A la fin il se marie et l'héroïne Syxtinine se donne à tous les hommes présents à la cérémonie en criant: «Aujourd'hui, entrée libre [1].» L'impétuosité lyrique de Péret est telle qu'on ne peut pas lui en vouloir de ces obscénités, mais elles sont bien moins efficaces que ses poèmes du *Grand Jeu*.

La Papesse du Diable (1931) de Jehan Sylvius et Pierre de Ruynes, excellent exemple de l'érotisme surréaliste d'avant-guerre, semble dû à la collaboration d'Ernest Gengenbach (Jehan Sylvius) et de Robert Desnos (Pierre de Ruynes). Le pseudo-abbé Gengenbach (cet ex-séminariste n'avait jamais reçu les ordres et mystifia tout le monde sur ce point) jouait alors «le vampire surréaliste» dans les boîtes de nuit de

---

1. Ce livre a été réédité librement par Eric Losfeld en 1970 avec les illustrations phalliques d'Yves Tanguy.

Montparnasse, enveloppé d'une cape de drap noir doublée de satin blanc. En son livre *Satan à Paris* (1927), révélant ses obsessions sexuelles diaboliques, il disait: «Il me vient une envie folle de fixer la pointe du sein d'une femme et d'en devenir fou.» Dans *La Papesse du Diable*, «roman de mystère, de magie et d'amour», on assiste à l'entrée dans Paris de «la Maîtresse de l'Asie, l'Archimagesse maintenant Reine du Monde», à la tête de ses hordes asiatiques qui viennent de conquérir l'Europe. Paris est bouleversé sur l'ordre de l'Archimagesse; les rues sont débaptisées (le boulevard Saint-Michel devenant le boulevard du Mouvement-Dada, la place de la Concorde la place de la Psychanalyse, etc.); Notre-Dame est consacrée au culte du Grand Androgyne et la messe est remplacée par «l'orgie sacrée».

Les scènes de saphisme entre l'Archimagesse et sa blonde «esclave d'amour» Nadia sont certainement de Desnos; les cérémonies dans «l'Oratoire des Magies tutélaires» de Gengenbach. L'histoire se termine par la fin du monde et par une dernière orgie de la population massée dans le Temple: «L'on s'accouplait à l'aventure. Partout des pleurs, des râles, des écroulements de tableaux et d'objets cultuels, des crispements de soie. Des chiens venus on ne sait d'où couvraient les femmes en haletant. Un adolescent, les bras en croix, gémissait lentement, à demi étouffé sous quatre femmes. Trois hommes dans un coin s'étreignaient en miaulant comme des chats. Des jeunes filles enlacées se tordaient sur un divan...» L'Archimagesse meurt écrasée par un météore en faisant l'amour avec un soldat de la garde de son palais.

Un autre récit érotique, *Mon Corps ce doux démon* de Pierre de Massot, fut «écrit en 1932 dans le port de Cannes sur le yacht de Francis Picabia, *L'Horizon*»; André Gide le lut en 1934 avec «tremblement et délices». L'auteur y raconte comment il a séduit en Touraine une fillette de douze ans, tuberculeuse, Lucienne aux «yeux de soie», qu'il initia à des caresses mutuelles qu'elle accepta et lui rendit fiévreusement: «Si je ne la possédai pas, au sens strict du mot, il n'est rien d'autre que je ne lui enseignasse et dont elle me sût gré.»

La «perversité polymorphe» de Dali

Salvador Dali fut le surréaliste qui appliqua avec le plus de véhémence la consigne de «braquer sur l'engeance des premiers devoirs l'arme à longue portée du cynisme sexuel», non seulement dans ses tableaux comme *Le Grand Masturbateur*, mais encore dans ses livres et ses articles. Restant longtemps vierge, parce qu'il croyait que l'acte sexuel le ferait mourir, il pratiqua d'abord «l'amour inassouvi» avec une jeune fille blonde de Figueras, qui fut sa maîtresse platonique pendant cinq ans: «Nous nous embrassions sur la bouche, je caressais ses seins et la regardais dans les yeux. Rien d'autre[1].» Puis à vingt-six ans, l'été 1929, il vit arriver à Cadaqués le marchand de tableaux Camille Goemans, et plusieurs surréalistes dont Paul et Gala Eluard. Celle-ci trouva à Dali l'air d'un danseur mondain efféminé, car il portait un collier de fausses perles, un bracelet au poignet, un pantalon blanc, une chemise de soie à manches bouffantes et à col bas; mais elle ne tarda pas à s'intéresser à sa personnalité peu commune.

Dali était alors complètement hystérique, sujet à des crises de rire inextinguibles, à des hallucinations. Voyant dans son tableau *Le Jeu lugubre* un personnage avec un caleçon souillé d'excréments, Gala, au nom des surréalistes, lui reprocha sévèrement sa tendance à la scatologie. Dali protesta: «J'ai autant d'horreur que vous pour ce genre d'égarement. Mais je considère les éléments scatologiques comme terrorisants, au même titre que le sang ou que ma phobie pour les sauterelles[2].» L'amour entre Dali et Gala naquit durant cet été. Dans leurs promenades il se jetait souvent à terre pour baiser passionnément ses souliers. Il s'épouvantait à l'idée de la posséder, la suppliait de ne pas le tuer de plaisir: «De ma vie je n'avais encore *fait l'amour*... Cet acte me paraissait d'une terrible violence disproportionnée avec ma vigueur physique[3].»

Ce fut à Paris, où il vint peu après pour sa première exposition chez Goemans, que Dali perdit sa virginité avec Gala et exprima sa jubilation de n'en être pas mort. Paul Eluard confia à José Corti: «Je trouvai un jour Dali dans ma propre robe de chambre. Il ne me resta qu'à partir[4].» Le livre de Dali, *La Femme visible* (1930), est l'action de grâces d'un nouvel initié au sexe, découvrant que son désir de Gala stimule la «perversité polymorphe» gardée de son enfance: «Je considère la perversion et le vice comme les formes de pensée et d'activité les plus révolutionnaires, de même que je considère l'amour comme l'unique attitude digne de la vie de l'homme», y écrit-il. Son long poème à Gala, *L'Amour et la Mémoire* (1931), fut une ode agressivement impudique, au point que le directeur de l'imprimerie Union refusa de l'imprimer et laissa seulement Gala en composer la typographie elle-même, «debout à la casse, le composteur à la main, comme un apprenti maladroit et appliqué[5]».

Il faudrait, pour définir l'érotisme de Dali, analyser toute son œuvre plastique. Sur le plan littéraire il l'exprima dans ses articles de *Minotaure* et dans sa *Rêverie* pour *Le Surréalisme au service de la Révolution* (n° 4, décembre 1931) dont le ton déplut à Aragon et à Eluard. *Rêverie* est l'histoire d'un rituel masturbatoire qu'il effectua le 17 octobre 1931 à Port Lligat. Il s'excita pendant des heures en pensant qu'il faisait

---

1. Salvador Dali, *La Vie secrète de Salvador Dali*, adaptation de Michel Déon (Paris, La Table Ronde, 1952).
2. *Ibid.*
3. *Ibid.*
4. José Corti, *Souvenirs désordonnés* (Paris, José Corti, 1983).
5. *Ibid.*

pervertir une fillette, Dulita, avec la complicité de sa mère Mathilde, par une vieille prostituée, Gallo, afin de la sodomiser dans une étable: «Je cours à la fontaine des cyprès, m'assieds sur le banc de pierre mouillé et je dresse de toutes mes forces mon pénis de mes deux mains, puis je me dirige vers l'étable où Dulita et les deux femmes sont couchées nues, parmi les excréments et la paille pourrie. J'enlève mon burnous et me jette sur Dulita, mais Mathilde et Gallo ont subitement disparu et Dulita s'est transformée en la femme que j'aime.»

Se réfugiant aux Etats-Unis, Dali fut hébergé en 1943 par le marquis de Cuevas dans sa propriété de New Hampshire, et y écrivit (ou plutôt y dicta d'abondance à Haakon Chevalier qui en établit le texte anglais) son roman *Hiddenfaces* (*Visages cachés*), où il prétendait avoir inventé une mystique érotique, le clédalisme, du nom de son héroïne Solange de Cléda, «une sainte Thérèse profane». Dali dit en préface: «Le clédalisme est le plaisir et la souffrance sublimés dans une identification toute transcendante avec l'objet.» Son héros Hervé de Grandsailles explique à Solange comment son groupe d'initiés procure à deux amants «un désir tout cérébral l'un pour l'autre». On les nourrit pendant quelque temps d'aphrodisiaques, puis on les expose nus l'un devant l'autre, surexcités à l'extrême, avec impossibilité de se toucher. Ces confrontations sont répétées chaque jour, le couple s'habillant de plus en plus. Enfin vient le moment de leur union: «Tous deux sont attachés séparément aux branches d'un myrte, de façon non seulement à empêcher tout contact de leurs corps, mais encore à les maintenir dans l'immobilité la plus complète. Au bout d'un certain temps, si le charme s'accomplit, l'orgasme se produit simultanément chez les deux amants, sans qu'ils aient communiqué entre eux autrement que par l'expression de leur visage [1].» Mais la théorie dans ce roman est plus impressionnante que la pratique; le chapitre «Une nuit d'amour» est informe et ne répond pas du tout aux critères énoncés.

Par la suite son *Journal d'un génie* (1953) contint sa conception érotique du Cosmos qu'il se représenta comme «un continuum à quatre fesses» dont il effectua le moulage. Les fesses d'une femme du monde, lors d'une réunion, lui rappelant ce continuum («Elle a ma vision de l'univers au bas du dos», s'écria-t-il), il lui demanda de les photographier; tout en parlant à d'autres invités la femme du monde se retroussa par-derrière et lui permit de prendre des clichés de sa croupe.

A cette époque Dali fit le scénario d'un film, *La Brouette de chair*, ayant pour héroïne «une femme paranoïaque amoureuse d'une brouette qui revêt successivement tous les attributs de la personne aimée dont le cadavre a servi de moyen de transport. Finalement, la brouette se réincarnera et redeviendra chair». Anna Magnani refusa le rôle et ce film ne fut pas tourné. Dali jalonnera son chemin de créateur scandaleux de telles trouvailles jusqu'à sa réception à l'Académie des Beaux-Arts, le 9 mai 1979, où il brandit une épée à lame molle (symbole phallique facile

---

1. Salvador Dali, *Visages cachés* (Paris, Stock, 1972).

à comprendre) et où il prétendit dans son discours que la Toison d'or du mythe était les poils du pubis.

Le cas Henry Miller

Henry Miller fut incontestablement un auteur surréaliste, mais indépendant; lorsqu'il arriva à Paris en 1930, il fut dissuadé d'entrer dans le groupe animé par André Breton à cause des préoccupations marxistes, étrangères à sa pensée, qu'on y affichait. Miller commença *Tropic of Cancer* à quarante ans, au moment de sa rencontre à Louveciennes d'Anaïs Nin, qui en fit la préface; le texte original, réécrit trois fois, parut en 1934 à l'Obelisk Press, que venait de fonder Jack Kahane, un Anglais installé à Neuilly. Miller vivait à Paris, 18, villa Seurat, et il fréquentait divers surréalistes, Brassaï, Marcel Duchamp dont il disait après avoir joué aux échecs avec lui: «C'est vraiment un très chic type.» Le 4 décembre 1934 il essaya de convaincre Georges Malkine de traduire son livre pour les éditions José Corti, en prétendant: «Il est sûr que je me suis senti surréaliste en action ces derniers jours[1].»

Henry Miller est parti des confessions érotiques de langue anglaise, *My Secret Life, My Life and my Loves* de Frank Harris (il comptera d'ailleurs ces deux œuvres parmi les «livres de sa vie»); il a voulu raconter sa sexualité de la même façon, mais en ajoutant à ses récits une dimension cosmique n'existant pas dans ses modèles. Henry Miller est le poète du vagabondage sexuel. Il exprime l'odyssée amoureuse de l'homme seul dans les grandes villes, battant le pavé à la recherche d'une compagne de lit, sautant sur les occasions de jouir.

La vie amoureuse d'Henry Miller n'eut rien d'exceptionnel. Il épousa en 1917 la pianiste Beatrice Sylvas Wickens, dont il divorça en 1924 pour se marier avec June Edith Smith, qui sera la Mona de ses livres. June ne voudra pas s'installer avec lui à Paris et n'y fera que deux séjours, en automne 1931 et en hiver 1932. Avant même que June se sépare de lui définitivement en 1934, Miller demanda à Anaïs Nin de l'épouser, mais celle-ci ne voulut être que sa complice intellectuelle. Ainsi les amours de Miller, inlassablement transcrites en des versions différentes, sont des évocations de ses déboires avec sa première femme, «une cinglée de puritaine» qu'il trompa avec sa mère, cocufiant son beau-père qui ne se douta jamais de rien[2]; de son intimité avec June-Mona qu'il fut inconsolable de perdre; et de ses multiples exploits avec des prostituées et des filles faciles.

Ses histoires de sexe sont comme les histoires de chasse de Tartarin. Tel un Méridional expansif rapportant un fait en l'amplifiant et en le

---

1. Henry Miller, *Lettres à Anaïs Nin*, traduction de Pierre Alien (Paris, Christian Bourgois, 1963).

2. Henry Miller, *Le Monde du sexe* (Paris, Buchet-Chastel, 1952).

déformant, Miller, emporté par son élan créateur, exagère les récits de ses relations sexuelles. A l'en croire les prostituées ne demandent qu'à jouir follement avec lui, préférant le plaisir à l'argent (l'Arétin eût bien ri de cette vantardise); Paris et New York sont remplis de taxis où il a fait l'amour sur la banquette arrière sans que le chauffeur dise un mot; les femmes, dès qu'il les touche, se liquéfient de désir au point que «the cunt juice» («le jus du con») leur coule le long des jambes. Ces outrances lui sont naturelles, et les mots grossiers qu'il emploie ne sont pas salissants, car ils se noient dans le torrent de son écriture. Il trouva un encouragement à sa démesure, en février 1933, dans la lecture du *Rabelais* de Samuel Putnam: «C'était quelqu'un! Une époque! Courage! Et ces salauds qui me demandent aujourd'hui d'élaguer un peu ici et un peu là [1].»

Tropique du Cancer, méditation sur lui-même dans le cadre de la villa Seurat (rebaptisée villa Borghèse), est un livre de résurrection. Miller était jusque-là un raté, il renaît parce qu'il a pris le parti, non plus d'arriver à quelque chose, mais d'*être*, tout simplement. *Etre*, c'est être sexué et savoir profiter de son sexe, comme il le démontre en maintes anecdotes. Tantôt il vante l'appétit sexuel insatiable de la Roumaine Llona: «Elle vous aurait coupé la queue et l'aurait gardée à jamais dans son ventre, si vous lui en aviez donné la permission»; tantôt il décrit les prouesses obscènes de son ami Van Norden. Lui-même, dans les toilettes d'une boîte de nuit, il attaque une cliente américaine qu'il essaie de prendre sur le siège des water-closets, sans y parvenir: «La musique continue de jouer, et nous sortons en valsant du cabinet, passons de nouveau dans le vestibule, et comme nous dansons là dans la chiotte, voilà que je me mets à décharger sur sa belle robe et qu'elle en devient furieuse [2].»

Miller trouva un admirateur en la personne de Lawrence Durrell qui lui écrivit en août 1935: «Je salue en *Tropique du Cancer* le manuel de ma génération.» Leur correspondance parle beaucoup du surréalisme, dont ils ont la conviction l'un et l'autre de faire partie. En été 1936, Miller révèle ainsi: «Je n'essaie jamais d'être surréaliste au départ. Parfois cela m'arrive au début, parfois c'est à la fin. C'est toujours un effort tendant à ne rien laisser de côté, à dire ce qui ne peut être dit ou ne le sera pas [3].» Sa *Lettre aux surréalistes en tous lieux*, paraissant en décembre 1938 dans la revue *Volontés*, les incite à ne pas faire de leur mouvement un Absolu: «Il est faux de parler de Surréalisme. Il n'existe rien de tel: il n'y a que des surréalistes.» Miller se justifie de ne pas se mêler au groupe en disant que l'affirmation individuelle a plus de mérite que l'affirmation collective: «Le véritable créateur fait son œuvre à part, sans aide. Le

---

1. Henry Miller, *Lettres à Anaïs Nin, op. cit.*
2. Henry Miller, *Tropique du Cancer*, traduit par Paul Pivert (Paris, Denoël, 1945).
3. Lawrence Durrell-Henry Miller, *Une correspondance privée*, traduit de l'anglais par Bernard Willerval (Paris, Buchet-Chastel, 1963).

solitaire agissant sous le coup de la foi peut réussir là où des armées exercées échoueront toujours.»

En 1936 *Black Spring* (*Printemps noir*), recueil de «nouvelles», en 1938 *Tropic of Capricorn* firent de Miller le spécialiste de l'autobiographie picaresque. Avec les souvenirs de sa jeunesse à Brooklyn, de ses plongées dans «le rêve de la rue», de ses mésaventures comme chef recruteur de la Compagnie du Télégraphe de New York, il compose une fresque mi-grandiose mi-sordide. L'*Interlude* de *Tropique du Capricorne*, qu'il voulait intituler *Au pays de Foutre*, contient de plaisantes énormités sexuelles. Il fréquente des filles du genre de Francie, qui aimait «faire ça à la barbe des gens» surtout dans le métro: «Si le compartiment était bourré à craquer, que nous fussions emboîtés l'un dans l'autre, dans un coin, en sécurité, elle me sortait la verge de la braguette et la tenait à deux mains comme un oiseau. Parfois, elle s'amusait à y pendre son sac à main [1].»

En septembre 1941, résidant à Los Angeles, Henry Miller proposa à un libraire de Hollywood, Milton Luboviski, fournissant clandestinement des romans pornographiques à des personnalités du cinéma (comme les metteurs en scène Billy Wilder, Joseph L. Mankiewicz), de lui en écrire un au tarif d'un dollar la page [2]. Ce fut *Opus pistorum*, du latin *pistor* signifiant *meunier* (ou *miller* en anglais), autrement dit *Œuvre millérienne*. Miller termina dans l'été 1942 son manuscrit, qui ne fut pas imprimé; Luboviski en fit cinq copies dactylographiées, chacune reliée, en vendit trois, donna la quatrième à un ami et conserva la cinquième. Ce roman totalement érotique ne sera édité qu'en 1983 à New York.

Opus pistorum raconte les fornications d'un Américain à ·Paris durant un séjour d'un an: «Paris où tout arrive, où l'on apprend des tas de choses sur soi-même!» La ville n'est guère présente dans les scènes, qui pourraient se passer n'importe où; mais le texte anglais est émaillé de mots français, comme la *bonne-bouche*, le *conillon*, l'*abricot-fendu* pour désigner la vulve. Appelant son pénis John Thursday (traduction du Jean Jeudi de Rabelais), le héros dit en attaquant une femme: «I dig John Thursday into her whiskers» («Je plante Jean Jeudi dans son buisson»). Le ton général du roman est une jovialité énorme, rabelaisienne. Au début le narrateur, Alf, se trouve dans une chambre avec une fillette nue sur ses genoux, le père de celle-ci et une prostituée. La fillette se montre tellement vicieuse qu'il la repousse et s'enfuit, suivi de la prostituée qui lui dit dans la rue: «Je lui ai jeté son argent au visage, à ce sale porc.» Elle se donne à lui gratuitement et il la prend debout, derrière la clôture d'un entrepôt: «J'enfonce ma queue dans sa figue mûre, elle tire sur mon

---

1. Henry Miller, *Tropique du Capricorne*, traduit par Jean-Paul Lefaure (Paris, Editions du Chêne, 1946).

2. C'est probablement là l'origine de l'affabulation d'Anaïs Nin, feignant d'écrire *Venus erotica* pour un collectionneur mythique, afin de rivaliser avec Henry Miller écrivant *Opus pistorum* pour un libraire réel. Voir *infra*, p. 272.

manteau pour que je reste enfourné jusqu'aux couilles. Maintenant ce n'est plus une putain... seulement un con qui meurt d'envie d'être baisé [1].»

Alf ira ainsi d'aventure en aventure, de Lotus la Chinoise tenant une boutique d'objets d'art à Rosita, la danseuse de flamenco d'une boîte pour Espagnols. Une Américaine dépravée, Alexandra, qui a des rapports incestueux avec sa fille Tania et son fils Peter, l'entraîne dans une messe noire célébrée par le chanoine Charenton. Avec ses amis Sid et Arthur, Alf exécute un viol collectif sur Miss Cavendish, une Anglaise qui passe son temps à les allumer: «Elle secoue son cul devant notre nez, puis le fait disparaître au dernier moment, au point de nous transformer en débiles profonds doublés de masturbateurs chroniques.» Il organise une séance d'amour à trois avec deux lesbiennes américaines, Anna et Tooth, dont il dit: «Ces salopes ressemblent aux rêves érotiques de vos quinze ans.» Dans ce livre aux actions situées à Paris, aucune héroïne n'est française, bien que Miller affirme: «C'est en France, et surtout à Paris, qu'on prend pleinement conscience de la monstruosité des femmes.» A la fin, Alf n'en peut plus de satisfaire des femelles en rut; il exige de l'argent de Sam Backer, dont il vient de faire jouir la femme devant lui, et décide de retourner en Amérique afin d'y acheter «une pouffiasse mécanique, une machine à baiser fonctionnant à l'électricité et qu'on peut débrancher».

Après la Seconde Guerre mondiale, le succès de scandale remporté en France par Henry Miller avec *Tropique du Cancer* (traduit en 1945 chez Denoël) et *Tropique du Capricorne* (en 1946 aux éditions du Chêne), qui suscitèrent contre lui les offensives du «Cartel d'Action sociale et morale» que fonda Daniel Parker, relança le problème de l'obscénité littéraire. Le 7 octobre 1946, Miller écrit à Durrell: «*Capricorne* a atteint maintenant les quarante-cinq mille exemplaires! Girodias, Gallimard et Denoël vont tous trois passer en justice dans quelques mois pour avoir publié des versions françaises des *Tropiques* et de *Printemps noir*. Quelle histoire! Et pendant ce temps les livres se vendent comme des petits pains... On parle maintenant du "Cas Miller" comme on a parlé autrefois de l'Affaire Dreyfus [2].»

Henry Miller participa en 1947 à l'Exposition internationale du Surréalisme chez Maeght, à laquelle il donna un texte de catalogue, *Paysages*, et deux peintures. Il comptait exposer une quarantaine de tableaux à Paris et espérait une préface d'André Breton, mais celui-ci ne les trouva pas dignes d'être soutenus par lui. Il n'estimait Miller que comme écrivain.

Installé à Big Sur en Californie, Henry Miller acheva *La Crucifixion en rose*, son autobiographie-fleuve en trois volumes, *Sexus*, *Nexus* et *Plexus*. Lorsque parut *Sexus*, Lawrence Durrell adressa à Miller un

---

1. Henry Miller, *Opus pistorum*, traduit de l'américain par Brice Matthieusent (Paris, Presses de la Renaissance, 1984).
2. Lawrence Durrell-Henry Miller, *Une correspondance privée, op. cit.*

télégramme de Belgrade, le 10 septembre 1949: «*Sexus* terriblement mauvais détruira complètement réputation sauf révision immédiate.» Il expliqua la nature de sa déception dans une lettre: «L'obscénité qui s'y étale est vraiment indigne de vous... On fait une grimace de dégoût et on détourne les yeux.» Miller répondit le 28 septembre: «J'écris exactement ce qui me plaît, et selon la manière qui me plaît.» Durrell, dont le premier livre en 1938, *The Black Book*, fut un livre de sexe, ne réagissait pas ainsi par pudibonderie. Dans *Sexus*, du même esprit qu'*Opus pistorum*, en plus ambitieux, Miller exagère encore ses exagérations.

Le narrateur, Val, marié et père d'une fille, rencontre dans un dancing de New York une danseuse au service de la clientèle, Mara, dont il tombe amoureux. Il l'invite au restaurant à minuit et la raccompagne chez elle à l'aube:

> Nous sautâmes dans un taxi et pendant qu'il roulait, Mara tout à coup me grimpa dessus et m'enfourcha. Il s'ensuivit un baisage forcené; le taxi embardait et donnait de la bande; nos dents se heurtaient, mordaient des langues; et le jus coulait de Mara comme une soupe chaude... Elle eut un orgasme à n'en plus finir, au point que je crus qu'elle allait me décaper le vit [1].

Mara (qu'il appellera plus loin Mona) est évidemment June; il expose les débuts de leur liaison qui dura sept ans, en grossissant tous les détails.

Miller dissociait le sexe et l'amour comme ces hommes qu'a étudiés Freud, incapables de porter sur une même femme leur «courant de tendresse» et leur «courant de sensualité». Il ne lui venait même pas à l'idée qu'on peut être fidèle à une femme aimée, parce qu'on est trop obsédé par elle pour désirer d'autres femmes. Il trouvait aussi tout naturel de coucher avec la femme d'un ami. Ainsi, tout en poursuivant Mara de sa passion, Val ne cesse de harponner des filles à droite et à gauche. Dans l'atelier du peintre Ulric, qui fait poser des Noires toutes nues les cuisses écartées, il passe de bons moments. Il séduit la maîtresse de son ami Bill Woodruff, Ida Verlaine, et se livre sur elle à des acrobaties sexuelles:

> Je l'allongeai sur une petite table et quand elle fut mûre, prête à en exploser, je la soulevai et fis le tour de la pièce en la portant; puis je dégainai et je la fis marcher sur les mains pendant que je la tenais par les cuisses, entrant et sortant de temps à autre, histoire de la tisonner un peu.

Val revoit souvent son ancienne femme Maude, qu'il a quittée pour Mara, et chaque fois l'entrevue se termine par un coït fantastique. Il réussit même à faire s'accoupler devant lui Maude avec sa cousine Elsie, et à se mêler à leur étreinte dans une apothéose de luxure. Tout est possible dans *Sexus*, même les tours de force les plus incroyables, car Miller n'y raconte pas les choses telles qu'elles ont été réellement, mais

---

1. Henry Miller, *Sexus*, traduction de Georges Belmont (Paris, Buchet-Chastel, 1952).

telles qu'il aurait désiré qu'elles fussent. Il songe ensuite à posséder Cléo, la vedette du burlesque de Houston Street. De son côté sa bien-aimée Mara a des aventures si crapuleuses avec les clients du dancing qu'il la soupçonne un instant de lui avoir communiqué une maladie vénérienne. Elle avoue qu'un homme l'a emmenée faire une promenade en auto, et lui raconte «comment le type l'avait fait se tasser dans un coin de la voiture, les jambes en l'air, et l'avait fourgonnée tout en conduisant d'une seule main». Miller rêve ainsi de son passé avec ses deux précédentes femmes, Béatrice et June, comme d'une immense épopée conciliant l'amour unique et la polygamie.

Nexus (1959), Plexus (1962), décrivant son apprentissage intellectuel jusqu'à son départ des Etats-Unis pour la France, sont moins intéressants. Le Miller raisonneur n'a pas l'originalité du Miller libidineux que l'intensité de ses désirs fait extravaguer. Que l'on compare Sexus au Journal particulier de Paul Léautaud, où celui-ci dit de sa maîtresse Mme Cayssac, une femme de quarante-neuf ans:

> Après déjeuner elle s'était assise, dans le fauteuil qui se trouve toujours dans la salle à manger, les jupes troussées, le con bien à l'air. Je lui fis d'abord minette, puis elle me demanda, sentant la jouissance venir, de finir en la branlant avec ma pine. Elle déchargea ainsi, et ce frottement ayant agi pour moi également, je déchargeai sur elle [1].

La comparaison entre ces deux écrivains s'impose, car Paul Léautaud dans Le Petit Ouvrage inachevé, où il rapporte encore ses folles étreintes avec cette femme qu'il surnommait le Fléau, dit: «Comme nous parlions de la façon dont les surréalistes m'ont "adopté", à ma grande surprise, moi qui suis si loin d'eux, elle mit cela sur le compte de mon érotisme [2].» Léautaud et Miller ont la même crudité dans l'évocation des faits sexuels, mais le premier est plus vrai; quand il dit que sa maîtresse lui a examiné le pénis avec une loupe, afin de vérifier s'il l'avait trompé, on le croit. D'un affabulateur comme Miller, on en douterait. En revanche, celui-ci est beaucoup plus lyrique, plus moderne; son érotisme mêle bouffonnerie et drame, rêve et réalité, raison et folie, de manière à englober toutes les formes du comportement humain.

Miller expliquait que l'obscénité lui servait à créer un état de choc sur le lecteur comparable au satori — ou déclic de l'extase — que les maîtres du bouddhisme zen imposent à leurs disciples: «L'essentiel de l'obscénité réside dans le désir de convertir [3].» Convertir à quelle religion? A la religion de la vie, où les organes génitaux sont sacralisés comme des garants de la vitalité universelle.

Ce sens de l'obsénité zen, ébranlant la conception traditionnelle du sexe, fit d'Henry Miller l'initiateur des Américains qui voulurent après lui traiter à fond de la sexualité. Ses premiers disciples furent les écrivains

---

1. Paul Léautaud, Journal particulier (Monaco, Editions du Cap, 1956).
2. Paul Léautaud, Le Petit Ouvrage inachevé (Paris, Le Bélier, 1962).
3. Henry Miller, L'Obscénité et la loi de réflexion (Paris, Seghers, 1949).

révélés dans les années 50 par Maurice Girodias à l'Olympia Press. Girodias (qui prit le nom de sa mère) était le fils de Jack Kahane, et il voulut comme son père éditer à Paris des livres anglo-saxons impubliables aux Etats-Unis. Ce fut lui qui publia *Lolita* de Nabokov, et des romans érotiques plus poussés dont les auteurs s'abritaient derrière des pseudonymes, Thomas Peachum prenant celui de Philip Oxman, Christopher Logue celui de Count Palmiro Vicarion, etc. Le meilleur roman de la série fut *The Sexual Life of Robinson Crusoé* (1955) de Humphrey Richardson (c'est-à-dire Michel Gall, qui en donna la version française chez Tchou en 1963). Cette *Vie sexuelle de Robinson Crusoé* relève d'ailleurs de l'érotisme surréaliste, Robinson rêvant qu'il se transforme en femme, dressant un loir à lui lécher le sexe, etc.

L'influence de Miller fut également décisive sur Norman Mailer (qui consacra d'ailleurs à son maître une importante biographie critique [1]), sur John Updike dans *Couples* (1968), et sur un mystérieux Kirby Doyle dont la confession, *Happiness Bastard* (1968), exprima la dérive sexuelle avec des accents typiquement mil(l)ériens.

Le «vertige d'Éros» dans l'après-guerre

Le tableau de Matta, *Le Vertige d'Eros* (1944), avec son fonds pourpre et ses tourbillons, annonçait la principale caractéristique du surréalisme d'après-guerre. Je fus l'un des premiers adeptes de la nouvelle génération, et André Breton me demanda d'écrire un texte sur la «mystique érotique» (mes idées là-dessus lui plaisaient) pour *Le Surréalisme en 1947*, catalogue de l'Exposition internationale du Surréalisme chez Maeght. Mes manifestes parus à cette époque recommandaient de substituer au «matérialisme dialectique» des marxistes «l'érotisme dialectique», de combattre le mythe réactionnaire de Tristan et Iseult (ils ne connurent l'amour fou que parce qu'ils avaient bu un philtre), de revendiquer la «libération de la femme» (dont personne ne parlait au moment où je le fis dans *Fontaine* en octobre 1947). Je démontrai aussi que la sexualité féminine était régie par «le complexe d'Andromède».

Ce fut en 1947 que l'on découvrit en France le grand surréaliste danois Jens August Schade, grâce à la traduction de son roman *Des êtres se rencontrent et une douce musique s'élève dans leur cœur* (écrit en 1940). Ecrivain bohème de Copenhague, ayant débuté à vingt-cinq ans en 1928 avec *Svet en Danemark*, Schade a axé toute son œuvre sur le merveilleux érotique; son précédent roman, *Le Voleur de commode ou immortel amour*, en était déjà magnifiquement imprégné. Des enthousiastes voulurent lancer le schadisme à Paris; un Club schadiste fut

---

1. Norman Mailer, *Genius and Lust: a journey through the major writings of Henry Miller* (New York, Grove Press, 1976).

fondé boulevard Pereire et on y élit une Miss Schade qui posa nue pour une photo reproduite dans *France-Dimanche*.

Des êtres se rencontrent nous introduit dans un lotissement de villas près de Copenhague où deux couples, les Sorensen et les Hansen, habitent chacun un étage de la même maison. Evangeline Hansen et son mari Sjalof sont au lit:

> — Dis donc, je voudrais bien être couchée avec un autre homme de temps en temps, dit-elle sans inflexion dans la voix, froide, indifférente.
> — C'est vrai?
> — Oui, mon ami.
> — Pourquoi?
> — Parce que j'en ai envie [1].

Sjalof va chercher un poignard, en menace sa femme, et subitement le met entre ses dents, s'accroupit, tend les bras en avant, et commence une sauvage danse russe; quand il a fini de danser, il se suspend au lustre et s'y balance. Tout le roman est fait de provocations et de réactions aussi inattendues.

Hans Madsen, étudiant à l'Université de Copenhague, amant d'Evangeline, reçoit un télégramme de sa fiancée Mithra qui lui annonce qu'elle a fait l'amour avec Amandus Johansen et signe: «Ta boîte à bonbons que tu n'as jamais ouverte.» Déprimé de cette nouvelle, l'étudiant offre une cigarette dans un compartiment de chemin de fer à une inconnue, Sofia, qui lui avoue qu'elle a rêvé qu'il lui offrirait une cigarette à la station de Slegelse, où ils sont précisément arrivés. Elle se donne à lui dans les toilettes pour dames et ils se quittent en se jurant qu'ils ne s'oublieront jamais. Sofia est une danseuse qui se rend à Rio de Janeiro; elle rencontre durant le trajet Sjalof, ayant abandonné le domicile conjugal. Elle s'offre bientôt à lui, sans l'aimer, parce qu'il lui a fait découvrir la beauté de l'ennui: «Je m'ennuie délicieusement avec vous... Je ne veux que vous embrasser d'ennui.»

Hommes et femmes se conduisent ici comme des somnambules de l'amour, se prenant, se fuyant, se reprenant; la musique dont ils sont obsédés est la fugue. Sjalof, après avoir fondé des bordels en Amérique latine, revient vivre avec sa femme Evangeline dans le Seeland, cette Evangeline qui veut «se sentir indécente *dans toute sa pureté*» et qui a entendu un passant lui dire: «Tu éclaires à force de sensualité, espèce de ver luisant.» Madsen épouse Mithra, qui se transforme en lesbienne le lendemain de leur mariage. Sofia, devenue la danseuse Tomba Tomb, épouse un Français, Robert Clair de Lune, directeur du New York Theater. Elle divorce au bout de six mois, regagne Copenhague pour revoir Madsen qui vit en ménage avec trois femmes, puis repart courir l'aventure. Les actions les plus bizarres, les propos les plus fous se

---

1. Jens August Schade, *Des êtres se rencontrent et une douce musique s'élève dans leur cœur*, traduit du danois par Christian Petersen-Mérillac (Paris, Editions du Bateau ivre, 1947).

succèdent; on ne sait pas si certains épisodes sont rêvés ou réalisés par les personnages; ils ne le savent pas eux-mêmes.

Au début de l'après-guerre quelques écrivains prirent la défense de l'érotisme, par esprit de provocation, l'un d'entre eux étant Boris Vian qui publia en octobre 1946 son premier roman, *Vercoquin et le plancton*, influencé par Queneau. Le début racontait l'histoire de la surprise-partie organisée par Antioche dans la villa du Major, près du parc de Saint-Cloud; ils s'y disputaient tous deux la même femme, Zizanie, tandis que les autres invités se caressaient partout ailleurs; sept filles et un garçon se mettaient nus au fond de la cave à charbon. A la fin de la *surboom*, «Antioche monta aux étages supérieurs. Il extirpa deux couples du lit du Major, deux autres et un pédéraste du sien propre, trois du placard à balais, un du placard à chaussures (c'était un tout petit couple)[1]». Le reste du roman, consacré aux mésaventures d'Antioche dans les bureaux de son Consortium, était moins amusant. Mais le mois suivant, le 21 novembre 1946, parut *J'irai cracher sur vos tombes* de Vernon Sullivan, traduit par Boris Vian (qui traduisait alors des *thrillers* de Raymond Chandler et de James Cain, tout en étant ingénieur des Arts et Métiers, trompettiste de jazz et chroniqueur aux *Temps modernes*).

La bande du roman annonçait: «Le livre que l'Amérique n'a pas osé éditer.» Le prétendu Vernon Sullivan, né à Chicago d'un père blanc et d'une mère noire, guitariste dans les boîtes de nuit de New York, puis faisant pendant la guerre la campagne d'Italie, était censé l'avoir écrit en garnison à Paris. Son héros, Lee Anderson, était un métis ayant un huitième de sang noir, blond à peau claire, voulant venger la mort de son frère noir lynché par des Blancs. Il violait des fillettes, séduisait deux sœurs de bonne famille, Lou et Jean Asquith, qu'il dépravait complètement avant de les massacrer; poursuivi par la police, il était finalement tué. Vian avait d'abord intitulé cette parodie de roman noir *J'irai danser sur vos tombes*, d'après un vers d'un romantique allemand; sa femme Michelle, trouvant ce titre mièvre, lui fit substituer *cracher* à *danser*. On sut au bout d'un mois qu'il en était l'auteur.

J'irai cracher sur vos tombes n'avait aucune valeur littéraire, comme le dirent les critiques (Robert Kanters, Maurice Nadeau); les six mille exemplaires se vendirent en six mois à cause des scènes de violence sexuelle. Mais le 28 mars 1947 Edmond Rougé, représentant de commerce, étrangla sa maîtresse Marie-Anne Masson dans un hôtel de la rue du Départ, à Montparnasse. Le lendemain, *Libération* révélait: «Sur un meuble, un roman: *J'irai cracher sur vos tombes*, ouvert à la page même où se trouve décrit le meurtre commis par le héros de Boris Vian. Quelques passages avaient été cochés par le criminel.» Le 30 mars, Edmond Rougé, en fuite, se pendit dans la forêt de Saint-Germain. Ce fait divers assura le succès du roman, dont la vente atteignit bientôt cent mille exemplaires; il motiva aussi l'opinion qu'il était «une œuvre sociale

---

1. Boris Vian, *Vercoquin et le plancton* (Paris, Gallimard, 1946).

dangereuse», et Boris Vian dut comparaître le 23 mars 1947 devant le juge Baurès, chargé de l'information pour outrage aux mœurs.

Boris Vian publia en 1947 deux romans, *L'Ecume des jours*, *L'Automne à Pékin*, qui furent unanimement déclarés «ennuyeux» par la presse. Il exploita donc le scandale de l'affaire Vernon Sullivan, en mettant sous ce nom *Les morts ont tous la même peau* (fin 1947), autre histoire de délits sexuels ayant comme héros une crapule, Dan Parker (par allusion à Daniel Parker qui porta plainte contre Vian à la brigade des mœurs). Les scènes érotiques y étaient moins brutales que précédemment: tout au plus Dan Parker et la cliente d'un bar coïtaient dans une cabine téléphonique; il y avait aussi deux scènes d'amour à trois, d'un homme avec deux femmes, d'une femme avec deux hommes. En 1948, *Et l'on tuera tous les affreux* fut un roman-feuilleton de Vernon Sullivan pour *France-Dimanche*, qu'illustrèrent les photos d'Yvonne Ménard, danseuse nue des Folies-Bergère, et de la fille d'un président de cour d'assises, Muriel Guillemot, fumant le cigare et se troussant. Boris Vian disait qu'il s'était inspiré d'elles pour créer Cynthia Spootlight et Sunday Love, personnages de ce roman où un docteur, par haine de la laideur, fabrique des belles femmes artificielles.

Pour soutenir ses romans signés Vernon Sullivan, Boris Vian fit une conférence au Club Saint-James, avenue Montaigne, le 14 juin 1948, *Utilité d'une littérature érotique*. Mais la justice suivait son cours. *J'irai cracher sur vos tombes* fut interdit par arrêté ministériel du 1er juin 1949. Un livre interdit l'était par le pouvoir exécutif sur le motif: *protection de l'ordre public*. L'interdiction frappait aussi bien un écrit politique qu'un écrit obscène: on venait d'interdire auparavant *Montoire*, *Verdun diplomatique*.

Lors du procès de Boris Vian, le substitut dit: «S'il n'y avait que des scènes scabreuses d'érotisme, à deux ou à trois personnages, en long, en large et en travers, je le dis tout net, le mal ne me paraîtrait pas tellement grand [1].» Ce qui était inacceptable pour l'accusation, c'était «l'assassinat de Lou Asquith assommée à coups de poing, le sexe mordu au sang, la gorge écrasée à coups de talon», ainsi que l'assassinat de Jean Asquith étranglée et achevée à coups de revolver. Le substitut lut un passage incriminé: «Je l'ai mordu en plein entre les cuisses. J'avais la bouche remplie de ses poils noirs et durs... Alors j'ai serré les dents de toutes mes forces... J'ai senti le sang me pisser dans la bouche... Tout d'un coup je me suis rendu compte que tout partait dans mon slip... J'ai tapé plus fort...» etc. [2]. C'était le «sadisme érotique» qui était sanctionné par le ministère public, non l'érotisme. Après sa condamnation Boris Vian (dont le délit fut amnistié dès la loi du 6 août 1957) abandonna le «sadisme érotique» pour la pataphysique. Ses *Ecrits pornographiques* posthumes ne comprennent que quelques chansons de salles de garde,

---

1. Noël Arnaud, *Le Dossier de «J'irai cracher sur vos tombes»* (Paris, Christian Bourgois, 1974).

2. Vernon Sullivan, *J'irai cracher sur vos tombes* (Paris, Editions du Scorpion, 1946).

comme la *Marche du concombre*, et une nouvelle, *Drencula*. Vernon Sullivan disparut de la circulation (son dernier roman, *Elles se rendent pas compte*, ayant été un échec).

L'édition devant les interdits

Il faut savoir quelles difficultés rencontrèrent les éditeurs de cette période qui servirent l'érotisme et le surréalisme, dans un même combat pour la liberté d'expression totale. L'édition était soumise au décret-loi du 29 juillet 1939, sanctionnant «l'outrage aux bonnes mœurs», en un chapitre intitulé *Protection de la race*, afin de protéger la famille et la natalité. Sans la guerre, remarquait Me Maurice Garçon, ce décret aurait duré six mois. Au nom de ces notions arbitraires, un livre suspect de contrevenir aux bonnes mœurs faisait l'objet d'une information, se terminant par un non-lieu ou par une ordonnance de renvoi au tribunal correctionnel, avec possibilité de révision du jugement à la cour d'appel. La condamnation entraînait la confiscation des exemplaires, mais non l'interdiction de la vente et de la diffusion. Comme le disait un juriste: «Un livre condamné pour outrage aux bonnes mœurs n'est pas forcément interdit — en fait, peu le sont[1].» Cette distinction entre livres condamnés et livres interdits atténuait peu le désagrément subi.

Les Editions du Scorpion dirigées par Jean d'Halluin, dont la boutique rue Lobineau avait en vitrine un bocal contenant un couple de scorpions vivants, se spécialisèrent dans les romans scandaleux que la justice condamnait. Raymond Queneau y publia *On est toujours trop bon avec les femmes* (1947), qu'il signa Michel Presle parce qu'il avait rendez-vous avec l'actrice Micheline Presle quand il donna son manuscrit à d'Halluin. Bien que ce fût là un roman érotico-exotique extrêmement fort, ayant pour cadre la révolution d'Irlande, l'auteur n'eut pas les ennuis judiciaires de son disciple Boris Vian. Car Queneau, en bon surréaliste, avait pratiqué l'érotique-voilé; son récit, tout en allusions, construit comme une aventure dramatique, pourrait être lu par une écolière innocente; elle ne comprendrait rien au déchaînement sexuel de cette vierge perverse parmi le groupe de révolutionnaires qui la séquestrent, tant il est exprimé par d'habiles périphrases. Et néanmoins, pour le lecteur averti, l'impression libertine est plus puissante que dans un roman usant de mots crus, d'évocations directes. Queneau s'éprit de son héroïne irlandaise, Sally Mara, au point de lui inventer un *Journal intime* (1950) non moins scabreux, et de réunir toute cette saga dans les *Œuvres complètes de Sally Mara* (1962).

Parmi les livres interdits des Editions du Scorpion figurèrent *Ne sont pas morts tous les sadiques* (1949) d'Ernst Ratno (Ernest Lévy) et

---

1. Daniel Bécourt, *Livres condamnés, livres interdits* (Paris, Cercle de la librairie, 1962).

Clayton's College (1950) de Connie O'Hara (José-André Lacour), œuvres brutales mais bien enlevées. Jean d'Halluin était un précurseur, ouvrant la voie aux deux éditeurs attitrés du surréalisme d'après-guerre, Eric Losfeld (qui débuta d'ailleurs à la fabrication des Editions du Scorpion) et Jean-Jacques Pauvert.

Eric Losfeld se qualifiait lui-même de «surréaliste à l'état sauvage» (pour dire qu'il l'avait été sans chercher à l'être, dès sa naissance). Après s'être lié avec André Breton, il fonda en 1951 les éditions Arcanes dont le catalogue d'une centaine de titres comporta surtout des livres fantastiques. En mai 1955, il s'installa dans un magasin rue du Cherche-Midi qu'il baptisa le Terrain vague (c'était la traduction de son nom flamand Losfeld); en 1967, il transféra son siège social rue de Verneuil. Pour surmonter ses embarras financiers, il s'adonna intensivement au commerce des œuvres prohibées. Losfeld n'édita officiellement qu'une vingtaine d'ouvrages érotiques sous ses labels successifs d'Arcanes et du Terrain vague. Mais il eut de 1954 à 1966 une grande production de livres clandestins, c'est-à-dire sans nom d'auteur ni d'éditeur, sans achevé d'imprimer ni dépôt légal. Outre les amateurs fidèles répertoriés à son fichier, il en recrutait d'autres par des annonces dans les journaux galants ou par des cartes-réponses qu'il glissait entre deux pages de ses publications avouables.

Son activité n'était lucrative qu'à certaines conditions. Il disait: «Le livre clandestin n'est pas quelque chose qui se vend bien. Il n'atteint jamais le statut de best-seller. Lorsque mille exemplaires sont partis, on peut considérer que c'est une réussite [1].» Comme il avait près de vingt mille clients qui lui achetaient régulièrement des livres érotiques (il était même le fournisseur du roi Farouk d'Egypte), Losfeld devait donc en produire beaucoup, quelquefois réalisés en une semaine. Quand il manquait de texte, il en improvisait. Il publia ainsi *La Nuit de tous les vices*, qui était tout simplement *La Philosophie dans le boudoir* modernisée: Dolmancé, au lieu de porter un jabot et de rouler carrosse, avait une cravate et pilotait une Jaguar.

Naturellement, en raison de la législation en vigueur, il subissait maintes fois des perquisitions et des saisies, sur décision de la 4e Section du Parquet, chargée de réprimer «l'outrage aux bonnes mœurs». Il était obéré d'amendes parce qu'il ne se pliait pas à la censure préalable, qu'il jugeait inique. Un éditeur ayant trois livres interdits au cours d'un an devait soumettre les «livres analogues» qu'il publiait ensuite au ministère de la Justice, qui les examinait et lui délivrait l'autorisation de les mettre en vente quatre-vingt-dix jours après réception du récépissé. Il faisait donc les frais d'impression d'un livre à vendre en retard ou à détruire en cas d'avis défavorable. C'était la ruine du métier. Losfeld, en bravant ce contrôle, acquit une telle réputation de gauchiste qu'on lui fit grief de ses moindres publications. Ainsi la triple interdiction (de vente aux mineurs, d'affichage et de publicité) fut imposée à son édition de

---

1. Eric Losfeld, *Endetté comme une mule ou la passion d'éditer, op.cit.*

Duarte et Arabella de Pierre Kroupenski, à cause de deux pages où une jeune fille racontait qu'elle avait été traumatisée d'un viol commis sur elle par son père.

Cependant, Losfeld éveillait tant de sympathies qu'il prospéra. On adapta au cinéma des romans libertins de son fonds secret, comme *Emilienne* de Claude des Olbes (d'abord signé: «un académicien passionné»), qu'il réédita en l'illustrant de photos du film. Le narrateur de cette histoire parisienne est le témoin des amours saphiques de sa femme Emilienne, secrétaire des éditions Jullimard, et de la romancière Adilée.

Eric Losfeld tenait salon le samedi matin à sa librairie de la rue de Verneuil où, la porte close aux acheteurs, il se calait dans un fauteuil, posait sur sa table son pied accidenté (par une chute de cheval à la Libération, m'expliqua-t-il), et déversait à ses amis de passage une cascade d'anecdotes parsemées de calembours. Cet éditeur plein d'humour a eu des idées géniales. Il fut ainsi le père de la «bande dessinée pour adultes», ce que l'on ignore généralement. Ayant remarqué les dessins de Jean-Claude Forest dans *V-Magazine*, il lui proposa d'en faire un album: ce sera *Barbarella*, que boudèrent les libraires et le public. Puis une page lui fut consacrée dans *Arts*, et Dino de Laurentis acheta les droits de *Barbarella* pour en faire un film mis en scène par Vadim. Fort de ce succès, Losfeld commanda *Jodelle* au dessinateur belge Guy Pellaert (sur un scénario de Pierre Bartier), *La Saga de Xam* à Nicolas Devil (d'après un synopsis de Jean Rollin), *Kriss Kool* à Philippe Caza, *Lolly-Strip* à Georges Prichard, etc. Aujourd'hui la bande dessinée érotique fait fortune, avec de nombreux albums et des revues mensuelles comme *Bédé Adult'* et *Bédé X*. Il ne faut pas oublier qu'Eric Losfeld en fut l'initiateur et *Barbarella* le point de départ.

Jean-Jacques Pauvert, le rival de Losfeld, a eu une carrière bien différente, mais non moins intéressante. Losfeld fut un surréaliste éditeur, Pauvert un éditeur du surréalisme: voilà ce qui les distingue. Le premier a participé aux discussions du groupe d'André Breton et a édité cinq revues surréalistes: *Médium, Bief, La Brèche, Le Petit écrasons illustré, L'Archibras*. Le second n'en a publié qu'une, mais plus luxueuse, *Le Surréalisme même*. Le coup d'éclat de Pauvert à ses débuts fut d'éditer en 1947 *Les Onze Mille Verges* dans une édition ordinaire, en mettant au dos du volume: «Il y a encore des livres maudits. On les voit seulement chez les "Bibliophiles". Ils devraient être dans les manuels. Qu'ils soient au moins dans toutes les mains. Comme vous dites, c'est gâcher le métier. Mais de quel métier parlez-vous?» Je possède encore l'exemplaire que j'achetai quand j'étais étudiant, ravi de découvrir, nonobstant ses coquilles et son mauvais papier, un Apollinaire ignoré.

Cet éditeur de vingt et un ans décida ensuite d'éditer les œuvres complètes de Sade, ce qui n'avait encore jamais été fait. Il commença en 1948 par *Les Cent Vingt Journées de Sodome*, avec cette seule mention: Bruxelles. Mais ensuite, sur l'*Histoire de Juliette* en douze volumes, il eut la crânerie de mettre son nom et son adresse à Sceaux. Apprenant que le pouvoir s'alarmait de son entreprise, il se présenta spontanément le

16 octobre 1953 au service de la brigade mondaine, pour y apporter *La Nouvelle Justine*. La Commission du livre s'empara de son cas l'année suivante, et un procès lui fut intenté le 15 décembre 1956 devant la XVIIᵉ Chambre correctionnelle de Paris.

Le réquisitoire du substitut Maynier, embarrassé du «redoutable honneur» et de la «tâche bien difficile» d'accabler l'éditeur du divin marquis, fut modéré. Les dépositions de Jean Paulhan et de Georges Bataille, la plaidoirie de Mᵉ Garçon rivalisèrent d'intelligence. On reprochait comme des crimes à Pauvert d'avoir fait «une demi-colonne de publicité» dans *Le Crapouillot* pour *Juliette*, de vendre les livres de Sade par des bulletins de souscription où il les qualifiait d'«osés». Le jugement rendu le 10 janvier 1957 le condamna à cent vingt mille francs d'amende, aux dépens, et à la destruction des ouvrages saisis. Mais la cour d'appel, le 12 mars 1958, invoquant des arguments où l'on constatait les premiers signes de libéralisme, décida de surseoir au paiement de l'amende, le relaxa et ne maintint que la saisie des livres. Les autorités, comme pour compenser ce que cette décision avait de trop favorable à la liberté d'expression, rétablirent par ordonnance du 23 décembre 1958 la censure, abolie depuis 1881.

Mis en vedette, Pauvert connut une période brillante dans les années 60, où il eut le mérite de lancer la pathétique Albertine Sarrazin, et de fonder la Bibliothèque internationale d'érotologie, collection d'essais historiques superbement illustrés (bien que même les poils du pubis fussent grattés sur les clichés, afin d'éviter un autre procès); là parurent notamment *Les Larmes d'Eros* de Georges Bataille, *Eros modern style* de Patrick Waldberg. C'est un meilleur titre de gloire que d'avoir édité la douteuse *Histoire d'O*, simple péripétie de sa carrière. Les surréalistes du CNRS et d'ACTUAL n'aiment que Losfeld et ont décoché un violent pamphlet contre Pauvert [1]. En tant qu'arbitre impartial du surréalisme, je tiens la balance égale entre l'un et l'autre de ces éditeurs du mouvement: ils ont soutenu les mêmes valeurs en courant les mêmes risques, d'une manière complémentaire.

Deux imagiers baroques du plaisir

André Pieyre de Mandiargues s'est joint au groupe surréaliste de Paris en automne 1948; je l'ai vu se présenter à André Breton au cours d'une réunion au café de la Place Blanche. Son premier recueil de contes, *Dans les années sordides* (1943), datant de sa liaison avec Leonor Fini, semblait un bouquet de fleurs artificielles, tarabiscotées avec art, mais n'ayant pas le velouté, le parfum des fleurs véritables. Le second, le *Musée noir* (1946), confirmait cette tendance à un fantastique baroque

---

1. *A propos de Péret* (Paris, Association des amis de Benjamin Péret, novembre 1987).

et pétrifié. L'érotisme y était présent sous forme de visions fugitives de cauchemar.

Mandiargues a raconté que, pendant la guerre, lors d'une maladie où il avait plus de 39° de fièvre, il était saisi d'hallucinations érotiques:

> Je recevais dans ma chambre une visite imaginaire, toujours la même. C'était deux filles que je connaissais dans la réalité, deux sœurs, presque du même âge, qui n'avaient accédé ni l'une ni l'autre à mon désir. De formes un peu lourdement sculpturales (comme des statues aux yeux d'émail), elles m'apparaissaient nues, attachées dos à dos par les poignets et les chevilles (la cheville droite de l'une attachée à la cheville gauche de l'autre, et réciproquement; les poignets pareillement). Liées ainsi, elles composaient une espèce de monstre admirable qui évoluait sur le tapis devant moi, prenait des poses, se couchait, se relevait, se tournait et se retournait, sans me présenter jamais que bouche, seins, ventre et que le devant des cuisses [1].

On dirait la description d'un «céphalopode» dessiné par Hans Bellmer. Si même dans une hallucination hypnagogique Mandiargues gardait un tel sens de l'artifice, ses contes stylisés ne pouvaient que l'accentuer à l'extrême.

Se contentant d'abord de l'érotique-voilé, Mandiargues publia ensuite en 1955 sous le nom de Pierre Morion *L'Anglais décrit dans un château fermé*, accumulation de détails sadiques un peu trop répugnants. Après avoir longtemps caché qu'il était l'auteur de ce livre, que Losfeld édita en lui gardant le secret, Mandiargues le revendiqua hautement quand la vente libre de tels écrits fut autorisée. Il en aggrava même la réédition d'une préface où il prétendait: «*L'Anglais* est l'un des rares exemples de roman surréaliste qui se puisse citer [2].» Je m'inscris en faux contre cette autosatisfaction exagérée.

Le narrateur arrive au château de Gamahuche en Bretagne, habité par M. de Montcul (ce qui permettra à Viola, la servante mulâtresse, de l'appeler «Monsieur l'ami de Montcul», plaisanterie vraiment banale). Montcul a pour ses plaisirs un sérail de filles et de Noirs gigantesques. Le narrateur en profite aussitôt: «Je ne fus pas très long à décharger, n'ayant vidé mes couilles de plusieurs jours.» On lui sert un repas contenant des *laitances glacées sous priape* et des *béatilles de merde à la parisienne*. Il s'en régale: «La merde était succulente.» On lui apporte «un gros vit sculpté dans la glace, avec d'énormes couilles sur lesquelles il était braqué presque à la verticale». Il s'amuse à enfoncer ce gros pain de glace dans le rectum de la petite Edmonde, et se réjouit parce qu'il la fait hurler de douleur et saigner.

Montcul raconte à son hôte comment sous l'Occupation, dans ce château, il a incité deux Juifs «en habits de capucins, de la couleur brenneuse que vous savez», à torturer des officiers allemands et une princesse allemande qu'il y séquestrait. Les Juifs sont si lâches et

---

1. *La Brèche*, n° 7, décembre 1964.
2. André Pieyre de Mandiargues, *L'Anglais décrit dans un château fermé*, édition revue, corrigée et préfacée par l'auteur (Paris, Gallimard, 1979).

horribles que Montcul avoue: «N'eût été leur utilité en tant qu'instruments vexatoires, je crois que je les aurais fait dépêcher avant même de m'attaquer aux Allemands.» Dépêcher, au sens archaïque de «se défaire de quelqu'un en le tuant». Ce roman, par sa façon de décrire les Juifs (en insistant sur leur ignominie) et «les nègres» (férocement inhumains), a des relents de racisme surprenants chez un surréaliste. Le narrateur, dont le plus grand plaisir est de forniquer avec une prostituée sur laquelle on vient de faire uriner une vache, s'excite fort de cette histoire sanglante et excrémentielle.

Je fus consterné de voir l'auteur de *Marbre* — un merveilleux roman, d'un style très pur — se féliciter d'écrire: «J'oblige le général à sucer mon vit tout merdeux du cul de sa nièce, ce qu'il fait avec application, docilité, mesure, et sans penser, je crois, à me mordre. Bien. J'encule à mon tour le général [1].» N'est pas le marquis de Sade qui veut. Ses outrances jaillissaient de lui comme les flammes d'un volcan en éruption, et il a payé de vingt-huit ans de prison sa liberté d'expression. Le littérateur mondain qui l'imite à froid ne saurait lui être comparé. Or *L'Anglais* est le résultat d'une compétition entre trois habitués des dîners de Florence Gould, qui en 1954 se défièrent pour savoir lequel ferait l'œuvre érotique la plus originale. Marcel Jouhandeau écrivit *Tirésias* (en le faisant passer pour un pastiche de lui par quelqu'un d'autre), Jean Paulhan eut l'idée d'*Histoire d'O* et Mandiargues celle de *L'Anglais* en se référant tous deux à Sade. Tant d'affectation ne pouvait aboutir qu'à de la mauvaise littérature. Un écrit érotique n'est admirable que s'il part du fond de l'être, comme un grondement de rage d'amour ou un chant de désir animal.

Heureusement pour lui, Mandiargues revint ensuite à l'érotique-voilé, en l'exprimant parfaitement. *La Marée*, qu'il écrivit en octobre 1959 pour le catalogue de l'Exposition surréaliste dédiée à «l'Erotisme», est un signe de l'évolution des mœurs contemporaines. Ce conte fut édité par Tchou en 1962 dans une plaquette clandestine que la Bibliothèque nationale rendit inaccessible au public en la plaçant sous la cote Enfer 1652. Quand Mandiargues voulut introduire *La Marée* parmi les nouvelles de *Porte dévergondée*, en 1966, son éditeur s'y opposa. Puis vint mai 1968 et un changement d'esprit en France; le même éditeur trouva bon, en 1971, que Mandiargues mît *La Marée* en tête de son recueil *Mascarets*. En 1973, *La Marée* fut adaptée au cinéma par Walerian Borowczyk dans son film *Contes immoraux*, et proposée à l'admiration des foules.

Or *La Marée* n'est rien d'autre que l'histoire d'une fellation. Le narrateur entraîne sa cousine Julie, seize ans, à l'époque de la grande marée sur les plages de Normandie, au sommet d'un éboulis que les vagues n'atteindront pas. Il lui dit: «Tu vas me recevoir dans la bouche, comme je t'ai raconté... que me recevaient les putains chez Mme Régina. J'y resterai aussi lontemps que la marée montera.» Sa cousine, qu'il qualifie de «petite guenon», mais ayant «cette merveilleuse et pure

---

1. *L'Anglais décrit dans un château fermé, op. cit.*

indécence qui est le propre des filles très jeunes», s'agenouille docilement devant lui et commence l'acte de succion: «Je lui tenais la tête d'une main, et je lui imposai un mouvement léger et lent, accordé au rythme des vagues.» Il a accroché sa montre à un rocher afin de la consulter, ayant décidé de retarder son éjaculation jusqu'à 11 h 14, heure où la mer sera étale. En attendant il ne cesse de discourir, afin d'enseigner à la fille qui lui prête sa bouche des notions maritimes. Enfin la marée déferle et le conférencier en fait autant dans le gosier de sa cousine: «Elle avala tout, comme il lui avait été ordonné.» Il se lève, se rajuste et conclut d'un ton supérieur: «Tu sauras, maintenant, ce que c'est que la marée.»

Mandiargues a défini ce conte comme «une petite chronique de mon enfance imaginaire, un fragment de rêverie». Il passait ses vacances d'enfant dans le pays de Caux, près des falaises de Berneval où il était sollicité par «l'odeur violemment iodée et puissamment sexuelle des goémons et des fucus[1]». Cette construction mentale à partir d'une réminiscence est typique de son érotisme littéraire, minutieusement fabriqué, visant à des effets extraordinaires. Ses héros sont des onanistes qui se servent d'une femme comme d'un instrument sans se soucier de lui donner du plaisir, et qui ont besoin de toutes sortes de complications pour s'exciter. Leur égoïsme et leur manque de naturel glacent l'action qu'ils accomplissent. C'est pourquoi les meilleurs récits de Mandiargues sont ceux où l'érotisme s'efface discrètement, laissant dominer l'onirisme[2].

Maurice Raphaël (de son vrai nom Victor-Marie Lepage), à qui son éditeur Eric Losfeld reconnaissait «l'allure d'un aventurier, souple et bronzé, grand séducteur avec une faconde toute méridionale[3]», fut un surréaliste inégal et prolifique. On le prenait pour un Méridional parce qu'il vivait en Provence, mais c'était un Breton né à Brest en 1918, fils d'un officier de marine. Il entreprit des études de droit, puis se dispersa en divers métiers: bonimenteur de baraque foraine, représentant de commerce, journaliste, etc. Il débuta comme auteur aux Editions du Scorpion, où il publia en 1950 «pour hurler son dégoût» *Ainsi soit-il*, roman interdit le 3 mars 1951. C'était une imitation de Louis-Ferdinand Céline, avec un lyrisme arsouille et un recours affligeant à la scatologie. On y trouvait des passages analogues à celui-ci, quand le héros couche avec la prostituée Gina:

> Je sors mon paquet et, en deux coups de cuiller à pot, je l'enfile aussi sec, bille en tête... A ras bord, sans faux col, jusqu'à l'os. Pas de quartier. Elle en attrape le hoquet, c'était du fin travail, sans filet. Pas besoin d'insister. On sautait au plafond à chaque cabriole. A un moment je suis accroché à la suspension par mes bretelles... on reste en l'air, heureusement, je la tenais fort contre moi. Pas moyen de décrocher... Moi je gigotais tout comme une

---

1. André Pieyre de Mandiargues, *Le Désordre de la mémoire* (Paris, Gallimard, 1975).
2. Cf. «André Pieyre de Mandiargues et la fête des masques», dans *Le Surréalisme et le rêve, op. cit.*
3. Eric Losfeld, *Endetté comme une mule, op. cit.*,

araignée au bout de son fil, tout en serrant Gina. Elle vagissait, trouvant encore le moyen de prendre son pied, la laitue. Ça lui donnait des sensations rares, des impressions de baptême de l'air, de vol plané, à voile, nuptial. Soudain, la suspension cède... Direct, Gina atterrit sur son cul, les débris du lampadaire nous dégringolent dessus [1]...»

La vision d'un couple faisant l'amour suspendu à un lustre est surréaliste, certes, mais le style ne l'est pas.

Les autres romans de Maurice Raphaël aux Editions du Scorpion furent du même genre jusqu'à *Une morte saison* (1954), histoire de Charles Coquenlorge, «l'assassin des écolières», condamné à la peine capitale et mort en réclamant les secours de la religion; le ton est celui des «polars» les plus noirs de Léo Malet. Puis son récit *Claquemur* (1955), illustré d'une pointe sèche de Hans Bellmer et qualifié par André Breton de «cryptesthésie des bas-fonds», fut le monologue intérieur d'un prisonnier isolé dans sa cellule, vivant un cauchemar érotique; il avait connu personnellement cette situation. Les besoins sexuels frustrés du héros deviennent si intenses qu'il sent que des phallus lui poussent partout: «De mon corps jaillissent cent dards braqués vers les désirables crevasses. Je suis plus hérissé de piquants qu'une masse d'armes.» Son délire tourne à la zoophilie:

> J'ai possédé un veau par la narine, j'ai forcé un cul d'âne, d'innombrables vulves de chiennes qui aboyaient furieusement dans leur extase!... J'ai créé de toutes pièces des mouches géantes pour avoir le bonheur de les enflûter sur l'heure et de reposer ensuite ma tête sur leurs ailes de vitrail. J'ai connu le ventre de panthères, de cigognes, d'oiseaux-lyres... Bêtes, mes amours, bêtes, mon désir, adorables bêtes à trous, délicates, plantes aux enlacements velus.

En 1954 il devint Ange Bastiani pour donner à la *Série noire* de Marcel Duhamel des romans comme *Arrête ton char, Ben Hur!*, qu'il écrivit en trois semaines, et qui remportèrent un grand succès populaire. Mais il signa encore Maurice Raphaël *Biscuit-l'Amour* (1956), drame de sexe et de mort dont le héros marginal, pêcheur à la dynamite, que veut tuer le mari de sa maîtresse Louisa, à la sensualité dévorante, se voit également menacé par celle-ci lorsqu'elle découvre sa liaison avec la jeune Violette.

Après son *Bréviaire de l'amour sorcier* (1969), reportage sur les adeptes de la magie sexuelle, il publia des romans érotiques sous le pseudonyme d'Ange Gabrielli (*A chat perché, Une belle plante*, et une version plus corsée de *Biscuit-l'Amour*) et sous celui de Victor Saint-Victor (*L'Amour au pluriel*, le meilleur de tous, réédité dans une collection de poche deux ans avant sa mort en 1977). Il y annonce en préambule: «Ce qui va suivre n'est que la projection brutale, tantôt au ralenti, tantôt accélérée, sur des écrans de fortune d'images "inventées"

---

1. Maurice Raphaël, *Ainsi soit-il*, suivi de *Claquemur* (Paris, Eric Losfeld, 1969).

— comme on invente un trésor — par l'outre-vue.» Il raconte ses aventures à Toulon avec Clio, une femme perverse qui lui propose des expériences d'amour collectif:

> De la copulation, nous saurons faire une véritable communion, en invitant quelque autre à participer à notre plaisir, à y joindre le sien et à nous prendre tour à tour chacun pour spectateur... Nous irons au hasard dans les bars, dans les rues, jusqu'à ce que nous rencontrions celui — ou pourquoi pas celle? — dont nous aurons envie. Notre promenade sera une chasse, un affût, et s'il le faut nous tendrons des pièges [1].

Explorant le quartier de Toulon dit «le petit Chicago», près de l'Arsenal maritime, ils ont ainsi des rapports intimes avec la prostituée Nelly, son frère, le truand Donat; ils dépravent une blonde protestante de l'Armée du salut, Lucile, assistent à un combat de catch masculin-féminin dans la villa du baron Xeugène. Avec son écriture nerveuse, imagée, où l'argot ne sert qu'à des pointes baroques, *L'Amour au pluriel* demeure un spécimen authentique d'érotisme surréaliste.

L'intermède lettriste

Certains écrivains d'avant-garde souhaitèrent être poursuivis par la justice pour un livre scandaleux, afin d'attirer l'attention sur eux. Je me souviens qu'Isidore Isou, au temps où il publia *Isou ou la mécanique des femmes*, en 1949, s'écriait d'un ton déçu à travers Saint-Germain-des-Prés: «Mais qu'est-ce qu'ils attendent donc pour m'inculper?» Tout le monde en riait. Dans le but de lancer le lettrisme, Isou se transformait en homme-orchestre, jouant à la fois de la trompette, des cymbales, de la grosse caisse.

Isou ou la mécanique des femmes, publié hors commerce pour les amis, avec cinq cents exemplaires numérotés réservés aux souscripteurs, ne risquait pas d'être interdit à la vente. Cependant, Isou fit un tel tapage que son livre fut examiné par la Commission spéciale et renvoyé au tribunal correctionnel de la Seine, qui le condamna le 9 mai 1950. Il eut son procès où il se fit défendre comme Boris Vian par Me Georges Izard, réclama l'appui de Jean-Paul Sartre et de Jean Cocteau; son opération publicitaire réussit et il ne cacha pas sa joie. Cet ouvrage provocateur ne méritait guère d'être pris au sérieux. Isou s'y adressait aux jeunes gens qui voulaient «devenir maquereaux», car il se disait lui-même un maquereau parfait, connaissant «la loi du baratin» et «les normes de la chasse aux femmes».

Ce roman est une suite de conversations entre Isou et Anna qui lui demande: «Dis-moi, Isou, est-ce que tu fais bien l'amour?», à quoi il

---

1. Ange Bastiani, *L'Amour au pluriel* (Paris, Euredif, 1975).

répond: «Admirablement; je suis devenu une mécanique sans dérègle-ment.» Il lui affirme qu'il est capable de la «possession ininterrompue», car il reste toujours en érection malgré l'éjaculation. Il lui explique, en des chapitres intitulés «leçons», comment il embrasse une femme, comment il s'assied à côté d'elle pour glisser la main jusqu'à son «petit trou» (c'est ainsi qu'il a défloré avec ses doigts «une vieille fille laide»), etc. Ce n'est qu'à la fin du livre, après un flot de théories oiseuses, que la «leçon sur la possession» décrit les rapports sexuels d'Isou et d'Anna: «Elle commença à pousser ses halètements comme une baleine ses jets d'eau et mon phallus raclait, atonique et lettriste, très ordonné.» A la leçon suivante, «Description d'un outil personnel», il s'extasie sur sa verge. Puis il laisse tomber Anna parce qu'elle n'est pas assez riche, en disant: «Je préfère les femmes qui me donnent de l'argent sans faire l'amour avec moi aux femmes qui font l'amour avec moi sans me donner un sou[1].»

La revue Ur, dirigée par Maurice Lemaître, déclara que le groupe lettriste adhérait aux principes de La Mécanique des femmes: «Ce bréviaire du conquérant permet à chaque intellectuel de se transformer en maquereau et de joindre le monde des forces et des profits éroti-ques[2].» Isou entreprit alors une carrière de romancier pornographique, avec Notre Métier d'amant (1954), «confidences d'un séducteur» (c'était lui), Belles d'Europe (1955), Etrangères à Paris (1956). Ces livres, mêlant des cours de sexologie invraisemblables à des histoires se passant le plus souvent au Quartier latin, semblaient des canulars d'étudiant. Il avouait cyniquement qu'il les faisait pour avoir des lecteurs fuyant son lettrisme: «Les questions amoureuses ne m'intéressent pas spécialement. Ayant écrit... un livre sur l'amour, la première édition de ce livre s'est épuisée en un mois, me rapportant plus d'argent que l'ensemble de mes ouvrages. J'ai donc recommencé à produire des textes sur la "passion physique", qui se sont généralement assez bien vendus[3].»

Isou essaya même de faire un roman «surréaliste», Je vous appren-drai l'amour; un des personnages en est d'ailleurs le poète Gilbert Lely, à qui il va demander de l'initier à Sade. Il débute ainsi: «A l'époque, je ne chassais plus les femmes, car j'avais formé une bande d'amis qui les rabattait pour moi... Ils m'avaient élu chef de leur petit groupe de gigolos professionnels.» Ce sont eux qui jettent dans ses bras Diana Bermont, une femme mariée qu'il décide de faire mourir d'amour. Pour «la mener au bord du suicide», il la meurtrit en se servant de ses ongles, d'aiguilles ou de canifs, mais elle ne l'en aime que davantage. Finalement, elle meurt d'une double pneumonie alors qu'elle est enceinte, et il sanglote en gémissant: «Que je suis puni!»

Ce roman s'achevait sur un traité, L'Erotologie mathématique et infinitésimale où, ne consacrant que deux pages aux postures sexuelles

1. Isou ou la Mécanique des femmes (Lausanne, Aux Escaliers de Lausanne, 1949).
2. «Colonnes pour un nouvel érotisme», Ur, n° 2, 1952.
3. Isidore Isou, Je vous apprendrai l'amour (Paris, le Terrain vague, 1956).

du couple, il décrivait longuement «les postures de l'onanisme», en démontrant que la masturbation comportait «non seulement le frottement des parties érogènes avec la main, mais aussi la friction de n'importe quelle parcelle du corps avec une autre parcelle [1]». Soit Hm (Humain mâle) et a (un segment du corps humain), l'équation de l'onanisme était: $Hma = Hma' + Hma''$ (Hma^n). Il exprimait aussi en des séries d'équations les positions sexuelles de l'homme avec les animaux, les végétaux, les gaz, les liquides, etc.

Isou continua sa carrière d'écrivain pornographique (car il s'agit bien ici de pornographie, c'est-à-dire d'érotisme sans lyrisme, sans conception de la beauté), avec une jactance intarissable, dans des livres prétendant toujours donner des leçons, comme son essai *Histoire philosophique illustrée de la volupté à Paris* (1960) et son roman *Initiation à la haute volupté* (1960), «avec illustrations de l'auteur». Mais le meilleur roman d'Isou en cette période est *La Loi des purs* (1963), son «roman blanc»: il se compose de pages blanches, seuls les titres de chapitres y étant imprimés. Au moins le lecteur ne risque-t-il pas d'y être déçu par le texte.

Vers une éthique des désirs fous

L'Exposition internationale du Surréalisme de décembre 1959-janvier 1960 à Paris, galerie Daniel Cordier, sur le thème de «l'Erotisme», permit à André Breton de préciser son point de vue dans le catalogue. Il dit qu'elle était faite pour désigner au monde l'érotisme comme la valeur révolutionnaire de notre temps, celle qui allait être exploitée jusqu'à la fin du siècle (il fut prophète sur ce point). Elle rassemblait des œuvres gravitant «autour de la tentation charnelle», comme celles de Duchamp et de Chirico: «Leur plus grand commun diviseur est *l'érotisme*. On observera qu'il s'agit, dans les deux cas, d'érotisme "voilé" (l'un parfaitement délibéré, l'autre selon toute vraisemblance involontaire), qui recourent à deux emblématiques différentes.» Breton recommandait d'éliminer de l'expression littéraire les mots «qui sentent mauvais», l'avilissant et suscitant le dégoût: «C'est à ce prix que l'érotisme, sauvé de la honte, peut revendiquer la place majeure à laquelle il a droit. Ces mots — les représentations qu'ils entraînent —, notre plus grand souci aura été de les bannir de cette exposition.»

Donc, un écrit érotique n'est surréaliste que s'il ne comporte pas de mots grossiers et de pensées vulgaires empêchant son essor vers le merveilleux. Ces mots ne sont tolérés, à titre exceptionnel, que chez des écrivains en plein délire paranoïaque, comme Sade; mais encore faut-il qu'ils viennent irrésistiblement dans un afflux de métaphores prodigieuses ou dans un discours hautement philosophique.

---

1. Isidore Isou, *Je vous apprendrai l'amour*, op. cit.

Dans *La Brèche*, la dernière revue dirigée par André Breton, parut en décembre 1964 une *Enquête sur les représentations érotiques*, destinée à déterminer s'il y avait en amour des «positions mentales», comparables aux postures physiques. La principale question était: «Comment se caractérisent vos représentations imaginaires dans l'amour? Justifient-elles un jugement de valeur? Sont-elles spontanées ou volontaires?» On demandait aussi si ces représentations durant l'acte sexuel laissaient des traces dans la vie quotidiennes. Les réponses furent plutôt évasives, comme celle de Philippe Sollers, ou agressivement lyriques, comme celle de Jean Malrieu qui concluait: «Il m'est arrivé d'écrire quelques poèmes avec le pénis.»

Christiane Rochefort répondait: «La vérité voulez-vous que je vous dise? Je tiens à être franche avec vous, par suite des liens intérieurs que j'ai contractés avec vous une fois pour toutes et à votre insu... La vérité c'est que je m'en fous. Complètement. De mes représentations. Et tout ça. Leur ordre. Leur interférence avec quoi ou qu'est-ce. Les traces.» Mais la réponse de Thérèse Plantier — qui avait publié le roman féminin le plus audacieux de la Libération, *Les Anges diaboliques* (1945), avant de devenir avec *Leçon de ténèbres* (1959) une romancière des Editions du Scorpion — était une longue et fine analyse de la jouissance féminine: «Même la femme qui se croit ou que l'on croit la plus dénuée d'imagination, savoir: la sensuelle "pure", la vaginale, coïte avec une représentation, celle du phallus de son coéquipier. Plus intense est la représentation qu'elle se fait de l'organe local, plus intense est la titillation.» Décrivant «les transferts érotiques d'une représentation à une autre», tels qu'elle les vivait elle-même dans l'étreinte amoureuse, Thérèse Plantier faisait là une communication psychologique remarquable.

Après la mort d'André Breton en 1966, le surréalisme continua, s'affirmant par des initiatives individuelles. Dans le domaine que nous explorons ici, quelques œuvres plus ou moins intéressantes se rencontrent encore. Ainsi le surréaliste belge Paul Nougé, dans son écrit *Georgette* de 1966, exécuta un étrange collage antilittéraire avec les «fragments d'un érotique commercial écrit au cours des années 1930»; en utilisant ce roman ayant pour décor «un pensionnat qui tient plutôt du bordel», Nougé en combina les personnages comme «les corps isolés d'une carte postale érotique et présentés sur fond blanc[1]».

André Hardellet, à l'occasion de son premier roman, *Le Seuil du jardin* (1958), se lia avec André Breton et collabora à la revue surréaliste *Bief*. En 1969, sous le pseudonyme de Stève Masson il publia un érotique, *Lourdes, lentes*, qui fut interdit à l'affichage, mais qui se vendit librement sous son nom dès 1973. Il y avouait son goût pour les femmes charnues et juteuses comme des fruits: «Lourdes, et lentes. Prenant bien leur

---

1. *Georgette*, récit érotique de trente-deux pages, ne se trouve que dans l'édition originale tirée à cinquante exemplaires du livre de Paul Nougé, *L'Expérience continue* (Bruxelles, Les Lèvres nues, 1966).

temps pour reluire et faire reluire. Nourrices, mères, sœurs. Pleines de lait, de sécrétions, d'organes mous [1].»

Sa rêverie, morcelée en brèves séquences, tourne autour de trois femmes: Germaine, la bonne de ses parents, plantureuse fille du Nord (« *Ses Seins*. Deux obus qui vous sautaient à la figure quand elle dégrafait son soutien-gorge. Des bouts de la taille d'une prune, grenus, saillant à peine un doigt sur eux»); Vanessa, hôtesse de l'air anglaise qu'il séduit lors d'un voyage à Amsterdam, et avec qui il se transporte au septième ciel; et Joyce, la directrice d'un établissement libertin où elle l'excite de toutes les manières, mais le fait jouir dans un appareil perfectionné provoquant son spasme et soutirant sa semence. Ecrit dans un style fiévreux, ce livre a l'agrément rare à notre époque d'exprimer l'érotisme sans étalage de violences épouvantables.

Bernard Noël publia également en 1969, sous le pseudonyme d'Urbain d'Orlhiac, *Le Château de Cène* dédié à Pierre Morion, auteur de *L'Anglais* (c'est-à-dire à Mandiargues en ce qu'il a de plus forcé). Influencé à la fois par Georges Bataille et par Mandiargues, ce roman d'un écrivain de qualité, en beau style, est entrecoupé de quelques scènes regrettables y faisant des taches. Le narrateur, sur une île de l'Atlantique Sud, lors d'une fête d'équinoxe chez les pêcheurs du village de Matopecado, gagne une femme représentant la lune nouvelle, Emma, avec qui il a des relations sexuelles. Emma lui révèle que dans un château au milieu de l'île voisine habite la comtesse Mona, «celle qui est arrivée toute nue». Il se rend en barque jusqu'à cette île où il est attaqué par «un nègre de haute stature» et deux chiens-loups. Un des chiens le viole et le jeune homme y prend un tel plaisir qu'il suce la verge du molosse en se mettant sous lui tête-bêche; ensuite il sodomise l'autre chien. Après cette scène de bestialité hideuse, il arrive au château où il assiste à l'exécution d'un amant de Mona, dévoré par une meute de chiens. Puis le «nègre» lui fait une fellation pour le remettre en état d'érection, sous prétexte que «la comtesse n'aime pas les gens de petite passion». Le narrateur est ravi: «Je bandais d'horreur et j'étais heureux.»

Dans le château il se heurte à une porte fermée, à serrure vivante. «Cette serrure palpitait, c'était une vulve entrouverte avec un trou si ironique qu'il fallait qu'un œil l'habitât. Fasciné, j'approchai mon visage. Les lèvres frémirent à mon souffle, le petit bouton se dressa, le trou s'ourla d'écume et de larmes.» Cette serrure-vulve lui suce l'œil et enfin la porte s'ouvre sur la comtesse vêtue d'une robe blanche tombant jusqu'à ses pieds. Elle lui expose une théorie du plaisir sexuel fondée sur la cruauté, la déception, et le fait violer par son grand singe Kao. Elle se dénude ensuite et il voit qu'à la place du sexe elle a «un masque de céruse» avec deux gros yeux et une bouche lippue fumant la pipe. A la

---

1. André Hardellet, *Lourdes, lentes* (Paris, Jean-Jacques Pauvert, 1973).

fin la féroce Mona se tranforme en la suave Ora lui murmurant: «Attention, c'est sans doute l'esprit qui souille la chair [1].»

André Thirion, dans *Le Grand Ordinaire* (1970), chronique romanesque discontinue, évoque d'abord les habitants pervers d'un château sans escalier, puis l'aventure du puceau Jean avec la jolie couturière Claire, en une scène trouble. Les chapitres suivants font alterner des conversations avec ses amis, l'obsédé sexuel Mochélès, le colonel Cod, des récits de voyage en France, notamment à Périgueux où dans l'hôtel Mataguerre en forme de tour la dame du 12 est violée par des chasseurs. Puis on assiste à un dialogue entre Don Juan et Casanova, échangeant des confidences; et à l'épisode le plus amusant du livre, le thé chez la doctoresse, où le narrateur contemple son ami Wilfrid mangeant de la confiture étalée sur le corps nu de celle-ci. Le mélange des détails insolites et des faits réalistes, le ton musard, nonchalant du récit font du *Grand Ordinaire* un livre assez extraordinaire.

Charles Duits, qui à dix-huit ans se rallia à New York aux surréalistes en exil, et devint ensuite à Paris le romancier d'*Un mauvais mari* (1954), publia avec la complicité d'Eric Losfeld deux romans des plus obscènes, *La Salive de l'éléphant* (1969) et *Les Miférables* (1970) où il avait voulu «élever la pornographie à la dignité de l'art». C'est le second qui est le meilleur, par son style fringant, son irrévérence, la manière philosophico-humoristique dont son héros Lucifer Ilje fait avec la voyante bègue Corinne, rencontrée dans une séance de spiritisme, l'exploration de «l'empire foutral». Elle lui dit en zozotant: «Tu es un miférable», d'où le titre. Les réflexions de Lucifer Ilje, «contributions à l'Eroscience», ses excentricités sexuelles, préludaient au grand roman mythologique de Duits, *Ptah Hotep* (1971), contenant de bons passages d'érotisme fantastique.

Le roman de José Pierre, *Qu'est-ce que Thérèse? C'est les marronniers en fleur* (1974), est moins surréaliste que ne le laisse présumer son titre inspiré du «jeu des questions». Le narrateur est amoureux de la fiancée de son frère, Thérèse, une nymphomane qui l'entraîne dans une série de partouses. Ce libertinage familial et estudiantin donne lieu à des scènes comme le week-end à V...-le-Château, dont les participants se livrent à une orgie minutieusement programmée, et à la confession de Thérèse racontant comment à seize ans elle fut initiée à toutes les perversions par son père.

Gilbert Lely, connu surtout comme le biographe lyrique de Sade mais qui est aussi le pur poète de *Ma Civilisation*, dont il a poli et repoli toute sa vie les pièces pour en faire les bijoux de son désir [2], a publié *Kidama Vivila*, «poésies sotadiques» (1977), donnant l'exemple du

---

1. Bernard Noël, *Le Château de Cène*, édition définitive (Paris, Jean-Jacques Pauvert, 1971).

2. Gilbert Lely a donné cinq éditions de *Ma Civilisation*, depuis celle de 1947 chez Maeght jusqu'à celle de 1969 chez Jean-Jacques Pauvert. Il en a encore donné une version revue et corrigée dans ses *Œuvres poétiques* de 1976.

véritable libertinage moderne. Son sens de la noblesse poétique était si grand qu'il n'osait m'offrir cette plaquette, et qu'il ne le fit qu'en m'y mettant cette dédicace: «Pardon, Alexandrian, pour ces poésies de seconde zone, peu dignes de votre transcendante critique (or, voyez la *Note* finale) — mais j'ai voulu vous redire ma parfaite estime.» La *Note* finale indiquait: «L'auteur défend que l'on réunisse jamais en un seul volume les textes que l'on vient de lire et le contenu de ses *Œuvres poétiques*.» Les poésies de *Kidama Vivila* («Supposons femme», début d'un chant mélanésien) sont pourtant superbes, avec cet envoi à une de ses maîtresses, Betty: «Salut, délice de mon âme! le souvenir de tes seins, de ton humidité secrète, me transperce, plus aigu que les cris de jouissance, portés par les ondes hertziennes, de mille filles de Paris à la mêmc seconde [1]!»

Ces œuvres marginales, que les amateurs de littérature d'avant-garde ne doivent pas méconnaître, ne sauraient évidemment pas être comparées aux œuvres exprimant *l'érotique-voilé*, véritable spécialité du surréalisme. Le mouvement d'après-guerre en a laissé des traces magnifiques. Ainsi Julien Gracq a exprimé son érotisme d'une manière très pure, dans *Prose pour l'étrangère*, une plaquette imprimée hors commerce à cent exemplaires en 1952, et dans son roman *Un balcon en forêt* (1956), où les rapports du lieutenant Grange et de la femme-enfant Mona ont des *fusées* de désir et de plaisir illuminant la nuit mentale.

Chez les poètes, Yves Bonnefoy dans *Du silence et de l'immobilité de Douve* (1963) déroula une poésie imprégnée d'érotique-voilé, se modulant sur un ton de sourde violence. Ghérasim Luca, grand poète surréaliste roumain qui, comme Tzara, a joué supérieurement de la langue française, auteur du poème-cri *Passionnément* et de plusieurs recueils splendides, de *Héros-limite* (1953) au *Chant de la Carpe* (1975), se voua à une poétique «explosante-fixe» et «magique-circonstancielle» de l'érotisme, conformément à la définition complète de la beauté convulsive [2].

Aux frontières du surréalisme

Divers écrivains du XXe siècle se sont avancés sur une voie parallèle au surréalisme, marchant si près de lui que l'on pourrait les croire de ce groupe exaltant le rêve et l'amour fou. Ils subissaient son attraction, mais ils s'en écartaient un peu, soit parce que leurs croyances religieuses ou

---

1. Gilbert Lely, *Kidama Vivila* (Paris, Editions de la Différence, 1977).
2. Eric Losfeld, dans sa postface à mon roman *L'Œuf du monde* (Paris, Filipacchi, 1975), prétendait que j'allais «plus loin que l'érotisme» à cause de l'érotique-voilé de certains épisodes, comme le voyage de Larseneur au fond des yeux d'Occasie, au cours duquel il traverse les paysages intérieurs de son inconscient jusqu'au gouffre central de ses désirs les plus lascifs.

politiques s'effarouchaient de ses négations hautaines, soit parce que leur individualisme les retenait de se soumettre aux conflits internes divisant ce mouvement.

Parmi ces auteurs Pierre Klossowski, comme son frère le peintre Balthus, se situe dans le sillage du surréalisme, plus proche de Georges Bataille que de tout autre. Débutant avec *Sade mon prochain* (1947), il se pénétra de l'esprit de *La Philosophie dans le boudoir* qu'il combina avec celui des hérésies chrétiennes pour se figurer les rapports du Sexe et du Mal. *La Vocation suspendue* (1950), qualifiée de «roman» par abus, est un essai des plus alambiqués sur un roman qu'il est censé avoir trouvé à Lausanne, racontant l'expérience spirituelle d'un séminariste hérétique, Jérôme, appartenant à la secte «Notre-Dame du mariage blanc», et dont la Mère Angélique, l'abbé Persienne mettent à l'épreuve la foi suspecte.

C'est avec *Roberte ce soir* (1953) que Klossowski commença à se faire «le voyeur de l'indiscernable», à étudier «comment reproduire l'*indicible*, l'*immontrable* du fantasme [1]». Roberte, député à l'Assemblée nationale, inspectrice de la Censure, incroyante, a pour mari Octave, vieux «professeur de scolastique» cherchant à la pervertir sexuellement, afin qu'à travers le sentiment de la honte elle découvre qu'elle a une âme. Octave inspire ainsi à son neveu Antoine le désir incestueux de sa tante, en lui montrant une photo qu'il a prise de Roberte au moment où un homme lui arrache sa jupe en flammes, qu'elle a brûlée en s'adossant à une cheminée. Ce mari complaisant, au nom des «lois de l'hospitalité», place un règlement dans la chambre d'ami de sa maison, avertissant l'invité que l'hôte n'est ni soupçonneux ni jaloux, mais curieux de ce que fera sa femme avec lui. Il souhaite «la posséder infidèle, en tant qu'hôtesse remplissant fidèlement ses devoirs».

Cependant Roberte, «l'épouse aux petits soins», ne veut pas tromper son mari. Octave lui communique donc des mauvaises pensées, en écrivant un livre obscène qu'elle doit censurer. Les deux héros de ce livre, le Colosse et le Bossu, assaillent Roberte en imagination alors qu'elle est en train d'uriner aux toilettes. Les termes sexuels sont remplacés par des mots latins : le pénis est le sedcontra, le vagin l'utrumsit, le clitoris le quidest, l'anus le vacuum. Quand le Colosse titille le clitoris de Roberte avec sa main gantée, cela devient : «Le Colosse saisit le quidest qui s'érige prodigieusement entre les doigts de cuir de l'agresseur.» Et quand le nain bossu, sous sa jupe, lui ôte sa culotte, «la toison de Roberte, serrée jusque-là au creux de l'empiècement à filet, se déploie dans toute sa pileuse abondance tandis que l'âcre odeur monte de son utrumsit». Puis le Colosse la sodomise : «La sentence vient s'exécuter, énorme et bouillante, entre ses fesses... Le sedcontra se retire du vacuum, par où Roberte lâche trois pets [2].»

---

1. Cf. Anne-Marie Dugan-Dardigna, *Klossowski, l'homme aux simulacres* (Paris, Navarin, 1986).
2. *Roberte ce soir* (Paris, Editions de Minuit, 1953).

La Révocation de l'Edit de Nantes (1959) fait alterner le journal de Roberte et le journal d'Octave. Le voyeurisme se concentre ici sur le plaisir coupable qu'a la chair d'être vue. Roberte est obsédée par l'idée que, lorsqu'elle se lave sur son bidet, un garde pontifical armé d'une cravache va entrer. Dans la «scène des barres parallèles», un autre colosse et son complice attachent Roberte à un appareil de culture physique; mais le colosse se contente de lui lécher la paume d'une main. C'est d'un sadisme bien plus subtil que dans les romans vulgaires où une telle victime eût été fouettée. Roberte se sent surveillée par son jeune neveu Antoine et le précepteur de celui-ci, Vittorio. Deux lycéens vicieux, déguisés en cireurs, lui cirent ses souliers et l'un d'eux en profite pour envoyer la lumière d'une lampe de poche entre ses cuisses, de façon «à éclairer le galbe soyeux de la jambe jusqu'au creux du genou et à illuminer entre les jarretelles la chair nue jusqu'à la saillie des fesses moulant la culotte [1]». Klossowski a fait un ressassement continuel de son mythe de Roberte, l'illustrant par plusieurs expositions de dessins, le contestant dans *Le Souffleur ou le Théâtre de société* (1960), dont les personnages veulent mettre en scène une pièce extraite de *Roberte ce soir*. Il a traité l'obsession sexuelle comme une idée fixe à sensations variables. Octave est le spectateur des représentations mentales d'un même drame érotique, joué sans fin à l'intérieur de sa tête.

Moins intéressant est *Le Baphomet* (1965), roman moyenâgeux se référant aux Templiers, dont l'héroïne, Valentine de Saint-Vit, porte un nom trop lourd pour elle. Seul Nerciat a su avec art faire mouvoir des femmes nommées de la sorte. Mais Klossowski mena au point culminant le voyeurisme métaphysique dans *La Monnaie vivante* (1970), discours philosophique étudiant l'étroit rapport entre l'activité industrielle fabriquant des «objets ustensiliaires» et le comportement du rêveur pervers se créant des fantasmes. Ce livre est illustré par soixante-trois photos de Pierre Zucca montrant Klossowski lui-même, masqué, en position de voyeur, et sa femme Denise plus ou moins dévêtue pour représenter avec des acteurs les fantasmes de son mari. Treize dessins de lui complètent cette imagerie tendant à prouver que la perversion est «l'émotion voluptueuse se rapportant à un objet incongru». Klossowski en arrive à concevoir une phase industrielle où les producteurs exigeraient des consommateurs, à titre de paiement, non de l'argent mais des êtres vivants: «Comment les entrepreneurs, les industriels paieront-ils alors leurs ingénieurs, leurs ouvriers? "En femmes". Qui entretiendra cette monnaie vivante? D'autres femmes. Ce qui suppose l'inverse: des femmes exerçant un métier se feront payer "en garçons". Qui entretiendra, c'est-à-dire sustentera, cette monnaie virile? Ceux qui disposeront de la monnaie féminine [2].» Ainsi la société pourrait faire enfin concorder le fantasme sexuel, «en soi inintelligible et inéchangeable», et la production industrielle faite d'échanges positifs, dans une économie rationnelle du désir.

---

1. *La Révocation de l'Edit de Nantes* (Paris, Editions de Minuit, 1959).
2. Pierre Klossowski, *La Monnaie vivante* (Paris, Eric Losfeld, 1970).

ÉPILOGUE

La littérature érotique n'est pas un signe de décadence, puisqu'elle a fleuri en des hautes périodes de civilisation, comme le siècle d'Auguste, le Quattrocento, le siècle de Louis XIV ; elle a même été particulièrement brillante au xviiie siècle, dit justement «siècle des lumières». Elle n'est pas non plus un signe d'immoralité ou d'abjection, étant donné que des auteurs chrétiens (et pas seulement Ausone) l'ont cultivée sans remords. Reste à savoir si elle est corruptrice, car c'est là le principal motif qui a toujours motivé sa proscription.

En fait, si la littérature érotique est dangereuse pour les mœurs, elle ne l'est pas plus que toutes les autres espèces de littérature qu'on lit en renonçant à son sens critique. On l'accuse d'encourager à la débauche, mais les traités de magie poussent à des superstitions autrement nuisibles. La littérature policière peut inciter au vol et au meurtre, et même la littérature religieuse à la persécution fanatique des non-croyants, quand elles sont la nourriture d'un esprit faible se persuadant que le texte imprimé indique infailliblement ce qu'il faut faire. Les livres nous renseignent sur ce que d'autres hommes pensent ou imaginent, voilà tout : on garde toute liberté d'adopter ou de rejeter leurs principes.

Cette littérature présente l'érotisme non tel qu'il est en réalité, mais tel qu'il se déploierait si les désirs s'affranchissaient totalement des convenances et des inhibitions. Ses héros ne connaissent pas de scrupules ni d'obstacles, ses héroïnes sont aptes comme Gamiani à «courir trente-cinq postes en une nuit». La plupart de ses auteurs expriment leurs fantasmes plutôt que des expériences réelles, et ces fantasmes exagèrent ou déforment les véritables possibilités du sexe. Elle n'en est pas moins intéressante et authentique, puisqu'une partie de la sexualité humaine tend à s'assouvir dans l'imaginaire.

On a trouvé les œuvres complètes de Sade chez un couple de sadiques anglais, arrêtés pour crimes sexuels ; mais ces œuvres inspirent à des gens normaux, qui les lisent par curiosité intellectuelle, l'horreur de ces crimes. Il faut être fou pour en faire le guide du comportement amoureux. «La philosophie doit tout dire», affirmait Sade en conclusion de *Juliette*; il admettait toutefois que seuls les êtres sachant bien le comprendre le liraient sans risque. L'idéal de la culture est de rendre l'homme capable de tout lire et de tout voir. De là à tout accepter, il y a un pas infranchissable, car rien ne subsisterait dans la société si la distinction du bien et du mal s'y perdait. Tout lire et tout voir, non pour se convaincre que tout est permis, mais par souci de vérité: cela ne tire jamais à conséquence quand on garde en soi la lucidité, le bon sens et le respect humain qui sont les forces d'un esprit libre.

INDEX
DES ŒUVRES ANALYSÉES

INDEX
DES AUTEURS

TABLE DES MATIÈRES

Cet ouvrage a été composé par Graphic Hainaut
et imprimé par la S.E.P.C. à St-Amand-Montrond (Cher)
pour le compte des Éditions Laffont

Achevé d'imprimer en avril 1989

Imprimé en France
N° d'édition : 31778. N° d'impression : 885.
Dépôt légal : avril 1989.